HISTORIA DE LA NOVELA ESPAÑOLA
ENTRE 1936 y 1975

LITERATURA  Y SOCIEDAD

DIRECTOR
ANDRÉS AMORÓS

Colaboradores de los primeros volúmenes

Emilio Alarcos. Jaime Alazraki. Earl Aldrich.
Manuel Alvar. Andrés Amorós. Enrique Anderson-
Imbert. René Andioc. José J. Arrom. Francisco
Ayala. Max Aub. Mariano Baquero Goyanes.
Giuseppe Bellini. Rubén Benítez. Alberto Blecua.
Jean-François Botrel. Carlos Bousoño. Antonio
Buero Vallejo. Eugenio de Bustos. Richard J.
Callan. Xorge del Campo. Jorge Campos. José
Luis Cano. Alfredo Carballo. Helio Carpintero.
José Caso. Elena Catena. Gabriel Celaya. Víctor
de la Concha. Maxime Chevalier. John Deredita.
Mario Di Pinto. Manuel Durán. Julio Durán-
Cerda. Eduardo G. González. Alfonso Grosso.
Miguel Herrero. Pedro Laín. Rafael Lapesa.
Fernando Lázaro. Luis Leal. C. S. Lewis.
Francisco López Estrada. Vicente Lloréns. José
Carlos Mainer. Eduardo Martínez de Pisón. José
María Martínez Cachero. Marina Mayoral.
G. McMurray. Seymour Menton. Franco Meregalli.
Martha Morello-Frosch. Antonio Muñoz. Julio
Ortega. Roger M. Peel. Rafael Pérez de la Dehesa.
Enrique Pupo-Walker. Richard M. Reeve. Hugo
Rodríguez-Alcalá. Emir Rodríguez Monegal. Antonio
Rodríguez-Moñino. Serge Salaün. Noël Salomon.
Gregorio Salvador. Alberto Sánchez. Manuel Seco.
Jean Sentaurens. Alexander Severino. Gonzalo
Sobejano. Francisco Yndurain. Alonso Zamora
Vicente.

J. Mª MARTÍNEZ CACHERO

Historia de la novela española entre 1936 y 1975

Editorial CASTALIA

Copyright © Editorial Castalia, 1973
Zurbano, 39 - Madrid (10) - Tel. 4195857

—

Impreso en España. Printed in Spain
por Artes Gráficas Soler, S. A. Valencia

Cubierta de Víctor Sanz

I.S.B.N.: 84-7039-301-4

Depósito Legal: V. 306 - 1979

A la memoria de mi madre (†1974).

ADVERTENCIA INICIAL

Este es otro libro acerca de la novela española de postguerra, con la pretensión de resultar distinto a sus varios compañeros. Histórico *más que crítico, atiende a documentar, lo más veraz y completamente que me fue posible, la marcha del género entre nosotros, en España —la novelística del exilio no es objeto de estudio en este libro, y quiero advertir que no por ignorancia o menosprecio—, a lo largo de más de un cuarto de siglo, después de una cruenta guerra civil y en medio de obstáculos sin cuento, lo que tuvo mucho de desigual aventura. (Una parte del capítulo primero está dedicada, sin embargo, a informar brevemente de lo acaecido en los años anteriores al 18 de julio de 1936 y en los años que duró la contienda —en este último caso comparecen ambas zonas beligerantes.)*

Mi libro consta de cuatro capítulos. El primero, introducción necesaria a los tres siguientes —que son el libro propiamente dicho, cuyo contenido se corresponde con los años mencionados en su título—, se ocupa (a más de lo que acaba de indicarse) de los años 1939, 1940 y 1941, primeros de la postguerra. De ahí en adelante —1942 a 1969— procedo a historiar por décadas —los años 40 (capítulo segundo), los años 50 (capítulo tercero), los años 60 (capítulo cuarto)—, la fijación de cuyos límites inicial y final no resulta siempre estrictamente cronológica, sino que considera bastante más determinados sucedidos literarios. 1942 es el año de La familia de Pascual Duarte *y 1951 es el de la primera (y argentina) edición de* La colmena, *y así —de novela de Cela a novela de Cela— transcurre la acción que se historia en el capítulo segundo.*

De 1951 a 1962 y de 1962 a 1969 comprenden, respectivamente, los capítulos tercero y cuarto, penúltimo y último. Autores y novelas, grupos y tendencias, premios, crítica y censura, cansancios que rematan auges valiosos y mimetismos empobrecedores, sucedidos varios salen a lo largo de las páginas de uno y otro. Para su elaboración, al igual que para la de los precedentes, he procurado documentarme de cerca, primero, para así apoyar con firmeza, después, mi construcción y mis pareceres —(las 460 notas que lleva el libro hablan elocuentemente al respecto)—. Alguna vez he tenido que adelantar o retrasar el flujo del tiempo, agrupando hechos cuyo conjunto permitía mostrar aclaradoras, o pintorescas, o aleccionantes concordancias y discordancias.

Anticiparé aquí las principales consecuencias que pueden inferirse de la lectura del libro; son las cinco siguientes, alguna de las cuales contradice afirmaciones y negaciones que circulan ya como artículo de fe:

1.ª) La guerra civil no cortó un considerable cultivo novelístico, ni en calidad ni en cantidad, inexistente en España a la altura de 1936;

2.ª) En la década de los 40, pese a los diversos obstáculos opuestos, la novela española reinició su andadura con una fuerza cuantitativa desconocida anteriormente; unos cuantos autores y títulos, seguros adelantados, quedan como prueba de valor e interés. Sería grave injusticia y, también, gruesa ignorancia proclamar que los novelistas de la llamada generación del medio siglo partieron en su labor de un punto cero;

3.ª) En la década de los 50, donde prepondera el realismo social, no todo fue realismo social politizado; asimismo es muy cierto que no todos los novelistas integrantes de la generación surgida por entonces siguieron un único, rígido y comprometido camino;

4.ª) El realismo social llegó, por la torpe insistencia de algunos de sus adeptos, a producir cansancio y a hacer cada día más patente y urgente la necesidad de una renovación o cambio, conseguido de varios modos y en tiempos distintos. (Algo por el estilo había ocurrido años atrás con el llamado tremendismo. La historia de la novela española de postguerra ¿es, en parte, la historia de tales cansancios?);

5.ª) El balance último de nuestro recorrido histórico-crítico resulta más bien positivo, sin que por esto sean olvidadas las deficiencias y limitaciones que se dieron y aún siguen dándose.

A los cuatro capítulos de la primera edición —cuyo texto se mantiene sin variaciones, corregidas algunas erratas y rehechas las notas 103 (capítulo II) y 136 (capítulo III)—, se añade en ésta un quinto capítulo —El final de la post-guerra: 1970 a 1975— que trae hasta nuestros mismos días, ya que en oca-

siones es rebasado tal jalón cronológico de cierre, el recorrido histórico-crítico ofrecido. En tal capítulo conservo la idiosincrasia y factura externa de sus compañeros y procuro, asimismo, ordenar y documentar —232 notas, más 8 en el Epílogo— la realidad del sexenio tratado. También es nuevo en este libro, junto a su título de ahora, la "Bibliografía Crítica" (con 235 entradas), nunca emprendida que yo sepa y, aunque limitada a piezas de carácter general, muy útil sin duda para el estudioso del tema. Ni la novelística del exilio, ni la escrita en lenguas regionales (catalana y gallega), ni la especie narrativa llamada novela corta son objeto de mi atención en las páginas que siguen.

"La Quebrada del Almez". Laguna La Sampedra (Albacete), verano de 1978.

1

Antes, en y después de 1936

REPASEMOS la revista "Índice Literario", publicada por el Centro de Estudios Históricos entre junio de 1932 y junio de 1936 (cuarenta y un números en total); separemos los números correspondientes a abril y junio de este último año. En el artículo con que se abre el número de abril, [1] su anónimo autor reseña tres novelas españolas —"tres novelas nuevas"— que acaban de aparecer: *Mr. Witt en el Cantón*, de Ramón J. Sender (35 años), poco antes distinguida con el Premio Nacional de Literatura; *Cinematógrafo*, la tercera novela de Andrés Carranque de Ríos (34 años); y *Viejos personajes*, de Ramón Ledesma Miranda (35 años). Tres novelas recientes, obra de otros tantos novelistas jóvenes.

Lo que importa para nuestro caso es que, a la altura cronológica de 1936, el reseñista encuentra que sobre esas tres narraciones extensas pesa, aunque sea ventajosamente, la sombra de algunos ilustres maestros de la novelística española. Le parece al reseñista que "el libro de Sender es un nuevo ejemplo de novela histórica, entre galdosiana y

[1] "Índice literario", n.º 39, pp. 73-77.

barojesca"; que *Cinematógrafo* "no altera el rumbo marcadamente barojista que tomó desde el principio [de su carrera narrativa] el autor"; y que los *Viejos personajes*, de Ledesma Miranda, lo son no solamente porque Pablo y Dionisio constituyan una versión más de Caín y Abel, sino porque "la fórmula novelesca nos recuerda a ratos, sobre todo en los personajes y ambientes, a las buenas novelas galdosianas y parece responder más bien a una continuación, dentro de nuestros días, de la novela del siglo XIX". ¿Dónde queda entonces la novedad de estas novelas y de sus respectivos autores, tan entregados, según parece, a Galdós y a Baroja? El reseñista comenzaba su artículo con estas palabras, que bien pudieran convertirse en resumen y conclusión del análisis practicado: "Seguimos esperando al nuevo novelista completo y nato, de vocación inequívoca, y que represente con originalidad y profundidad suficientes este género en la literatura de los últimos diez años".

También por entonces veía la luz una novela de Baroja, *El cura de Monleón*. La reseña, asimismo anónima, inserta en idéntico lugar de la revista,[2] resulta muy elogiosa pues si bien dicha novela "no puede parangonarse con sus creaciones de plenitud", es claro que "merece ser calificada como una obra considerable, enteramente digna de Pío Baroja, quien reafirma su primacía de gran novelista".

Cierto que un panorama literario no puede ser reducido a cuatro autores y cierto, igualmente, que a la sazón había más nombres en la novela española pero en la exposición precedente resalta, de una parte, la escasa novedad de los jóvenes y,

---

[2] "Índice literario", n.º 41, pp. 121-125.

de otra, la todavía relevante obra de un noventayochista.

Trece títulos más, de otros tantos autores, cabe
situar como publicados en los meses finales de 1935
e iniciales de 1936; [3] ninguno de ellos altera la situación indicada pero tal conjunto ofrece una relativa
variedad de edades y tendencias. Mayores cronológicamente y rezagados en su manera de hacer comparecen al lado de cultivadores de la narración
humorística, o exótica, o social y hasta panfletaria;
junto a ello, exquisiteces de estilo o evocación de
tiempos pasados y lejanos.

Tenemos a Pedro Mata —que en *Las personas
decentes* (1935, editorial Pueyo, Madrid), sirvién-
dose del protagonista Federico Salazar, diserta sobre el amor y el matrimonio, y compara parejas y
hogares españoles con parejas y hogares de otros
países, cuyos hábitos al respecto son harto distintos—; a Salvador González Anaya —fácil y ameno
narrador en *Los naranjos de la Mezquita* (1935,
Editorial Juventud, Barcelona), novela de ambiente
cordobés—; y a Mariano Tomás —que en 1936,
en la misma editoria barcelonesa, saca su *Juan de
la Luna,* de muy sencilla trama, como sacudida en
ocasiones por los recientes vaivenes políticos españoles— representando, dentro del conjunto acotado, a las promociones mayores. El asturiano Álvaro
de Albornoz y Salas (nacido en 1901) ofrece en
1936 (de mano de Biblioteca Nueva, Madrid) *Vampireso español,* "novela de asunto francamente humorístico y disparatado [...], tono desenfadado y
burlón, lindante con lo absurdo"; [4] en la misma
línea evasionista cabría colocar a *Circe* (novela de

---

[3] Continúo utilizando como fuente informativa la revista
"Índice literario", núms. 36 a 41, enero a junio 1936.
[4] P. 126, n.º 41 "Índice literario".

los oasis saharianos) (1935, ediciones Bergua, Madrid), de César González Ruano, donde lo exótico del paisaje y de las costumbres de sus pobladores importa más que la recogida de informes sobre la rebelión de Ben Kassem que se propone el protagonista Mario. Entre lo costumbrista, de un lado, y lo social y casi panfletario, de otro, se mueven los cuatro títulos siguientes, debidos a un noventayochista menor —Manuel Bueno—, a dos escritores de muy escaso relieve —"Julio Romano" y Antonio Heras— y a un desconocido seudónimo, "Luis León". Gentes de la buena sociedad vascongada, aunque no siempre de costumbres ejemplares, con mucho dinero y lujoso tren de vida —playas, fiestas, escapadas a Francia—, metidas algunas en la vida política española, protagonizan la acción de *El sabor del pecado* (1935, editorial Araluce, Barcelona), de Bueno. *Hambre de tierra*, la novela de "Julio Romano" (1935, Espasa-Calpe, Madrid), se refiere al campo andaluz y presenta el contraste hiriente entre la vida del campesino y la que lleva el rico hacendado; la alegría desbordada de una doble boda produce un conato de motín de los jornaleros que la Guardia Civil deshace a balazos. En *Vorágine sin fondo* (1936, Espasa-Calpe, Madrid), Heras se complace en la presentación de Villaplana, una ciudad provinciana enemiga de todo lo nuevo. Quien se oculta bajo el seudónimo de "Luis León" lleva al protagonista de su relato (*París, Berlín, Moscú*, s. a., S.G.L.E., Madrid), el ingeniero Javier Mendoza, por los países y ciudades de un reciente viaje suyo: Francia y la frivolidad parisiense, la Alemania nacional-socialista y la Rusia soviética, donde Mendoza se casa y, tras un difícil período de adaptación, termina convirtiéndose en decidido defensor de aquel régimen. 1935 es el año de publicación de *Tántalo* (colección "Los Cuatro Vientos", editorial Signo, Madrid), de Benjamín Jarnés; la lucha de un novel autor para abrirse camino en el difícil mundo del teatro, asunto ofrecido, "como es hábito en este autor, [...] con una prodigiosa vestidura verbal". [5] Felipe Ximénez de Sandoval cuenta, como homenaje a Bécquer en el primer centenario de su nacimiento, la romántica historia de los amores de Alejandra y Luis; *Los nueve puñales* (1936, Madrid) es novela escrita "con prosa rica en descripciones y abundante en metáforas modernas". [6]

El repaso que aquí concluye [7] muestra casi documentalmente la no muy halagüeña situación de la novela española en los meses anteriores al estallido de la guerra civil y puede enriquecerse y reforzarse echando mano de lo sucedido durante el año 1934, que un testigo contemporáneo resume así: [8]

> Ha sido escasa la producción y, lo que es peor, dentro de la escasez, lo poco que hay no es demasiado interesante. La obra reveladora de un autor, el descubrimiento de una personalidad, no se nos ha dado en la busca a través de nuevas páginas.

[5] Pp. 33-35, n.º 37 "Índice literario".

[6] Pp. 130-131, n.º 41 "Índice literario".

[7] Los dos títulos que faltan para completar el anunciado conjunto de trece son los siguientes: *La Virgen Roja. La revolución de Uretona*, de José Toral (s.a., Madrid), relato realista cuya acción ocurre en un ambiente imaginario; y *Hombres de acero*, de José Corrales Egea (1935, Espasa-Calpe, Madrid), que entonces contaba diez y seis años.

Para más títulos de novelas publicadas en 1935-1936, vid.: Joaquín de Entrambasaguas, *Las mejores novelas contemporáneas*, tomo IX, pp. 1339-1340 (Barcelona, Editorial Planeta, 1963). (En adelante citaré: *Novelas contemporáneas*.)

[8] Miguel Pérez Ferrero, *La novela* (p. 55 de "Almanaque literario 1935". Madrid, Editorial Plutarco, 1935).

Autores sobradamente conocidos en razón de su vida y obra, igualmente extensas en este momento: Baroja —*Las noches del Buen Retiro*—, Concha Espina —*La flor de ayer*—, Ricardo León —*Rojo y gualda*—, Mariano Tomás —*Arco iris*— y Pedro Mata —*Una mujer a la medida*—; autores más jóvenes, poseedores de diversa nombradía: Jarnés, a la cabeza —ha dado en este año el *San Alejo*, "más bien novela que biografía, pero no del todo novela"—, Ledesma Miranda —con *Saturno y sus hijos*, que es colección de novelas cortas—, Mario Verdaguer —*Un intelectual y su carcoma*—, Max Aub —*Luis Álvarez Petreña*—, Joaquín Arderíus —*Crimen*—, Sender —*La noche de las cien cabezas*—, Manuel D. Benavides —*El último pirata del Mediterráneo*—; tres autores recién llegados, "tres promesas de novelistas", que son: Ricardo Gullón —*Fin de semana*—, Antonio de Obregón —*Hermes en la vía pública*— y Carranque de Ríos —*Uno*—. [9]

Señala Pérez Ferrero como hecho destacable de este balance anual el de que "hubo retirada general —y, lo que es peor, cuando aún no tenía obra [...]" [10] del grupo "Nova Novorum", integrado, a más de por Benjamín Jarnés (excepción en 1934, pues publicó en este año el *San Alejo*), por Claudio de la Torre, Valentín Andrés Álvarez, Antonio Espina, Juan José Domenchina, Juan Chabás y Rosa Chacel. [11] ¿Por qué así? ¿Cansancio; presión de concretas circunstancias ambientales, ya escasamen-

---

[9] Pérez Ferrero completa su recuento con otros siete títulos de otros tantos autores.

[10] Pérez Ferrero, p. 58, *art cit.*

[11] Podría haberse mencionado asimismo a: Pedro Salinas, Esteban Salazar Chapela y Francisco Ayala (que, nacido en 1906, publica entre 1925 y 1930 cuatro títulos narrativos, interrumpiendo hasta bastantes años después su actividad de novelista).

te propicias al cultivo de una narrativa experimentalista? Señalemos, como fenómeno paralelo, la progresiva irrupción de algunos de los representantes de la que Nora ha llamado "novela social de preguerra": Arderíus, Sender, Benavides y Carranque de Ríos.

Nombres pertenecientes a diversas generaciones literarias han ido compareciendo en párrafos anteriores. Dígase que vive todavía —julio de 1936— Armando Palacio Valdés, activo como articulista pero no como novelista, cuyo relato *Los contrastes electivos* sirve para iniciar con fecha 6 de marzo de ese año "La Novela de una hora".[12] Junto a este venerable patriarca, que ha cumplido ya los ochenta años, Baroja es el patriarca efectivo del género, al que otros noventayochistas autores de novelas —Unamuno, Azorín o Valle-Inclán, que muere en Santiago de Compostela el 5 de enero— no hacen mella en su dignidad de tal. En 1930 había muerto Gabriel Miró y Ramón Pérez de Ayala había abandonado la novela a raíz del éxito obtenido en 1926 con *Tigre Juan* y *El curandero de su honra;* otro novecentista, Ramón Gómez de la Serna, nunca inactivo, escribía por entonces sólo novelas cortas. Después, cronológicamente hablando, ocupan la escena los "Nova Novorum", los realistas más o menos proclives a lo social, otros nombres de varios recién llegados[13] pero ni en conjunto ni, tampoco, individualmente se configura una situación satisfactoria, de envergadura comparable a la ofrecida entonces por la poesía.

[12] Wenceslao Fernández Flórez (*Un cadáver en el comedor,* n.º 2) y José María Salaverría (*Salón de té,* n.º 8) figuran entre los colaboradores de esta colección.
[13] Como Juan Antonio de Zunzunégui, nacido en 1901; publicó en 1931 *Chiripi,* su primera novela.

Los años estériles de la guerra civil

1937 y 1938, así como los cinco últimos meses de 1936, son tiempo de preferente actividad bélica y política, muy poco propicio para la intelectual y literaria que, con harta frecuencia, aparecen teñidas de ideología exasperada y combatiente. Por lo que a la novela atañe debió de ser muy poco lo que hubo.

Correspondiendo a 1937 y a la zona republicana, sólo tengo registrada la concesión del Premio Nacional de Literatura a *Contraataque,* novela de Sender. Unos cuantos títulos, en la zona nacional: Francisco de Cossío ofrece en *Manolo,* además de la elegía de su hijo, muerto en el frente de batalla, la exaltación de "tantos muchachos que, como él, dieron voluntariamente su sangre por España en la más grande conmoción nacional que registra nuestra historia"; [14] *Retaguardia,* novela de Concha Espina, subtitulada "imágenes de vivos y de muertos", [15] en la que son relatados por una prisionera (la propia autora) muy desagradables sucedidos que vio y sufrió u oyó referir; *Las fieras rojas,* del sevillano José Muñoz San Román, [16] cuyo título avisa suficientemente de la calidad humana otorgada por el autor a algunos de sus personajes; o el relato sentimental, *Viudas blancas,* "novela y llanto

[14] La Real Academia Española de la Lengua concedió a *Manolo* el premio "Fastenrath" de 1940. // Este libro se publicó en Valladolid por la librería Santarén; conozco una 2.ª edición, 1939.

[15] Colección "Nueva España", s.l. Con prólogo de Víctor de la Serna, hijo de la autora, quien refiere las circunstancias en que fue escrita *Retaguardia.*

[16] Subtitulada "novela episódica de la guerra" y publicada en Córdoba como volumen de la colección "Nueva España".

de las muchachas españolas", obra de José Vicente Puente. [17]

De 1938 datan, en lo que se refiere a la zona republicana, las novelas y narraciones que compartieron el Premio Nacional de Literatura, a saber: la novela de José Herrera Petere, *Acero de Madrid* (publicada por la editorial "Nuestro Pueblo", Madrid), la novela de César Arconada, *Río Tajo* (que puede leerse en el segundo tomo de las "Obras escogidas" de su autor, publicadas por la editorial Progreso, Moscú) y el libro de cuentos de Antonio Sánchez Barbudo, *Entre dos fuegos* (editorial "Hora de España", Barcelona). Es, asimismo, el año de publicación del testimonio novelado *El asedio de Madrid* (Barcelona, ediciones "Mi Revista"), debido al veterano Eduardo Zamacois. [18]

Los títulos novelescos de 1938 correspondientes a la zona nacional son más en número que los aparecidos el año anterior. La partición bélica del país ha promovido el nacimiento, frente a los ya consabidos núcleos intelectuales y editoriales de Madrid y Barcelona, de pequeños núcleos en capitales de provincia —Pamplona, San Sebastián, Sevilla,

[17] Burgos, Editorial Española; n.º 3, extraordinario, correspondiente al mes de julio, de la colección "La Novela Nueva", que tuvo corta vida y espaciada aparición pues su n.º 4, *Sierra de Aralar*, por Juan Luis de Garay, salió en febrero de 1938.

[18] María José Montes —*La guerra española en la creación literaria. (Ensayo bibliográfico)* (Madrid, Universidad de Madrid, 1970)— ofrece otros dos títulos de novelas publicadas durante 1938 en la zona republicana, a saber: *Enviado especial*, de Benigno Bejarano (Ediciones "Solidaridad Obrera", Barcelona) y *Los de ayer*, de Rafael Vidiella (Editorial "Nuestro Pueblo", Barcelona).

Deseo advertir que estas referencias, harto escasas e incompletas, son de segunda mano ya que me ha resultado imposible (como a otros colegas en el tema: Marra-López, por ejemplo) el acceso directo a tales obras.

Salamanca, Valladolid, Burgos—; [19] a menudo, consecuencia del establecimiento en esas ciudades de
algún servicio cultural oficial o de la estancia, larga
aunque provisional, de algunos escritores e intelectuales. Esto explica, por ejemplo: determinados pies
de imprenta —Santarén (Valladolid), Aldecoa (Burgos), Librería Internacional (San Sebastián)—, por
entonces bastante reiterados; la aparición de efímeras series novelísticas, desaparecidas tan pronto
como, tras la conquista de Madrid, da fin la con-

[19] En lo que atañe a publicaciones periódicas en estas ciudades durante los años de la contienda, he aquí unas referencias ofrecidas por Juan Aparicio (*Una década de la paz unitaria
en la creación de la literatura española*. "Mundo Hispánico",
Madrid, n.º 15: V-VI, 1949): "En esta Pamplona de la Navarra fronteriza con Francia, se publicó, en 1937, "Jerarquía"
(la revista negra de la Falange), gracias a la maestría en el
arte tipográfico de Ángel María Pascual [...] La revista negra
de la Falange fue un canon ornamental y neoclásicamente doctrinal dentro del credo nacional-sindicalista. Acaso, porque allí
se había refugiado don Eugenio d'Ors, que prestaba la constancia de su novecentismo, así como también apareció allí
Pedro Laín Entralgo [...] más tarde director de "Escorial" y
de la Editora Nacional, iniciada inmediatamente en Burgos.
[...] los gallegos y los vascos españolizados se reunieron en
San Sebastián, en la redacción tradicionalista, falangista, unitaria de "La Voz de España", dirigida por Juan José Pradera. //
Abajo, en Sevilla, se publicaba "Fe" fundado en 1936 por
Patricio González y Canales, en tanto que Eduardo Llosent
Marañón resucitó su revista "Mediodía" [...] La Falange andaluza se polarizó literariamente en torno a "Fe", de Sevilla, y
a "Sur", de Málaga. // En Salamanca, desde 1937, dirigí "La
Gaceta Regional", a quien puse el subtítulo de "Diario Nacional de Salamanca" [...] En Valladolid funcionaba la matriz
jonsista de Castilla, alrededor de la acción militar de sus banderas y de la acción intelectual y periodística de Antonio Tovar,
de Narciso García, de Javier Martínez de Bedoya, de Jesús
Ercilla, de Gabriel Hernández, de Andrés María Mateos, etc.,
enrolados en el diario "Libertad". Habiéndose convertido Burgos en la sede definitiva del Cuartel General, hubo de influir
esta jefatura en un predominio burgalés en la postrera fase
literaria de la guerra, trabajando allí Dionisio Ridruejo, José
Antonio Jiménez Arnau, Juan Beneyto, Pedro Laín Entralgo,
al frente de proyectos que se realizarían venida la paz".

tienda; [20] la agrupación de colaboraciones de escritores de algún renombre —caso de José María Salaverría— en las páginas del ABC de Sevilla, antagonista del homónimo que siguió publicándose en Madrid, o en el semanario "Domingo", fundado y dirigido en San Sebastián por el avezado periodista Juan Pujol, nutrido casi exclusivamente por las firmas de escritores como José Francés, Concha Espina, Emilio Carrere, Cristóbal de Castro, Andrés Guilmain y otros de la misma edad y época de Pujol.

1938 es el año de aparición en diversos lugares de la zona nacional de novelas tan comprometidas políticamente y con tanta preponderancia o exclusividad del tema bélico (el frente propio o la retaguardia enemiga) como: *Eugenio o proclamación de la primavera,* el lírico y arrebatado relato con que iniciaba su carrera Rafael García Serrano; [21] *Madrid, de corte a cheka,* de Agustín de Foxá, cuya primera edición (aparecida en el mes de abril, ediciones "Jerarquía") se agotó en poco tiempo, por lo que en el mismo año apareció una segunda (a cargo de Librería Internacional, San Sebastián) y que es, pese al partidismo de algunos de sus párra-

[20] Es el caso de "La Novela Nueva" (Burgos) y de "Nueva España" (Córdoba), mencionada notas atrás, o de "Los Novelistas" (San Sebastián; subtitulada "La Novela de la Guerra"; dirigida por el periodista José Simón Valdivielso), que abrió Concha Espina con otro relato de su cautiverio en Luzmela, *La carpeta gris* y al que siguieron, entre otros, los firmados por: Juan Ignacio Luca de Tena —*La opinión de los demás*—, Enrique Jardiel Poncela —*El naufragio del Mistinguett*—, Rosa de Aramburu —*Madrinas de Guerra*—, o Juan Pujol —*Aquel mocito barbero*—.

[21] Concluida su redacción en noviembre de 1937, combatiente el autor en la 26 Bandera de Navarra; aparecido en junio de 1938, impreso en Bilbao, de mano de Ediciones "Jerarquía" (Delegación Nacional de Prensa y Propaganda de F.E.T. y de las J.O.N.S.).

fos y páginas y al ostensible influjo valle-inclanesco
(de *El ruedo ibérico*), el más importante título novelístico del momento, primera entrega de unos
no continuados "episodios nacionales"; [22] *Esclavitud y libertad* (diario de una prisionera), *Las alas
invencibles* (novela de amores, de aviación y de
libertad), otros dos libros en los que Concha Espina
sigue ocupándose de su experiencia durante unos
meses de la guerra civil. [23] Algo distinto y puede que
refrescante en este monotemático y cargado conjunto son las novelas *Como las algas muertas,* de Luis
Antonio de Vega y *Susana,* de Pío Baroja (compuesta en París, 1938, y publicada en San Sebastián
por editorial B.I.M.S.A.).

Con el número de setiembre de 1938 se inicia la
publicación en suplemento de "La novela de VÉR-
TICE". Esta "revista nacional de la Falange" sacó
su número 1 en abril de 1937; se imprimía, muy
lujosamente, en San Sebastián y en su primera época fue dirigida por Manuel Halcón; a los cuentos
que insertaba en las páginas finales de cada número
sustituyó en la fecha indicada (con *La paz de la
guerra,* debida a Fernando de Diego) tal suplemento: cuadernillo de diez y seis páginas, con fotogra-

[22] Muestra de una crítica inmediata tenemos el artículo de
Joaquín de Entrambasaguas, *Foxá y su técnica de novelar* (recogido en las pp. 175-180 del volumen de ensayos "La determinación del Romanticismo español, y otras cosas". Barcelona,
Editorial Apolo, 1939), en donde se destaca como "original y
peculiar" la técnica de "impresionismo cinemático" usada por
Foxá, al que el crítico otorga "el primer puesto de novelista
de la Nueva España".

[23] Es ahora, y unos pocos años después, cuando sobreabunda
el relato, siempre apasionado y, a veces, entre novelesco e
histórico, debido a personas que, sin antecedentes literarios en
su mayoría, se lanzan a referir lo que les ha pasado en el
tiempo que va del 18-VII-1936 al 1-IV-1939; la irrelevancia
literaria de tales libros ocasionó su rápido y total olvido tras
el pasajero éxito de algunos de esos "casos" personales.

fías o dibujos. Gentes mayores como: Concha Espina —*El desierto rubio* (XII-1938)—, José María Salaverría —*Entre el cielo y la tierra* (II-1939)—, Tomás Borrás —*El Antiquijote* (IX-1940)— y Emilio Carrere —*La momia de Rebeque* (II-1941)— y gentes más jóvenes, algunos totalmente inéditos, como: Juan Antonio de Zunzunegui y Samuel Ros (en varias ocasiones cada uno de ellos), Álvaro Cunqueiro —*La historia del caballero Rafael* (XI-1939)—, Gonzalo Torrente Ballester —*Lope de Aguirre, el peregrino* (VIII-1940)— y Pedro Álvarez —*Ánimas vivas* (V-1941)— colaboraron en este suplemento. [24]

Convoca "Vértice" en su número de noviembre de 1938 un concurso de novelas cortas de tema bélico, [25] cerrándose el plazo de admisión de originales el último día del año; se falla con fecha 27 de febrero de 1939 y sale premiada, por mayoría de votos, la narración de Pedro Álvarez, *Cada cien ratas, un permiso*, presentada bajo el lema "Tierra del pan". [26] Su autor, nacido en el lugar campesino de Villalba de la Lampreana (Zamora) en 1909 e impedido físicamente para intervenir en la guerra, declararía más tarde que su relato es "una mera visión literaria de ella" y "que de haber podido estar en los frentes de batalla, no la hubiera hecho,

[24] "Vértice", que publicó ochenta y un números, cesó en 1946. Tuvo también como directores a Samuel Ros y a José María Alfaro. Salía mensualmente, a cargo de la Jefatura Nacional de Prensa y Propaganda de F.E. [T.] y de las J.O.N.S. (Pueden consultarse los artículos de José-Carlos Mainer en *Ínsula*, n.º 252 y n.º 254).

[25] "Es esencial —decía la base 2.ª— que el asunto de la novela sea un asunto de guerra".

[26] Se publicó en el número de marzo. Formaban el jurado: Juan José Pradera, Juan Pujol, Manuel Fernández Cuesta, Samuel Ros, Juan Antonio de Zunzunegui, Francisco Casares y Luis Antonio de Vega.

por incapacidad para sintetizarla en sus situaciones y momentos". [27] Quedaba así revelado un nombre nuevo, uno de los más traídos y llevados durante la década de los 40, tras la que, por su dedicación al periodismo y su voluntario confinamiento provinciano, Pedro Álvarez caerá en el olvido.

Se trata en *Cada cien ratas, un permiso* de un pequeño grupo de combatientes, amigos antes de su coincidencia en las trincheras nacionales, gentes de una aldea castellana. La acción se reparte en cinco capítulos. Los cuatro primeros se dedican a escenas de la vida en el frente; en una acción de guerra muere Eladio, el del tarro con los cien rabos de otras tantas ratas, necesarios para obtener el ansiado permiso extra de acuerdo con la promesa del alférez Camposinos. El capítulo quinto y final sucede en la aldea de Ambrosio y de los otros, a donde éste ha venido a pasar unos días de descanso, trayendo la mala nueva de la muerte de Eladio a su familia y a su novia. Hay, pues, una variedad de escenarios y una relativa diversidad de situaciones. La narración no ofrece novedades técnicas y cabe destacar el uso de algún vocablo poco sólito.

Los protagonistas de *Cada cien ratas...* están a gusto en la guerra e incluso hablan bien de ella. En una de las conversaciones que sostienen —capítulo I—, Jeremías dice que "[...] la guerra es muy alegre" (p. 4) y, poco más adelante, repite (p. 5): "Pero todos estaréis conmigo, en que la guerra es alegre y necesaria al hombre"; sólo Eladio se atreve a atenuar, apuntando que "tanto como eso...". Hay también un legionario que en alguna ocasión (p. 8) hace una brevísima apología de la Muerte a

[27] P. 8, n.º 10: 15-VIII-1943, de la revista "Arte y Letras", Madrid.

base del conocido grito de la Legión. A las gentes
de la trinchera de enfrente se les considera como
enemigos molestos y por eso se les llaman cosas
como "hijos de su madre" (p. 4), o "cabras" (p. 5).

El jurado estimó "merecedora de especial mención" la novela *Fondo de estrellas,* de Antonio Hernández Gil, ilustre civilista actualmente, que no volvió a probar fortuna en la literatura.

El grupo de sus protagonistas, breve también en
cantidad, es ahora de estudiantes universitarios, a
los que se añade Ricardo Fuentes, un campesino,
que, finalmente, muere, mientras sus compañeros
están en la Academia donde siguen el curso para
convertirse en alféreces provisionales —de ahí lo de
las estrellas, conjugado con las que hay en el cielo
y se atisban, no siempre sin peligro, desde la trinchera o desde la chabola en la que se albergan—;
consumen el tiempo libre en el juego de repartir en
grupos las madrinas de guerra que tienen, al objeto
de sacar de todas y cada una de ellas el mayor partido posible. Hay, después, el caso del combatiente
que otea Madrid, al alcance de sus ojos, de sus
manos casi, porque en esta ciudad vive su amor,
Yeni. Y como esta vida les aburre y quieren cambiar, deciden hacer los cursos de alférez. Ricardo
Fuentes no tiene título y no puede, por tanto, solicitar, lo que es motivo de preocupación y de renuncia para uno de sus compañeros; ocurre, para solución más fácil del caso, que Fuentes es herido por
segunda vez y muere, según se declara en las últimas líneas del relato.

Están alegres con la guerra y en la guerra los
personajes de *Fondo...* Como son intelectuales, uno
de ellos —Pepe Salvatierra— consume algún rato de
descanso en el refugio leyendo *Así hablaba Za-*

ratustra y otro —Diego Enríquez, el que mira hacia Madrid— compone versos en su hora de guardia en la trinchera. Cuando deciden solicitar para los cursos de alférez, Salvatierra y el personaje-narrador explican por escrito sus razones para hacerlo:

> [...] hemos redactado así nuestras razones fundamentales: *En este momento histórico, cada uno tiene su puesto, y el de la juventud que pasó de la Universidad a la Trinchera, es: aspirar a un grado militar en el que se juntan y completan, con perfecta armonía, las calidades del estudiante y el pecho del soldado.*

Son dos visiones harto puras de la guerra: estos combatientes no se desesperan, ni blasfeman, ni prorrumpen en tacos o interjecciones; cuando recuerdan a la mujer no se complacen en pormenores más o menos escabrosos; están a gusto en la guerra, instalados en una facción beligerante que es la suya. En *Fondo...*, dada la condición intelectual de sus personajes, apunta explícita la gozosa exaltación belicista que hemos de encontrar en novelas posteriores como las de Cecilio Benítez de Castro, Rafael García Serrano y Pedro García Suárez.

Exilio y postguerra

Concluida el 1.º de abril de 1939 la guerra civil, comienza, de una parte —zona republicana— el exilio y, de la otra —zona nacional—, el dominio de todo el territorio del país y la reconstrucción del mismo. Ha muerto en 1938 Palacio Valdés; había muerto, el último día de 1936, Unamuno y los dos noventayochistas supervivientes, Baroja y Azorín, publicarán en la década de los 40 nuevos títulos novelescos que serán considerados en otro lugar (capítulo II, epígrafe *Crónica de varia lección*), así como las vicisitudes de su reincorporación; Eduardo Zamacois se ha exiliado pero otros autores de su promoción y estética (la denominada por Sáinz de Robles promoción de "El Cuento Semanal") intentan supervivir en España;[28] Ramón Gómez de la Serna, desde Buenos Aires, pero no en situación de exilio político, continúa trabajando incesantemente y publica, entre otros muchos libros (ya en Argentina, ya en España), algunos narrativos.[29] El grupo de narradores en el exilio lo integran personas muy afines al grupo "Nova Novorum": Pedro Salinas —*El desnudo impecable y otras narraciones* (México, Tezontle, 1951) y *La bomba increíble* (Buenos Aires, editorial Sudamericana)—, Rosa Chacel —*Memorias de Leticia Valle* (Buenos Aires, editorial Emecé, 1945) y *La sinrazón* (Buenos Aires,

[28] Continúan publicando relatos breves (en el semanario "Domingo", trasladado a Madrid), novelas cortas (en las colecciones por entonces aparecidas y de las que muy pronto se dirá) y novelas extensas, pero su hora había pasado irremediablemente. Federico Carlos Sáinz de Robles —*Raros y olvidados. (La promoción de "El Cuento Semanal")* (Madrid, Editorial Prensa Española, 1971)— constata, a propósito de Rafael López de Haro, p. 96, esa triste situación: "A partir de 1939, como todos los promocionistas aún vivos, L. de H. cayó en el olvido. Las nuevas promociones [...] parecían ignorarlos. O los ignoraron. O los despreciaron... conociéndolos sólo "de referencias". No se sentían herederos suyos. Ni querían, siquiera, por razones de historia, eslabonarse con ellos. Concha Espina, Insúa, José Francés, Olmedilla, López de Haro... aún publicaron algunas novelas, y excelentes. Que injustamente pasaron pronto de los escaparates al infierno del olvido. Pero... ¡con cuánta dignidad sobrevivieron a su popularidad y aceptaron su infierno!".

[29] Libros de cuentos —como *Cuentos de fin de año* (Madrid, librería Clan, 1947—, de novelas cortas —*El cólera azul* (Buenos Aires, ediciones Sur, 1937) o las *Seis novelas superhistóricas* (Buenos Aires, editorial Clydoc, 1944)— y novelas extensas —así *El hombre perdido* (Buenos Aires, editorial Poseydon, 1947) y *Las tres gracias* (Madrid, editorial Perseo, 1949)—. En 1961 salía en la colección "Austral" su última novela, *Piso bajo*, sentimental rememoración madrileñista.

editorial Losada, 1960)—, Esteban Salazar Chapela
—*Perico en Londres* (Buenos Aires, editorial Losada, 1959), *Desnudo en Picadilly* (Buenos Aires,
editorial Losada, 1959) y *Después de la bomba*
(póstuma. Barcelona-Buenos Aires, Edhasa, 1966)—,
Francisco Ayala —inactivo novelísticamente desde
1930 y tan crecido y variado en sus relatos y novelas posteriores, a partir de *Los usurpadores* (Buenos Aires, editorial Sudamericana, 1949) y *Muertes
de perro* (Buenos Aires, editorial Sudamericana,
1958)—, o Benjamín Jarnés —fiel a su peculiar manera en unos cuantos títulos últimos como *La novia
del viento* (México, 1940) y *Eufrosina o la gracia*
(Barcelona, José Janés, 1948)—; escritores como
Max Aub —que prosigue y adelanta su ya probada
capacidad narradora en la serie *El laberinto mágico,* a partir de 1943, *Campo cerrado* y 1944, *Campo abierto*—; o afectos al realismo, cuyo ejemplo
cimero y casi único (desaparecidos física o literariamente Carranque de Ríos, José Díaz Fernández,
Arconada y Arderíus) es el del prolífico y diverso
Ramón J. Sender. (Dejo aparte a quienes se revelaron como narradores después de comenzado su
exilio: es el caso de Arturo Barea [30] y, claramente,
los de Manuel Andújar, Segundo Serrano Poncela,
Paulino Massip, etc. [31] Permanecieron en España y,
con alguna o mucha actividad, en el cultivo del
género Claudio de la Torre, Ramón Ledesma Miranda, César González Ruano, Juan Antonio de
Zunzunegui y Samuel Ros.

[30] Barea había comenzado su carrera de narrador en plena
guerra civil, al publicar en Barcelona (1939, "Publicaciones Antifascistas de Cataluña") un libro de cuentos, *Valor y miedo.*
[31] José R. Marra-López informa acerca de estos y otros autores en su libro *Narrativa española fuera de España (1939-
1961)* (Madrid, Ediciones Guadarrama, 1963).

"La Novela del Sábado", subtitulada "Genio y
Hombres de España", que comenzó a salir en Sevilla, ya en 1939 y poco antes de concluida la guerra civil, y continuó y concluyó en Madrid, a cargo
de Ediciones Españolas, es colección indicativa de
la situación envejecida y alicorta de la novela en la
España de entonces, hasta que por los años 1942 y
1943 comienzan a advertirse síntomas renovadores.

Al precio de una peseta ofrecía semana tras semana algo más de cien páginas en octavo conteniendo: una novela corta, un cuento, unos o varios
artículos, crítica de libros recientes y una sección
de pasatiempos. Joaquín Pérez Madrigal, muy popular entonces por su miliciano Remigio, el novelista extremeño Antonio Reyes Huertas y el crítico
Nicolás González Ruiz fueron directores de la serie, que dio comienzo reeditando el *Diario de una
bandera*, de Francisco Franco. Descartemos nombres de gentes no profesionales de la literatura —el
caso, por ejemplo, de un tal Fernando Gómez Martín, autor de *Yo he sido teniente con "El Campesino"* (n.º 5)—, o no dedicados a la novela —como
Ernesto Giménez Caballero, con *El vidente* (n.º 7)—.
Quedémonos, solamente, con aquéllos, viejos y jóvenes, que podían mostrar una dedicación narrativa
de cierta entidad, los cuales van desde Pío Baroja
—*El tesoro del holandés* (n.º 3)— y Concha Espina —*La ronda de los galanes* (n.º 6)—; pasando
por los adscritos a la promoción de "El Cuento Semanal" —Pedro Mata, Cristóbal de Castro, Rafael
López de Haro o Emilio Carrere—; siguiendo con
otros nombres como los de Tomás Borrás —*Oscuro
heroísmo* (n.º 2)—, Mariano Tomás —*Chacha Josefica* (n.º 8)— o Manuel Iribarren —*Símbolo* (n.º
12)—; hasta quienes podrían ser tenidos como los

jóvenes del conjunto: Alfredo Marqueríe —*Blas y su mecanógrafa* (n.º 4)—, Mihura y Tono —*María de la Hoz* (n.º 25)— o Samuel Ros —*Meses de esperanza y lentejas* (n.º 23)—. Gentes más jóvenes, y poco o nada conocidas aún, no tuvieron cabida en la serie, pese a que tanto Pedro Álvarez como Pedro de Lorenzo o Domingo Manfredi Cano consiguieran palabras favorables para los originales que habían enviado. [32]

Ninguna novedad que importe en esta primera "Novela del Sábado", donde el modo de contar dominante suele ajustarse bastante fielmente al propio del realismo decimonónico, prolongado con rezago, y en cuyas entregas la guerra española, desde un punto de mira parcialísimo, se repite como asunto una y muchas veces; acaso los únicos autores que se distinguen dentro de semejante totalidad sean quienes, como Miquelarena y Ros, gustan, por sus antecedentes literarios de pre-guerra, del jugueteo con la palabra y la metáfora.

(Aunque constituya un prolongado salto en el tiempo y suponga el paso de este capítulo a varios de los posteriores, creo resulta oportuno ofrecer aquí la historia de este tipo de colecciones narrativas.

[32] En el n.º 9 de "La Novela del Sábado" (8-IV-1939), sección "Noveles", encontramos sendas respuestas a envíos de Pedro de Lorenzo —"la novela corta que nos remite, titulada *Bajo la Cruz del Sur*, entra en turno para ser publicada. Nos parece una obra bellísima"— y de Pedro Álvarez —"Obra en nuestro poder su novela corta *El abuelo, el nieto y Belcebú*. Nos parece un trabajo literario muy interesante. La tenemos en cartera para publicarla"—. En el n.º 8 (1-IV-1939) acusan, muy favorablemente, recibo de un original que ha enviado Manfredi Cano (a la sazón alférez del Regimiento de Infantería de Toledo n.º 26) —"hermosa novela corta", "la publicaremos", "auguramos que, por su fuerza expresiva y por su belleza temática, alcanzará un gran éxito"—.

Tras el suplemento "La Novela de VERTICE" y la primera "Novela del Sábado" tenemos —en 1949—: "La Novela Breve" (24-IV) y "La Novela Corta" (aparece finalizando el año). Se edita "La Novela Breve", subtitulada "publicación semanal de novelas cortas inéditas", en Barcelona por Ramón Fau y aparece los sábados; abrió marcha Augusto Martínez Olmedilla con *¡Aún es tiempo!* y el n.º 5, *La blanca mano de Don Tímido*, se debe a Tomás Borrás. Ni muy lucido, ni muy atractivo es el cuadro de colaboradores anunciado, en el que figuran tres nombres jóvenes de postguerra: Cecilio Benítez de Castro, José Luis Gómez Tello y Ana María Matute.

Según parece "La Novela Corta" tiene el propósito de convertirse en la segunda época de la famosa publicación de igual nombre dirigida por José de Urquía entre 1916 y 1925, propósito que no consigue ya que los tiempos son muy otros. Dirige Ángeles Villarta, sale semanalmente en Madrid, al precio de una peseta, con diez y seis páginas de texto y cuatro de cubierta. El n.º 1 se debe a Pío Baroja (*La mujer del tío Garrota*) y el 60 a un desconocido, Rafael Rosillo (*El inventor de la vida*); Baroja colaboraría en otras ocasiones, y por lo que a los restantes novelistas se refiere digamos que esta colección resulta fidelísima al intento de ofrecer una última tribuna popular a los supervivientes promocionistas de "El Cuento Semanal", siendo su directora el único nombre joven en edad que figura en el catálogo de la misma.

Baroja, muy solicitado todavía, abre en 1952, con el relato *La obsesión del misterio*, la serie "Nove-

listas de hoy". [33] Es advertible una cierta renovación
en el cuadro de colaboradores, ya que junto a los
nombres consabidos se da entrada a autores revelados en lo que va de post-guerra: Darío Fernández
Flórez —*Boda y jaleo de Titín Aracena* (n.º 4)—,
Carmen Laforet —*El piano* (n.º 6)—, Camilo José
Cela, Ignacio Agustí, Álvaro de Laiglesia y Manuel Pombo Angulo.

La novedad en la nómina de colaboradores que
hemos venido rastreando serie tras serie se encuentra ya, largamente impuesta, en la segunda "La
Novela del Sábado" (que nada tiene que ver, salvo
su título, con la primera). La sacó editorial Tecnos,
de Madrid, en 1953 y fue dirigida por Mercedes
Fórmica; salía semanalmente, al precio de 6 ptas.,
en volúmenes de 64 páginas en octavo, con cubierta en color (que lleva un dibujo de Goñi), y retrato
y breve bio-bibliografía del autor en cuestión, en
la cubierta posterior. Del *Saludo* que iba en la
entrega n.º 1 tomo las indicaciones siguientes: "aspira a remozar las viejas y gloriosas tradiciones de
la novela corta española" (poco más abajo y en el
mismo párrafo, recuerda los nombres de "El Cuento
Semanal" y "Los Contemporáneos"); "publicará,
siempre, novelas cortas, originales e inéditas, de los
mejores escritores de la hora presente"; "honrará
sus páginas con las firmas, tanto de los valores consagrados como de los valores jóvenes, y cifrará su
mayor orgullo en poder airear, un día u otro, nombres hoy desconocidos del gran público" [por eso
convocará un concurso]; [34] "una vez al mes, y

---

[33] Editorial Rollán, Madrid; director, Alfredo Manzanares
y asesora, María Albuquerque; entregas de 80 pp. en 8.º, al
precio de 5 ptas.
[34] El concurso convocado por la segunda "Novela del Sábado" lo patrocina Cultura Hispánica y está dotado con 20.000

bajo el título genérico de *El oro de los galeones,* sacará a flote obras maestras de la novela corta, la mayoría de ellas desconocidas prácticamente para las generaciones actuales". Abrió Pemán, y figuran colaborando Pío Baroja, Francisco de Cossío, Federico Carlos Sáinz de Robles o Luis Antonio de Vega, al lado de bastantes jóvenes, no ha tanto tiempo revelados, como: Elena Quiroga (n.º 2), Cela (n.º 6), Carmen Laforet (núms. 7 y 86), Delibes (n.º 10), Ana María Matute (n.º 11), Luis Romero (n.º 13), Francisco García Pavón (n.º 26), Aldecoa (n.º 48), José Luis Acquaroni (n.º 52), Torrente Ballester (n.º 54), Dolores Medio (n.º 67), Luis de Castresana (n.º 66), Rafael García Serrano (n.º 84) o Castillo Puche (n.º 85). Cuantitativamente son ya más los nombres nuevos que los otros; que esto suceda en una colección destinada a ser popular significa algo así como un reconocimiento o espaldarazo no desdeñable.

Cuando a partir de febrero de 1965 comiencen a ver la luz, quincenalmente, los volúmenes de la serie "La Novela Popular, Contemporánea, Inédita, Española", dirigida por el novelista Jorge C. Trulock, la renovación se ha asentado de tal modo que su nómina de colaboradores ofrece muchas jovencísimas incorporaciones).

---

ptas. para premiar una novela corta de dimensiones análogas a las que vienen publicándose en la colección. Formaban el jurado: Elena Quiroga, Mercedes Fórmica, José María de Cossío, Manuel Halcón, Antonio Garrigues, Juan Gich y José María Souvirón. Se presentaron 285 originales. Mercedes Ballesteros, con *Eclipse de tierra,* obtuvo el primer premio (15.000 ptas.) y Antonio Pérez Sánchez, con *Pipo, perro,* el segundo (5.000 ptas.); fueron recomendadas para su publicación, y publicadas, novelas cortas de: Aldecoa, Rafael Azuar, José Luis Acquaroni, Juan Antonio Cabezas, Francisco Alemán Sáinz, Fernando Bermúdez de Castro y Carlos Clarimón.

Varias de las novelas publicadas en España en 1939 lo fueron por Ediciones Españolas, empresa sita en Madrid (Almagro, 40), que por entonces fue importante nombre editorial y ofreció, además de la primera "Novela del Sábado", algunos libros sobre nuestra guerra [35] y *José Antonio: El hombre. El Jefe. El Camarada,* del periodista Francisco Bravo o las *Tres horas en el museo del Prado,* de Eugenio d'Ors. *La ciudad,* de Manuel Iribarren, *El frente de los suspiros,* de Jaime de Salas y *Una isla en el mar rojo,* de Wenceslao Fernández Flórez cuentan entre los títulos novelescos de Ediciones Españolas. [36]

La guerra civil española continúa siendo el asunto predilecto, al que autores conocidos y nuevos recurren una y otra vez, creyendo acaso que la experiencia del hecho bélico que posea el presunto lector constituirá interesado apoyo para su libro, sin darse cuenta de que la gente, y más si ha pertene-

---

[35] Como: *Pérdida y reconquista de Teruel* (por "El Tebib Arrumi", seudónimo de Víctor Ruiz Albéniz), *Horas y figuras de la guerra en España* (por Manuel Sánchez del Arco), o *Memorias de un soldado-locutor* (por Fernando Fernández de Córdoba).

[36] Ediciones Españolas continuó su actividad en años posteriores y por lo que a la novela atañe publicó en 1940 *Una mujer en la calle,* de José María Salaverría y en 1941, *El puente,* de José Antonio Giménez Arnau.
He aquí un par de muy significativos párrafos de su presentación pública: "Ediciones Españolas, S. A., que ha nacido con la Cruzada, está vinculada a su Historia; por fortuna, no tiene otra que ésa, y la misma sed de futuro y de grandeza que impulsó a la guerra y al triunfo a los gloriosos combatientes de la Patria. // Ciencias, Artes, Literatura, Humor. La novela y el romance. La doctrina y la polémica. Pero de alto y limpio rango, con pureza en el origen y claridades en la orientación. Ediciones Españolas, S. A., sin relación de pesadumbres con un pasado abolido, es un elemento poderoso de los que se forjaron para el futuro bajo el numen y la espada del Caudillo".

cido al bando derrotado, desea olvidar cuanto antes sucedidos desagradables. Los peligros y torturas sufridos en Madrid, a lo largo de casi tres años, por personas ideológicamente afectas al bando nacional son mostrados en *Chekas de Madrid,* la novela de Tomás Borrás que alcanzó en seguida varias ediciones y que todavía en 1963 se publicaba por quinta vez; [37] el proceso de sovietización o comunistización de la capital de España es presentado por el novelista Francisco Camba en su "documental—film", *Madrid—grado. Pilar,* del periodista Francisco Bonmatí de Codecido, es historia de guerra, espionaje y amor; *La ciudad sitiada,* de Jesús Evaristo Casariego, cuenta, entre novela y reportaje, episodios de la defensa de Oviedo contra el tenaz cerco republicano. Pero claro está que no se trata de ofrecer aquí un monótono recuento bibliográfico. [38]

Un consagrado, Wenceslao Fernández Flórez y un novel, Cecilio Benítez de Castro (nacido en 1917 en la localidad santanderina de Ramales) se enfrentan, novelísticamente hablando, con nuestra reciente guerra civil y cargan de autobiografía y pasión política sus relatos, a saber: el de una persecución, con cárcel, refugio y huida final del protagonista-narrador, en el primer caso —*Una isla en el mar rojo* (Madrid, Ediciones Españolas, 1939)—; el de una heroica conducta bélica, sostenida hasta su muerte por el combatiente falangista Julio Aguilar,

[37] ¿Temprana muestra de tremendismo esta novela de Tomás Borrás? El propio autor respondería años más tarde a esta pregunta escribiendo que "si Cela, García Serrano, García Suárez y tantos otros (*yo mismo, en CHEKAS DE MADRID*) (subrayo), hemos hablado tajante y crudamente, no se tome a dilección por lo morboso, sino a propósito revulsivo".
[38] Para más títulos de novelas publicadas en 1939, vid.: Joaquín de Entrambasaguas, *Novelas contemporáneas,* tomo IX, pp. 1342-1343.

en el segundo —*Se ha ocupado el kilómetro 6* (Barcelona, editorial Juventud, 1939)—.

Una isla... es, en más o en menos, lo sucedido al propio autor en Madrid, donde pudo refugiarse en una embajada. Queda bien evidente el pesimismo vital de Fernández Flórez, desengañado y sin ilusiones, a quien sólo parecen interesar las maldades y cobardías del ser humano (y las circunstancias eran suministradoras abundantes de todo ello), en tanto diríase no tiene ojos para otros movimientos del ánimo y de la actitud de sus congéneres y compatriotas. Así pues no hay sino execración, insulto, esquematización fácil para vilipendiar una y otra vez al enemigo, y no hay nada que pueda compensar en las gentes del bando contrario: virtudes contra vicios, igual a azules contra rojos. Y aunque, dada la situación del protagonista —inmovilizado en la cárcel y en el refugio—, sobre tiempo para pensar y recordar, en ningún momento se dedica el novelista a estudiar las causas de estos tan terribles efectos, con lo que su relato resulta nada más que de superficie, si bien alguna vez escribe párrafos, más o menos filosóficos, acerca de condiciones del género humano y de los individuos en particular.

Cosa harto distinta en cuanto a espíritu animador del relato era la novela de Benítez de Castro, [39] que

---

[39] Afincado en Barcelona y perteneciente al grupo que presidía Luys Santa Marina, quien puso elogioso y vibrante prólogo a *Se ha ocupado el kilómetro 6*. Novelista muy activo y bullidor en los primeros años de la postguerra, publicó en 1940 hasta tres novelas (*La rebelión de los personajes, Maleni, El creador*), y *Cuarto galeón*, en 1941; colaboró en "Fantasía" y en otras publicaciones periódicas. Marchó después a Buenos Aires y en 1958 la editorial argentina Losada sacó *La iluminada*, novela que había obtenido el primer premio en su concurso internacional de novelas.

conoció un éxito momentáneo. [40] Lleva la siguiente
dedicatoria: "A tantos combatientes como en el
mundo han sido, unos que, hace años, cayeron por
los campos de Europa con clarín y bandera y sin
ambas cosas. Otros que, veintidós años más tarde,
murieron en tierras de España, a redoble de tam-
bor histórico, por un motivo determinado", y consta
de diez y nueve capítulos, con títulos muy indica-
tivos que contienen nombres de lugar —III: El
Ebro. El km. 6—, de hechos —XI: La defensa de
Gandesa—, de combatientes —XII: Así murió
mamá Valentín—; más un "epílogo" (los capítulos,
debidos al falangista de Valladolid, Julio Aguilar,
quien escribe autobiográficamente; el "epílogo" lo
escribe el propio autor, rematando la acción narrada —fase final de la batalla del Ebro, en la que
Julio Aguilar encontró la muerte).

La novela de Benítez de Castro va a sostener una
tesis o contra-tesis, de ahí el subtítulo: "Contestación a Remarque" (el Remarque de *Sin novedad en
el frente*, la famosa novela de la guerra de 1914-18
desde el lado de los vencidos). Pero el autor pertenece a los vencedores y su guerra ha sido una guerra civil, una guerra, sin embargo, de independencia
porque en el bando enemigo (según el combatiente
Aguilar) se defendían actitudes extranjerizantes, gravemente atentatorias al ser de la patria. La guerra
ha sido, pues, necesaria y, además, una empresa
coronada victoriosamente y, por tanto, una empresa de gloria. De ahí la visión de la lucha que en
estas páginas se ofrece, visión declarada explícitamente en el prefacio y en varios pasajes de la obra;

[40] Se agotó muy pronto la primera edición y Editorial Juventud sacó una segunda. En 1968 ha vuelto a publicarse en
Barcelona, sin el subtítulo "Contestación a Remarque".

declarada también por su prologuista, Luys Santa
Marina, quien escribe:

> Copia el alma de unos muchachos en guerra. Nada de
> lagrimeos ni sentimentalismos [...] Y ya era hora que
> la literatura bélica se tratara así, pues estábamos har-
> tos del majadero con gafas que, en lugar de apuntar
> bien, se dedicaba, página tras página, a endilgarnos dis-
> cursitos sentimentales, como si reblandecer el ánimo
> fuese el fin de la cultura y el morir no fuese, a fin de
> cuentas, una cuestión de fechas.

No sólo son ejemplares los combatientes, sino que
también nos encontramos con un edificante tipo de
mujer, mujer falangista, representado por la catalana Nuri, ocupada y preocupada, alegre siempre,
nueva, varonil y femenina a un tiempo, que se hace
respetar por el hombre, el cual no puede mirarla
ya como simple objeto puesto para su contemplación o para su gozo. Contrasta esta mujer con Lucía, la novia vallisoletana de Aguilar, quien la ve, y
casi abomina de ella, durante unos días de permiso
por convalecencia en la ciudad de ambos; Lucía
es frívola, no se ocupa de nada que valga la pena,
es hasta sensual y, desde luego, egoísta. Aguilar
piensa entonces que ha encontrado *su* mujer en
Nuri, más utopía tal vez que ser humano posible y
creíble.

Se marca en esta novela una repulsa, odio incluso, contra lo intelectual que es frío y deshumano, y
egoísta y despreocupado. No es momento (pienso
que se nos dice o se nos sugiere) de contemplaciones
exquisitas, de elucubraciones sosegadas; hay mucho
que hacer y poco tiempo por delante para tanta
comprometida urgencia; por eso el intelectual Pérez
es motejado de "embustero" por unos compañeros

falangistas, los cuales le dicen (p. 67) que "lo que debes hacer es coger un fusil, como hemos hecho todos, y salir a tirar tiros".

El lado malo de la guerra en la novela de Benítez de Castro es sólo las dificultades del combate, ya que la muerte no importa; lo que sea suciedad, hediondez, traición, aburrimiento, no saber por qué ni para qué se está combatiendo, no se encuentra en estas páginas. Sí, por el contrario, la alegría que produce la hermandad forjada entre compañeros en la trinchera, los ingenuos divertimientos, las cartas y paquetes de la retaguardia, las noticias que indican esfuerzo y ánimo de lucha.

Como en *La fiel infantería*, de Rafael García Serrano (novela de 1943, coincidente en aspectos de tema y actitud con *Se ha ocupado el km. 6*), el relato de la acción deja paso de cuando en cuando a una disquisición teórica; son pasajes, de ordinario, sin ningún interés de pensamiento y sólo útiles en cuanto testimonio denunciador de un especial talante, convertido en tópico por la reiterada insistencia que hacen algunos escritores comprometidos de ese concreto momento.

1940-1941, dos años de convalecencia

Los dos años que faltan —1940 y 1941— para entrar de lleno en nuestra historia ofrecen, como característica más acusada, una relativa mayor variedad de autores y de asuntos pues el tema de la guerra, si bien no ha sido olvidado, alterna ahora con otros temas, en tanto hacen su aparición o su reaparición nuevos novelistas.

En 1940, poco después de publicada su novela *Una mujer en la calle*, fallece José María Salaverría; continúa, bastante prolíficamente y con temas

distintos al de *Se ha ocupado...*, Benítez de Castro;
se traduce al castellano *Tierras del Ebro,* novela
rural del catalán Sebastián Juan Arbó; se estrena
como novelista José Antonio Giménez Arnau, cuya
Línea Sigfried versa sobre la guerra mundial entonces en curso; reaparecen tres nombres conocidos
antes de 1936: Juan Antonio de Zunzunegui —con
El Chiplichandle—, Claudio de la Torre —con *Alicia al pie de los laureles—* y Jacinto Miquelarena
—con *Don Adolfo el libertino—.* A su lado, y contrastando entre sí muy fuertemente, una novela de
guerra —*La mascarada trágica,* de Enrique Noguera, en la que cada capítulo lleva como título un
verso del "Cara al sol", y todos ellos tratan de la
historia española entre 1936 y 1939, en distintos
lugares y con personajes en buena parte históricos—
y una novela rosa —*¡Quién sabe!,* de Carmen de
Icaza. [41] 1940 es también el año en que comienzan
a publicarse, con distintos carácter y destinatario,
la revista "Escorial" (véase nuestro capítulo segundo, epígrafe *Voluntad de resurgimiento*) y el semanario "Tajo".

Publica Carmen de Icaza en 1941 un nuevo título "rosa", *Soñar la vida* y acaso en alguna ocasión
actúe como novelista "rosa", con su dosis de exotis-
mo norteafricano, Luis Antonio de Vega, escritor
prolífico, colaborador fijo del semanario "Domingo"
(establecido ya en Madrid) y autor de *Sirena de
pólvora* y *Los que no descienden de Eva,* novelas
aparecidas este mismo año. Resulta comprensible
que cierto sector de lectores (de lectoras, más bien),
tratando de escapar a los dolorosos recuerdos de

---

[41] Para más títulos de novelas publicadas en 1940, vid.:
Joaquín de Entrambasaguas, *Novelas contemporáneas,* tomo X,
pp. 1343-1344.

la guerra y a las difíciles circunstancias postguerreras, desee acogerse a la grata y maravillosa realidad que brindan tales libros, filón de seguro éxito que por entonces beneficiarían diversos autores y editoriales. [42]

La guerra española sigue viva como tema para algunos novelistas; es el caso —en 1941— de: Ricardo León, no reaparecido hasta ahora, académico de la Lengua, con un marcado partidismo político en *Cristo en los infiernos*; Concha Espina, autora de *Princesas del martirio* ("tres enfermeras predestinadas —Octavia, Pilar, Olga—, princesas por aquel tormento de su pasión y muerte, insignes en el álgido suplicio de la dictadura roja en España"), novela de la que escribió Fernández Almagro: [43] "es, ante todo y sobre todo, un poema. Pero por la historia que contiene es, a la vez, un documento". [44] Se ocupan de nuestra guerra dos novelistas jóvenes:

[42] Aparte Carmen de Icaza, conocida antes de 1936 por su *Cristina Guzmán, profesora de idiomas* (publicada en entregas por el semanario "Blanco y Negro"; después de 1936 reverdeció su éxito con sendas versiones teatral y cinematográfica), tenemos al prolífico Rafael Pérez y Pérez (que escribe, incluso, novela "rosa" de asunto histórico), Concha Linares Becerra, María Luisa Linares y María Mercedes Ortoll.

En Editorial Juventud (Barcelona) encontraban propicio acomodo bastantes de esas novelas; Afrodisio Aguado (Madrid) creó para ellas la colección "Mari Car", pero no fueron éstas las únicas.

[43] Reseña en *ABC* del 26-XI-1941.

[44] En estos años de postguerra, antes y después de su ceguera, Concha Espina se mostró muy activa según lo acredita el número de títulos publicados, que culminan en la novela *Un valle en el mar* (1950). Gozaba de no pequeña estima en algunos medios literarios y así lo prueban, entre otros ejemplos: el n.º 1 de la revista "Cuadernos de Literatura Contemporánea" (Instituto "Antonio de Nebrija", del Consejo Superior de Investigaciones Científicas), 1942, dedicado a su vida y obra; o la muy favorable acogida que obtuvo el volumen de sus *Obras Completas* por parte de críticos como Fernández Almagro y de colegas como Ledesma Miranda.

José Antonio Giménez Arnau que, constante en su recién iniciada carrera, pretende en *El puente* explicar actitudes de la juventud combatiente española antes, en y después de 1936; y Edgard Neville, humorista y director cinematográfico, con antecedentes literarios de pre-guerra, lo cual se echa de ver [45] en su colección de novelas cortas *Frente de Madrid*. [46]

Constituyen éstas en cierto modo unidad, la cual viene determinada: a), por el tema; b), por la localización geográfica de las respectivas acciones y c), casi por los personajes de unas y de otras que, con nombres distintos, vienen a ser los mismos de siempre. En Madrid capital, sitiada, suceden *Frente de Madrid* y *F.A.I.*; en lugares próximos a Madrid suceden: *La calle mayor* (que es la del pueblo llamado Mudela del Río) y *Las muchachas de Brunete*. Sólo *Don Pedro Hambre* ocurre fuera, muy lejos de este escenario madrileño —en París, donde hay no pocos refugiados españoles esperando su salvoconducto para reintegrarse a España—.

Encontramos: a), exaltación de la guerra, que tiene una cara hermosa —en la página 60, corresponde a *Frente...*:

> Si tú [dirigiéndose el combatiente nacional Javier a su novia Carmen] estuvieras en la otra España [en la nacional], en seguridad, la guerra sería para mí la mayor de las diversiones. Porque en la guerra no todo es com-

---

[45] Neville parece narrar con la abundancia incontenible de Ramón Gómez de la Serna, de cuyo madrileñismo participa en ocasiones; más, rasgos de la expresión —alguna metáfora insólita por lo greguerizante—; más, determinadas situaciones, pintorescas y curiosas —el caso de doña Concha con los médicos del riñón: p. 168, *Don Pedro Hambre*—.

[46] Cinco novelas cortas (alguna de ellas publicada con anterioridad): la que da título al libro, *La calle mayor*, *F.A.I.*, *Don Pedro Hambre* y *Las muchachas de Brunete*. (Madrid, Espasa-Calpe, 1941.)

bate. En la batalla hay, junto a la excitación de la prueba deportiva, el pasmo de la muerte; [...] por un día de batalla hay muchos en que la guerra es una gigantesca excursión campestre, en la que todos son jóvenes y alegres. Hay el barro y las ratas, pero ¡qué elevación en el sentido de la camaradería! ¡Qué de situaciones pintorescas y cómicas! ¡Qué tipos hay en esta guerra!

b), aparición de unas *nuevas* mujeres por conversión, algunas veces, de las antiguas —en páginas 219-220, corresponden a *Las muchachas de Brunete*: son las muchachas Isabel y Luz, enfermeras abnegadas que no quieren huir abandonando ante el peligro a sus enfermos y que, por lo mismo, caen prisioneras.

Isabel les narraba el entusiasmo con que las falanges campesinas marchan al campo a reemplazar a los hombres en las faenas más duras de la siembra y de la recolección, les ponía delante la estampa de aquellas muchachas, hechas al lujo y a la vida fácil, que en el momento solemne para su Patria lo habían abandonado todo para ir a trabajar de sol a sol.

Hay política, y bien marcada, en estos relatos, desde la odiosidad de que hacen gala muchas de las gentes del bando republicano hasta la bondad y altruismo de muchas gentes del bando nacional. Pero ahora me refiero a otras cosas, como por ejemplo: páginas 80-81 (corresponden a *Frente...*) —dos combatientes y enemigos, heridos de muerte, el uno cerca del otro; se reconocen, se hablan, se lamentan y se entienden; finalmente, mueren—; página 90 (*Frente...*) —salvación y unidad de la patria y de los españoles para el futuro—; página 158 (corresponde a *F.A.I.*) —capacidad integradora de la Falange (los falangistas merecen la adhesión y el entusiasmo del autor de estas narraciones)—.

A sacar al lector de tanta tragedia y a divertirle (y, también, a advertirle), vino en 1941 la segunda edición de *Miss Giacomini*, [47] novela de Miguel Villalonga, autor llamado a un breve y efímero renombre; [48] obtuvo éxito esta especie de "Regenta" mallorquina de los años finales del siglo xix. [49]

Hemos visto cuál era la situación —ni brillante, ni satisfactoria— en que se encontraba nuestra novela *antes* y *en* 1936; el vacío durante los años de la contienda; la mediocridad imperante entre 1939 y 1942. Como asunto es el acontecimiento histórico de la guerra civil lo que absorbe la atención de los novelistas casi exclusivamente pero, muy poco a poco, otras posibilidades temáticas van apuntando y apareciendo algunos nombres nuevos, de autores cuando menos ricos en juventud. El proceso de reconstrucción se ha iniciado y en lo cultural destacan: un progresivo, aunque corto, aumento de pu-

[47] Madrid, Editorial Emporion; con ilustraciones de Pedro Bueno. (La primera edición, de antes de la guerra civil, parece había pasado desapercibida.)

[48] Miguel Villalonga, que murió en 1946, inmovilizado físicamente desde años antes en su casa de Buñola (San Antonio, 3), Mallorca, colaboró asíduamente en las publicaciones periódicas fundadas y dirigidas por Juan Aparicio (véase nuestro capítulo segundo, epígrafe *Voluntad de resurgimiento*); fue precisamente en una de ellas ("El Español") donde se insertó en folletón —números 1 a 19— su novela *El tonto discreto*, posteriormente —1943— publicado en volumen. Póstuma salió su *Autobiografía* (1947, José Janés, Barcelona). En "El Español" correspondiente al 6-VII-1946, pp. 8 y 9, se le recuerda poco después de su fallecimiento por un grupo de amigos y colegas, cuyos artículos contienen datos y precisiones críticas de interés.

[49] Para más títulos de novelas publicadas en 1941, vid.: Joaquín de Entrambasaguas, *Novelas contemporáneas*, tomo X, pp. 1344-1345.

blicaciones periódicas con algún interés literario; [50] un crecimiento editorial —(en setiembre de 1941 se publicaron en España 283 títulos; de ellos, 64 son novelas y 41, obras pedagógicas)—; la reincorporación definitiva y activa de escritores de tanta nombradía como Azorín y Baroja, este último, además, con categoría de modelo para nuestros jóvenes narradores. Cantan su canto de cisne los narradores realistas-naturalistas, cuyo tiempo y público han pasado para no volver. Agustín de Foxá, Pedro Álvarez, Cecilio Benítez de Castro y José Antonio Giménez Arnau son esos nombres nuevos, esperanzadoras incógnitas cara al futuro, a los que han de unirse otros autores que, no tardando mucho, iniciarán la penosa y gozosa aventura objeto de nuestra historia.

[50] A las ya aducidas añadiré otras dos: "Misión" —nacida en Galicia por obra y gracia de Vicente Risco y Ramón Otero Pedrayo; trasladada después a Pamplona, bajo el patrocinio de Eugenio d'Ors— y "Santo y Seña" —subtitulada "Alerta de las letras españolas" y dirigida en Madrid por los sevillanos Eduardo Llosent, Manuel de Mergelina y Adriano del Valle; salía quincenalmente y su primer número lleva fecha del 5-X-1941; en él colaboraba Azorín, *Cuento a medio hacer*, y era entrevistado Pío Baroja—.

2

Los difíciles y oscuros años 40

L A década de los 40, ahora mismo tan diversamente recordada —años "camp", libros de Vázquez Montalbán, Vizcaíno Casas y Francisco Umbral, artículos y hasta reuniones—[1] fue un tiempo español ciertamente difícil. Coincidieron entonces la postguerra de una larga y cruel guerra civil y una guerra universal (1939-1945), que tuvo fin con el lanzamiento y explosión de dos bombas atómicas U.S.A sobre territorio japonés; también, la disputada neutralidad española en esta contienda y, posteriormente, el cerco internacional a nuestro país y la retirada de los embajadores (con muy contadas excepciones), como castigo a la criatura que era tenida por apestada. Son años de grave escasez y de cerrada autarquía, de modestísimo y de escandaloso "estraperlo", de silencio y miedo (la liquidación de las responsabilidades bélico-políticas y la inestabilidad del futuro inmediato) junto a mucha

---

[1] Como la que en torno al libro de Fernando Vizcaíno Casas, *Contando los cuarenta,* y a su autor protagonizaron, entre otros asistentes: Juan de Orduña, el doctor Zúmel, Rosita Yarza y Ana Mariscal, y que relata Natalia Figueroa (ABC del 23-VI-1972).

alharaca e, igualmente, al deseo de comenzar una época de veras nueva (Era Azul, Años Triunfales que dejaron paso a Año de la Victoria). España es sospechosa de fascismo y la nueva organización internacional, la O.N.U —(o la U.N.O., trastrueque pintoresco que daría lugar a un escatológico dicho ibérico, exhibido en pancartas y coreado en manifestaciones)— se constituye a espaldas de España y en alguna ocasión parece mostrar deseos de intervenir en la marcha de su vida. La gente española, alta y baja, sufrida y de aparente buen humor, se ha cansado ya de la antaño obligada recordación de nuestra guerra y el "no me cuente Vd. su caso" es frase que se populariza frente a quienes todavía parecen dispuestos a asombrar y a edificar con sus pasadas peripecias; baja por eso sensiblemente, aunque no llegue a desaparecer de la circulación (en este capítulo hemos de ver algunas muestras de ello), el número de relatos bélicos, mientras que otros temas y preocupaciones hacen su entrada. Políticamente hablando pudiera creerse por un contemplador más bien superficial que impera la Falange (ahora, a más de Española, Tradicionalista), dada la profusión con que se exhiben sus símbolos, se utiliza su léxico privativo, se cantan sus himnos y canciones o se viste la camisa azul pero no es cierto; en nuestro concreto ámbito —la literatura, la novela— decide efectivamente la orientación eclesiástica —(así como en la enseñanza, en sus varios grados)—, y he aquí un testimonio probatorio de mayor excepción, referido a la censura:

[...] la presión de una censura de inspiración predominantemente eclesiástica (fui jefe de propaganda y la censura de libros, por trámite, entraba en mi jurisdicción formalmente, pero, salvo excepciones, nunca pudo

decidir mi subordinado en la materia, porque las reso-
luciones venían normativizadas al detalle desde una
misteriosa Junta eclesiástico-civil que operaba de modo
soberano, y mantenía en vigilancia estrecha al ejecutor
correspondiente). Las mismas limitaciones se daban para
la literatura propiamente dicha, producida o importada.
Nada que estuviera en el índice romano, por ejemplo,
podía publicarse en España. [2]

Años *oscuros* (a más de difíciles) porque de ellos
—de su literatura, de su novela— suele saberse muy
poco —y muy tópico—, sin que se muestre afán
alguno de enterarse debidamente; graves y muy po-
litizados estudiosos diríase que niegan el pan y la
sal a quienes en los años 40 trabajaron, con torpe-
zas y limitaciones innegables y forzosas, en el cultivo de la novela, tal como si éste hubiera comenzado
por 1950 y pico, a partir del cero más absoluto y
a cargo de gentes distintas a las de la primera generación de postguerra. Baroja declaraba en 1943
al periodista Federico Izquierdo Luque: [3] "No creo
que el ambiente actual sea muy propicio para el
desarrollo de la novela. El hecho de la guerra no
da a las sociedades una sensación de vida segura,
que yo considero imprescindible; la situación en el
mundo es tan fuerte que los españoles se encuentran psicológicamente en el volcán de Europa", y
puede que don Pío llevara alguna razón. Pienso,
asimismo, en que hay un fenómeno de cantidad de
títulos nuevos que, si no valorativo estéticamente

[2] Dionisio Ridruejo, *La vida intelectual española en el primer decenio de la postguerra* (p. 72, n.º 507, extra: 17-VI-1972,
de "Triunfo", Madrid).
En este mismo capítulo (epígrafe ...*pero una novela con
censura*) documento varios significativos casos ocurridos en
1943.
[3] N.º 10 de "El Español", Madrid, 2-I-1943.

hablando, significa un efectivo comienzo, explana-
ción o desbroce de un terreno poco fértil desde
hacía tiempo. ¿Qué pensar, además, cuando del teatro de esta década ha sido posible afirmar

> que lo que ha habido de transformación en el escena-
> rio español contemporáneo se empezó a dar en los
> años 40 (Luis Escobar y sus Dostoiewsky, Priestley,
> Thorton Wilder, etc.; Arte Nuevo, los teatros de cá-
> mara, los T.E.U., etc.).[4]

I. VOLUNTAD DE RESURGIMIENTO

Un firme deseo de reiniciar el camino, luego de
la solución de continuidad que la guerra civil supuso, resulta claramente advertible. Ni pérdidas
cuantiosas y, en algún caso, muy dolorosas; ni obli-
gadas limitaciones —escaseces materiales, la censura, ciertos propósitos didácticos, determinadas repulsas y negaciones— fueron obstáculo capaz de
disuadir del intento a los esforzados paladines del
mismo. Intento tan importante como poco vistoso,
pasado el tiempo, que debe cargarse en el haber de
empresas culturales como la revista "Escorial", cuyo
número 1.º ve la luz en noviembre de 1940; Baroja
y Azorín, Menéndez Pidal y Zubiri colaboraron
casi desde el principio en sus páginas. En lo que a
la narración se refiere, aparte algunas notas y reseñas que serán utilizadas en el momento oportuno,
he encontrado en los 55 primeros números[5] los

---

[4] Alfonso Sastre, *Poco más que anécdotas "culturales" alrededor de quince años (1950-1965)* (p. 85, n.º 507, extra: 17-VI-
1972, de "Triunfo").

[5] Los cuales constituyen la primera época de la revista, dirigida por Dionisio Ridruejo (desde el n.º 27, XI-1942, por José
María Alfaro) y subdirigida por Pedro Laín Entralgo. Es, con

nombres de Luys Santa Marina (núms. 6 y 15) y
Manuel Vela Jiménez (n.º 34), tan dados a las re-
construcciones históricas de hechos y hombres del
imperio español; [6] Pedro Álvarez (n.º 10), Álvaro
Cunqueiro (n.º 13), Zunzunegui (n.º 14), Suárez Carreño (n.º 35), "Tristán Yuste" (n.º 36), Samuel Ros
(n.º 42), Cela (n.º 45) y Mercedes Fórmica-Corsi

---

mucho, la época más valiosa de esta publicación mensual que,
interrumpida en febrero de 1947, reanuda su vida —2.ª época—
con el n.º 56, III-1949, bajo la dirección de Pedro Mourlane
Michelena, y dura hasta el n.º 65 y último, II-1950. (Pueden
consultarse los artículos de José-Carlos Mainer en "Ínsula",
n.º 271 y n.º 275-276.)

"Escorial" tuvo también sus ediciones, un tanto acordadas
con las de Editora Nacional que, desde 1943, dirigió Laín
Entralgo. Recuerdo dos tomos del epistolario a "Clarín" (1941
y 1943); *Genio y figura de España,* del argentino Ignacio Anzoátegui (1941); *Teatro,* de Emiliano Aguado (1942) y varios
títulos de Gonzalo Torrente Ballester —*El casamiento engañoso* (1941), *Lope de Aguirre* (1941), *República Barataria* (1942),
los tres de teatro, y el volumen miscelánea, *Siete ensayos y
una farsa* (1942)—.

[6] Santa Marina preside el grupo barcelonés "Azor" y Vela
Jiménez es —con Cecilio Benítez de Castro, José María García
Rodríguez y otros— integrante del mismo y discípulo de aquél
—"Sólo quiero hacer constar que si algo soy —o seré con el
tiempo— en el agridulce campo de las letras, se lo debo a
L.S.M. Él ofreció, en lecciones, treinta años de estudio para
que yo —y la generación de "azores" de Barcelona— pudiera
aprender en corto tiempo. Luys es para nosotros capitán y
maestro, es el fundamento espiritual de nuestra vida", escribe
en la p. 18, n.º 29: 25-VI-1945, de "La Estafeta Literaria".
(García Rodríguez dedica de este modo su novela *Huyen las
raposas:* "A Luis Santamarina, a quien se lo debo todo literariamente".) Santa Marina dirige a la sazón el diario barcelonés "Solidaridad Nacional" (la antigua "Solidaridad Obrera",
de la C.N.T.), donde sale una interesante página literaria en
la que colabora todo el grupo, lo mismo que en la revista
"Azor", en "Escorial", "El Español", etc. Gustan en sus relatos, muy preferentemente, de la historia pasada, guerrera y
triunfal (tercios de Flandes, conquistadores en Europa y América), ofrecida con una escritura deliberada y sabrosamente cla-
sicista; como fuentes predilectas utilizan la *Miscelánea,* de
Zapata o los *Diálogos,* de Mexía.

(núms. 50 y 51). Lo certero de la cita que sigue no se desvirtúa porque el autor de estas palabras, Dionisio Ridruejo, [7] actúe como juez y parte:

> Nadie [...] ha negado que el llamado "Grupo de ESCORIAL" se distinguió por su voluntad de salvar y recuperar todo valor anterior genuino, incluso los que no se consideraban integrables [...] No se consiguió así por completo el "acabóse" de la cultura liberal española [...] Gracias a ello —sin descartar el imperio mismo de la vida o la fuerza de las cosas— pudo recomenzar, antes de que los cuarenta finalizaran, una vida intelectual digna de ese nombre en España. [8]

"El Español", "La Estafeta Literaria", "Fantasía"

Muy claramente de acuerdo con esta voluntad de resurgimiento van las publicaciones periódicas fundadas y dirigidas por Juan Aparicio. Granadino de Guadix, donde nació en 1906, jonsista, formado en la escuela de periodismo de "El Debate", fue Director General de Prensa entre 1941 y 1946 (volvió a serlo, ya creado el Ministerio de Información y Turismo y con Gabriel Arias Salgado como ministro, entre 1951 y 1957). Publicó, en 1945, reuniendo algunos de sus trabajos periodísticos de entonces, un par de libros: *Españoles con clave* e *Historia de un perro hinchado*. [9] Animó, ayudó, estimuló, dio acogida y apoyo a un muy numeroso

---

[7] *La vida intelectual en el primer decenio de la postguerra* (p. 72, n.º 507, extra: 17-VI-1972, de "Triunfo").

[8] Coinciden con Ridruejo, M. Dupuich da Silva y José María Sánchez Diana al escribir (*Historia de una revista: consideraciones sobre ESCORIAL*. "Boletín de la Institución Fernán González", Burgos, XVI, 1965, p. 741) que "este fue el triunfo de ESCORIAL. Conservar la continuidad cultural entre la España anterior a 1936 y la que siguió".

[9] Publicados, el primero por Luis de Caralt (Barcelona); el segundo, por Afrodisio Aguado (Madrid); los comenta Tomás

grupo de jóvenes con vocación literaria y periodística, digamos de Pedro Álvarez a Luis Ponce de León. Desde su renombre ya hecho alabaron esta misión impulsora, Tomás Borrás [10] —"Revoluciona una generación, la empuja a las Letras y al pensamiento, a la poesía y a la polémica, la [sic] sacude la modorra, la obliga a salir a una palestra en la que hay que revestir armadura científica, la dota de argumentos para inmunizar los virus, la incita a que sueñe y cree una labor al pairo del siglo" —y Ramón Gómez de la Serna [11] —"El airón literario que necesitaba la España triunfal lo ha puesto usted con su iniciativa y no creo que nada pueda obstaculizar esa que es la más visible flor de la paz ganada"—.

Cabe hablar de la política literaria de Juan Aparicio, identificada con el régimen vigente en España, siendo su portavoz y apologista, y fácilmente podrían aducirse al respecto textos suyos y de algunos colaboradores de sus publicaciones; lo cual ha sido motivo para que, desde posturas ideológicas contrarias y no menos comprometidas, se haya mirado con hostilidad y menosprecio esta labor, olvidando muy importantes circunstancias de tiempo y lugar. Conviene ceder la palabra al propio Aparicio para que, con la perspectiva que da el paso del tiempo, nos ilustre acerca de propósitos y logros: [12]

En 1944 España estaba cabal y propicia para la unanimidad de sus poetas, de sus novelistas y de sus come-

---

Borrás en la p. 13 del n.º 30: 10-VII-1945, de "La Estafeta Literaria".

[10] Comentario citado en la nota precedente.

[11] Carta, desde Buenos Aires, al interesado, que éste transcribe fragmentariamente en la p. 3 del n.º 189: 8-VI-1946, de "El Español".

[12] *A la mayoría, siempre*, p. 4, n.º 1: 1-VI-1950, de "Correo Literario", Madrid.

diógrafos, quienes encontraron en *La Estafeta Literaria* y luego en *Fantasía* la propaganda de su trabajo y la plataforma para su labor [...] En *El Español* se enrolaron de este modo todos los españoles de la España unitaria de Franco; en *La Estafeta Literaria* rompimos con el hermetismo de las tertulias madrileñas, horadándolas con orificios por donde salían sus chismes y se pinchaban las vanidades de sus escalafones, trayendo la vida literaria provincial al contraste de la capital del Estado. En *Fantasía* fue posible la libérrima expresión de la fantasía de los españoles que jamás habían dispuesto de la ocasión de editar cada semana un libro de versos, una novela, una comedia, un guión cinematográfico y una docena de cuentos al precio de venta de todo el conjunto de solo tres pesetas. El intento de *Fantasía* fue la versión en el ámbito espiritual del Instituto Nacional de Industria operando en la esfera económica.

La contribución principal del primer "El Español" —otoño de 1942 a primavera de 1947—, "semanario de la política y del espíritu",[13] al género novela se centra en la página 14 de las diez y seis muy grandes de que constaba cada número; en ella, a triple y ancha columna, se publican en folletón tres novelas de otras tantas firmas jóvenes españolas. Abrieron marcha: Miguel Villalonga —*El tonto discreto*—, Pedro Álvarez —*Los chachos*— y José-Vicente Torrente —*IV grupo del 75-27*, una

[13] "El Español" salía los sábados y se vendía al precio de una peseta. El n.º 1 tiene fecha de 31-X-1942 y en él se recuerda el acto fundacional de Falange Española en el madrileño teatro de la Comedia y lleva colaboraciones de Azorín, Fernández Almagro y José Luis Cano; en el editorial de presentación, ¡*Arriba los españoles*!, se declara que "El Español" "sirve a esta metafórica repoblación o corregimiento de los españoles; porque no ha de aparecer como semillero de discordias, sino como sementera común de esperanzas y conductas individuales".

novela de guerra con significativa dedicatoria: "A la gloriosa y atormentada generación que libró en España la primera batalla contra los enemigos de nuestra civilización y prosiguió después la Cruzada sobre la inhóspita estepa rusa". [14] Importa mucho la intención que animaba esa triple inserción, clara y eficaz respuesta a un estado de cosas indeseable que hemos de considerar en su momento; semejante intención queda expresa en la entradilla a la página 14 del número 1:

En nuestra Patria, la aportación de la iniciativa privada a la bibliografía de la postguerra está integrada casi en su totalidad por literatura de tercera o cuarta categoría, de producción extranjera. Así esta progresión y fomento de malas traducciones de obras deleznables presenta, como primer mal, la apariencia de falta de valores nacionales en el campo de la novela. // EL ESPAÑOL cree que se puede demostrar lo contrario: que entre nuestros escritores de hoy se distinguen algunos como magníficos novelistas capaces de convencer literariamente al más exigente lector...

Idéntica adhesión política y el mismo impulso constructor y unificador presidió la fundación y existencia del quincenario "La Estafeta Literaria" —cuarenta números entre marzo de 1944 y 1946—; por eso en la página tercera de su número 1, recua-

---

[14] Otras novelas publicadas en el primer "El Español" fueron: *Pabellón de reposo*, de Camilo José Cela ("el texto lo fui escribiendo a medida que se iba necesitando en el semanario "El Español", en cuyas páginas lo publiqué en folletón [...] me fue posible irlo sacando adelante semana tras semana y sin mayores agobios"); *El malogrado*, de Eusebio García Luengo; *Legión 1936*, de Pedro García Suárez; *Huyen las raposas*, de José María García Rodríguez; *Al borde de la laguna*, de "Tristán Yuste"; *El alba no llega*, de Manuel Vela Jiménez; o *Viento del Sur*, de Claudio de la Torre. Se trata de autores dados a conocer ahora, salvo este último.

dro titulado *Por España y su Caudillo*, puede leerse el párrafo siguiente:

Nuestras páginas ofrecen, en lugar de zanjas que dividan, la meseta limpia sobre la que alzar la rica, varia y, sobre todo, unitaria presencia de nuestro estilo artístico. Para nuestros fines, más que la "reacción del corazón individual", nos interesa el esfuerzo de todos al servicio, no del Arte por el Arte, sino del Arte y las Letras por España y por su Caudillo.

La poesía fue más atendida, en el aspecto creacional, que la novela porque en "La Estafeta" se insertaban poemas inéditos y no se insertaban cuentos ni novelas; pero en el aspecto crítico, noticioso y difusivo ayudó lo suyo a los novelistas que iban saliendo y ahí está, como caso el más representativo, Camilo José Cela, que aparece número tras número hasta 384 veces [15] (para ser entrevistado, contestar a las preguntas de una encuesta, escribir una reseña, ser reseñado, ser objeto de examen por críticos o por médicos, etc.). Aparte lo que supuso para el conocimiento de estos jóvenes la atención de "El Silencioso" (otro joven como ellos: Julio Trenas), quien se dirigía con frecuencia a la tertulia del café "Gijón", dando cuenta de sus habladurías, proyectos y realizaciones en la página 31 y penúltima de cada número: "Hablar por hablar o el todo Madrid de las tertulias".

[15] Al cabo de los años Cela recordará agradecido "aquella revista juvenil y oficial, insensata y multicolor, esperada siempre y siempre tan traída y tan llevada, en la que los hombres que andamos ahora por la cuarentena encontramos, merced a su gentileza —director—, tribuna y trampolín, ánimo jamás regateado y, a veces, palo en el lomo de su penúltima página" (p. 5, n.º 41: 29-IV-1956, de "La Estafeta Literaria", 2.ª época).

Los treinta y ocho números de "Fantasía", [16] semanario, primero, y quincenario, más tarde, "de la invención literaria", ofrecieron (entre el 11-III-1945 y el 6-I-1946) muchas páginas a nuestros narradores del momento, que pudieron colaborar en ellas con novelas cortas (de considerable extensión alguna) y con cuentos. En la página segunda del n.º 1 va un recuadro, que puede estimarse como editorial, en el que leemos (párrafo final) lo que sigue:

[...] la fantasía que hoy necesita España ha de ser eminentemente creadora, constructora, germinativa y fecundante, y, como para cada necesidad que sentimos los españoles de Francisco Franco se van descubriendo diariamente eficaces remedios, aquí sale a la calle FANTASIA, para todos los que, animados por una voluntad de creación, quieran colaborar con su parte a la grandeza y amplitud de la invención española.

De acuerdo con tal deseo encontramos en la página veintisiete del n.º 2 la siguiente nota invitatoria: "FANTASÍA invita a colaborar en sus páginas a todos los españoles que sientan la vocación de escribir. Los originales serán cuidadosamente examinados y seleccionados, con un criterio riguroso y objetivo". (Esta nota se repitió más de una vez.) En cada número ofrecía la revista: una pieza teatral, un libro de versos, un guión de cine, una novela corta y unos cuantos relatos breves (el número normal, no siempre cumplido, era el de siete).

¿Fue de veras atendida invitación tan generosa? Creo que sí, y por eso tanta firma desconocida. En cuanto a rigor en la selección, a calidad de las in-

[16] José-Carlos Mainer se equivoca al decir en la p. 58 de *Falange y Literatura* (Barcelona, "Textos Hispánicos Modernos", Labor, 1971) que "no llegó a la veintena de números".

serciones hubo de todo (al igual que en las otras publicaciones de Aparicio); acaso la frecuencia de la salida y las muchas páginas de la revista obligaron a rebajar el nivel. Puede que también hubiera cierto afán democrático de abrirse a todos, de mostrar que eran muchos los que estaban trabajando en una etapa como de reconstrucción y resurgimiento.

¿Qué supuso esta revista? Un vehículo más de salida y de, hasta cierto punto, penetración en el público; hasta cierto punto porque "Fantasía", lo mismo que "La Estafeta Literaria", no era publicación tan mayoritaria como lo fue "El Español". Pero, pese a esto, se daba ocasión a unos nombres, ya para revelarse, ya para corroborarse, lo cual no era poco en aquel momento. En la narrativa encontramos colaboraciones de autores como: Cela, Villalonga, Cunqueiro, "Tristán Yuste", Pedro Álvarez, Darío Fernández Flórez, Ricardo Fernández de la Reguera, Eugenia Serrano, Domingo Manfredi Cano, Carlos Martínez Barbeito, Julián Ayesta, Adolfo Lizón, Manuel Vela Jiménez o José María García Rodríguez.

Alternan en "Fantasía", jóvenes y mayores. Teatro de Azorín —*Farsa docente*—, versos de Fernández Ardavín, Pemán y Gerardo Diego, novela de Tomás Borrás; junto a teatro de Jardiel —*Tu y yo somos tres*— y de Casona —*La dama del alba*—, o versos de Leopoldo Panero. Aparecen los más jóvenes, los nombres de postguerra: teatro de Víctor Ruiz Iriarte, Horacio Rodríguez-Aragón y Eusebio García Luengo; versos de García Nieto, Morales, Nora, Cremer o Valverde. ¿Están todos los que son entonces en España? Casi puede decirse que sí (claro está que puede pensarse en algún nombre

ausente y habría que buscar el por qué de su ausencia). [17]

Con todas las imperfecciones y limitaciones del
caso lo cierto es que las publicaciones periódicas
fundadas y dirigidas, tan generosa y abiertamente,
por Juan Aparicio constituyeron un testimonio
importante de la voluntad de resurgimiento que estamos historiando y contribuyeron de modo decisivo, en parte de los años 40, al lanzamiento y consiguiente penetración en el público lector de nuevos
nombres españoles, aunque en el fondo de tal acción ayudadora hubiese una marcada intencionalidad política. Sus páginas amarillecidas por el paso
del tiempo pueden provocar hoy en algunos contempladores la negación o el denuesto pero cuando
hacia 1946-47 se vino abajo el artilugio dispuesto
por Aparicio fueron bastantes los escritores y lectores de sus publicaciones que las echaron, lamento-
samente, de menos. [18]

[17] Juan Aparicio, años más tarde, calificó a "Fantasía" como
la "cúspide de una política desinteresada de promoción inventi-
va", "máxima osadía, jamás osada en el extranjero".
[18] ¿Se produce por entonces una caída en esa afanosa ten-
sión creadora? A 15-VI-1946 (n.º 190 de "El Español", p. 3)
se preguntaba y contestaba el propio Juan Aparicio: "—Entonces, ¿hay una coincidencia entre la muerte de Villalonga, el
óbito de "Garcilaso", el silencio de "El Silencioso", la retirada
del Desmemoriado [Luis Ruiz Contreras], la tetriquez del Gijón
[café] y la transformación de "La Estafeta Literaria" y de
"Fantasía" en esas lápidas sepulcrales, que son las magnas
páginas de "El Español", donde se han refugiado bajo el epígrafe que parece el epitafio de "Aquí yacen"? —En efecto;
parece ser que existe una coincidencia. —¿No viviremos literariamente en un "in pace"? —Pues, mientras tanto, descansemos
en paz".
Añadamos que "Escorial" está sin aparecer de marzo de
1945, n.º 53, a enero de 1947, n.º 54; "Garcilaso", órgano
de la "Juventud Creadora", saca su n.º 35-36 y final con
fecha de mayo de 1946; "La Estafeta Literaria" concluye en
enero de este mismo año que es, también, el último de "Vértice"; en 1947 finaliza "Cuadernos de Literatura Contemporá-

Escuela Oficial de Periodismo

Otra creación contemporánea de Juan Aparicio —se abrió en el año 1942—, inscrita en la dicha voluntad de resurgimiento —"eran los años de la posguerra, en los que las redacciones estaban diezmadas y era preciso formar con urgencia profesionales para salir de aquella penuria humana", ha declarado el propio Aparicio— y con idéntica apertura a los jóvenes —"mi primera intención al fundarla fue la de dar oportunidad de escribir en un periódico, mediante una adecuada orientación, a las vocaciones periodísticas que se estaban perdiendo en muchos rincones del país"—, [19] fue la Escuela Oficial de Periodismo, en cuyas primeras promociones —carrera de sólo un curso en sus inicios, con carnet de profesional al concluirlos satisfactoriamente— figuraron novelistas como Cela, Pedro Álvarez, Pedro de Lorenzo o Pedro García Suárez.

Editora Nacional

Hemos advertido la existencia de una situación propicia para el escritor novel en cuanto a su acogida en determinadas publicaciones periódicas, que pagan aceptablemente sus trabajos, situación que puede incluso llegar al nivel de libro; los jóvenes que empiezan se ven favorecidos por la penuria producida con la guerra y la consiguiente necesidad de rellenar huecos y de mostrar efectiva actividad. El caso es que uno de ellos, José María García Rodríguez, confesaba en 1944 [20] que "desde

---

nea". Igualmente había dejado de publicarse "Arte y Letras", continuadora desde enero de 1943 de "Santo y Seña".

[19] En "La Nueva España", Oviedo, del 30-I-1972.

[20] P. 21, n.º 16: 15-XI-1944, de "La Estafeta Literaria".

1939 tenemos los noveles libre el paso en periódicos y revistas. Incluso hemos llegado, quizá demasiado pronto, a publicaciones de categoría nacional como "El Español". Pero la experiencia ha sido fructuosa [...] Para el libro, la Editora Nacional abrió un ancho portillo". Editora Nacional es otra entidad cultural financiada por el erario público que, desde 1941, sustituyó a Ediciones "Jerarquía" [21] y que, desde enero de 1943, fue dirigida por Pedro Laín Entralgo, quien dio a su fondo características de rigor y de apertura —en pleno apogeo de improperios contra el siglo XIX, que vienen a veces de las altas esferas oficiales, y cuando se llevan las biografías imperiales y las hagiografías, Editora Nacional ofrece en su serie "Breviarios de la Vida española" semblanzas de personajes decimonónicos—. Queda dicho que los jóvenes tenían en Editora Nacional cabida para sus libros y en lo que a narración atañe baste recordar títulos como: *Nasa*, de Pedro Álvarez (1942) y *El hombre que iba para estatua*, de Juan Antonio Zunzúnegui (1942); *Javier Mariño*, de Gonzalo Torrente Ballester (1943) y *La fiel infantería*, de Rafael García Serrano (1943); *Retorno a la tierra*, de Eugenia Serrano (1945); o *La sal perdida*, de Pedro de Lorenzo (1947).

Premios Nacionales de Literatura

El Premio Nacional de Literatura, concedido por el Ministerio de Instrucción Pública antes de 1936

---

[21] Se llamaron así por la revista del mismo nombre (Pamplona, 1936-1938); publicaron libros como el *Eugenio* ..., de García Serrano y la novela de Foxá, *Madrid de corte a cheka; El libro de Cristóbal Colón*, de Claudel, *El viaje del joven Tobías*, de Torrente Ballester y *Poesía heroica del Imperio*, una antología debida a Luis Rosales y Luis Felipe Vivanco.

y que solía tener asunto y género distintos en cada convocatoria, [22] tomaría ahora nombres de la nueva situación política: "Francisco Franco" y "José Antonio Primo de Rivera", e iría rotando en estos primeros años de postguerra entre los varios géneros y modalidades literarias. Se trataba, asimismo, de mostrar una rica y diversificada labor creadora [23] que, por lo que a novela atañe, correspondió en 1943 a *La fiel infantería.*

Premios —y libros y autores premiados—, editoriales y colecciones, páginas de diarios, semanarios y revistas, entidades oficiales y sus directores (que pueden aparecérsenos como manipuladores de la actividad intelectual y literaria), tienden a dar la impresión de que las aguas han vuelto a su cauce después de la sangrienta inundación reciente y de que, pese a limitaciones varias (desde la escasez de papel hasta la vigilancia de la censura), ha comenzado con firme paso la tarea continuadora y de reconstrucción.

II.   ¿UNA NUEVA ESTÉTICA?

Esa voluntad de resurgimiento advertible en la vida española de la postguerra, que alcanza a lo

[22] Así en 1935 fueron premiados Guillermo Díaz-Plaja, por su *Introducción al estudio del Romanticismo español,* y Ramón J. Sender, por su novela *Mr Witt en el Cantón* que respondía a lo pedido en la convocatoria: "narración acerca de un episodio de la segunda mitad del siglo XIX".
[23] En 1941, por ejemplo, el premio "José Antonio Primo de Rivera" se destinaba a poesía y correspondió al libro de Adriano del Valle, *Arpa fiel.* En 1942, el premio "Francisco Franco" fue para libros de viaje y se lo repartieron Luis Díez del Corral (*Mallorca*) y Ernesto Giménez Caballero (*Amor a Cataluña*), en tanto que el "José Antonio" premiaba teatro y fue a parar

intelectual por el deseo de continuidad y el afán de
mostrar activo movimiento, se configura, en el ámbito de las letras, para la joven generación en una
especialísima estética que acaso pudiera calificarse
de *nueva*, si bien en algunos extremos dista de contener efectiva novedad. Veamos algunos de sus postulados más dilectos y notorios.

La primera llamada de atención en el orden cronológico creo la ofrece el número 1 de "El Español"
(31-X-1942), que en sus páginas quinta y sexta recoge hasta siete artículos de muy jóvenes periodistas
bajo el epígrafe general de "Nuestra generación
frente al Quijote". [24] En los de mayor apasionamiento —el artículo de García Serrano, vgr.— se rehúsa
la identificación con Don Quijote, héroe vencido,
pues lo que a España conviene en aquel concreto
momento son héroes vencedores, como un Hernán
Cortés; se toma pie en la conocida frase de lord
Byron y se recuerda que ya en su día Ramiro de
Maeztu había considerado esta novela cervantina
como el libro ejemplar de nuestra decadencia; pero
se olvidan otras cosas que en el mismo existen. Acción victoriosa y no dolida melancolía, que el ímpe-
tu del corazón vaya condignamente ayudado por la
fuerza del brazo y de las armas:

---

a manos de Emiliano Aguado por su pieza *A la sombra de la
muerte*.

[24] Se trata de: Jesús Revuelta —*Por qué no nos gusta Don
Quijote*—, Luisa María de Aramburu —*Símbolo*—, José Luis
Colina —*El Don Quijote que hemos conocido*—, Rafael García
Serrano —*El mito quijotesco*—, A. Fraguas Saavedra —*Don
Quijote, padre y campesino*—, Manuel Suárez Caso —*Don Miguel y Don Miguel*— y Antonio Abad Ojuel —*Sinceridad
española de Don Quijote*—; han sido llamados a la encuesta
debido a su condición de escritores que obtuvieron el premio
mensual de periodismo de la Delegación Nacional de Prensa.

A la basura los imperios espirituales —exclamará García Serrano—. Nosotros queremos tierra de todos los colores, y ríos azules, y mares verdes, bien poblados de destructores; sultanes, caídes, reyezuelos, caciques, la gran especie del petróleo, el mundo.

Pero sólo algunos de los convocados se dejaron llevar por tan exacerbado y pragmático vitalismo. [25]

(En las páginas centrales de este primer número de "El Español" se enfrentan dos relatos bélicos de tono harto distinto: pesimista, el uno, relativo a la guerra europea del 14, obra del finlandés Uuno Kailas; optimista, el otro, como de persona bien hallada con la peripecia que vive, debido a dos integrantes de la División Azul. Es, de nuevo, la alegría de la acción bélica, que deja satisfecho al combatiente, figura muy contraria a la acuñada por Remarque, contestado una vez más en el artículo de Jesús Revuelta, *De cómo Erich María Remarque no estuvo en la División Azul.*) [26]

Estamos operando (y seguiremos haciéndolo) con hechos y textos debidos a miembros de la denominada "Quinta del S.E.U.", [27] conjunto generacional caracterizado así por uno de los propios quintos: [28]

[25] Hubo después precisiones y discrepancias, ya que tales páginas de "El Español" no cayeron en el vacío. Recuerdo en números del mismo semanario, no muy posteriores al 1, artículos sobre el tema debidos a Ernesto Giménez Caballero —que, tan vitalista y pragmático como el joven García Serrano, compendiaba el sentido de su postura en estas líneas finales: "Alma de Quijote, sí, pero con fuerza y armas".— y a Rafael Sánchez Mazas —mucho más templado y tradicional—.

[26] Publicado en la revista del S.E.U., "Haz", n.º de febrero de 1943. Revuelta había obtenido el premio mensual de periodismo de la Delegación Nacional de Prensa por su artículo *Camisas azules en Novgorod.*

[27] Siglas de "Sindicato Español Universitario", fundado en 1933 por un grupo de estudiantes falangistas. David Jato Mi-

Quinta de combatientes y universitarios: gente ingenua, impulsada por una enorme sanidad vital, sincera, cruda y a veces bronca [...] alegre, orgullosa y humilde a la par; entusiasta y auténtica hasta el sacrificio, disciplinada y deportiva; católica a muerte y a veces *gibelina*; dotada de una positiva conciencia generacional, innovadora, desinteresada y revolucionaria; para siempre soldada con el compromiso irreversible de la sangre.

Queda más cerca la academia de alféreces provisionales que la Universidad y sus interrumpidos cursos facultativos; tras la lucha y el triunfo, no hay tiempo que perder y a la acción, apasionada y enérgica, se entregan horas y esfuerzo. La atención demorada, la contemplación en sosiego parecen no compatibles con el talante de quienes vienen, muy pagados de sí mismos, casi atropellando, con una revolución cultural a cuestas. Urgidos por la prisa no tienen ojos, o presumen de no tenerlos, para ciertos pormenores y filigranas que la obra bien hecha y el arte puro exigen. Abundan las citas probatorias —de Gaspar Gómez de la Serna, [29] Pedro García Suárez [30] o Luis Ponce de León, [31] pongo

---

rando ha escrito su historia, muy documentadamente, en *La rebelión de los estudiantes,* cuya 3.ª edición es de 1968.

[28] Gaspar Gómez de la Serna, *España en sus episodios nacionales* (Madrid, Ediciones del Movimiento, 1954), p. 197.

[29] "[...] con la conciencia de que cuando hacemos literatura estamos también cumpliendo el servicio para el cual fuimos alistados, sin movernos de la brecha donde nos colocó el destino" (*Literatura apasionada,* artículo en *ABC,* p. 3 de un n.º de los primeros años 40).

[30] Véanse palabras de la nota previa a su novela *Legión 1936,* recogidas en otro lugar del presente capítulo (epígrafe *Crónica de varia lección*).

[31] "Estamos completamente de acuerdo con una esquela mortuoria que el periódico "Claridad" [órgano socialista madrileño] publicó en 1936 anunciando el óbito de Doña Literatura Pura. Deliberadamente renunciamos a toda pasión de arte que nos

por caso— entre 1942 y 1945; pero más cumplido
y representativo compendio del complejo, vital y no
estético, padecido por estos jóvenes escritores comprometidos resulta el siguiente párrafo escrito a la
sazón por Rafael García Serrano: [32]

> No es nada para nosotros la Literatura, ni el Arte, ni
> la Música. Nada nos importa pasar por el Mundo sin
> dejar otra huella que la de las botas de clavos, que la
> de la cruz en un rincón, que la removida huella de una
> tumba ocasional. No aspiramos a consagrarnos por la
> obra maestra, por el verso que sentimos y no tenemos
> tiempo de escribir, por el cuadro que vemos y no po-
> demos pintar, por la estatua que tantea, hermosa y des-
> nuda, nuestra imaginación, mientras la piedra que la
> contiene nos sirve de parapeto. La misión única de los
> que ahora vamos bajo la bandera hispana es conseguir
> un siglo útil para la Patria.

(Juzgue el curioso lector cuántas y cuán graves
preocupaciones extraestéticas son recontadas, vana-
gloriosamente, en el texto que antecede y piense, a
fuerza de ponderado, si tan obsesiva atención al
"hic et nunc" no contiene, insidioso, el más enérgico germen destructor del arte —de una literatura
escrita bajo el peso de tales postulados—; años más
tarde, considerando la poesía como un arma carga-

---

excluya o nos neutralice como luchadores. [...] España y su
destino jamás serán para nosotros una agradable broma, ni
una moda fugaz, ni un recurso efectista, ni un rasgo de buen
tono" (pp. 286-287 de *Contra aquello y esto.* Madrid, Editora
Nacional, 1945; pero el artículo al que pertenecen estas líneas,
titulado *Bajo el signo de Santiago,* se publicó en "El Español",
n.º del 9-X-1943).

[32] *Episodios Nacionales, o historia de la ocasión perdida*
(artículo publicado en "La Prensa", Barcelona, y recogido en
el n.º 78: 27-VI-1943, de "Sí", suplemento semanal de "Arriba", de donde lo tomo).

da de futuro y sustituyendo el servicio a la patria
por la exaltación de la lucha de clases —novelas
"proletarias" y novelas "anti-burguesas", por ejemplo—, volverá a darse la arremetida contra la obra
bien hecha y el arte puro. "Quinta del S.E.U." y
escritores "sociales" resultan, a lo que se ve, extremos, igualmente errados en esa actitud, que, sobre-
pasadas épocas y circunstancias, se tocan.)

La situación de que tratamos se completa advirtiendo el sentido del artículo-manifiesto de Pedro de
Lorenzo, *La creación como patriotismo*, publicado
el 14 de febrero de 1943 en el diario madrileño
"Arriba". [33] Crear es un deber patriótico, urgido
ahora por la especial idiosincrasia del momento español; crear equivale a construir, cosa que no siempre se ha hecho si se toma como instrumento la
crítica, operación más vocada al pesimismo y a la es-
terilidad. Si crítica y creación parecen oponerse, generación del 98 y "quinta del S.E.U." andan, también, opuestas: "Al 98, que —como se nos ha
dicho— trajo de lema nacional *la crítica*, hay que
oponerle esta consigna heráldica de nuestro mensaje: *la creación como patriotismo* [...] una literatura
que enseñe, que mejore, perfeccione y trascien-
da; que al valor estético agregue lo humano y representativo" (véase que hay escritas bastantes palabras antes de llegar al *valor estético*, mero soporte
para la agregación de otros valores muy congruentes
con *el siglo útil para la Patria*, anhelado por García
Serrano).

La generación del 98, en general, y Baroja y Azorín, los supervivientes de ella, en particular, son, por
estos primeros años de postguerra, objeto y víctima

---

[33] Recogido en el n.º 78: 27-VI-1943, de "Sí", con otras diez
y seis *Crónicas literarias de autores jóvenes*.

propiciatoria de comentarios y denostaciones. Cuando en 1945 sacó Pedro Laín Entralgo su documentado libro *La generación de 1898,* en cuyo prólogo ("epístola a Dionisio Ridruejo") se reconocía la triple deuda —idiomática, estética y española— contraída por los hombres de la generación del autor con estos egregios compatriotas, no faltaron, junto a favorabilísimas acogidas, [34] quienes, como Domiciano Herreras, vigilante exigente de la más incontaminada ortodoxia doctrinal, reprobara a Laín el malgasto de su tiempo y talento ocupándose de tal asunto —"Yo pienso que tienes tu cultura y tu sagacidad mental para empresas más altas"—. [35] Recuerdo, asimismo, la extensa serie titulada *El 98. Introducción al estudio hostil de una generación inútil,* obra de José María de Vega, que vio la luz, a partir del 16 de noviembre de 1943, en "Juventud", semanario del S.E.U. [36] Tres frailes franciscanos, redactores de la revista "Verdad y Vida", contestaban en 1944 [37] a la pregunta de F. Sánchez-Marín:

[34] Como las de Manuel Muñoz Cortés (en la página literaria dominical de "Arriba", un n.º de 1945) —"Frente a tanta obra montada sobre puras anécdotas, resentidas o beatas, el libro de Pedro Laín es [...] serio, ejemplar y digno"— y Melchor Fernández Almagro (*ABC,* 19-XI-1945) —"Necesitábamos un libro que estudiase la generación del 98 [...] en su conjunto. Ese libro lo tenemos ya"—.

[35] Pp. 16 y 13 de "El Español", correspondiente al 1-XII-1945.

En el artículo de Herreras se alude a una discrepancia sobre la generación del 98 ocurrida entre el agustino P. Félix García —*Anomalías* (en "Ecclesia", Madrid, n.º 24: 15-XII-1941)— y Laín Entralgo —*El 98 y otras cosas* (en "Arriba", 23-XII-1941)—.

[36] Los artículos de esta serie estaban llenos, a más de injusticia e incomprensión, de errores, por ejemplo: Wenceslao Fernández Flórez, Luis Araújo Costa y Luis Astrana Marín eran para el joven Vega, director a la sazón del semanario seuísta, miembros también de la "tabernaria, cochambrosa, sucia y fea caterva de viejos literatos".

[37] P. 21, n.º 1: 5-III-1944, de "La Estafeta Literaria".

¿acaso notan indicios de desviación, peligros siquiera sean sutiles y latentes? [se entiende: en la actividad intelectual y literaria españolas del momento], diciendo que sí notaban, y que uno de los peligros

> lo vemos en la avaricia de pervivencia que muestran los supérstites del 98. Su influencia se deja notar bastante. De ellos se aceptan, aún, no solamente maneras y metáforas —lo cual no sería reprobable ni desde un punto de vista estético—, sino matices de ideas, tonalidades que disfrazan un tanto el verdadero color del ideario español.

En el número 2 de "La Estafeta Literaria" el novelista Bartolomé Soler, anónimamente entrevistado, se despachó contra la generación del 98, explicando que "no la amo porque fue llorona y quejicosa, porque se sintió humillada con nuestras derrotas, porque se embriagó mostrando los bordes de las heridas de España, porque entendió su amor español agitando al aire las vergüenzas de España". ¡Cuántas citas similares podrían aducirse! ; [38] tanto

[38] Pero hubo también excepciones en este coro reprobatorio, y sería mal proceder no mencionarlas. En 1941, falangistas tan notorios como Gonzalo Torrente Ballester —"Es necesario proclamar [...] que la generación del 98, literariamente, es la más estimable que existió en España desde el siglo XVII [...] surgió a la vida de la cultura fuertemente atada a un fracaso de España, a una desesperanza. Nosotros venimos con el alma puesta en un futuro mejor, y esto, si nos había de separar, nos une. Aquella desesperación y esta esperanza nuestra nacieron profundamente ligadas, en su esencia, en su vida misma, a la vida de la Patria" (n.º 10 de "Escorial", mes de agosto)—; Eugenio Montes —"La generación del 98 ha sentido apasionadamente a España. Sería injusto negarle calor y emoción a su patriotismo" (entrevista en el n.º 2: 20-X-1941, de "Santo y Seña")—; y Antonio Tovar —"Hay que recoger del 98 su sentido de insatisfacción por la Patria, de ansia de perfección —que muchos de ellos apagan en desaliento— y que en su pureza prístina ha de llegar a la médula del pensamiento político de José Antonio Primo de Rivera" (entrevista en el n.º 5:

fue así que Dámaso Alonso, a la pregunta de Gamallo Fierros (en el mismo número 2 de "La Estafeta": [39] "¿a qué se debe la actual decadencia de la
crítica literaria?", contestó burlonamente: "alguna
causa debe haber. ¿Qué tal que le echemos la culpa a la generación del 98? Es arbitrio muy soco-
rrido." (¡Pobre generación del 98, entonces y ahora
blanco propicio de tanto energúmeno de cualquier
acera política, dispuesto siempre a echar de menos
lo que desearía encontrar en la biografía o en los
escritos de sus miembros, y olvidadizo o, sencillamente, ignorante de sus méritos estéticos y españoles!)

La tradición realista

Es a una tradición de realismo a la que la mayoría de nuestros novelistas actuantes, recién llegados o mayores, parecen adscribirse. Los primores
de estilo, las ocurrencias ingeniosas, los experien-
talismos técnicos, la densidad ensayística es algo
que diríase no va con ellos; he aquí una muestra
fehaciente, donde salen a plaza, requeridos por un
joven colega y por él no aceptados como novelistas, Miró, Azorín y Gómez de la Serna: "Miró, en
quien la herramienta brilla con exceso y llega a
ocultar la obra; Azorín, en quien los materiales
cobran valor por sí mismos y jamás se conjuntan;
Ramón Gómez de la Serna donde el ingenio campa
por sus respetos y una llamarada luminosísima, al
deslumbrarnos, nos oculta diez páginas que no
hicieron falta. Porque sucede que si Miró, Azorín

20-XII-1941, de "Santo y Seña")—, escribieron o declararon
favorable y elogiosamente.
   [39] P. 19, n.º 2: 20-III-1944, de "La Estafeta Literaria".

y Gómez de la Serna hicieron Novela, o lo que pudo parecérsele, no pisaron jamás una Estética de solidez bastante para caminar sobre ella" [40] (Cela concluye considerando a Ledesma Miranda, "hermano mayor").

Este, muy de actualidad entonces por la reedición corregida y aumentada de sus *Viejos personajes*, [41] había sido, no demasiado tiempo atrás, narrador gustoso de probaturas y tanteos a la búsqueda de caminos nuevos, consiguiendo se le estimara en los años 30 como "una fuerte y definida personalidad"; [42] pero con la guerra ha perdido gusto por semejantes aventuras y se ha corroborado en el galdosianismo existente en su obra. Más de una vez escribió Ledesma Miranda en esta década de los 40 acerca de la Novela —páginas de "Arriba", donde fue algún tiempo colaborador habitual; de "Santo y Seña", de "Escorial"— y en todo momento se expresaría con idéntica rotundidad negativa —"hace tiempo que la mejor novela europea, la que intentan cultivar los más finos e inteligentes escritores, hace grandes esfuerzos por librarse de una fábula

[40] Camilo José Cela ("Arriba", 2-IX-1944; reseñando *Almudena, o historia de viejos personajes,* novela de Ramón Ledesma Miranda).
Respecto a Pérez de Ayala opinaba por entonces (n.º 63 de "Vértice") Juan Antonio de Zunzúnegui: "Pérez de Ayala recama con exceso el idioma y crea sus caracteres y tipos con una fría y alquitarada inteligencia. Por los seres humanos del escritor asturiano no corre la sangre, son excesivamente intelectuales".
[41] Novela mucho y muy favorablemente comentada: Fernández Almagro (*ABC,* 25-VI-1944); Rafael Sánchez Mazas ("Arriba", 11-VI); José María Alfaro ("Arriba", 3-XII); Ricardo Gullón ("Alerta", Santander, 8-IX); Ángeles Villarta ("Domingo", Madrid, 2-VII); Román Escohotado y Miguel Moya Huertas, etc.
[42] Así pensaba Miguel Pérez Ferrero, p. 60 de *Almanaque literario 1935* (Madrid, editorial Plutarco, 1935).

cuyo tejido de acontecimientos se les aparece inútil trasunto de la existencia. No se librarán de esa fábula. No es fácil enajenar el esqueleto y seguir en pie sobre la vida. La fábula es, pues, el esqueleto de la novela"— [43] y afirmativa —"la novela realista es la novela-tipo: lo que la antecede es su infancia y lo que la sucede es su vejez"—. [44]

Opiniones no poco coincidentes con la de Ledesma Miranda, expresas también en el número dedicado al género por el semanario "Sí", son las de narradores más jóvenes o más recientes, como Gonzalo Torrente Ballester —que en pocas líneas revela mucho: "Los seminovelistas —Valle-Inclán, Pérez de Ayala, Miró, para quienes lo primero es el estilo— no nos sirven. Ciertamente, Baroja es nuestro último gran novelista"—, [45] o Juan Antonio de Zunzunegui —quien se desdobla en un amigo que con él conversa, presentándole, vgr., la incompatibilidad entre narrador y estilista, cada uno de ambos con sus pros y sus contras: "los escritores más dotados de invención novelesca que mejor nos dan la impresión de la realidad viva son medianos escritores [...] Esto donde lo vemos mejor es en el lenguaje directo, en el diálogo. El artista literario (Miró, D'Annunzio, Barrés) no sabe *hacer hablar* a sus personajes, o si los hace hablar es él que habla siempre, y no el correspondiente personaje. El artista, cuando no es más que artista, no sabe dialogar"—. [46] (Pero en la misma miscelánea se habla con elogio, de mano de "Juliano de Gades" —seu-

[43] "Escorial", n.º 15: I-1942, p. 136.
[44] *Sí* (suplemento semanal de "Arriba"), n.º 88: 12-IX-1943, p. 12.
[45] Artículo "Más notas sobre la Novela". Compárese con Cela y Zunzunegui: vid. nota 40.
[46] Artículo "La novela y el estilo, o el conflicto entre el arte y la vida".

dónimo de Adolfo Lizón—, [47] de proustianismo y
tempo lento en la Novela y se celebra el nombre
y la obra de Gabriel Miró).

La dicotomía narrador/estilista la percibe y dilucida, asimismo, Pedro de Lorenzo, autor de la novela *La quinta soledad* y de elegantes y morosos
fragmentos prosísticos o poemas en prosa, quien
deja que cada cual —el novelista/el escritor— siga
su camino, atienda a su público, corra la suerte que
el tiempo presente y el por venir la deparen —"com-
ponga novelas de gran público quien guste de los
espacios abiertos, seguro de que su nombre se arries-
ga a desaparecer sorbido por una masa coetánea
dilatada cuanto disgregadora. Preocúpese de la
constante disgregación del estilo el escritor y su firma, con alas para un aire que acaso no sea el de
su tiempo, jamás ha de imponerse en planos hori-
zontales, porque el corazón de un mundo futuro le
atrae con el imperio sosegado e implacable de la
gravedad vertical.// El simple novelista, pasa; el
escritor auténtico, queda"—; [48] Pedro de Lorenzo
aspira, como estos últimos, a quedar.

Pero acaso Pedro de Lorenzo sea postulador y
único miembro, al mismo tiempo, de semejante
línea estética entre los jóvenes narradores del momento quienes, como él, piensan que "novela es
acción", mas quizá ya no entiendan ésta tal y como
aquél dice entenderla: "el simple y maravilloso
ver, moverse, sentir, soñar y obrar de los personajes", sino muy relativa a la nuda peripecia externa.

---

[47] Autor del libro *Gabriel Miró y su tiempo* (Madrid, 1944)
y de un artículo sobre Eugenio Montes —*Eugenio Montes:
canto y escollo de un estilo* ("Cuadernos de literatura contemporánea", n.º 16-17, 1945, pp. 429-435—, y también novelista.
[48] *Diferencial de novelista y escritor* (n.º 2: VI-1943, de "Garcilaso", Madrid).

Así permiten creerlo expresiones de las breves estéticas que Ignacio Agustí —"para que la novela surja es indispensable al novelista cortar la raja de mundo que haya elegido para la futura creación"—, Camilo José Cela —"sigo creyendo que la novela es el reflejo [...] de la realidad, de la hermosa o sucia realidad"—, o Juan Antonio de Zunzunegui —"lo real es el principio y fin de las cosas en arte y sin humanidad lo novelesco es puro tururú"— han entregado a Juan del Arco para su antología de *Novelistas españoles contemporáneos* —1944—,[49] por las que se echa de ver que realidad y realismo siguen imperando.

He aquí que al término de los años 40 las cosas parece continúan sin cambio apreciable, pues José Suárez Carreño, ganador del "Nadal" 1949 con *Las últimas horas,* declaraba:[50] a) sus dudas respecto a la entidad novelesca de Proust —"¡admirable la exposición! Pero se pasa y llega a la exposición por la exposición. Poca acción, poca vida. No sé si podemos llamar a eso novela propiamente"—; b), su idea del novelista como mago que arrebata al lector contándole cosas —"novelista será aquél que tiene el poder de hacer olvidar al lector que todo *aquello* no ha sucedido; el que coja al lector desde un principio y no le suelte, el que sepa, además, contar cosas *que no han acontecido*"—; c), se confiesa admirador de Baroja.

[49] Esta antología (impresa por editorial Aldecoa, Madrid-Burgos) ofrece junto a los textos elegidos (que a veces son cuentos, y no fragmentos de novelas), una biografía y una auto-noticia estética de cada uno de los autores, y su fotografía. Van veintitrés novelistas: desde los del 98 a los que acaban de salir (Cela, Villalonga, Pedro Álvarez). Siguen dos apéndices: 1), cronología de la novela española de 1893 a 1943; 2), copiosa y selecta bibliografía general.

[50] A Carlos Sentís, en el n.º de *Destino* que informa de la concesión del "Nadal", enero 1950.

III. TRADUCCIONES, BIOGRAFÍAS,
ACTIVIDAD EDITORIAL

La entradilla a la página catorce del número 1 de "El Español" (31-X-1942) apuntaba a la actividad editorial de por entonces, casi colmada, en el género que nos incumbe, de traducciones, con las cuales se creía satisfacer las apetencias del lector medio, mientras se limitaba rigurosamente la entrada de nuestros seguros y probables novelistas:

> En nuestra Patria, la aportación de la iniciativa privada a la bibliografía de la postguerra está integrada casi en su totalidad por literatura de tercera o cuarta categoría, de producción extranjera. Así esta progresión y fomento de malas traducciones de obras deleznables presenta, como primer mal, la apariencia de falta de valores nacionales en el campo de la novela [...] esa íntima razón de los editores que acaso sea la clave del problema: las ventajas económicas que una traducción cualquiera ofrece, frente a los justos y normales derechos del escritor de una buena novela.

Traducciones de novelas de novelistas, con harta frecuencia, de no mucha calidad y poco reputados en su país de origen; traductores que trabajan a tanto la línea o la página (un tanto más bien mezquino), realizando su labor con desgana y, en ocasiones, torpes conocedores del idioma que traducen y del idioma al que vierten. Los productos así resultantes suelen servirse al público, por editoriales barcelonesas en mayor número que madrileñas, en volúmenes de cuidado aspecto (tipografía, encuadernación, sobrecubierta vistosamente coloreada). Claro está que hay excepciones a todos y cada uno de tales renglones negativos. [51]

El fenómeno llegó a preocupar y a convertirse en motivo de artículos y encuestas. Zunzunegui declararía una vez, [52] entre alarmado e irritado, lo siguiente:

> Hay que cuidar de la literatura nacional. La literatura, como la industria, debe tener su protección. Ese dejar traducir a caño libre, como se ha hecho hasta ahora, me parece tan perjudicial como si en el terreno económico se consintiese la importación de toda clase de productos. No sé por qué se ha de proteger la industria y no la literatura, que también es una industria además de un ornamento del alma del país.

Y Ángel María Pascual, luego de ironizar acerca de una posible Sociedad de Escritores en la España de a la sazón, cuya directiva integrasen aquellos de mayor rendimiento económico (presidiría André Maurois, vicepresidiría Lajos Zilahy, haría de secretario Sommerset Maugham y de tesorero, Jacob Wasserman), concluye [53] con esta andanada patriótica:

> Tenemos los españoles la fatal propensión de preferir lo de fuera a lo nacional [...] Muchos caminos del enemigo —enemigo es todo lo no hispánico— quedaron clausos. Pero él no descansa. Y he aquí por qué enfrente de la azotada hueste de los nuevos intelectuales españoles, de los que pueden regir la inteligencia de su

[51] Es, por ejemplo, el caso de *Flush*, novela de Virginia Woolf, traducida por Rafael Vázquez Zamora y publicada, 1943, en la colección "Áncora y Delfín" (Ediciones Destino, Barcelona).

[52] P. 5, n.º 2: 20-III-1944, de "La Estafeta Literaria".

[53] P. 3, n.º 203: 14-IX-1946, de "El Español".

pueblo, según un gusto, una fe, una tradición y una
revolución que han costado demasiada sangre, se alza
esa caterva de importaciones literarias que sólo cuestan
demasiado dinero.

Poco a poco, lentamente más bien, el fenómeno
se atenúa, al tiempo que los novelistas españoles
van abriéndose algún camino —(los premios han
ayudado a ello)— pero a la altura de 1950 podía
aún constatarse que "prevalece, a los efectos del público, un gusto, casi obsesivo, por la traducción de
novelas extranjeras, valgan lo que valieren. [54]

Se traduce profusamente buena parte de la obra
de: André Maurois, entre los franceses (*Climats*,
el título más favorecido); Pearl S. Buck y Luis
Bromfield, entre los norteamericanos; Knut Hamsum, entre los nórdicos; el húngaro Lajos Zilahy; [55]
y, sobre todo, autores ingleses como: Sommerset
Maugham, Cecil Roberts, Clemence Dane o Maurice Baring. De todos ellos fue posiblemente Baring
el de más amplia audiencia; en 1942 comentaba
Salvador Pérez Valiente:

Es indiscutible que Baring es hoy el novelista extranjero más leído en España. Una rápida ojeada a los escaparates de las librerías resultará de todo punto convincente. Empezado a traducir en estas mismas horas
que estamos viviendo, sus libros inundan ya el mercado
editorial español. No sabemos si por indudable decadencia del género en nuestro país o por identificación
temperamental entre autor y lectores —aburguesada

[54] Melchor Fernández Almagro, ABC del 18-VII-1950.
[55] Cuya novela *Algo flota sobre el agua* fue comentada elogiosamente por Enrique Azcoaga (n.º 31: V-1943, de "Escorial") y desmontada por José de las Cuevas (n.º 17: 1-XII-1944,
de "La Estafeta Literaria"), quien pone de manifiesto algunos de
los trucos fáciles y efectistas que Lajos Zilahy suele usar.

cohorte de plácidos lectores—, el estilo, el pensar y el hacer de Baring lo es también de esas medias gentes que entretienen sus ocios entre *boite* y *boite*. Es por ello el escritor de moda. [56]

Fue el gusto lector de "esas medias gentes", "aburguesada cohorte de plácidos lectores", manipulado por editores más atentos al próspero negocio que a la calidad estética, lo que alzó desmesuradamente durante unos cuantos años —no "a lo largo de cuatro lustros, como supone Juan Goytisolo— [57] a novelistas como los mencionados, diestros en la práctica de contar y poseedores de secundarias excelencias genéricas.

Las biografías fueron otra distracción de aquel público lector, fenómeno documentalmente comprobable y que obstaculizó, asimismo, la salida de nuestra novelística. Hubo sus encuestas al respecto y recuerdo un artículo del catedrático Antonio Bermejo de la Rica [58] que, profesionalmente, se dolía del daño causado a la severa y verídica Historia por tanta improvisada biografía, pasto de lectores poco exigentes, las cuales tienen más de novela —libérrimo fantasear sobre unos cuantos datos fehacientes— que de historia —realidad verificable— y resultan producto parecido a lo que fue la novela histórica del romanticismo decimonónico. El lector sale por unas horas del mundo actual y, cómodamente, se adentra en otros cercanos o remotos, cronológica y geográficamente, poblados por gentes

[56] Reseña de la novela de Baring, *Seis delfines* (p. 317, n.º 5-6, 1942, de "Cuadernos de literatura contemporánea", Madrid).
[57] "Para una literatura nacional popular" (n.º 146: I-1959, de "Ínsula").
[58] "El asombro de los literatos ante la invasión de las biografías (n.º 14: 25-IX-1944, de "La Estafeta Literaria").

exóticas respecto de las de hoy, con virtudes y vicios, costumbres y usos de pintoresco atractivo no pocas veces.

Antes de la guerra civil, Espasa-Calpe sacaba en Madrid la colección "Vidas Españolas e Hispanoamericanas del siglo XIX", de la que aparecieron algunos títulos después de 1939 pero que enseguida dejó de publicarse (Espasa seguiría prestando atención al género por medio de la serie "Grandes biografías"). Mas el siglo XIX gozó de mala prensa en estos primeros años de la postguerra, motejado de disociador de los españoles y de padecer otras diversas lacras. Contrapeso a tanta peligrosidad fue la exaltación de los siglos XVI y XVII y, consiguientemente, la moda de las biografías "imperiales", de la que son ejemplo:

a) La propensión, dicha ya, de Luys Santa Marina y demás integrantes del grupo barcelonés "Azor". [59]

b) La serie titulada "La España Imperial", a cargo de la editorial madrileña Biblioteca Nueva, donde salen (o se anuncian) un Calderón, Isabel la Católica, Fernando el Católico, Carlos V o Felipe II, "antepasados que alcanzaron categoría de inmortales, y cuyos hechos, a la vez que motivo de orgullo, son *un estímulo para la generación presente*" (el subrayado es mío).

[59] Vid. la nota 6 del presente capítulo. A Santa Marina, buen conocedor de nuestros clásicos, se le deben: una reeditada biografía de *Cisneros,* 1933; *Italia, mi ventura (últimas guerras del Gran Capitán)* (Barcelona, Editorial Juventud, 1944) y *Alonso de Monroy* (Barcelona, Editorial Planeta, 1957). // Manuel Vela Jiménez es autor de: *Alejandro Farnesio, furia española* (Barcelona, Luis de Caralt, 1944). // José María García Rodríguez es autor de: *Ambrosio Spínola y su tiempo* (volumen I de la Biblioteca "Pretérito". Barcelona, Editorial Olimpo, 1943).

c) Títulos varios ofrecidos por la editorial Juventud, de Barcelona, como: *El gran Capitán*, por Juan Cabal o *La segunda mujer del Rey Católico (Doña Germana de Foix, última reina de Aragón)*, por José García Mercadal.

d) Libros sueltos como el de Cristóbal de Castro, *Mujeres del Imperio* (1941), conjunto de cuatro semblanzas.

Fue también Biblioteca Nueva quien por los años 40 puso en circulación unas vidas de santos españoles, colección en la que colaboraron, entre otros: Concha Espina, Joaquín de Entrambasaguas, Adolfo de Sandoval o el Marqués de Lozoya. De 1943 data el comienzo de "Vidas" (de mano de Ediciones Atlas), serie un tanto diferente a lo entonces usual por los nombres de algunos biógrafos —Fernando Vela (con el seudónimo de "Héctor del Valle"), Antonio Espina— y porque se amplía con figuras extranjeras el ámbito biográfico.

Por lo general —(sean respetadas las excepciones pertinentes)— había en tales libros biográficos ninguna o muy escasa novedad investigadora, ofreciéndose un relato más vertido hacia lo externo de sucesos y personajes que hacia la complejidad de causas y personalidades; lectura cómoda y alejadora del tan-zarandeado tiempo presente, cuya boga irritaba a más de un comentarista. [60]

[60] Como los que hacen balance de la literatura española en 1943 (José Antonio Maravall y M.C.) en el n.º 37-38 de "Escorial". Apunta el primero (p. 85) que "debido al inmenso número de las ya publicadas, se ha hecho necesario acudir a figuras de muy escaso contenido, servidas por gentes sin dotes para el oficio"; en tanto que el segundo se lamenta (p. 327) de "la desmesurada extensión de esta forma híbrida cuya moda no parece decrecer".

Mientras me ocupaba de traducciones y de biografías —(y, también, antes)—, iban siendo aludidas casas editoriales españolas —de Barcelona y Madrid, sobre todo, ya que la actividad registrada en otras ciudades españolas cedió o incluso se extinguió, como circunstancial que era, al concluir la guerra civil—. En 1944 se celebraba en Madrid una Feria Nacional del Libro que reunía a 78 editoriales, cuyos representantes discutieron en asamblea dificultades y penurias como las dos siguientes: el escritor está mal retribuido, el editor no consigue la colocación de sus fondos. Añádase la escasez de papel que se estaba padeciendo [61] (era necesario importarlo) y las restricciones en el consumo de energía eléctrica, más las limitaciones que la censura imponía (véase en este mismo capítulo el epígrafe ...pero una novela con censura). Y con todo, la cifra de libros publicados en España durante 1942 ascendió a 3.489. [62] ¿Prohibiría aquella escasez el que se editase algún libro de autor desconocido? Puede que sí; júzguese por lo que Fernando Vela (de editorial Revista de Occidente) le escribe a Camilo José Cela (11-II-1942) respecto a la posible publicación de La familia de Pascual Duarte: "En las actuales dificultades de papel, será algo más di-

[61] La prensa diaria tuvo que reducir considerablemente la paginación de sus números; recuerdo los de ABC: letra pequeña, aprovechamiento al máximo del espacio disponible, artículos de una sola columna en la página tercera. Conseguir entonces la salida de una revista nueva era punto menos que imposible: solamente se autorizaba la impresión, como libro o folleto, de un número 1. Más referencias acerca de dificultades editoriales en las pp. 127-129 de El apasionante mundo del libro. Memorias de un editor, de José Ruiz-Castillo Basala (Madrid, 1972, edición de la Agrupación nacional del comercio del libro).

[62] Según declara Vicente Díez, secretario del I.N.L.E., a un redactor de la revista "Arte y Letras" (p. 10, n.º 4: 15-V-1943).

fícil encontrar editor, pues éstos prefieren utilizar
sus menguadas existencias en autores consagrados,
reediciones de éxito, etc.". Pero también es cierto
que los editores hacían arreglos y combinaciones,
llegándose al aprovechamiento de los recortes, en
otras circunstancias mero desperdicio, lo que dio
lugar a una especie de mini-libros —de reducido
formato y pocas páginas, con alguna gracia de presentación—, con muy vario contenido y cuya existencia fue satirizada así por Luis Ponce de León: [63]

> Los escaparates hormiguean de libros chiquitines.
> [...] Los hay con pastas de seda. Los hay iluminados
> a mano. Dentro de poco los habrá perfumados con
> esencia de violetas. ¡Y sus abuelos fueron libros de
> monje, rituarios, becerros de atril catedralicio! También
> ellos son "fin de raza". Son suaves, pesan pocos gra-
> mos, llevan ideas ligeras. Parecen símbolos de lujuria
> en el sentido latino de la palabra: "luxus, luxuria".
> Estas "luxuriae", a veces deliciosas, han sido la enfer-
> medad mortal de las culturas. Debería ponérseles una
> faja con este letrero: "Libritos para lectorcitos".

Nadie acaso como el catalán José Janés (1914-
1959) representa, con sus más y sus menos, la actividad editorial de aquellos años 40. Janés, que
llegó a lanzar casi 1.600 títulos distintos, no era
solamente un hombre de negocios; poseía sensibilidad literaria y estética y ahí están para probarlo
sus bellas colecciones, hechas en tiempo de escasez
de papel y de artes gráficas forzosamente no muy
boyantes por autárquicas. Por lo que al género novela se refiere tengo a la vista una colección "Leda",
dedicada a autores extranjeros del siglo xx, donde

---

[63] Pp. 36-37 de *Contra aquello y esto* (Madrid, Editora Nacional, 1945).

salieron, por ejemplo: *La fuente,* de Charles Morgan (1944) y *El juego de la vida,* de Knut Hamsum (1946); y ha de recordarse la colección "Manantial que no cesa", con predominio considerable de los extranjeros del xx y unos pocos nombres españoles —Arbó: *Caminos de noche* (n.º 45), y *Tierras del Ebro* (n.º 69); Noel Clarasó; la autobiografía de Miguel Villalonga (n.º 47); y Benjamín Jarnés, y títulos de Ramón Gómez de la Serna—. Janés, que colaboró en otras empresas editoriales, creó dos premios novelísticos destinados únicamente a autores que comenzaban: el "Internacional de Primera Novela" (1947 a 1951) [64] y el de "Joven Literatura", que en su primera convocatoria (1952) obtuvo el entonces desconocido Juan Goytisolo por *El mundo de los espejos.*

En competencia con Janés trabajaban a la sazón en Barcelona otras editoriales, conocidas desde hacía tiempo o de fundación reciente y de existencia harto efímera alguna de éstas; Juventud, Luis Miracle, Luis de Caralt, Apolo, Tartessos, Olimpo, Yunque, La Gacela, [65] Destino [66] son algunas de las firmas editoriales existentes en Barcelona.

También se trabajaba editorialmente en Madrid, si bien este trabajo acaso resultaba menos vistoso que el realizado en Barcelona. La capital de España contaba entonces con una empresa oficial, Edi-

[64] 25.000 ptas. y la edición de la novela premiada. Fueron galardonados: el uruguayo Rodolfo Fonseca, *Turris eburnea,* 1947; Juan Antonio Espinosa, *El libro de Zubeldía,* 1948; la francesa Genoveva Gennari, *Les cousines Muller,* 1949; Ildefonso Manuel Gil, *La moneda en el suelo,* 1950; y Antonio Rabinad, *Los contactos furtivos,* 1951.

[65] Inició sus actividades en 1942, publicando *Los surcos,* la primera novela de Ignacio Agustí.

[66] Sobre sus actividades informa Arturo del Villar, pp. 20-22, n.º 467: 1-V-1971, de "La Estafeta Literaria".

tora Nacional, nada remisa, según sabemos, a la
hora de incluir en su fondo nombres españoles jóvenes. Editorial subvencionada, de corta vida y catálogo breve, fue "Sagitario, ediciones de los estudiantes españoles", donde (creo que a partir de 1944)
salieron libros de autores jóvenes, como las novelas
de Manuel Pombo Angulo —*La juventud no vuelve*— y Pedro García Suárez —*Legión 1936*—.

Sigue Espasa-Calpe pero diríase que disminuida
en relación con la pre-guerra, al menos en lo relativo a la publicación de novelas. [67] Florece Afrodisio Aguado, que en 1944 publicó la edición de
Nueve millones, novela de diez y ocho capítulos,
cada uno de ellos escrito por diferente mano; [68]
más importancia tuvo la serie "Los Cuatro Vientos", en la que, a la altura de 1945, habían aparecido títulos como: *Pabellón de reposo* y *Esas nubes
que pasan* (cuentos), de Cela; *Zarabanda,* de Darío
Fernández Flórez; *Almudena, o historia de viejos
personajes,* de Ramón Ledesma Miranda; y dos
reediciones de Concha Espina. Revista de Occidente, que ofreció en los años 40 libro tan decisivo
como *Hijos de la ira,* sacó en 1949 una poco lograda novela de Enrique Azcoaga, *El empleado.* La
breve existencia de Ediciones Adán, de cuya mano
vio la luz otro capital libro de poesía, *Sombra del
paraíso,* se inició con la novela de un viejo escritor
y debatido novelista, Azorín, autor de *El enfermo*
(1943). En el catálogo de ediciones La Nave (cua-

---

[67] Basta con que hagamos memoria de títulos que se recogen
en la primera parte de nuestro capítulo I. Benjamín Jarnés
publicaba, preferentemente, en Espasa, editorial que sacó las
tres novelas de Carranque de Ríos y, también, algunas de autores hispano-americanos como: Mariano Azuela, Gregorio López y Fuentes, Luis Martín Guzmán o Jaime Torres Bodet.

[68] Apenas resulta conocido que a Camilo José Cela le correspondió escribir el capítulo décimo (pp. 107-114 del volumen).

renta y cinco títulos en 1944) figuran pocos nombres de novelistas españoles: *El caballero de Erláiz*, "la última obra del genial novelista" Pío Baroja; *El nuevo Lazarillo*, de Cela; *Los colegiales de San Marcos*, de Pedro Álvarez Gómez, "de rancio sabor clásico y agilísima amenidad". Sería injusto no mencionar la actividad del Consejo Superior de Investigaciones Científicas, organismo dependiente del entonces Ministerio de Educación Nacional, que en la sección de "Literatura Contemporánea", dirigida por el catedrático Joaquín de Entrambasaguas, mantuvo desde 1942 la publicación periódica "Cuadernos de Literatura Contemporánea" (C.L.C.) —con números monográficos, artículos, notas y recensiones, constituyendo interesante conjunto documental— y unos Anejos de la misma: volúmenes de verso —Gerardo Diego, Ginés de Albareda—, de teatro —Tomás Borrás— y de narración —cuentos de Emiliano Aguado y de Isabel de Ambía—.

IV. EL "NADAL"; LOS PREMIOS DE NOVELA

Un joven de hacia veinticinco años, alto y delgado, pateaba entre 1941 y 1942 el asfalto de Madrid a la búsqueda de un editor valiente, dispuesto a publicarle una novela cuyo original traía consigo; todo es andar en vano y el joven se desespera, tal vez duda de sí mismo y apenas le sirve de confortación el recuerdo de hechos análogos ocurridos a colegas que serían con el tiempo nombres egregios y gloriosos. Hasta hubo quien llegó a decirle: "Mire, su libro está muy bien, pero yo no se lo puedo editar [...] Además, debo serle sincera: de su libro no se venderían más allá de los diez o doce ejemplares, no nos engañemos". [69] Poco importa que el autor de nuestra novela se llame Camilo José Cela y que el original ofrecido sea el de *La familia de Pascual Duarte*; no contemplemos el hecho con óptica actual y démonos cuenta de que, en esas fechas, Fermina Bonilla, la propietaria de Ediciones Cigüeña, tenía sobrados motivos —boga de traducciones y biografías, prédica de lo directamente ejemplar en las letras, vigilancia moralizante de la censura— para no arriesgarse publicando la obra de quien, por otra parte, era un supuesto valor desconocido; que las cosas fueran después por derroteros harto distintos a los normalmente previsibles fue sólo casualidad sorprendente y aún no satisfactoriamente explicada. Viene esto como ilustración de lo que, pese a todos los pesares (Juan Aparicio o Editora Nacional), sucedía por entonces al escritor español joven e inédito con el editor-hombre de negocios; y lleva a ocuparse, como de un expediente salvador, de los premios de novela en la década de los 40.

El 10 de abril de 1944 moría, a los veintisiete años de edad, Eugenio Nadal, redactor-jefe del semanario barcelonés "Destino", [70] escritor con un solo libro publicado [71] y profesor en el Instituto de Manresa. Un grupo de amigos le rindió homenaje en una Corona Poética inserta en el número 4 de la

[69] Lo comenta Cela en la p. 557 del tomo I de sus Obras Completas (Barcelona, Ediciones Destino, 1962).

[70] "Destino" nació en la zona nacional y comenzó a publicarse en Burgos el 7-III-1937; el 24-VI-1939 aparecía por vez primera en Barcelona, el n.º 101 y empezaba su segunda época, bajo la dirección de Ignacio Agustí.

[71] *Ciudades en España* (Barcelona, Editorial Yunque), un libro de viajes, donde faltan las tierras del Sur.

Preparaba Eugenio Nadal una novela, un libro sobre la generación del 98 y otro sobre Ganivet.

revista "Entregas de Poesía" y otro grupo tuvo el acierto de perpetuar su nombre adscribiéndolo a un premio de novela, convocado en el otoño de aquel mismo año y fallado en la noche del 6 de enero de 1945, en el curso de una amistosa cena, nada espectacular ni multitudinaria, tenida en el café Suizo (de las Ramblas), ya desaparecido. Componían el jurado: Ignacio Agustí, Juan Teixidor, José Vergés, Juan Ramón Masoliver y Rafael Vázquez Zamora, que hacía de secretario. Concursaron veintiséis novelas y, por tres votos contra dos, *Nada,* de Carmen Laforet, ganó a *En el pueblo hay caras nuevas,* del escritor gallego José María Álvarez Blázquez; *La terraza de los Palau,* novela de César González Ruano, se clasificó destacadamente y muy cerca de ella quedaron las de noveles como: Carlos Martínez Barbeito, María Dolores Boixadós, Esteban P. de las Heras y Luis Manteiga.[72]

Nada fue, a su publicación, un rotundo éxito de crítica y público (del que en este mismo capítulo, epígrafe *Crónica de varia lección,* informaré); quedaba revelado (después de Cela) otro nombre nuevo y desconocido, cuya novela ayudó no poco al asentamiento y feliz carrera del premio "Eugenio Nadal", que —hasta 1950— distinguió a: José Félix Tapia, *La luna ha entrado en casa*; José María Gironella, *Un hombre*; Miguel Delibes, *La sombra*

---

[72] Véase sobre la primera convocatoria del premio "Nadal", el artículo de Julio Sierra, *Cartas de presentación. Los novelistas de "Destino"* (p. 9, n.º 24: 5-IV-1945, de "La Estafeta Literaria").
Luis Manteiga fue, hasta su muerte en 1950, concursante a este premio; año tras año enviaba una novela (*Un hombre a la deriva,* 1946; *Humano abismo,* 1947; *Noche de San Juan,* 1948), que fueron siempre mencionadas con algún voto. (L. M., según mis noticias, continúa siendo un novelista absolutamente inédito.)

del ciprés es alargada; Sebastián Juan Arbó, *Sobre las piedras grises*; [73] José Suárez Carreño, *Las últimas horas*; [74] y Elena Quiroga, *Viento del norte*.

No puede olvidarse (a la hora de establecer un balance, provisional, dentro de los límites cronológicos acotados) el interés que el premio "Nadal" suscitó, la confianza que mereció entre autores y lectores de estas convocatorias iniciales, la publicación de novelas finalistas o bien clasificadas, y el hecho (que creo importa más) de una vocación sacada a flote y puesta ante el público lector, estimulada y mantenida posteriormente —el caso de Miguel Delibes resulta ejemplar e ilustrador a este respecto—. Lo cual, si acaso suena de modo extraño desde el indeseable y escandaloso presente de los premios, fue mucha verdad en los años 40:

> Los críticos, novelistas y editores del grupo de "Destino", desde Barcelona, aportaron a la novela nacional un extraordinario número de cultivadores y entre éstos surgieron importantes novelistas; fomentaron, por el buen éxito obtenido, el nacimiento de muchos otros concursos de novela; lograron que la prensa, la radio y más tarde la televisión, tomasen parte activa y muy

[73] El único nombre en esta relación de premiados que no era desconocido en el cultivo de la novela. "Con el triunfo de Sebastián Juan Arbó recae por primera vez el Premio "Nadal" en un autor ya consagrado (escribía N.[éstor] L.[uján] en "Destino" del 15-I-1949). Los cuatro premios que le precedieron fueron más bien revelaciones en el campo de la novelística. En cambio S.J.A. representa la más sólida madurez. Su obra [...] es de una fuerza inigualada y está escrita a la gran tradición novelística del siglo XIX."

[74] Suárez Carreño, inédito hasta estonces en la novela, era conocido como poeta, autor de: *La tierra amenazada* (Madrid, 1943; n.º 5 de la colección "Adonais") y *Edad de hombre* (n.º 13 de la misma colección, libro con el que compartió el primer premio "Adonais", 1943). Posteriormente, S. C. obtuvo el premio teatral "Lope de Vega" 1951 con su pieza *Condenados*.

generosa en la difusión de estos actos literarios; y esti-
mularon en toda España la afición a la lectura y la
discusión de *la novela como género*. [75]

En ningún momento de la historia aquí ofrecida
fue, como en los años 40, mayor la utilidad y menor la proliferación de los premios de novela. Aparte el "Nadal" y el "Internacional de Primera Novela" —(véase la nota 64 del presente capítulo)—, sólo
existían otros dos: estatal, el uno y académico, el
otro. Aquella rotación genérica de los premios
"Francisco Franco" y "José Antonio Primo de Rivera" —(de la que se informa en este mismo capítulo, al final del epígrafe *Voluntad de resurgimiento*)— concluye en 1949, al crearse el "Miguel de
Cervantes", dedicado única y anualmente a la Novela, cuyo primer galardonado fue el argentino
Enrique Larreta —por *A orillas del Ebro*— y que
al año siguiente, 1950, obtendría Concha Espina,
con *Un valle en el mar*. [76] El "Fastenrath", que dis-
cierne un tribunal de tres académicos numerarios
de la Lengua, es premio rotatorio entre cinco géneros literarios [77] y correspondió a nuestro género
en 1943 —*¡Ay, estos hijos!*, de Zunzunegui [78]— y en

[75] Rafael Vázquez Zamora en el n.º 251 de "La Estafeta
Literaria".
Puede consultarse la nota de W. J. Grupp, *The influence of
the Premio "Nadal" in Spanish Letters* ("Kentucky Foreign
Languages Quarterly", Lexington, III, 1956, pp. 162-168).
[76] Por una sola vez se concedió en 1950 un premio "Larreta" a la novela de Manuel Pombo Angulo, *Sin patria*.
El premio "Miguel de Cervantes" se convoca para novelas
o libros de relatos publicados en los doce meses anteriores, y
presentados por sus autores o editores.
[77] La cuantía económica del premio, fundación del hispanista alemán Juan Fastenrath, es de 6.000 ptas.
[78] Concurrieron también: Cela, con *La familia de Pascual
Duarte* —("Fuímos juntos, él con su *Pascual Duarte* y yo con
¡Ay, estos hijos!, al premio Fastenrath de la Real Academia

1948 —*Nada*, de Carmen Laforet—. Por una sola vez (que yo sepa) se convocó y falló —1941— el premio "Unamuno", de Ediciones Patria, para novela inédita; fue distinguida la de Luis Antonio de Vega, *Los que no descienden de Eva.*

V.   ¿UNA LITERATURA SIN CRÍTICA?

A su manera, un jurado hace crítica y dirige el gusto del público lector, mas cuando la práctica de los premios llega a cimas de escándalo y desvergüenza, el resultado de tales fallos necesitará oportuna advertencia y corrección, de cara al premio mismo y, también, de cara al autor galardonado y a su obra y, sobre todo, de cara a los presuntos lectores del libro así elegido. Advertir y corregir es tarea reservada a la crítica literaria. Pero ¿qué es, exactamente, lo que esperamos de ésta y de quiénes la ejercen? Ante algunas quejas, fechadas en la década que nos ocupa, cabe pensar que lo deseado era la práctica del varapalo al estilo decimonónico de un (recurro a los ejemplos más conspícuos) "Clarín" —con sus "paliques"— o un Antonio de Valbuena —con sus "ripios"—. ¿Era crítica verdadera y útil la contenida en tales artículos periodísticos, donde la fragmentación atomizadora de la obra juzgada, el humor grueso y el mal humor, y hasta la poca educación alternaban y se reiteraban como metodología? Cierto que para algunos casos, bien de total impericia literaria, ya de encumbramiento injusto, acaso valiera el procedi-

Española, y me lo llevé yo", (p. 419 de *Hablando de España en voz alta*, por Miguel Veyrat. Madrid, 1971)—; Manuel Iribarren, Rafael Pérez y Pérez y Mariano Tomás.

miento, de cuya peligrosa limitación nos previene
el mismo Leopoldo Alas cuando cultiva otras modalidades críticas —ensayos, revistas, solos, lecturas—, para las cuales reserva obras más importantes,
tal vez no libres de algún defecto que, comedida
y responsablemente, señala y comenta. [79] ¿Tanta es
la cantidad de engendros literarios y tan escandaloso su medro en los años 40 como para que, una
y otra vez, se predique, y nostalgie, esa crítica
higiénica y de policía? ¿Quieren algunos de los
que así se lamentan trasladar a la crítica literaria
la violencia verbal y fáctica de la discordia española reciente? ¿Cómo extrañarse de esa ausencia,
producida en una situación política donde la discrepancia es mirada con muchísimo recelo?

Nicolás González Ruiz, crítico en el diario madrileño *Ya* y autor de un libro sobre *La literatura
española. Siglo XX,* [80] y nombre muy en boga, publicó en "Escorial" —1941— [81] un artículo titulado
"Función social de la crítica", en el que se postula-
ba, para aquel momento literario, una actitud crítica
más bien benévola, cosa que no debió de satisfacer

---

[79] Preferimos hoy (he escrito en otra ocasión) esa crítica
"clariniana" desprovista de sátira y poseedora, en cambio, de
psicología y autobiografía. La opinión de Alas resulta entonces no poco ilustradora y reveladora, ya que el *alma* del crítico hace acto de presencia más de una vez a lo largo del
artículo, puede que en efusión algo tumultuosa pero siempre
sugestiva y útil. La creación ajena actúa como reactivo y oca-
siona las impresiones del lector, que fluyen, como es natural,
sin orden sistemático alguno, entrelazándose y entremezclán-
dose, y tal vez así (sobre poco más o menos) pasen a las
cuartillas del crítico.

[80] Publicado por Ediciones Pegaso, Madrid, 1943. Libro muy
deficiente, que recorre nuestra historia literaria desde los finales del siglo XIX —Ganivet y Menéndez Pelayo— hasta 1936;
fue desfavorablemente reseñado por J.[osé] L.[uis] P.[eña] en
el n.º 5: 1-VI-1943, de "Arte y Letras".

[81] N.º 13: XI-1941, pp. 274-284.

en la redacción de la revista pues el dicho artículo
lleva a su final una nota de la misma donde, tras
calificarlo de "noble e inteligente trabajo", se apos-
tilla diciendo que

> la coyuntura confusa y subvertida del mundo litera-
> rio e intelectual español exige de los críticos más du-
> reza que la sugerida por el artículo precedente. [...] La
> verdad es que vemos muchas críticas en que el perso-
> nalismo o el resentimiento dicen su palabra. El juego
> inteligente de la intransigencia dogmática, la admoni-
> ción educativa y la cordialidad generosa y comprensiva
> es lo que decide la excelencia en la difícil obra de la
> crítica. Todo ello movido con manera caliente y amo-
> rosa, no *fría y cortés*.

En la voluntad de resurgimiento existente entonces
en España, la crítica literaria tenía también una
misión que cumplir: orientar, y para ello hace falta, dada la situación de nuestra vida literaria ("sale
un libro o un librucho, y nunca falta un amigo que
en un periódico diga una porción de frases vacías.
Exactamente las mismas que se dedican a un libro
bueno"), "un par de críticos que no le tengan miedo
al atentado personal", piensa Antonio Tovar en octubre del mismo año 41. [82]
   Tres años después la situación continuaba siendo
la misma. En el número 1 de "La Estafeta Literaria" (5-III-1944), el catedrático Juan Antonio Tamayo, atento seguidor de nuestras letras más recientes, contesta a su entrevistador (M. González de la
Torre, página 21) advirtiendo de un peligro —"hoy
[...] empieza a actuar sobre la literatura un elemento desorientador: la propaganda"— y señalando
una urgencia —"conseguir que una serie de perso-

---

[82] Artículo *Necesidad de la crítica* (p. 4, n.º 1: 5-X-1941,
de "Santo y Seña").

nas aptas se consagren a aquella función orientadora antes que la propaganda ahorre todo esfuerzo
crítico"—. Muy por el estilo contestan otros entrevistados, [83] uno de los cuales, el novelista Pedro
Álvarez, vuelve sobre lo ya advertido de la propaganda editorial —"Es una lástima, pero hoy no
existe crítica literaria propiamente dicha. En realidad, lo que quiere pasar por tal, salvo honrosas
excepciones, es, o poco más, esa nota reducida de
la solapa que llevan los libros encomiando la obra
y el autor a efectos de propaganda comercial, más
que como guía del lector. Esta es la fuente bibliográfica y erudita"—, para, a continuación, apoyar,
con su propia y reciente experiencia, la denuncia
de ese lamentable estado de cosas:

> De mí sé decir como autor de una novela discutida
> [*Nasa*], que no he hallado todavía una crítica de las
> que se hicieron que diera con el quid. A lo más que
> han llegado es a contarme los *cómos,* a decir que me
> parecía a este o a aquel autor y a dar una serie de
> inexactitudes [...]

Salvo honrosas excepciones es una expresión repetida insistentemente y, eludiendo, casi siempre, el
dar esos nombres excepcionales de críticos que saben estar en su puesto, acaso los mismos que, a
principios de 1949, respondiendo a la iniciativa de
Rafael Vázquez Zamora (crítico de "España", de
Tánger y de "Destino", Barcelona) y de Manuel
Muñoz Cortés (de "Arriba", Madrid), pensaron en
un "Club de la Crítica" con el objetivo primordial

---

[83] Manuel Vela Jiménez, Joaquín Calvo Sotelo, Alfredo Marqueríe, Luis Rosales y Pedro Álvarez; p. 5, n.º 9: 15-VII-
1944, de "La Estafeta Literaria", bajo el rótulo de *La crítica,
criticada.*

de estimular la creación y la existencia de una crítica literaria responsable en la prensa diaria; para
lograrlo se proponían, entre otras actuaciones, celebrar un ciclo de conferencias y publicar una revista
dedicada exclusivamente a la crítica literaria, todo
lo cual fue nada más que hermosas ilusiones. (En
la década de los 50 se lograría un Premio de la
Crítica, del que se dirá en el capítulo siguiente, epígrafe *Crítica, Premios, Censura*).

Ya entrado 1950, el novelista y crítico Gonzalo
Torrente Ballester, reciente la aparición de su debatido libro *Literatura española contemporánea*, [84]
disertó acerca de la crítica literaria y sus problemas
en el madrileño Centro de Instrucción Comercial,
sección "Tribuna del Autor", y propuso como un
remedio a estado tan penoso —penetración y poder
de la propaganda editorial; reseñas elogiosas, por
amistosas junto a algún resentido varapalo— que
los profesionales de la cátedra bajasen de su olimpo y se dispusieran a acometer esa tarea, ahora en
manos de periodistas de tres al cuarto. (Recuerdo
que en los primeros años 40 Dámaso Alonso hacía
crítica, de cuando en vez, de libros recién publicados —*Arpa fiel*, de Adriano del Valle; *Alondra
de verdad*, de Gerardo Diego; *Retablo sacro del
nacimiento del Señor*, de Luis Rosales—, en revistas como "Escorial" y "Santo y Seña". [85] También

----

[84] Fue algo así como la primera versión o edición de su
conocido *Panorama de la literatura española contemporánea*,
publicado en 1956 por Ediciones Guadarrama, Madrid. Los
alcances cronológicos de *Panorama...* son más amplios que
los de *Literatura...*, pues comprende también lo posterior a
1936.

[85] Recuerdo que por entonces José María Claver escribió en
la página 3 del n.º 45 de "El Español" que Dámaso Alonso
no podía dedicar su tiempo, tan precioso y necesario para
otros menesteres literarios, a una asidua tarea de crítico inmediato y que, por otra parte, las obras valiosas (como *La fami-*

la hacía, con mayor frecuencia, otro catedrático de la Universidad de Madrid, Joaquín de Entrambasaguas —en "Cuadernos de Literatura Contemporánea", en folletones insertos en la página literaria dominical de "Arriba", en "Escorial". [86] (Otros profesores que en estos años militaron en la crítica fueron: Juan Antonio Tamayo, Manuel Muñoz Cortés y Manuel Cardenal de Iracheta.)

Pese a todo lo indicado, las novelas más importantes entonces aparecidas fueron debidamente destacadas para conocimiento del público lector, [87] incluso por quienes no ejercían de críticos pero que, con su prestigio, pesaban decisivamente. [88]

VI. ... PERO UNA NOVELA CON CENSURA

Que la censura exista es hecho inevitable en una situación de guerra civil y de postguerra inmediata, mientras cunde una sicosis de medroso recelo y existe el deseo de mantener con energía determinada ortodoxia; a lo que tácitamente queda prohibido, se añade lo prohibido expresamente que, junto a lo merecedor de exaltación oficial, configuran la

---

lia de Pascual Duarte), acababan imponiéndose por sus propios méritos.

[86] Algunas de sus críticas inmediatas están recogidas en "Tenderete de libros", sección del volumen La determinación del Romanticismo español, y otras cosas (Barcelona, Editorial Apolo, 1939).

[87] Véase más adelante de este mismo capítulo (epígrafe Crónica de varia lección) lo ocurrido a la salida de La familia de Pascual Duarte, 1942 y Nada, 1945.

[88] Tal vez el caso más significativo y reiterado sea el de Azorín, crítico de Leoncio Pancorbo (José María Alfaro, 1942), Mariona Rebull (Ignacio Agustí, 1944), Nada (Carmen Laforet, 1945) o El barco de la muerte (Juan Antonio de Zunzunegui, 1945).

ideología del momento. Los peligros a que debe hacer frente por entonces la censura no son los derivados de una inexistente oposición política; raramente, los de una ostensible discrepancia en las propias filas; más bien, en nuestro caso, son peligros atañentes a la fe y buenas costumbres. Se entiende así, perfectamente, lo advertido por Dionisio Ridruejo acerca de la "inspiración predominantemente eclesiástica" de la censura en estos años 40, lo cual corroboraremos no tardando con el relato de unos cuantos ejemplos ilustradores.

Si de eclesiásticos tratamos, entre los que de algún modo pertenecen o hacen por pertenecer a la vida intelectual del país diríase que son abundantes, o más visibles, las mentes alicortas y cerradas. Queda visto en el epígrafe *¿Una nueva estética?* cuál era la actitud de tres franciscanos, redactores de la revista de la Orden, "Verdad y Vida", frente a la generación del 98; ellos también advertían a los lectores de "La Estafeta Literaria" del serio peligro localizable en la propensión naturalista y zolesca (es su adjetivación) patente en escritores jóvenes como Cela —*La familia de Pascual Duarte*— o García Serrano —*La fiel infantería*—. También por entonces se refería Torrente Ballester, [89] autor de *Javier Mariño*, a "cierta crítica, radiada por una emisora madrileña, según la cual es una novela pedante, *pornográfica*, pesada y *moralmente perjudicial*" (subrayo por mi cuenta). Al año siguiente, en plena apoteósis de *Nada*, era posible leer en una publicación como "Bibliografía Hispánica", órgano del I.N.L.E., [90] la siguiente descompuesta arremetida, entreverada de moralina y anticomunismo:

[89] P. 21, n.º 13: 25-IX-1944, de "La Estafeta Literaria".
[90] N.º 12: XII-1945.

No es su novela revelación de *superavit* de personalidad; su estética es la estética de lo feo, que hoy está
de moda; rinde casi exclusivo culto a lo torvo, a lo
hosco, a las complicaciones zoológicas de la vida humana; demuestra una sensibilidad refractaria a las zonas elevadas del espíritu y a los valores bellos y heroicos
de la Naturaleza. Todo lo que está en boga, desgracia-
damente. // La ofensiva contra la cultura occidental
hace actualmente parapeto de la literatura. Arrastra a
muchos escritores una consigna inconsciente y difusa
de abatir toda la construcción conceptual y estética
creada por la civilización cristiana. En la novela, sobre
todo, triunfan ya los asiáticos. De ellos es Carmen
Laforet.

Comencemos ya nuestro recuento ilustrador. El
primer caso que conozco es el de una novela de
Juan Antonio de Zunzunegui que llevaba por título
No queremos resucitar, obra de humor cuya acción
ocurría en un cementerio, protagonizada por esque-
letos: "Entonces —recuerda el escritor— [91] me sen-
tó muy mal, pero no tardé en reconocer que la censura tuvo razón al prohibir mi novela, que resultaba
un tanto inconveniente en aquel momento, cuando
estábamos en plena guerra".

En 1943, al tiempo que el servicio de censura
sito en la Dirección General de Propaganda lo dirige, primero, Patricio González de Canales y, al fina-
lizar el año, David Jato Miranda, fueron prohibidas
—por razones "morales" en todos los casos salvo
en uno, bastante menos claro—, las cuatro novelas

[91] Entrevista que le hace Carlos Fernández Cuenca: p. 11,
n.º 47: 1-V-1952, de "Correo Literario", Madrid. Añadía Zunzunegui: "La censura española, que se ejerce con inteligencia
y buen tino, nada perjudica al auténtico escritor. Los que sostienen que no pueden escribir porque la censura se lo impide,
no dicen la verdad".

siguientes, debidas a jóvenes que empezaban su carrera: *La quinta soledad,* de Pedro de Lorenzo; la segunda edición de *La familia de Pascual Duarte,* de C. J. Cela; *Javier Mariño,* de Gonzalo Torrente Ballester y *La fiel infantería,* de Rafael García Serrano.

"La quinta soledad"

Pedro de Lorenzo, extremeño de Casas de Don Antonio (Cáceres), nacido en 1917, alumno de la primera promoción de la Escuela Oficial de Periodismo y periodista muy activo, fundador (con José García Nieto, Jesús Juan Garcés y Jesús Revuelta) de la revista de poesía "Garcilaso" y portavoz de la llamada "Juventud Creadora", sacó por cuenta propia, como volumen de Ediciones "Garcilaso", su primera novela, *La quinta soledad.* "De la noche a la mañana —declara el novelista—, [92] fue la edición puesta en el entredicho [...] Alguien, de cuyo nombre no se debe acordar, amarillecía de que P. de L. publicase un libro. Alguien había usado de procedimiento vil, antiguo como el primer crimen, pero de efecto en aquella época: la delación. El libro quedó en cuarentena"; (¿quién "amarillecía de envidia"?, ¿quién fue delator?). Esta es la única novela de las cuatro prohibidas en 1943 que se salva de los reparos "morales" hechos a sus compañeras de condena. ¿Por qué entonces lo sucedido? Acaso por la existencia de un preso en la cárcel —su celda, la enfermería—, un preso del que muy al final del libro —en su capítulo veinte y último, "La carta"— se nos da la estricta filiación personal, sin que ninguno de los otros datos concretos

[92] P. 74 de *Los cuadernos de un joven creador* (Madrid, Gredos, 1971).

que va encontrando el lector posean connotación política explícita o permitan, siquiera, adivinarla. *La quinta soledad* fue presentada a censura en fecha 29-X-1942 y autorizada su publicación el 7-XI. Había pasado a lector —Leopoldo Panero— el 31-X; Panero informó así:

> *Valor literario*: Suficiente. — *Observaciones*: Novela de buena calidad literaria, ambiente provinciano y desarrollo lírico, con influencias estilísticas muy acusadas de Gabriel Miró, que le dan a su prosa timbre poético; sus valores principales son por lo tanto estéticos. Puede desde luego autorizarse.

La impresión del libro se concluye con fecha 25-VIII-1943; seis días más tarde se expide una orden de no distribución, al tiempo que en Censura de Prensa se dicta la prohibición del nombre de Pedro de Lorenzo en todo periódico o revista. El 28-X, luego de unas cuantas idas y vueltas (entre ellas el secuestro de ejemplares por la policía en el domicilio del autor, Valencia de Alcántara), todo queda arreglado. Pero antes, González de Canales, que ha pasado de Jefe de la Censura en Propaganda a Delegado Nacional de Propaganda, ha pedido informe —"solamente interesa el punto de vista político"— a otro lector y éste —José Antonio Maravall— ha respondido:

> Desde el punto de vista político que se interesa, nada de particular. [...] La obra se basa en una detención, puesto que consiste en la vida interior de un hombre en la cárcel. Es, no obstante, puramente literaria. Sólo el pequeño capítulo de las páginas 51-53, permite deducir que se trata de un detenido en zona nacional, sin dar a esto ninguna significación política. En todo caso, quitando estas páginas, o incluso solamente las líneas

señaladas, ya no quedaría nada sobre qué llamar la atención.

Pero *La quinta soledad* no volvió a la circulación, y en el escaso tiempo de vida pública que tuvo aparecieron dos o tres reseñas críticas en otros tantos periódicos. Una posibilidad de novelar entre Miró (como apuntaba Leopoldo Panero) y, más claramente a mi ver, el Azorín superrealista de los años 1928-1930, autor de *Félix Vargas, Superrealismo y Pueblo,* capaz de enfrentarse (¿con qué éxito?) al realismo ambiente, quedaba así malbaratada. [93]

"La familia de Pascual Duarte"

Realismo ambiente, acabo de escribir, frente a *moralidad* ambiente; del choque entre ambos, las tres víctimas que siguen. ¿Cómo fue que *La familia de Pascual* Duarte vivió sin traba censorial alguna casi doce meses de éxito?, ¿alguna mano poderosa se interesó eficazmente por una novela con violación, matricidio, asesinatos, prostitución y adulterios, aunque el protagonista termine su vida arrepentido y la relate para aviso y escarmiento de presuntos lectores? [94] En el semanario "Ecclesia",

[93] *"La quinta soledad* es un libro tímido, acaso con claves, lleno de densidad, de ese clima lúcido que permite todas las revelaciones interiores. Pero absolutamente sorprendente como primer libro", ha escrito recientemente (p. 26, n.º 500: 15-IX-1972, de "La Estafeta Literaria") Florencio Martínez Ruiz.
[94] Leo en la p. 3, n.º 258: 2-II-1963, de "La Estafeta Literaria": "Fue el Estado quien, desde la Delegación Nacional de Prensa, regentada entonces por Juan Aparicio, defendió en su tiempo, contra otros vientos y mareas, a Camilo José Cela y su naciente novela tremendista [...] la oposición de algunos sectores sociales, al aparecer el *Pascual Duarte* fue extremadamente enérgica" (sección "Encima de la mesa", escrita por Luis Ponce de León).

órgano de la iglesia católica española, fue calificada esta novela con un (3), igual a: *Dañosa para la generalidad,* y se dice de ella lo siguiente: [95]

> Obra literaria notable; no se debe leer, más que por inmoral, que lo es bastante, por repulsivamente realista. Su nota es la brutal crudeza con que se expresa todo, incluso lo deshonesto, alrededor del relato que hace un condenado a la última pena de su vida y la de su familia. Contagiada del fatalismo ruso, llegan sus personajes al crimen contra su propia voluntad; y en el duro y desconsolador ambiente y en el moroso detalle superan el horror y la repugnancia: el asesinato de una madre por su propio hijo.

En noviembre de 1943 se prohibió la segunda edición pero fue cosa de poco tiempo y como, por otra parte, Cela había andado madrugador, la policía no encontró un mal ejemplar que llevarse al secuestro.

"Javier Mariño"

Gonzalo Torrente Ballester, nacido en 1910, era uno de los nombres jóvenes con más calidad y mayor rigor intelectual surgidos, dentro de la militancia falangista, en los mismos días de la guerra civil (que no había hecho en el frente a causa de sus muchas dioptrías). [96] Editora Nacional sacó en 1943 su primera novela, *Javier Mariño,* obra de cierta densidad, variada de escenarios y de acción exter-

---

[95] N.º 140: 18-III-1944, de "Ecclesia", Madrid.
[96] Vid. notas 5 y 21, con títulos de libros de Torrente Ballester publicados en los primeros años 40 por Ediciones "Escorial" y Ediciones "Jerarquía", respectivamente. En el n.º 2, octubre 1937, de la revista "Jerarquía" (Pamplona), pp. 61-80, publicó T. B. un significativo ensayo titulado *Razón y ser de la dramática futura.*

na; historia de dos almas (la de Javier y la de su amiga Magdalena), finalmente *convertidas* pues si ella "era [ahora] otra mujer [...] y el pasado era como una pesadilla que empieza a olvidarse" (p. 595), otro tanto podría afirmarse de Javier. Tuvo poco éxito [97] y la mala fortuna de que su conocimiento público se viese interrumpido a los quince días de ver la luz, finalizando 1943, por una prohibición de la censura, fruto acaso de "una leyenda que lo reputa [el libro] de vitando y terriblemente pecaminoso". [98]

"La fiel infantería"

A Rafael García Serrano, navarro de la "Quinta del S.E.U.", nacido en 1917, estudiante de Filosofía y Letras en Madrid antes del 18 de julio de 1936 y alférez provisional por la academia de Ávila, autor de *Eugenio, o proclamación de la primavera,* le hemos invocado en páginas anteriores como escritor al que se debían muy significativos textos estético-políticos, manifestación resuelta de un fervoroso

---

[97] Manuel Muñoz Cortés hacía (pp. 364-365 de su colaboración en el tomo II de *El rostro de España,* Madrid, Editora Nacional, 1947) los reparos siguientes: "la tectónica está desequilibrada, falta de eliminación y de equilibrio. [...] Así, todo lo que antecede a la llegada a París es de extensión desmesurada y hay un defecto fundamental, la presentación del protagonista, revelándose su personalidad de una manera demasiado clara. Más adelante hay una tendencia naturalista en las escenas de aventuras, que podían ser solamente aludidas, pues no tienen una función tan esencial en su estructura, sino solamente como rasgos auxiliares. La estancia en el castillo también es demasiado ampliamente narrada", y revelaba que "hay algunos elementos autobiográficos: en primer lugar, el ambiente; el tipo de la muchacha se basa en una experiencia directa, está inspirada, según ha confesado el autor, en la vida de una muchacha valenciana, conocida de Torrente en los años anteriores a la República".

[98] Vid. nuestra nota 89.

apasionamiento; pese a todo ello, su novela *La fiel infantería*, relato de guerra desde el bando nacional, sufrió reprobación y secuestro.

Sale la novela en el otoño de 1943, de mano de Editora Nacional y permanece de venta al público unos sesenta o setenta días. En los finales de 1943 se le concedió el premio "José Antonio Primo de Rivera", por un jurado que presidía Gabriel Arias Salgado, quien parece se mostró "muy refractario" a semejante concesión, y del que formaba parte Juan Aparicio", "gran defensor de mi novela".[99] Eran 25.000 ptas., con descuento. En los primeros días de 1944 hubo una orden a la policía y la novela fue recogida. ¿Qué había ocurrido? Existió un Decreto del Arzobispo de Toledo, Enrique Plá y Deniel, publicado en el "Boletín Eclesiástico" de aquella diócesis (p. 4 del primer número correspondiente a 1944) que, a la letra, decía así:

DECRETO sobre la novela LA FIEL INFANTERÍA.—Es deber gravísimo de los Obispos el vigilar los libros que se publican, condenando aquellos que, por sus doctrinas o por la licencia de su lenguaje y narraciones inmorales, pongan en peligro la fe o las buenas costumbres de los lectores; y el Convenio de 7 de junio de 1941 entre la Santa Sede y el Gobierno Español establece que, entre tanto se llega a la conclusión de un nuevo Concordato, el Gobierno Español se compromete a observar las disposiciones contenidas en los cuatro primeros artículos del Concordato de 1851, el tercero de los cuales establece que el Gobierno dispensará apoyo a los Obispos cuando hubiera de impedirse la publicación, introducción o circulación de libros malos y nocivos.

[99] Entre los concursantes figuraba Cela con *La familia de Pascual Duarte*.

Examinada serena y objetivamente la novela *La fiel infantería,* de D. Rafael García Serrano, resulta:

1.º, Que se proponen como necesarios e inevitables los pecados de lujuria en la juventud (págs. 195 y 302);

2.º, En la novela se describen varias veces cruda e indecorosamente escenas de cabaret y de prostíbulo (págs. 65-66 y 134-135);

3.º, Está salpicada toda la novela de expresiones indecorosas y obscenas (págs. 76, 86, 96, 155, 263, 276, etc.);

4.º, Aun cuando varios personajes de la novela manifiestan sentimientos religiosos aparecen éstos como algo rutinario; y al lado de ellos se destacan muchas expresiones de sabor escéptico volteriano y de regusto anticlerical, aun en labios de soldados nacionales (págs. 97, 113, 118, 207, 218, 275, 295, etc.).

Por todo ello, la lectura de esta novela resulta muy nociva para la juventud, debilitando su fe, su piedad y la moralidad de costumbres; por lo cual, así lo declaramos y denunciamos oficialmente, cumpliendo nuestros deberes pastorales.

Se nos ha comunicado antes de la publicación de este Decreto, y lo recogemos con satisfacción, que la Vicesecretaría de Educación Popular había ordenado la recogida de los ejemplares que aún quedasen de la edición y prohibido publicar nuevas ediciones en tanto no sea la novela satisfactoriamente corregida.

Toledo, 15 de Enero de 1944. ENRIQUE, Arzobispo de Toledo. [100]

La fiel infantería apareció años después en segunda edición, con sólo una mínima tachadura, y en 1964. [101] Poco después del referido incidente, García

[100] Según García Serrano (carta al autor de este libro, fechada en Madrid el 2-III-1972) ese Decreto fue "leído en todos los púlpitos de España, comentado en muchas homilías [y] reproducido en todas las *Hojas parroquiales* de España".
[101] Por el editor Fermín Uriarte, Madrid; formando grupo, bajo el título común de "La Guerra", con el *Eugenio...* y *Plaza del Castillo.*

Serrano ofreció en "La Estafeta Literaria" [102] el artículo *Del código a la ordenanza,* donde ratifica sin equívocos (con motivo del próximo 18 de julio) el compromiso político de su literatura; en el final del artículo se lee la siguiente paladina explicación y recusación:

Quisiera [...] dejar bien clara y alta la intervención [sic; por *intención*] totalmente ortodoxa que me condujo a escribirla [*La fiel...*]. Ortodoxia de arriba a abajo. Si después ha podido encontrarse una despreocupación de algún género, ha sido contra mi inocente intención y mis sentimientos. Lo reconozco y confieso mi error como acato sin una protesta la decisión superior de la jerarquía. Jamás pensé en el bonito truco del escándalo ni pasó por mi imaginación promover un desaforado y molesto revuelo. Creí servir a mis camaradas un relato en el que encontrasen el recuerdo de los días más duros [...], más difíciles y más hermosos que nos ha correspondido vivir. Creí que como había visto los comienzos de la guerra yo, la habrían visto los demás. Creí que lo bueno y lo malo de aquella vida se equilibraban, porque creí que Dios, sobre nuestras banderas, sonreía a la lucha por su Causa, de la mocedad. Y creí que éramos humanos para el bien y para el mal. Confieso que empleé expresiones literarias —no vamos a entrar en el calibramiento del realismo— que encerraban una raíz que *recuso* y que daban a mi libro un tono que también *recuso,* aunque mi vida fue así, de eso estoy seguro [los dos subrayados son míos]. [103]

---

[102] P. 3, n.º 9: 15-VII-1944.

[103] García Serrano refiere el caso que nos ocupa en el extenso prólogo ("Aviso a la clientela") a la cuarta edición (Madrid, Organización Sala Editorial, 1973) de su novela, cuyo texto presenta los subrayados en rojo del arzobispo Pla y Deniel relativos a palabras, expresiones y párrafos que se reputan inconvenientes por: relacionarse con el sexto mandamiento,

"La colmena"

Contaré ahora la historia de *La colmena,* de Camilo José Cela, cuya primera edición fue prohibida en España y hubo de salir años después en Buenos Aires. [104] En el tomo VII de sus Obras Completas (epígrafe *Historia incompleta de unas páginas zarandeadas*) ya ha contado Cela algunas cosas, por ejemplo:

> La novela, en su primera versión ni dulcificada ni agriada pero sí incompleta, la presenté a la censura el 7 de enero de 1946. Los informes, como cabe suponer, fueron malos y mi novela, en recta lógica, prohibida. El 27 de febrero solicitó el editor el oportuno permiso para una tirada con características especiales, de lujo y reducida; fue también denegado, en oficio de 9 de marzo.

Hubo un primer lector, Leopoldo Panero, que emitió el siguiente informe:

> *¿Ataca al dogma o a la moral?* (Una raya). *¿A las instituciones del Régimen?* No. *¿Tiene valor literario o documental?* Sí. *Razones circunstanciales que aconsejan una u otra decisión*: Novela realista del Madrid coetáneo con descripciones crudas del bajo ambiente social. La obra tiene considerable valor literario y podría autorizarse con tachaduras en las páginas 9-10-50-52- 53-55-86 y 87 [de la copia mecanográfica] y aconsejando al autor que atenuara algunas de las escenas que reitera.

Alguien, descontento por este benévolo informe, decidió que el original de *La colmena* pasara a lector más estricto, que lo fue el Padre Andrés de Lucas Casla, quien sentenció del modo siguiente:

---

mostrar mentalidad regalista o cesarista, incurrir en volteriana irrespetuosidad.

[104] Emecé editores, 1951.

¿Ataca al dogma o a la moral? Sí. *¿A las instituciones del Régimen?* No. *¿Tiene valor literario o documental?* Escaso. *Razones circunstanciales que aconsejan una u otra decisión*: Breves cuadros de la vida madrileña actual hechos a base de conversaciones entre los distintos personajes, a quienes une una breve ligazón, pero sin que exista en esta mal llamada novela un argumento serio. Se sacan a relucir defectos y vicios actuales, especialmente los de tipo sexual. El estilo, muy realista a base de conversaciones chabacanas y salpicadas de frases groseras, no tiene mérito literario alguno. La obra es francamente inmoral y a veces resulta pornográfica y en ocasiones irreverente. Véanse las páginas 31-38-39-50-51-53-54-63-66-67-69-76-77-83 a 88, etc., etc. [de la copia mecanográfica].

Pareció más puesto en razón el informe del eclesiástico y por ello tardó en contarse con edición española de *La colmena*; las cosas se pusieron tan mal para Cela que cuando apareció en 1951 la primera —y argentina— edición de esta novela, "me expulsaron de la Asociación de la Prensa de Madrid y prohibieron mi nombre en los periódicos españoles". [105]

¿Hasta qué punto estas historias, acaso las más extraordinarias, quizá no las únicas habidas a la sazón, hablan, con el peso ilustrador y aplastante de la anécdota, de un obstáculo interpuesto, desde muy pronto y desde arriba, en la marcha de esta aventura que historío? ¿Podrían hacer suyas estas palabras de Rafael García Serrano [106] más de cuatro colegas: "Aquello perjudicó mi carrera. Estaba em-

---

[105] P. 46, t. VII. O. C. de Camilo José Cela. (Barcelona, Ediciones Destino, 1969.)
[106] Carta citada en nota 100.

balado y me caí de la bicicleta. Tarde en reponerme
y creo que aún no me he repuesto del todo"?

VII. HABLEMOS DEL TREMENDISMO

En más o en menos no son pocas las personas
—desde el Arzobispo de Toledo, con *La fiel infantería*, 1944, hasta el anónimo reseñista de *Nada* en
"Bibliografía Hispánica", 1945, pasando por los
franciscanos redactores de "Verdad y Vida", 1944—
que por estas fechas se desagradan y escandalizan
por la violencia expresiva y la desmesura situacional de esas y otras novelas; con la repulsa propia,
con el señalamiento público o, incluso, el empleo
de la censura urge salir al paso de aquello, donde
hay quien cree advertir un como reducto en el que,
insidiosamente, pretende hacerse fuerte el enemigo
ha poco derrotado. [107] Naturalismo (de ordinario, ca-
lificado de zolesco); nuevo realismo o neo-realismo;
miserabilismo o excrementicialismo (como se dijo
alguna vez, traduciendo vocablos usados peyorati-

---

[107] Tal parece el caso de Luis Ponce de León cuando, en
1943, escribía palabras como las siguientes: "Este es un joven
escritor que ahora prepara su tercer libro. Lo empieza con
unas frases que sus amigos repiten a quien las quiere oír. Son
frases soeces, obscenas y procaces. Me apresuro a declarar que
estos tres adjetivos no son tres elogios. [...] Creo que en el
frente de Oviedo murió un escritor, rojo, naturalmente, de
nombre Arconada, cuya especialización en esta materia nada
dejaba que desear. Sudor, saliva, cerumen, ninguna secreción
desagradable faltaba en las páginas de *Los pobres contra los
ricos*. Pero repito que era comunista y que murió en Oviedo.
Infiltrarse entre nosotros una afición literaria de este tipo sería
desastroso. Y, sobre todo, que fuera a infiltrarse en un escritor
joven, cuya pluma parece tan bien cortada como la mejor, de
quien muchos esperamos que guíe, o que al menos impulse el
alzamiento, tan esperado, de las jóvenes letras españolas" (p. 40
de *Contra aquello y esto*. Madrid, Editora Nacional, 1945).

vamente en Francia); tremendismo, por último, creo son los términos que se emplearon para designar semejante tendencia. De todos ellos fue Tremendismo el vocablo que más se impuso y disputó. [108]

¿Cómo podría definirse el Tremendismo? En un Diccionario de la literatura mundial (que cito incompletamente y de segunda mano) puede leerse que es el "desquiciamiento de la realidad en un sentido violento, o la sistemática presentación de hechos desagradables e incluso repulsivos", añadiéndose que "en la literatura española de los años 1940 se produjo una decidida tendencia a lo tremendista. Este término fue aplicado a la novela por el crítico Rafael Vázquez Zamora". Si éste fue el primero que hizo uso del vocablo en sus comentarios de novelas y novelistas, parece que el inventor del mismo fue Antonio de Zubiaurre, que ya en 1945 se refería a un "impresionante afán hacia lo trascendente y grande, hacia lo fuerte y violento" como a una muy relevante característica "del clima mundial presente", "ansia que clama por sus adecuados vocablos", el más significativo y empleado, entre otros, *tremendo*; y consideraba después al tremendismo como "la demasía primera [y] el desmedimiento más ostensible de toda actitud romántica incipiente". [109] Algunos asuntos y cierto léxico —pa-

[108] He aquí alguna bibliografía crítica: Olga P. Ferrer, *La literatura española tremendista y su nexo con el existencialismo*, "Revista Hispánica Moderna", New York, XXII, 1956, pp. 297-303); Jerónimo Mallo, *Caracterización y valor del tremendismo en la novela española contemporánea*, "Hispania", XXXIX, 1956, pp. 49-55); Julián Palley, *Existencialist Trends in the Modern Spanish Novel*, "Hispania", XLIV, 1961, pp. 21-26); Luis López Molina, *El tremendismo en la literatura española actual*, "Revista de Occidente", n.º 54: IX-1967, pp. 372-378).

[109] *Tremendismo y acción*, p. 2, n.º 2: 31-III-1947, de "Alférez", Madrid.

labras como, recuenta Zubiaurre: [110] *abisales, horribles, espantosos, crujientes, inmensos, desgarrados, siderales, cósmicos,* más "todas las crudas ingerencias anatómicas": *sangre, huesos, piel, venas, entrañas*—se ponen de moda y son deteriorados por el pertinaz abuso. Hubo erupción tremendista en la novela y en la poesía españolas de esta década, y aún de tiempo después.

La actitud tremendista (o como quiera nombrársela) es ya bien antigua en nuestra historia literaria, donde existen ejemplos tan destacados como la novela picaresca o parte de la obra de Quevedo, y, ya en el siglo XX, esos escritores *raros* —Manuel Ciges Aparicio, José López Pinillos "Parmeno", Eugenio Noel o el pintor José Gutiérrez Solana en cuanto autor literario— [111] que, a menudo, se mues-

[110] Artículo citado.

[111] Autores que han merecido bastante recientemente recordaciones y reediciones. Ciges ha sido exaltado por Rafael Bosch (cap. VI del vol. I de su libro *La novela española del siglo XX.* New York, Las Américas, 1970), como "el único [de todos los novelistas de la generación de 1914] que tiene un sentido combatiente y popular", aspecto que llama también la atención de Víctor Fuentes (*La literatura comprometida de Manuel Ciges Aparicio:* p. 13, n.º 305: IV-1972, de "Ínsula"), en tanto Andrés Amorós se ocupaba de su novela *El vicario* (*Literatura y crítica social en "El vicario", de C. A.:* pp. 171-181 del "Homenaje universitario a Dámaso Alonso". Madrid, Gredos, 1970). // De López Pinillos ha sido reeditada su novela taurina *Las águilas* (vol. n.º 73 de "El Libro de Bolsillo", Alianza editorial, Madrid, 1967); el anónimo reseñista de este volumen en ABC (8-X-1967) escribía: "Puede decirse que a L. P. se debe lo que luego se ha llamado *tremendismo.*" (Resulta curioso recordar aquí cómo Antonio de Hoyos examinó en tiempos —n.º 76: 15-VII-1953, de "Correo Literario"— la presunta relación existente entre *La familia de Pascual Duarte* y una novela corta de L. P., *Cintas rojas,* llegando a concluir que "no cabe filiar [la novela de Cela] en la obra de L. P. Cabe, sin embargo, pensar que Cela haya leído la novela de "Parmeno" y que le hubiese impresionado el tema".) // El pintoresco Eugenio Noel —("no es un patán metido a artista payaso, sino un intelectual verdadero con un desajuste interior

tran broncos en la descripción o/y la narración, como
hechas con brocha gorda, restando a veces eficacia
a la brutal y verídica realidad. Por otra parte, y
como ha señalado Cela que, a su pesar, pasa como
el no va más del Tremendismo, "es curioso lo es-
pantadiza que es la gente que, después de asistir a
la representación de una tragedia que duró tres
años y costó ríos de sangre, encuentra tremendo lo
que se aparta un ápice de lo socialmente convenido
(no de la tradición literaria española)". [112] Fuera de
la tradición literaria española y nuevamente dentro
de los años 40, es preciso referirse, si de Tremendismo tratamos, a la boga alcanzada por las hermanas Carlota y Emilia Brönte, sobre todo por
Cumbres borrascosas, novela de esta última, publicada por más de una editorial, [113] convertida en pe-

---

afectivo y social", escribió Manuel Orozco en el n.º 247: VI-
1967, de "Ínsula")—ha sido, quizá, el más favorecido bibliográ-
ficamente pues ya en 1947 se reeditaba (por Hispano Americana
de Ediciones, Barcelona) *Nervios de la raza* y en 1952 (por
Afrodisio Aguado, Madrid), *Las capeas* hasta llegar a las más
recientes publicaciones de la editorial madrileña Taurus, pre-
paradas por José Garía Mercadal: *España fibra a fibra,* 1960,
el *Diario íntimo,* 1962 y 1968, y los *Escritos antitaurinos,* 1967;
Joaquín de Entrambasaguas incluyó en el tomo VII de *Las
mejores novelas contemporáneas* (Barcelona, Editorial Planeta,
1961), *Las siete Cucas (Una mancebía en Castilla),* precedida
de extenso prólogo biográfico-crítico. // Corrió asimismo a
cargo de Taurus la edición en un volumen de la obra literaria
del pintor Solana (Madrid, 1961), acompañada de textos acerca de su autor escritos por Juan Ramón Jiménez, Ramón
Gómez de la Serna y Camilo José Cela, el cual había ingresado
en la Academia de la Lengua el día 26-V-1957 leyendo un
discurso titulado *La obra literaria del pintor Solana.*
[112] P. 272, n.º 99: VI-1971, de "Revista de Occidente", *Conversación con Cela.*
[113] Lo fue, y acaso la lista de ediciones no vaya completa,
en la colección "Novelas y Cuentos", en la colección "Áncora
y Delfín" (n.º 2, Barcelona, 1942) y en la colección "La Nave"
(n.º 10). Ofrece curiosos pormenores acerca de la llamada edición Brönte (que recoge las creaciones literarias y pictóricas de

lícula, ofrecida en versión radiofónica por varias emisoras, objeto de comentarios,[114] materia de biografía su autora.[115]

Diríase que ni la más reciente historia de España (apelada por Cela), ni, tampoco, el presente universal —segunda guerra de este orden en el siglo XX (1939-1945) y sus consecuencias inmediatas— parecen dejar espacio alguno a lo normal y grato. (Por entonces publica Dámaso Alonso su libro de protesta cósmica, *Hijos de la ira* y comienza a pensar no poco distintamente que en 1927 acerca de la poesía de Góngora.) No es afán de asombrar, sino el resultado de una mirada alrededor o atrás lo que explica, rectamente, el predominio cuantitativo de semejante literatura; Tomás Borrás, que ha novelado en *Chekas de Madrid* una tremenda realidad que ocurrió, afirmaba en 1944, tratando de encontrar el por qué del tono manifiesto en unos relatos de "Tristán Yuste":[116]

Me preocupa el origen de tanta dureza y aflicción. [...] Y acude al recuerdo nuestra guerra, la revolución roja, y esta otra guerra de los demás. Así se comprende

---

las hermanas Emilia, Carlota y Ana y las de su hermano Patricio) de la editorial madrileña Biblioteca Nueva, José Ruiz-Castillo Basala en las pp. 228-230 de su libro *El apasionante mundo del libro. Memorias de un editor* (Madrid, 1972, edición de la Agrupación nacional del comercio del libro).

[114] Como el de Pedro Caravia, *Otra vez "Cumbres borrascosas"* (pp. 458-461, n.º 23: IX-1942, de "Escorial").

[115] Salió por entonces, impresa en Barcelona, una de Emilia y sus hermanas Ana y Carlota, debida a Valentín Moragas Roger.

[116] P. 13, n.º 16: 15-XI-1944, de "La Estafeta Literaria", "Tristán Yuste" era el seudónimo utilizado por el narrador Octavio Aparicio López, muy activo a la sazón; los relatos que comenta Borrás son los reunidos en el libro *Quemado vivo* (Madrid, Editora Nacional, 1944).

una actitud primeriza. El asco de lo presenciado y sufrido produce este rebote. No puede ser almibarado quien sólo sabe de la miel que le untaron para que le devorasen las moscas. Se ha hablado, entre los mismos jóvenes, del *estilo brutal,* y de sus justificaciones. Si Cela, García Serrano, García Suárez y tantos otros (yo mismo, en *Chekas de Madrid*), hemos hablado tajante y crudamente, no se tome a delectación por lo morboso, sino a propósito revulsivo.

Cela, García Serrano, García Suárez, "Tristán Yuste" son los nombres jóvenes que Tomás Borrás recuenta como militantes literarios del Tremendismo pero había algunos más en los años 40. "Quizá es la mujer —escribía José Luis Cano en 1949— [117] la que con mayor entusiasmo se ha sometido a la nueva corriente del género, como lo prueban las novelas que hemos leído de Susana March, Rosa María Cajal y Ana María Matute", [118] siguiendo cierta tendencia cinematográfica del momento y los modelos llamados *Cumbres borrascosas* y *Nada.* Carlos Martínez Barbeito novela en *El bosque de Ancines,* 1947, un caso histórico de licantropía. En 1948 ven la luz: *Nosotros, los muertos* (relato del loco Basilio), de Manuel Sánchez Camargo y *La llaga,* de Marcial Suárez; el "Nadal" del año anterior ha revelado a Miguel Delibes, autor de *La sombra del ciprés es alargada.* [119] 1950 es el año de publicación

[117] P. 5, n.º 38: II-1949, de "Ínsula".
[118] Las novelas aludidas serían: *Nina,* de Susana March (Barcelona, Editorial Planeta, 1949), *Juan Risco,* de Rosa María Cajal (Barcelona, Ediciones Destino, 1948) y *Los Abel,* de Ana María Matute (Barcelona, Ediciones Destino, 1948). Contrasta el pretendido tremendismo de estas novelistas con el irrealismo de la novelística "rosa", predominantemente cultivada por mujeres (vid. la nota 42 de nuestro cap. I).
[119] Jorge Campos (p. 6, n.º 1-2: enero-febrero 1949, de "Punto", Madrid) reflexionaba acerca de tres novelas recientes

de: *Nosotros, los leprosos,* de Luis de Castresana y *Lola, espejo oscuro,* de Darío Fernández Flórez; y 1951, el de *Los hijos de Máximo Judas,* de Luis Landínez, sangrienta historia de una familia campesina en tierras de Castilla. La moda continuará por unos años, dentro ya de la década de los 50, puesto que al aparecer en 1954 la novela de José Luis Castillo Puche, *Con la muerte al hombro,* el crítico de ABC, Fernández Almagro, la tachaba "en algunos momentos, de un tremendismo excesivo".

Criminales, tarados física y/o síquicamente, prostitutas; anécdotas espeluznantes, situaciones repulsivas. Pasa el tiempo y crece la marea tremendista pero, asimismo, la reconvención, no ya en nombre de la moral, sino del buen gusto y de la variedad y riqueza de la existencia, deja oír su voz conminadora. En 1943 avisaba José Antonio Maravall: [120] "hay que precaverse de reincidir en el naturalismo"; en 1946 Carmen Conde se preguntaba [121] ante *Nada:* "¿Por qué estos jóvenes [...] eligen lo pútrido, lo repugnante, lo hediondo, lo infrahumano, lo detestable, lo infinitamente inferior, en lugar de lo creativo, luminoso, hermosísimo?"; en 1950 eran

---

—*La sombra del ciprés es alargada, Juan Risco* y *Los Abel*— de este modo: "Esta elección por el novelista de un ambiente externo y unas mentalidades que se apartan de lo normal y que pueden acercarse a lo morboso —especialmente en *Los Abel*—, hace pensar que a la novela de tesis o de ideas puede seguir una novela de "sensaciones", en que el escritor siga solamente la busca de éstas, con peligroso riesgo de caer en lo clínico o repulsivo. [...] Sin entrar en meditación sobre el porvenir de la novela española, echamos de menos en ellas sol que haga entrar luz hasta los sucios rincones del chalet de Risco, los apolillados cortinajes de la casona de Abel o el triste pensionado de don Mateo".

[120] *Comentario a la vida literaria en 1943,* p. 84, n.º 37-38 de "Escorial".

[121] *"Nada",* o la novela atómica, p. 663, n.º 18, 1946, de "Cuadernos de Literatura Contemporánea", Madrid.

Rafael Vázquez Zamora —informando en "Correo literario" [122] del "Nadal" del año anterior señalaba en bastantes de los autores presentados "un lamentable prejuicio que les hace creer imprescindible lo patológico y amoral por sistema y aparte de toda verosimilitud"— y Eugenia Serrano —quien concluye su comentario a dos novelas de reciente aparición [123] expresando este sencillo deseo: "Me gustaría poder leer una buena novela española donde los personajes no estuvieran tarados en alguna manera. Donde la heroína no fuera prostituta ni el protagonista loco o amoral. Temo que este deseo resulte anticuado"— los que denunciaban; en 1951, finalmente, el sacerdote Federico Sopeña prorrumpía en un enérgico *Basta ya*:

> Basta ya de novelas con monstruos, prostitutas, pervertidos y náuseas. Basta, porque una sola quizá fuera paréntesis de gracia; pero tantas, casi todas, es un pecado y una injuria. Ya no puedo más; me duele, como escritor español que nunca renunciará a ser hijo de la verdad y de la alegría, ese resumir nuestra generación con nombres sucesivos de las novelas del asco y de la amargura. [124]

[122] P. 5, n.º 8: 15-IX-1950.

[123] Se trata de: *Las últimas horas* y *Lola, espejo oscuro*; se alude, aunque aún no se había publicado en libro, a *La colmena*. El artículo de Eugenia Serrano se titula *Bajos fondos literarios* y se insertó en la p. 5, n.º 7: 1-IX-1950, de "Correo Literario".

[124] José María Castellet incomprende la motivación de tales reconvenciones a un estado de cosas difícilmente soportable cuando, a propósito de *La colmena*, escribía: "[...] algunos clarividentes han empezado ya a hablar de lo insoportable que se está poniendo la literatura patria con tantos *monstruos, pervertidos* y *náuseas*. (El desorientado lector podrá ilustrarse leyendo un artículo publicado en "Arriba", por Federico Sopeña, que ha producido furor en los medios optimistas y angélicos del país") (pp. 72-73 de *Notas sobre literatura española contemporánea*. Barcelona, Ediciones Laye, 1955.)

Al hacer el inventario de medio siglo de literatura española, Ricardo Gullón [125] afirmaba respecto a nuestra más reciente novelística que "sigue dos direcciones opuestas: el neorrealismo áspero y amargo y el intimismo poético; por uno y otro lado se llega a la novela sicológica, pues tan estudio de almas es el *Pascual Duarte* como las *Cinco sombras,* que Eulalia Galvarriato hizo soñar en torno a un costurero". No entraré ahora en cotejos cualitativos y de nombradías entre ambas direcciones pero lo cierto es que en la década de los 40, cuando una y otra aparecieron, [126] la primera, de neorrealismo, se impuso, en el gusto del público lector y en la acogida de buena parte de la crítica, a la segunda, de intimismo; todo cuanto discrepase de aquella normativa: densidad intelectual, apelación a la fantasía, cuidado estilístico, probaturas técnicas, vgr., era mal visto, evitado. Manuel Muñoz Cortés advertía en 1947 que el llamado neo-realismo era por entonces "tendencia fundamental" en nuestra novelística, más propensa "a la acción que a la meditación", "vuelta a la tierra, al contorno y a las reacciones elementalmente humanas" y caracterizada por "un

[125] P. 6, n.º 58: X-1950, de "Ínsula".
[126] *Cinco sombras* se publicó en 1947 (Ediciones Destino, Barcelona). Había quedado finalista, con dos votos, en el "Nadal" de 1946 que ganó José María Gironella, con tres votos, por *Un hombre.* N.[éstor] L.[uján] (n.º 425: 11-I-1947, de "Destino"), miembro del jurado, la consideraba "como auténtica narración artística, de una humanidad infinita, y como una obra a la vez delicada, trascendente. Es un libro acabado y exquisito; una novela inolvidable". Entre los abundantes ecos críticos, incluso un artículo en la revista leonesa *Espadaña* (*Una novela ejemplar,* por Eugenio de Nora; n.º 33, 1948), destaca la hermosa carta de Vicente Aleixandre a Eulalia Galvarriato que publicó "Ínsula" en la página primera de su n.º 23.

apartamiento de toda idea lúdica". [127] ¿Es que van a estar en lo cierto quienes, como Federico Carlos Sáinz de Robles o alguno de los apologistas de la novela "social" de los años 50 y 60, [128] parecen empeñados, cada cual siguiendo su camino, en identificar novela española y realismo?

VIII. *OTRAS* NOVELAS *DISTINTAS*

Y, sin embargo, no todo era así en la década de los 40; vaya ahora un sencillo recuento de *otros* autores y *otras* novelas.

Creo que *La isla sin aurora,* novela publicada por Azorín en 1944 y bien acogida por algunos críticos, cuya entraña superrealista he dilucidado en otro lugar, [129] señalaba una posibilidad interesante y distinta. Distinta era, asimismo, *La quinta soledad,* de Pedro de Lorenzo, 1943, "obra donde la biología aparece rebasada de continuo por la pura abstracción" y donde "el interés de la trama —inexistente casi— se ha trasferido a la persona, concentrando espacios y tiempos en la densidad de prolijas me-

[127] Manuel Muñoz Cortés en páginas finales de su colaboración sobre *La novela española en la actualidad* (t. II de "El rostro de España". Madrid, Editora Nacional, 1947).
Vid. a este propósito el penúltimo párrafo del epígrafe *La tradición realista* (en este mismo capítulo).
[128] Como José Corrales Egea, para quien "[...] el realismo, fuera el que fuere, es lo que mejor se adapta a nuestra tradición narrativa, y [...] una experiencia radicalmente opuesta para sustituirla (antirrealista, antiobjetiva, discursiva en vez de dialogante, alusiva e indirecta) parece en cambio estar en desacuerdo con la estructura misma de nuestro pensar y de nuestro decir" (p. 3 del suplemento al n.º 282: V-1970, de "Ínsula"; artículo titulado *Situación actual de la novela española. La "contraola"*).
[129] En mi libro *Las novelas de Azorín* (Madrid, Ínsula, 1960), pp. 270-278.

nudencias", al decir de Francis de la Asunción, su presentador; la segunda novela de Pedro de Lorenzo, *La sal perdida*, 1947, continúa por esta senda. [130] Guillermo Díaz-Plaja calificó de "fabuloso" el *Amadís*, 1943, de Ángel María Pascual, [131] que considera "uno de los juegos mentales más deliciosos de la literatura española contemporánea; [132] el famoso libro de caballerías es el punto de partida de Pascual y, a veces, el punto de llegada (en estos casos recuerda un tanto a Cunqueiro, si bien el narrador gallego resulte más brumoso y fantaseador) pero, otras veces, es sólo pretexto para una vuelta al pasado, en el que se operan las trasmutaciones que el autor desea —así ocurre en el fragmento *Lanzas*, donde se declara que el caballero en cuestión no es Amadís sino el Gran Capitán, en cuya bandera "ya no lleva bordados los leones de oro,

---

[130] *La sal perdida* fue publicada por Editora Nacional; lleva prólogo de Guillermo Díaz-Plaja, quien opina que esta obra "interesa, más que por el contenido novelesco, escaso de por sí, por la novedad de la construcción novelesca y la finura del estilo".

[131] Ángel María Pascual nació en Pamplona el 18-XII-1911. Licenciado en Derecho y en Filosofía y Letras, su dedicación casi exclusiva fue el periodismo: fundador con Fermín Yzurdiaga y subdirector del diario falangista navarro "¡Arriba España!", colaborador fijo de "El Español" (donde escribía la rúbrica *Cartas de Cosmosia*). Autor, aparte *Amadís*, de *Capital de tercer orden* y de *Catilina*. Comprometido políticamente, participó de ese apasionadísimo ardor que he documentado en parte del epígrafe *¿Una nueva estética?*; prueba de ello es su artículo *Hacia un estilo recio y juvenil* (p. 1, n.º 224: 8-II-1947, de "El Español"), donde puede leerse: "Yo creo que las últimas generaciones, bregando en una dificultad pegajosa y continua, poseen, sobre todo, la cualidad de poder escribir un artículo, un verso y un libro, y salir con él, como Matías Montero, no a buscar la muerte con jactancia, pero tampoco a rehusarla con miedo. [...] Yo siempre he creído que el libro más grande de la literatura española fue el que no tuvo tiempo de escribir el Doncel de Sigüenza".

[132] *El poema en prosa en España* (Barcelona, Ediciones Gustavo Gili, 1956), p. 319.

sino un haz de flechas juntas por un yugo", y la
princesa no es Oriana, sino la reina Isabel. (Álvaro
Cunqueiro es autor narrativo mucho más activo, en
castellano y en gallego, por los años 50 y 60 que
en la década que ahora nos ocupa, a la cual corresponden cuentos y novelas cortas hechas públicas en volumen muy posteriormente.) [133] A *La familia de Pascual Duarte* hizo seguir Cela —como "un
compás de espera en mi obra narrativa, un remanso
de paz, una sosegada laguna entre tanta y tanta
página atormentada"—, *Pabellón de reposo*, 1944, [134]
novela donde "la acción es nula y la línea argumental tan débil, tan sutil, que a veces se escapa
de las manos". [135] No sé si podría hablarse de un
más que breve grupo murciano, muy en la órbita
de Miró y Azorín, integrado por el periodista José
Ballester —autor de *Sueños*, 1945 y de *Resucita un
aroma tenue* (inserta en la dicha página catorce de
"El Español")— y la poetisa Carmen Conde que,
bajo el seudónimo "Florentina del Mar", sacó en
1944 la novela *Vidas contra su espejo*, compuesta
nueve años antes, a la que antepuso advertencia
harto significativa:

> Este libro no está escrito ahora, que es tiempo de ac-
> ción. [...] Es una novela *pasiva*, valga la palabra, frente
> a la que podemos calificar de novela *activa*, henchida
> de sucesos, pletórica de actos. Una generación se liqui-
> daba en ella: la que miraba con exceso sus problemas

---

[133] *Flores del año mil y pico de ave* (Barcelona, Editorial
Taber, 1968). La novela corta titulada *El caballero, la Muerte
y el Diablo* había aparecido en el n.º 11: 20-IV-1945, de
"Fantasía".
[134] Volumen de la serie "Los Cuatro Vientos", del editor
Afrodisio Aguado; publicada en la p. 14 de "El Español"
(n.º 20: 13-III-1943 a n.º 43: 21-VIII).
[135] P. 588 y p. 587, t. I. O. C. de Camilo José Cela.

psíquicos e intelectuales. Después vino la guerra. Ahora asistimos a una guerra más extensa y feroz. Las novelas son otra cosa.

El "Nadal" distingue en su segunda convocatoria, aún no extinguido el entusiasmo que había suscitado *Nada*, una novela que algunos dijeron ser "poemática": *La luna ha entrado en casa*, de José Félix Tapia; y en el de 1950 quedó finalista *El mar está solo*, de Francisco Montero Galvache, "una obra *experimental*, que trata un tema poemático, dentro de la línea de la novela azoriniana o, más bien, de Miró, servida por un lenguaje trabajado, por una prosa cuidada, suave", al decir de uno de los miembros del jurado. [136] No nos olvidemos de *Cinco sombras*, de Eulalia Galvarriato —(véase la nota 126)—. En 1951, cerrando nuestra década y este recuento, ven la luz dos novelas que nada tienen que ver con el tremendismo; testimonio *La vida nueva de Pedrito de Andía* de la sabia madurez de un escritor de buenas letras, Rafael Sánchez Mazas y arranque la otra, *Industrias y andanzas de Alfanhuí*, de una brillantísima y corta dedicación narrativa, la de Rafael Sánchez Ferlosio. Pero, a más de cuanto queda expuesto páginas atrás, el predicamento de que gozaba el patriarca Baroja y el relativo éxito de otros dos autores, con experiencia y nombradía: Sebastián Juan Arbó —que beneficia un ruralismo fuerte, localizado en las tierras del delta del Ebro— y Bartolomé Soler —manipulador de abundante y trepidante peripecia externa—, poco ayudaban a esa "distinta" novela.

[136] Rafael Vázquez Zamora, entrevistado por Juan Gich; p. 11, n.º 16; 15-I-1951, de "Correo Literario".

IX. CRÓNICA DE VARIA LECCIÓN

Cuatro novelas de éxito

La familia de Pascual Duarte, 1942, *Mariona Rebull,* 1944, *Nada,* 1945 y *Lola, espejo oscuro,* 1950, fueron, a lo que creo, los éxitos de la novela española en la década de los 40. Ofreceré algún detalle de los mismos antes de pasar a las consecuencias.

Dios y ayuda necesitó Camilo José Cela para ver publicada su primera novela mas la acogida que obtuvo fue favorabilísima y rápida: en unos pocos meses se agotó la edición y la crítica habló largamente. ¿Por qué así? Hay siempre algo de casualidad imprevisible en estos hechos, lo cual dificulta la respuesta, aparte el ingrediente propagandístico, no poco oficializado: el joven autor que surge poderoso en días de penuria y reconstrucción, y a quien se debe apoyo. [137] La respuesta-explicación del autor, mucho más limpia o inteligible que otras dadas muy posteriormente al fenómeno, [138] dice así: "Yo

[137] No quisiera dejarme engañar *políticamente* si recurro a esta sospecha para explicar más cumplidamente las 384 menciones a Cela en "La Estafeta Literaria" primera (entre marzo de 1944 y enero de 1946) y la declaración de Luis Ponce de León: vid. nota 94.

[138] Me refiero a las de José Corrales Egea (pp. 33-34 de *La novela española actual. (Ensayo de ordenación.)* Madrid, Edicusa, 1971) y Fernando Morán, *Novela y semidesarrollo. (Una interpretación de la novela hispanoamericana y española)* (Madrid, Taurus, 1971), para quien —p. 323—: "En 1942 se escribe este libro. El público se da cuenta *inmediatamente* [subrayo] de su significado". (Habría para asombrarse de la capacidad mental de un público español que, con semejante rapidez, pudo hacerse cargo de *la discontinuidad* como "supuesto esencial" de la novela de Cela.)

creo que gran parte de la expectación que produjo
fue debida a que llamaba a las cosas por sus nombres. Cuando un ambiente está oliendo a algo, lo
que hay que hacer, para que se fijen en uno, no
es tratar de oler a lo mismo sólo que más fuerte,
sino, simplemente, tratar de cambiar el olor". [139] La
novedad de *La familia* ... era sólo muy relativa ya
que venía a inscribirse de lleno en una línea estética tradicional y muy poblada, tanto en un pasado
lejano como en el más inmediato, extremo que reconoce el interesado; [140] antes que de cambio de olor,
como de operación efectuada por Cela, creo debería
hablarse de falta de olor en la novela española entre
1939 y 1942 y del deseo, sentido con apasionada
urgencia, de que cesara una tal situación.

Enrique Azcoaga fue el crítico que inició, a los
poquísimos días de la novela en la calle, [141] el coro
de alabanzas para *La familia* ... —"una de las novelas [...] más interesantes de cuantas se han escrito
en la España de nuestros días", destacando en la
misma "la ternura insondable que corre a lo largo
del *suceso* novelado y el candor importante con que
está comprendida desde la peripecia intrascendente
a la más grave de Pascual"—. Vendría después, y
hasta nuestros días, legión de reseñadores y comen-

---

[139] Pp. 574-575, t. I. O. C. de Camilo José Cela.
[140] Le pregunta Andrés Amorós (p. 271, n.º 99: VI-1971, de
"Revista de Occidente"): "El tópico nos dice que abre [*La familia...*] la novela española de la postguerra. ¿Cree usted que
desempeñó efectivamente ese papel? Si es así, ¿por qué? ¿Qué
novedad aportó?". Contesta Cela: "*Quizá; por razones puramente cronológicas. No aportó ninguna novedad; lo único que
hizo fue reanudar el hilo de la literatura, cortado por la guerra
civil*".
[141] *El acento novelístico de Camilo José Cela* ("Juventud",
Madrid, 24-XII-1942).

tadores, en cuya pormenorizada catalogación trabaja Fernando Huarte. [142]

A.C.V. son las iniciales que corresponden a Antonio Castro Villacañas, joven reseñista que pierde
espacio y palabras, afirma su relación con el novelista —"Camilo es un viejo camarada y un amigo
extraordinario"—, entiende que *La familia*... "es
una gran novela, llena de nervio, jugosa, con una
prosa limpia, que es, a mi entender, lo que más
valor tiene", piensa que "empalma con la buena
tradición de la picaresca española" y cierra con este
rotundo dicho: "La mejor novela publicada en España desde Pío Baroja". [143] El maduro y ponderado
Melchor Fernández Almagro también elogió desde
su columna de ABC: [144] concluía afirmando que
"tal como está realizada, y con tanta dimensión de
profundidad en lo psicológico y en la interpretación
de un modo de vivir, la obra augura al autor una
gran talla de novelista", tras de haber reparado,
vgr., en la estética feísta o *contra-estética* ("que
desagradará a muchos y hasta repugnará a no pocos") practicada por Cela, quien logra, no obstante,
"en circunstancias tan desfavorables y con materias
del todo contraproducentes, efectos de poesía, de
áspera, bronca, extraña poesía, como los que hallamos [...] cuando Rosario le parece a Pascual *más
hermosa que nunca, con su traje de azul como el*

[142] Conocido ya por su Bibliografía "de" y "sobre" Cela
(en "Revista Hispánica Moderna", New York, XXVIII, 1962,
pp. 110-122) y por el *Ensayo de una bibliografía de "La
familia de Pascual Duarte"* ("Papeles de Son Armadáns", n.º
CXLII, enero 1968, pp. 61-165, más ilustraciones), que se refiere solamente a las ediciones españolas y extranjeras de la
novela.
[143] En "Haz", revista del S.E.U., n.º de febrero de 1943:
Primera novela de un universitario (artículo ilustrado con un
dibujo de Cela, por Pedro Bueno).
[144] ABC del 16-VI-1943.

del cielo..., o en la escena amorosa de Lola y Pascual, impresionante en su silvestre pobreza". En "Arte y Letras" corre la obligada reseña a cargo de R.[icardo] G.[onzález] C.[erezales], que considera [145] ajustada a la narración, "la prosa [...] llana y sencilla" y opone el extraño reparo siguiente:

> Ha elegido [Cela] para su novela un escenario de sobra conocido y desacreditado por las malas novelas españolas [...] Esperamos ver transitar a Cela por otros paisajes —Galicia, Vasconia, Cataluña— más verdes y menos turbulentos; más europeos, donde las pasiones se han hecho locuaces e inofensivas.

Para Juan Sampelayo [146] esta novela es una muestra fehaciente de que el género no está próximo, entre nosotros, a su "derrumbamiento". El novelista Juan Antonio de Zunzunegui, a la sazón crítico literario de la revista *Vértice,* acogió favorablemente [147] al nuevo colega —"hay en el joven camarada [...] un novelista de cepa"—, que ha "logrado lo más difícil de conseguir [para] un novelista: su manera de contar", y Cela "cuenta bien: con sencillez, con malicia, con expresividad, con ternura, cuando la ternura es necesaria, y hasta con bronquedad"; va por aquí el único reparo que Zunzunegui presenta pues cree que *La familia* ... "hubiera ganado, hasta en patetismo, si hubiera habido algún asesinato menos. Sobre todo, el de la madre del protagonista".

Hubo también opiniones negativas, desde la moralizadora de la revista "Ecclesia" —(ofrecida en el

[145] P. 24, n.º 9: 1-VIII-1943, de "Arte y Letras", Madrid.
[146] Pp. 326-327, n.º 5 de "Cuadernos de Literatura Contemporánea", Madrid.
[147] N.º 63, 1943, de "Vértice".

epígrafe ...*pero una novela con censura*)— hasta la incomprensiva de un colega como Manuel Iribarren: [148]

> Creo haber sido uno de los primeros lectores de *La familia*... No me explico cómo ni por qué se la quiere entroncar con la picaresca española. A mí no me gustó cuando la leí. Únicamente encontré atinados la dedicatoria y el remedo de las dos cartas insertas a manera de epílogo. ¡Demasiados elementos de terror para ciento cincuenta páginas! Mientras leía el desagradable relato, que no novela, vínome a las mientes, no sé por qué, un truculento reportaje que devoré de muchacho sobre el crimen del capitán Sánchez.

En cuanto al éxito de público da fe el testimonio de algunos libreros que, interrogados en 1944 [149] sobre "¿qué libros alcanzaron mayor venta en los dos últimos años?", respondieron unánimemente a favor de *La familia* ...

Cuando Ignacio Agustí, director del semanario "Destino" y autor de una poemática y primera novela titulada *Los surcos,* salió en 1944 con *Mariona Rebull,* inicio de la serie "La ceniza fue árbol", Azorín exclamó: "Al fin, tenemos un novelista". [150] El caso de la protagonista y de su marido, más amigos y familias respectivas, se juntaba armoniosamente a la vida de una gran ciudad, Barcelona, en pujante avance económico y naciente conflicto social, ofreciendo así rica materia para una saga novelística o "roman-fleuve", muy en boga tiempo antes en Francia e Inglaterra y cuyo ejemplo creo tuvo en cuenta

---

[148] Responde a una encuesta promovida por la revista "Arte y Letras" a lo largo de varios números de 1943; n.º 11: 1-IX.
[149] Por "La Estafeta Literaria", p. 19, n.º 5: 15-V-1944.
[150] "Destino", Barcelona: 5-VIII-1944.

Agustí, más, también, algunas series galdosianas. Sucede que *Mariona*..., al igual que *La familia de Pascual Duarte,* tampoco supone novedad relevante pero sí es muestra de obra bien hecha y mesurada. Su éxito fue entonces menos espectacular o fulgurante que el obtenido por Cela pero tanto la crítica como el público reaccionaron positivamente, propiciando la favorable acogida que al año siguiente tendría *El viudo Ríus.* A Muñoz Cortés le parecía Agustí en 1944, "un novelista pleno de fuerzas y de calidad"; [151] para Fernández Almagro, [152] uno de los aspectos más destacables en *Mariona...* es su condición de novela-novela, marcando así, "a tono con otros escritores de su generación misma, la vuelta a la tradición más genuina de la novela, que es, esencialmente, un género narrativo", aseveraciones de un crítico prestigioso que, de pasada, indican el escaso beneplácito concedido por entonces, entre nosotros, a probaturas y tanteos narrativos.

Quedábamos emplazados páginas atrás (epígrafe *El "Nadal"; los premios de novela*) para informar acerca del éxito obtenido por *Nada* a raíz de su publicación en mayo de 1945. Profesionales de la crítica, como Muñoz Cortés, Fernández Almagro o Juan Eduardo Zúñiga; [153] colegas en la novela, como Zunzunegui —para quien "Carmen Laforet es la revelación novelesca de estos últimos años"—, Cela —que juzga esta novela "como un intento muy importante —y muy logrado— de volver el género

---

[151] Reseña de *Mariona...* en "Arriba"; reiterados los elogios y más extenso el análisis, en las pp. 149-153, n.º 44 de "Escorial".

[152] ABC del 19-X-1944.

[153] Almagro: ABC del 13-VIII-1945; Zúñiga: n.º 30: 10-VII-1945, de "La Estafeta Literaria".

a sus prístinos orígenes"—, o Rafael García Serrano
—que repara en cómo "es difícil salvar una historia
semejante [la que se cuenta en *Nada*] sin caer en
la estupenda tentación de despellejar el realismo y
hacerlo sarnoso y rabón como un perro calleje-
ro"—; [154] o escritores varios, como Azorín, Laín
Entralgo, José María de Cossío o Eugenio Montes, [155] dieron su voto favorable a Carmen Laforet,
al igual que, no mucho tiempo antes, hiciera Ignacio
Agustí, jurado del primer "Nadal", para quien este
libro "no era solamente un gran libro, capaz de ser
ávidamente devorado por su condición intrínseca de
relato apasionante. Era, además y sobre todo, un
libro oportuno, de una oportunidad asombrosa". [156]

Nada fue, además, un éxito de público que su-
pero, tal vez a favor del galardón obtenido y del
sexo y suma juventud de Carmen Laforet, los de
La familia de Pascual Duarte y Mariona Rebull. El
libro más vendido en 1945, con tres ediciones muy
seguidas: en mayo, setiembre y noviembre de ese

[154] *NADA. Los escritores opinan sobre un éxito* (p. 9, n.º 34:
25-IX-1945, de "La Estafeta Literaria").
[155] Azorín —*Andrea* (ABC del 7-VII-1945) y *Réspice a Carmen* ("Destino", 21-VII-1945)—; Laín Entralgo —*La novela
como espejo* (un ABC de 1945)—; Cossío —*Una novela sintomática* ("Arriba", 15-IX-1945)—; Montes —en boca del cual
pone "El Silencioso" (Julio Trenas) (p. 31, n.º 33: 10-IX-1945,
de "La Estafeta Literaria") estas palabras: "Es una gran novela. Sin duda la mejor novela contemporánea. La he leído con
verdadero interés y he encontrado un sólido temperamento de
novelista. Lo mejor de *Nada* es su seria, inteligente observación de la vida; no se da aquí el caso de un novelista que
escribe de memoria, imaginativamente. *Nada* posee un fondo
de realidad humanísimo. Los trazos son vigorosos, el diálogo
está distribuido con mucha eficacia. Acaso el lenguaje no sea
lo más logrado estilísticamente, pero esto en la verdadera novela no tiene tanta importancia".
[156] Testimonio recogido en la p. 9, n.º 217: 15-V-1961, de
"La Estafeta Literaria".

año. *Nada* mereció en 1948 el académico premio "Fastenrath". [157]

Darío Fernández Flórez, nacido en 1909, universitario de Filosofía y Letras en la Universidad de Madrid antes del 36, había hecho crítica radiofónica de libros, más bien apresurada y endeble, [158] y sacado la novela *Zarabanda*, 1944. El éxito le llegaría al publicar en 1950 *Lola, espejo oscuro,* relato de la vida y andanzas de una prostituta de relativo copete, servido autobiográficamente según la más tópica usanza picaresca; muy pronto comenzó a hablarse de semejante entronque literario, a lo que debía unirse el tremendismo tan en boga a la sazón. El oficio de la protagonista y lo que éste hacía esperar a ciertos lectores, la referencia más o menos reconocible a algunos sucedidos recientes convirtieron la novela de Fernández Flórez en un libro bastante vendido y no poco celebrado, ya como documento histórico valioso, [159] bien por su realismo de vieja ley; [160] pero hubo una voz discrepante fren-

---

[157] En el otoño de 1945 se iniciaron en el Ateneo de Madrid (entonces llamado "Aula de Cultura") unos juicios literarios a libros de reciente publicación; el primer libro juzgado fue *Nada* y la sentencia del tribunal, presidido por Fernando Castán Palomar (con fiscal: Alfredo Marqueríe; defensor: Ramón D. Faraldo; y testigos de cargo: Enrique Azcoaga y descargo: Manuel Pombo Angulo), favorable.

Se hicieron dos versiones cinematográficas de esta novela: la dirigida por Edgard Neville, estrenada en 1947 y *Graciella,* por el director argentino Leopoldo Torres Nilsson, estrenada en la primavera de 1956.

[158] Recogida en volumen con el título de *Crítica al viento* (Madrid, 1948).

[159] Tal Azorín y José Luis Cano.

[160] Fernández Almagro (ABC del 18-VII-1950): "La fórmula realista a que Darío Fernández Flórez se entrega, con todas sus consecuencias, presenta muy serias dificultades. El autor de *Lola...* las vence con un espíritu que bien puede calificarse de deportivo, por lo que tiene de esfuerzo en salvar obstáculos acumulados adrede".

te al coro elogioso, la de Fernando Guillermo de Castro, [161] para quien el éxito de *Lola*... no es debido a merecimientos literarios sino, "indiscutiblemente, a las circunstancias de ambiente, que han envilecido el clima. Este fenómeno de envilecimiento es producto de una retención, de una prohibición". [162]

Sin duda hubo otros éxitos novelísticos entre 1942 y 1950 pero creo fueron menores que los reseñados y más bien de crítica que de público, tales: *Almudena, o historia de viejos personajes*, de Ramón Ledesma Miranda, 1944; *Cinco sombras*, de Eulalia Galvarriato, 1947; o *Las últimas horas*, de José Suárez Carreño, 1950. [163] Y son los destacados, cuatro libros en los que la tradición gana, con mucho, a la novedad literaria; tres de ellos caen, además, en la órbita de sentimientos y tendencias contemporáneos muy en boga. ¿Por qué, pues, se impusieron? Sin duda porque con ellos ha surgido un olor en un medio novelístico hasta entonces caracterizado como inodoro. (Ésta puede ser la primera consecuencia o lección de nuestra varia *Crónica*.)

Baroja y Azorín, supervivientes del 98

Tampoco era posible que a estas alturas, ambos entrados ya en la senectud, brindasen Pío Baroja (nacido en 1872) y Azorín (nacido en 1873), los dos noventayochistas supervivientes pero activos, novedad sustancial pero sí magisterio lejano. Las novelas

[161] N.º 45: XI-1951, de "Índice de Artes y Letras", Madrid.
[162] *Lola*... fue "pirateada" no tardando en Méjico; los ejemplares de esta edición no llevaban pie de imprenta y figuraban a nombre de una inexistente editorial.
[163] Es claro que no tomo en cuenta los éxitos que hayan podido producirse en la modalidad novela "rosa".

publicadas por el primero entre 1938, *Susana* y 1950, *El cantor vagabundo,* resultan más bien una cansada reiteración de su proverbial manera de hacer, sin que volviera a ser alcanzada la relativa cima que supuso años antes *El cura de Monleón.* Las seis últimas novelas de Azorín constituyen una etapa crepuscular en la que su autor solamente ofrece insistencia en motivos y recursos conocidos y usados con anterioridad. [164] Éste, cuya entidad como novelista siempre fue muy controvertida, tuvo un único seguidor en Pedro de Lorenzo, mas Baroja fue reverenciado y visitado en su piso de Ruiz de Alarcón, aducido siempre como el tercer grande de la novelística española —Cervantes, Galdós, él—, solicitado para iniciar colecciones de novelas cortas; su influjo se advierte en autores como: José María Gironella —*Un hombre,* 1947—, José Luis Castillo Puche —quien recuerda cómo "mi llegada a Madrid [otoño de 1943] está condicionada a la presencia de dos maestros, Azorín y Baroja, pero sobre todo Baroja. El magisterio de Azorín es fundamentalmente didáctico, preceptivo, en tanto que don Pío se convierte para mí en ruta inesquivable, en orientación sin fallo. El encuentro con el energúmeno vasco, como se le ha llamado, fue para mí definitivo"—, [165] o Ramón Cajade —cuyo literal barojismo han subrayado César Santos Fontenla, para

[164] He escrito en otro lugar (p. 246 de mi libro *Las novelas de Azorín,* Madrid, Ínsula, 1960) que "entre *El escritor* y *La voluntad* existe una relación temática: la preocupación española; *Capricho* y *La isla sin aurora,* en virtud de su extremo desasimiento de la realidad física, concuerdan con la etapa superrealista, aunque no encontremos en estos dos libros estilo de "miembros disyectos"; finalmente, *María Fontán* y *Salvadora de Olbena* son versiones, con alguna diferencia, de la anterior y espléndida *Doña Inés*".
[165] *El autor enjuicia su obra* (Madrid, Editora Nacional, 1966), p. 32.

la novela *Es la vida* y Antonio Valencia, para *Los solitarios*—. [166]

Pero bastante tuvieron que hacer uno y otro, Baroja y Azorín, con defenderse, aunque no hayan utilizado la réplica directa, de tanta asechanza como se les tendió en los primeros años 40. A don Pío le convirtieron nada menos que en precursor del fascismo puesto que "expresa en literatura hacia 1910 lo que Mussolini comienza a realizar en la acción, diez años más tarde", [167] en tanto que el jesuita Quintín Pérez arremete contra Azorín, recién regresado a España, en una revista de la Compañía, porque se ha permitido en un artículo [168] mencionar sin insulto a Nietzsche y establecer su paralelo con algunos españoles como Baltasar Gracián y Ramiro de Maeztu. Azorín justifica a su generación y la convierte en precursora de la actual, imperante y vitalista, cuando declaraba en 1941: [169] "Puede decirse que nosotros soñamos la acción con motivo de España, y la guerra ha hecho que esta generación actual se lance, y que tenga un sentido de la

[166] Tengo noticia de una tesis doctoral (leída el 14-XI-1968 en la Facultad de Filosofía y Letras de la Universidad de Madrid) por Federico Bermúdez-Cañete acerca de *Baroja en la novela actual*, en la que se habla de unos cuantos autores más representativos: Cela —*Pascual Duarte* y *La colmena*—; Carmen Laforet —*Nada*—; Gironella —*Un hombre*—; Delibes —en la ambientación de la ciudad provinciana de alguna de sus novelas—; Suárez Carreño —*Las últimas horas*—; Castillo Puche —aspectos crudos y lenguaje atrevido y grueso—; Aldecoa —huída del gitano en *Con el viento solano* y su deambular por Madrid—.

[167] P. 12, prólogo de Ernesto Giménez Caballero a *Comunistas, judíos y demás ralea* (Valladolid, Ediciones Reconquista, 1938), volumen antológico de textos barojianos.

[168] Se titulaba el artículo *Un Nietzsche español* y fue publicado en "La Voz de España", diario de San Sebastián. La impugnación salió en la revista mensual "Hechos y Dichos", Bilbao.

[169] N.º 3: 5-XI-1941, de "Santo y Seña", Madrid.

acción que la generación del 98 no tenía. Pero
—confiésenlo o no— el germen, la levadura de esta
acción está en nosotros"; y se justifica a sí mismo
en la novela *El escritor,* 1942, cuyos protagonistas,
el viejo Antonio Quiroga y el joven Luis Dávila,
colegas y amigos, terminan entendiéndose por encima de las discrepancias que entre ambos pueda
haber. Otro escritor joven y a la sazón muy activo,
Rafael García Serrano, expresaría en 1944, frente
a unas obras de Azorín, [170] la imposibilidad en que
se encuentra (él y quienes tienen talante análogo
al suyo) de contemplar y escribir serenamente:
"Nosotros hemos de renunciar a deleitarnos en el
tono gris, hemos de renunciar a ese arte que todo
lo absorbe, porque no tenemos, quizás, más solución
que convertir la vida en una obra de arte. [...] Hoy
la prisa, esa prisa que Azorín aborrece y no se
explica, azuza la solución. Estrangular el arte, estrangular la vocación del arte y darse a la vida a
paso de carga: que el vivir es también un arte duro
y maravilloso. Un arte que las circunstancias han
puesto en el alero". Volviendo a Baroja, diremos
que en 1950 continuaba siendo el patriarca indispu-
tado, asunto ya de conferencias y encuestas, lo cual
demuestra, en el sentir de Vázquez Zamora, [171] que
"nos aferramos como a un clavo ardiendo a este
autor monumental en una época de producción muy
escasa y de grandes éxitos *por libro,* cuya confirma-
ción esperamos años".

[170] P. 13, n.º 1: 5-III-1944, de "La Estafeta Literaria", comenta García Serrano un tomo de Obras Selectas de Azorín
publicado recientemente por la editorial madrileña Biblioteca
Nueva.
[171] P. 24 de *Almanaque literario 1951* (Madrid, Escelicer,
1951).

Ausencia, pues, de maestros jóvenes y al día, seguros orientadores de los novelistas que comenzaban, ahorrando a éstos obscuridad y falsos tanteos; solamente, cercano en lo físico, un superviviente del 98, "autor monumental". He aquí otra lección para esta varia *Crónica*.

Lugar y fortuna de Zunzunegui

Está en lo cierto Dámaso Santos [172] cuando escribe: "A Zunzunegui no se le saludó como a Agustí, no se le campaneó como a Cela. Yo recuerdo un dibujo de "La Estafeta Literaria" donde se le representaba como un albañil colocando ladrillos, y creo que esta imagen del trabajador constante, consciente y aplomado, ha sido la más repetida para aludir a la honradez, la constancia y la consistencia de su obra"; sin embargo, creo fue en la década de los 40 cuando gozó Zunzunegui de mayor estima y de atención crítica más sostenida, nunca olvidado en recuentos y encuestas.

Nacido en 1901 (como Ramón Ledesma Miranda) y correspondiendo por cronología a la generación de 1927, Zunzunegui, que se inició como novelista en 1931, es incluido con los revelados en los años de la postguerra, más jóvenes que él —(desde Darío Fernández Flórez y Pedro Álvarez, de 1909, a Carmen Laforet, de 1921, pasando por: Torrente Ballester, 1910, José Antonio Giménez Arnau, 1912, Ignacio Agustí, 1913, Camilo José Cela, 1916, Rafael García Serrano, Cecilio Benítez de Castro y Pedro de Lorenzo, 1917, Pedro García Suárez, 1919, y Miguel Delibes, 1920)—, pero acaso no esté bien colocado (bien encajado, quiero decir) en ninguno

---

[172] *Generaciones juntas* (Madrid, Editorial Bullón, 1962), p. 329.

de ambos conjuntos,[173] lo cual pudo ayudar a su independencia y contribuir, asimismo, a su progresiva marginación.

Zunzunegui aparece, entre otros rasgos que le peculiarizan, con una irrefrenable propensión a la greguería, influencia o herencia de Ramón Gómez de la Serna, y a la creación de neologismos (precisamente cuando la Real Academia Española de la Lengua distingue en 1943, con el premio "Fastenrath", su novela ¡Ay, estos hijos!, añade al fallo una advertencia que recomienda la poda de ciertas frondosidades de lenguaje, no siempre presididas por el acierto). Pero nos equivocaríamos si, valorando ambos ingredientes —greguería y neologismo—, creyéramos encontrarnos ante un virtuoso de la expresión (digamos, un estilista); como también nos equivocaríamos al creerle un virtuoso de la novedad técnica, ya que más de una vez ha declarado de modo paladino su afección al realismo —desde el prototípico del siglo XIX al "realismo mágico" del italiano Massimo Bontempelli—.

Zunzunegui trabajó como escritor durante la guerra civil en el bando nacional, sobre todo en la revista "Vértice", donde publicó varias novelas cortas y en la que dirigía la sección de crítica de libros, cosa que ayudó bastante a su conocimiento una vez llegada la paz.[174] Vino después el premio académico

---

[173] Antonio Otero Seco (p. 380, n.º 78: IX-1969, de "Revista de Occidente") piensa que "Zunzunegui nada tiene que ver con los escritores que, por su edad y la fecha de aparición de su primer libro, pudieran ser sus compañeros de generación o promoción literaria: Benjamín Jarnés, Francisco Ayala [...] Pero tiene mucho que ver con los que, un cuarto de siglo más tarde, rehicieron el rompecabezas para que reflejara de nuevo [...] la vida española y su circunstancia".

[174] Así lo creía Manuel Iribarren cuando, respecto a la acogida que conoció El Chiplichandle (1940), opinaba que "hubiese pasado inadvertida [esta novela] para la crítica, como ha pasa-

antes dicho, si parco en cuantía económica, largo en prestigio, para ¡*Ay, estos hijos!* ; como vendría más tarde, y con algún escándalo, el Nacional de Literatura, 1948, a una novela de humor, para *La úlcera.*

La Editora Nacional o Ediciones Destino iban publicando las "patrañas de mi ría" o las novelas también localizadas en el Bilbao natal, tiempos de mayor distinción y riqueza que los actuales, evocados con sátira y nostalgia al mismo tiempo; libros de los cuales hablarían con elogio los críticos, no sólo los habituales en la prensa periódica sino también la crítica que llamaríamos universitaria. Es el caso de *El hombre que iba para estatua,* 1942, con extenso prólogo ("Zunzunegui y su obra") del catedrático de la Universidad de Madrid, Joaquín de Entrambasaguas; o de *Dos hombres y dos mujeres en medio,* 1944, que prologa el también catedrático de Literatura Española, Juan Antonio Tamayo; o del profesor universitario Manuel Muñoz Cortés, que escribe el artículo *Observaciones en torno a la obra de J.A.Z.* para el número primero de la revista barcelonesa "Leonardo", 1945. Por entonces se le buscaba para preguntarle acerca de las mil y una cosas literarias: la situación de la actual novelística española (en "Arte y Letras", 1943); su propia novelística y sus ideas sobre el género ("Arte y Letras", 1943); la moda de las traducciones ("La Estafeta Literaria", 1944); la invención literaria y el semanario "Fantasía" ("La Estafeta Literaria", 1945); o el tremendismo en la novela española reciente ("Índice de Artes y Letras", 1951). Fue, precisamente, en

---

do para el público, a no regir su autor la sección bibliográfica de una de las mejores revistas de España" (n.º 11: 1-IX-1943, de "Arte y Letras", Madrid).

sus contestaciones a alguna de tales encuestas donde comenzó a señalarse el desacuerdo con modos y maneras a la sazón muy en boga, lo que da fe de su independencia y ha podido ser causa del vacío que en su torno iba produciéndose. Dejemos a un lado probables motivaciones personales y pensemos en la repulsa que sin duda producirían palabras de Zunzunegui como las siguientes:

> *¿Qué opina Vd. de esa literatura un tanto tosca y de delito de sangre que ahora practican algunos jóvenes?* —Que es una literatura muy vieja. [...] La fórmula bontempelliana de "el realismo mágico" me parece magnífica frente a esta literatura plantígrada de la que si son verdaderos escritores muy pronto acabarán cansándose", 1943; *¿Puede hablarse en la actualidad de una decadencia de la invención literaria española?* —Desde luego que puede hablarse. Yo creo que nunca ha estado la invención literaria española tan con "la llanta en el suelo" —como dicen los madrileños— como ahora", 1945.

Unánimemente mencionado en los años 40, podría decirse que casi unánimemente olvidado ahora. [175]

[175] Corrijamos un tanto, mediante diversos pormenores concretos, esta rotunda afirmación. 1951: a la novela *El supremo bien,* publicada este año, le fue concedido uno de los siete accéssits de 5.000 ptas. en que se dividió el premio de novela "Cultura Hispánica"; en 1952 fue distinguida con el "Álvarez Quintero", de la Academia de la Lengua. 1952: el premio del Círculo de Bellas Artes de Madrid es repartido entre Luis Antonio de Vega y Zunzunegui, *Esta oscura desbandada.* 1955: *La vida como es* merece el premio "Larragoiti", de la Sociedad Cervantina. 1957: Zunzunegui es elegido académico de la Lengua en la vacante de Baroja, acerca de cuya obra versará su discurso de ingreso en 1960. 1962: con *El premio,* dura sátira de semejante institución literaria, gana el "Miguel de Cervantes". 1969: la editorial barcelonesa Noguer saca el primer tomo de sus Obras Completas, con extenso prólogo del catedrático universitario Ángel Valbuena Prat.

Por muchos desplantes y muchas incomprensiones en que se haya gozado públicamente, por muchos y graves que sean (y creo que no hay para tanto) los defectos en que su caudalosidad le hace incurrir en ocasiones, no es justo ni resulta tampoco conveniente prescindir de quien, como Juan Antonio de Zunzunegui, tiene harto confirmada su capacidad y su constancia en el cultivo del género. Caso de injusticia, pues: una tercera lección para nuestra varia *Crónica*.

Cuatro novelas olvidadas

La cuarta y última lección lo es de efimereidad de la fama literaria; la ejemplifican casos de novelas y novelistas apegados a concretas situaciones temporales, o bien autores que cesaron en el cultivo del género (traer aquí a unos y a otros no significa en mi ánimo una intención peyorativa ya que ni se trata de los únicos existentes ni, tampoco, desconozco sus valores literarios y su interés histórico).

Leoncio Pancorbo, de José María Alfaro —nacido en 1906, poeta, colaborador de revistas y diarios antes de la guerra civil; director, después, de "Vértice", "Escorial" y "Arriba"— fue novela publicada en 1942 por Editora Nacional; tuvo una acogida crítica favorable —Azorín habló de ella en ABC— y no tardó en agotarse. Consta de una primera parte —con 30 capítulos—, una segunda —con 15 cartas: del protagonista, desde Dueñas de Campos, a un su amigo de Madrid (van del 21-V-1934 al 30-IV-1936)—, y un epílogo —en el que se informa de la participación y muerte en la guerra de Leoncio Pancorbo—.

No creo que pueda hablarse de una novela; este libro es otra cosa y vamos a verlo de mano del propio autor: 10 —"pequeño resumen de su [de L.P.] vivir y sus ideas", el cual, 11, "desprende de sí esencias arquetípicas" y, además, castellano sobrio y estudiante universitario en Madrid, experimenta "admirativa inclinación al héroe", 22—. Hablar (como hace Alfaro en carta al autor de este libro, fechada en Madrid el 27-III-1972) de *falsa biografía* me parece muy aclaratorio ya que no se trata de referir realistamente la vida de un héroe —de un personaje— real, sino de construir un ente ideal en el que poner junto a cosas que fueron, cosas que se deseaba fueran, soñadas posesiones al lado de condiciones efectivamente poseídas. Resulta entonces una etopeya, y se nos presentan, sueltas, unas cuantas estampas que no suponen una progresiva sucesión, sino el enfrentamiento del protagonista con libros, amor, religión, etc. De aquí también, el que las indicaciones temporales y espaciales, las que sirven para poner los pies en una tierra concreta, escaseen considerablemente —72, comienza el capítulo XIV y se dice: "Al acercarse a los 25 años, Pancorbo [...]"; 87: "en los días tumultuosos de aquel invierno español de 1930 al 31 [...]"; 99: "[...] contó sus años —no llegaban a 30— [...]"; o 102: "Pancorbo se había sentado en un banco público, con los ojos perdidos entre verdear de árboles y almohadilladas cimas de la Sierra". Es tal vez el ejemplo de mayor concreción, espacial, pero repárese en que tiene los ojos *perdidos,* lo que se adecúa con algo leído en la página 96, algo que a veces le sucedía al protagonista que "de nuevo no tenía nada que ver con todo cuanto le rodeaba"—.

Estamos, pues, en un ambiente elusivo, aunque se haya deseado ofrecer un conjunto muy representativo del talante de un cierto momento español. A ese efecto elusivo ayuda la expresión empleada, la cual —como en el capítulo VI— se me parece a la de un Ramón Gómez de la Serna o un Benjamín Jarnés y otras veces, acaso porque Alfaro tiene una práctica de poeta, [176] produce tan insatisfactorios resultados como la frase de la p. 49 —"[...] las manos se le llenaron de conocimientos maduros"—, o como todo el capítulo XVIII. Pienso que también el procedimiento epistolar usado en la segunda parte del libro contribuye a la creación de tal ambiente elusivo porque en esas cartas el remitente no concreta lo más mínimo, dando por supuesto que su destinatario va a entenderle perfectamente; la impresión obtenida es la de que se gastan palabras y se dicen muy pocas cosas, y que la in-progresión continúa. Continúa, asimismo, la elusión cuando en un par escaso de páginas se informa de que, por fin, L.P. cambió y se decidió, y en el cumplimiento de su decisión heroica encontró la muerte —172, párrafo segundo: "Sus compañeros de lucha *nos han contado* [...] Ellos son los que *nos han relatado* [...]" (los subrayados son míos).

El digamos "universitarismo" que Pedro Álvarez apuntaba como riesgo —"se vislumbra en muchos [autores de novelas recientes] una sensibilidad excesivamente universitaria, pero que envuelve el peligro del conceptualismo, del que hay que huir en novelística como de la peste"— [177] se advierte en la carga libresca y literaria presente en algunos capítulos y pasajes como, por ejemplo: lecturas del capítulo V, encargo de la p. 116, juicio sobre Axel Munthe en la p. 144. Al lado de ella tenemos —como sería

[176] En 1941 había publicado el libro *Versos de un invierno*.
[177] En la encuesta de "Arte y Letras", Madrid, 1943; n.º 10: 15-VIII.

costumbre muy extendida en la época— el gusto por la acción y su apología, que encontramos ejemplificado en 41-42 —la mística de la acción— y 55 y 56 —presente y futuro, compromiso y evasión en los intelectuales; conceptos de la Gloria—.

En 1942 aparecía en *La familia de Pascual Duarte* un personaje, Pascual, anti-héroe respecto del héroe que quiso ser Leoncio Pancorbo, ambos no poco increíbles en su contrapuesto extremo ideal; el propio Cela lo advertía: [178] "José María Alfaro y yo lo hemos intentado [la creación del personaje-prototipo] cada uno de nosotros con el antipersonaje del otro. L.P. y P.D. ya han sido paridos; si han de vivir o no, ya lo dirán quienes deban decirlo". Leoncio Pancorbo, tan apegado a una concreta situación temporal, vive ya, apagado el fuego animador de ésta, en el recuerdo histórico; por otra parte, su creador, metido en empresas culturales oficiales, cargos políticos y servicios diplomáticos, no volvió a dar señales de vida como novelista.

Otro caso de retirada total, pero al cabo de alguna mayor insistencia, es el de Pedro Álvarez, el muchacho castellano ganador del concurso de la revista "Vértice", 1939, de quien se destacó entonces "un vigoroso temperamento novelístico junto a una gran riqueza y garbo de idioma", cualidades que le convertían en una esperanza "para bien de las letras de España". Rompió marcha con *Los chachos* en la sección de folletones novelescos de "El Español", octubre de 1942, cuando ya era el autor de *Nasa*, novela publicada por Editora Nacional y que no tuvo una crítica satisfactoriamente aclara-

---

[178] En la encuesta de "Arte y Letras", Madrid, 1943; n.º 9: 1-VIII.

dora; [179] siguió, 1944, *Los colegiales de San Marcos* y en 1950, puede que como punto final de su carrera novelística, [180] *Los dos caminos.* No poco

[179] "De mí se decir, como autor de una novela discutida, que no he hallado todavía una de las críticas que se hicieron que diera con el quid. A lo más que han llegado es a contarme los *cómos*, a decir que me parecía a éste o aquel autor, y a dar una serie de inexactitudes que una vez, forzándome, me hicieron saltar y contestar" (p. 5, n.º 9: 15-VII-1944, de "La Estafeta Literaria"). Pedro Álvarez contestó en el artículo *El autor de una novela ante la inexactitud de una crítica sobre su novela* (p. 3, n.º 36 de "El Español"); la crítica "inexacta" era la firmada por R.[icardo] G.[onzález] C.[erezales] en la p. 23 del n.º 4: 15-V-1943, de "Arte y Letras", quien, entre otras cosas, reparaba en que "la prosa de Álvarez está recargada de una serie de palabras desusadas, mitad recogidas del diccionario, mitad tomadas de modismos populares. Estas palabras tienen una pronunciación trabajosa, una fonética difícil, un obscuro significado". (Otra contestación del novelista la encontramos en la p. 76 de su novela *Los dos caminos,* cuando el personaje Felipe está leyendo *Nasa* y llegan su padre y el cura del lugar, quien dice que "no la ha leído, pero tengo referencias de que en ella los personajes hablan con un lenguaje impropio, muy subido de tono", a lo que aquél responde: "Hablan como deben hablar. Que escuchen a "Sentencias", Simeón, a Ramiro, a cualquiera, los que lo dicen, como los oigo yo, y se convencerán de que los personajes de esa novela son unos desinflados si se los [sic] compara con los campesinos de la realidad".) En cuanto a parecido con otros autores, la crítica adujo repetidamente el nombre de Valle Inclán: "Este gran don Fermín [...], magnífico personaje de la novela *Nasa,* es pariente cercano de otros tipos [...] de la más pura creación valleinclanesca. Valle-Inclán redivivo pasea sus seniles arrogancias por todos los capítulos de la narración", opinó Salvador Pérez Valiente (p. 328, n.º 5-6 de "Cuadernos de Literatura Contemporánea", Madrid).

[180] En carta al autor de este libro, fechada en Córdoba el 25-I-1972, Pedro Álvarez declara: "Pensaba dar salida a las impresiones y recuerdos por edad: *Los chachos,* infancia; *Los colegiales de San Marcos* fue la novela-recuerdo del Instituto. Proyecté escribir otra sobre la Universidad, a la que seguiría la guerra pero fui poco a poco absorbido por las tareas de dirección del periódico. // Una biografía de *El Empecinado* para la colección "Breviarios de la Vida Española", de Editora Nacional; colaboraciones en revistas y periódicos". Completemos la bibliografía del narrador Pedro Álvarez y constatemos, de pasada, su actividad sin desmayos en los primeros años 40

traído y llevado durante los años 40, destacada siempre su condición de estilista del lenguaje rural castellano en cuyo uso se pasaba en ocasiones, vinculado entrañable y realistamente (incurriendo en algún tremendismo) a una tierra y a sus pobladores, [181] Pedro Álvarez Gómez, que no se impuso con sus obras cuando novelaba, es hoy como una sombra, de cuando en vez fundida con la presencia del también novelista Pedro Álvarez Fernández. [182]

En *Los dos caminos*, [183] Pedro Álvarez Gómez se mantiene fiel a sus asuntos y maneras. El autor dice se trata de "retratos de mujeres" y, en efecto, podemos verlo en los meros títulos de las cuatro narraciones que integran el conjunto, a las cuales da coherencia de novela la figura del protagonista masculino Felipe, en cuya vida y corazón llegaron a suponer algo todas y cada una de aquéllas. Hay

---

con este par de referencias: en el suplemento de la revista "Vértice" publicó —mayo de 1941— la novela corta *Ánimas vivas*; en el semanario "Tajo" (Madrid, números 50 y 51: 10 y 17-V-1941), el relato titulado *Cuento de un ciego que profetiza.*

[181] A este respecto tienen gran interés una palabras suyas ("Juventud", Madrid, 9-VIII-1944, p. 3): "Los campesinos españoles son lo religioso que en la tierra queda. Gentes duras, enterizas, trascendentales, hombres de cuya vida no forman parte los placeres y en cuyo corazón no puede germinar el odio. Es decir, hombres cerrados a esos dos grandes demonios que trastean y envilecen el alma de la ciudad: esos dos grandes demonios que son el odio de los proletarios y el lujo de los privilegiados".

[182] La noticia de que existen dos novelistas Pedro Álvarez (Gómez, el que aquí nos importa; Fernández, natural de Oviedo, 1914) la tienen, sin duda, los redactores de *Quien es quien en las letras españolas* (Madrid, I.N.L.E., 1969), ya que les reservan espacio en la p. 29 y en la p. 31, pero en ambas ocasiones se refieren a la bio-bibliografía del segundo.

[183] Fue publicada en la serie "Fábula" de una colección de "Escritores Españoles Contemporáneos", que incluía también títulos de Pedro de Répide y Tomás Borrás.

dos mujeres del campo —Seditas (la 1.ª) y María
Luisa (la 3.ª)— y otras dos de la ciudad —Elvira
(la 2.ª) y Eulalia (la 4.ª y última)—. Tras la relación con ésta queda decidida la suerte de Felipe
en el aspecto sentimental: será un soltero —ocurre,
además, que ha heredado y vuelto al campo—.

Pasamos a la cuestión del ruralismo en esta novela. El amor a su tierra de Castilla ha sido pro-
clamado más de una vez, y de modo claro y emo-
cionado por el novelista ("la tierra ejerció sobre
mí una atracción irresistible siempre, la prefería a
todo", carta citada al autor de este libro). Tal
atracción se ejerce aquí sobre el ánimo del protagonista, y de ella encontramos muestras en, por
ejemplo: 105 ("[...] maldijo la ciudad"), 117 (con-
traposición Ciudad-Campo, hablando con el amigo
Mosenca), 124, 157, 189 y 229 (son citas que se
refieren directamente al protagonista o a la bondad
del campo, lugar paradisíaco, feliz en sí y en oposición a la ciudad, lugar que no les va a algunos
de los personajes de la novela).

¿Cómo es el campo que nos ofrece Pedro Álvarez? Es, de entrada, un campo sin problemas aunque se vea que no es la misma la situación económica, y en la sociedad, del padre de Felipe y la
de los padres de Seditas, y se advierta que hay gentes dependientes en su economía particular de otras.
Sólo he encontrado dos brevísimos pasajes (o menos que pasajes) en las páginas 32 y 71 pero como
corren a cargo —son cosas que piensa— de un
personaje como Gregorio, un malo de la historia,
parece como si perdieran fuerza; lo que Gregorio
dice, alude a su situación de asalariado y al dominio que ejerce don Gildo, el rico propietario y señor, padre de Felipe. Ninguna denuncia explícita

he visto y creo que la intención del autor va por
otro camino —por los dos caminos, Ciudad o Campo, ofrecidos al protagonista, con la victoria final
del Campo—. (Nada, pues, que permita el emparejamiento, la precursión respecto de un Delibes o
de un Fernández Santos).

Veamos, pues, lo que se nos da. Descripción,
sobre todo: abundante, cargada de nombres de
cosas, de palabras inusitadas por puramente campesinas y no recogidas en el diccionario oficial;
párrafos largos; comparaciones muy frecuentes. En
el desenlace de las dos últimas historias, que tiene
lugar en parajes campesinos —la muerte de María
Luisa en accidente promovido por la irresponsabi-
lidad de su hermano Eulogio; la vuelta al pueblo, después de su desgracia ciudadana, sólo capaz
ahora de inspirar compasión y de morirse, horri-
blemente desfigurada en lo físico, de Eulalia— hay
no pequeña dosis de tremendismo.

El "Epílogo" es una paladina declaración de
intenciones y de moralejas: en los distintos caminos —los *dos* aludidos en el título de la novela—
seguidos por ambos primos: Felipe (el bueno) y
Eulogio (el malo), radica todo. El uno, el primero,
ha sido fiel a la llamada de la tierra— que es elemento natural que Dios ha hecho y se mantiene
pura, incontaminada— y por esa fidelidad (que es,
también, continuidad de la estirpe, vinculación a
los antepasados: palabras finales de 229) triunfa:
"logró parte de la felicidad que anhelaba"; el otro,
el segundo, ha tenido el fin propio del camino
infiel que eligió: "como todos los que desertan de
la tierra, llevó su merecido".

Corresponde ocuparse ahora de dos autores cuya
actitud militante de las trincheras se mantiene en

la paz, preocupados ambos con la guerra española como asunto novelesco: Rafael García Serrano y Pedro García Suárez.

Del incidente en la censura de 1943 con *La fiel infantería* se cuenta páginas atrás; no hubo, por ello, demasiado tiempo para que aparecieran reseñas críticas pero, no obstante, algunas salieron y no poco elogiosas; [184] años más tarde alguien afirmaría [185] que fue

> el libro de la juventud que hizo la guerra y, por lo mismo, su onda literaria se conectaba, como una constante, con la vida de los frentes de combate y de cuanto —hombres, ciudades y paisajes— se hallaba estrictamente condicionado por su existencia.

En alguna parte he leído que *La fiel...* no es una novela y tengo también mis dudas de que efectivamente lo sea. Se trata de la guerra, pero apenas hay acción bélica; de algunos miembros de la infantería de un bando en la guerra, pero esos hombres aparecen escasamente perfilados, apenas puestos en pie, muy iguales los unos a los otros. Poca acción, narrada alusivamente, y frecuentes divagaciones.

El autor está presente en los papeles de todos y cada uno de los personajes que dan fundamento a las partes de que consta el libro —1.ª: "La columna del 19. Papeles del camarada Miguel"; 2.ª: "Invierno. Papeles del camarada Matías"; 3.ª: "Bienaventurados los que mueren con las botas

---

[184] Como las debidas a: José Luis Gómez Tello ("Juventud", Madrid, un n.º de noviembre de 1943) y Julio Fuertes ("Arriba", 14-XI-1944; *Nuestra novela*).

[185] Gaspar Gómez de la Serna, p. 69, n.º 13: enero-febrero 1952, de "Clavileño", Madrid.

En una noche de sábado, Suárez del Arbol, en el Café Gijón, tomó este apunte de un "casi pleno" de la "juventud creadora". De pie: José María de Vega, Salvador Pérez Valiente, Epifanio Tierno y Manolo, el camarero de la tertulia. Sentados: Enrique Azcoaga, Víctor Ruiz Iriarte, Jesús Revuelta, José García Nieto, Jesús Juan Garcés, Eduardo Llosent Marañón y Camilo José Cela. En primer término, Julio Trenas

De izquierda a derecha: Rafael García Serrano,
por Sáez; Sebastián Juan Arbó, Cecilio Benítez
de Castro e Ignacio Agustí, por Chausa

De izquierda a derecha: Gonzalo Torrente Ballester, Darío Fernández Flórez, Pedro de Lorenzo y Miguel Villalonga, por Chausa

Camilo José Cela, autor de *La familia de Pascual
Duarte* y de *Pabellón de reposo,* visto por Suárez
del Árbol

N.º 9 de *La Estafeta Literaria,* 15-VII-1944

puestas. Ramón, Miguel, Matías"—. Dos cosas resaltan con gran bulto, la segunda de ellas, consecuencia de la primera (o no sé si al revés). Exaltación de la guerra, heroica y gloriosa, empresa de
valientes y casi lo único que parece dar sentido a
la vida —es la primera de ambas cosas—. Y así
en: 463 [186] (1.ª, papeles de Miguel), estando en una
posición varios días "Mario y yo acabamos [...]
de leer un ejemplar de *Sin novedad en el frente.*
Sus páginas, luego de leídas, nos servían para los
más ínfimos menesteres: las usábamos con frecuencia, debido a las aguas de la roca, las conservas
y el calor"; 516: "Es necesario coger al hombre,
a los hombres, si es preciso a lazo, con trampas,
como a caballos salvajes o a animales altivos, po-
niéndoles el cebo que más les guste: la aventura, la
gloria, la justicia, la buena comida, y obligarles,
toma y daca, a marchar juntos detrás de una bandera, dando voces, pisando en el mismo momento
todos con el pie izquierdo o todos con el derecho;
así somos tratables, humanos —sin mayúsculas—,
hasta buenos. [...] Con pan y bandera pita decen-
temente el peor criminal" (lo dice el personaje
Ramón, en uno de los momentos divagatorios de
la obra); del mismo Ramón, 522, sabemos era lector, durante su estancia en la academia de Ávila
para alféreces provisionales, de las *Reflexiones sobre la violencia*; ya por este camino encontramos
en la p. 534 (y también es cosa que piensa Ramón)
esta salida de futurista a lo Marinetti: "[...] ya decidido fue a decir que cambiaría toda la herencia
gigantesca de las catedrales góticas por el plato de
lentejas del diario afán nacionalsindicalista".

---

[186] Cito por la 3.ª edición: Fermín Uriarte, 1964.

Todo es apología de la acción, bien sea ésta de guerra o de trabajo por la Patria tras el triunfo, en la paz; las difuminaciones espiritualistas y las miradas hacia el pasado no cuentan. Por eso —segunda y última cosa—, toda postura meramente contemplativa o intelectual ha de ser mal vista, como en este texto de 459: "Tenían [aquellos jóvenes] de los intelectuales un concepto entre satánico y afeminado. Algo así como un diablo de conseja que llevase un clavel en la boca y publicase libros pornográficos con tapas de devocionario".

Como en las dos novelas cortas distinguidas en el concurso de la revista "Vértice" (1938-1939), o en *Se ha ocupado el km. 6*, de Benítez de Castro, 1939, hay en *La fiel...* unos personajes gustosamente instalados en la peripecia bélica de que participan y para cuyos aspectos desagradables diríase no tienen ojos; no existe en la novela de García Serrano, a diferencia de las novelas compuestas por los perseguidos en la retaguardia enemiga, una visión hostil, llena de odio incluso, para quienes militan en la trinchera de enfrente, y así en 453 se expresa dolor por el hecho inesquivable de tirar, de matar incluso, contra gentes que hablan el mismo idioma y dicen con las mismas palabras, las mismas cosas entrañables de cada día.

Cuando Pedro García Suárez publicó en 1945 *Legión 1936*, su primera novela, contaba veinticinco años y era, efectivamente, "el más joven autor" español de entonces. Esta circunstancia y, acaso, su condición de periodista bien relacionado en tertulias y otros medios literarios, fueron causa de una acogida favorable, por encima de los méritos estéticos del libro, que es un relato de guerra, dedicado a Millán Astray, fundador del Tercio. García Suárez advierte en el prólogo acerca de su entendimiento de la Novela —"si la novela ha de ser elucubración cerebral —y no espontaneidad, juego popular, juego de pasiones, trozo de realidades noveladas—, entonces, si la novela tiene que ser aquello tan frío, mi libro no lo es"—, de su manera de hacer —"No hay en él [libro] una sola línea pulida y requetepulida, ni un párrafo remendado y recosido, ni una página que quiera sentar teorías filosóficas ni relamidas especulaciones faltas de lógica"— y, consecuentemente, de la tosquedad del resultado que "tiene un contorno duro, áspero casi. Pasando la mano sobre ella se siente en la palma un como escozor de lija. Y, al leerla, los ojos no descansan, sino que se sienten heridos" (p. 6). Y lo que sigue, la novela, presenta excesivo descuido de lo más específica y genuinamente literario.

Pienso que *Legión 1936* es novela harto deficiente, de la que tan sólo destacaría algunas escenas de batalla; ni en la técnica, ni en la expresión, ni en la densidad o profundidad del contenido —pese a ciertas divagaciones trascendentales— hay nada que merezca la pena. El protagonista, Juan Ramón, se enamora de varias mujeres y las respectivas historias sentimentales son burdas y tópicas —el conocimiento con Laura, en un hotel, donde ambos residen circunstancialmente y la fácil posesión, y el entibiamiento del ánimo bélico de él; Conchita; Loló, estudiante en la Universidad de Madrid, como el mismo Juan Ramón—.

Algún tiempo después desaparecería de la escena periodística y literaria española Pedro García Suárez, [187] al igual que desaparecerían, o se atenuarían muy mucho, como fervor ambiente, el belicismo y la punto menos que obligada exaltación vitalista, difícilmente armonizables con la racionalidad y el sosiego estético. ¿Vuelven a su cauce ciertas aguas y, como consecuencia, se producen abandonos, silencios y olvidos? Nuestra *Crónica de varia lección* concluye recordando —¡gran verdad de Perogrullo!— que el tiempo no pasa en balde.

X. FINAL

Hubo en España, en la década de los difíciles y oscuros 40, un cultivo de la novela cuantitativamente no poco superior al de épocas anteriores, lo cual, si no constituye criterio de valoración estética, me parece un fenómeno digno de ser tenido en cuenta. [188] Pese a la guerra y al exilio, pese a la incomunicación y a la censura, pese a la escasez de papel y a la sobra de traducciones, pese a la falta de maestros-modelos [189] y de críticos orienta-

---

[187] Posteriormente había publicado una novela corta, *La sed,* subtitulada "novela de sangre y de angustia" (n.º 12 de "Fantasía", 1945); preparaba otra novela extensa, *El hijo de Saturno.* Trasladó su residencia a Méjico.

[188] Mainer es uno de los contadísimos estudiosos que lo recuerda; en la p. 50 de *Falange y literatura* afirma que "la novela tuvo [al final de la guerra civil] un auge insospechado tras una década —la de los treinta— particularmente infecunda".

[189] El problema fundamental es el de la falta de una tradición nacional inmediata que respalde seguramente el quehacer de los que empiezan (cosa que no sucede, por ejemplo, en la poesía). ¿Qué hacer entonces? "Los jóvenes novelistas carecen de una tradición nacional ininterrumpida y viva en la que engancharse; una tradición que no *siendo española,* esté al día. Y como de lo extranjero no saben nada, tienen que buscar su estrella polar donde la encuentren. [...] El novelista español se refugia en su originalidad, si se quiere en su iberismo" (Gonzalo Torrente Ballester, *Los problemas de la novela española*

dores, pese al desprestigio de lo estético y a la confusionaria apología de valores y actitudes extra-literarias (cuando no anti-literarias), el género echó a andar y de su práctica salieron novelas y novelistas destinados a conocer varia fortuna, y se lograron lectores y editores y premios-estímulo, y se debatió larga y opuestamente sobre excelencias y defectos, con lo que al cabo de no muchos años —pongamos 1951 como jalón inicial de una segunda etapa— el estado de cosas era muy otro y los jóvenes que por entonces, o poco después, llegaban —la generación de los niños de la guerra o del medio siglo— no partían ya del cero absoluto, sino de algunas positivas realidades. Hoy día, sabiendo lo ocurrido más tarde, siendo posible comparar décadas con décadas, lo ordinario es olvidarse de que esto fue así y condenar, si bien, a veces, habrá más ignorancia que olvido, y menos ignorancia que enturbiadores prejuicios políticos en quienes así proceden. [190] Y, sin embargo, este menospreciado conjunto era el mismo que servía de fundamento a José Luis Vázquez Dodero para hablar en 1948 [191] de un segundo renacimiento de la novela española, el cual "se debe, por ahora, principalmente, a estos escritores, cuyos nombres, por orden alfabético, son: Ignacio Agustí, Sebastián Juan Arbó, Camilo José Cela, Agustín de Foxá, Manuel Halcón, Carmen Laforet, Ramón

---

contemporánea, "Arbor", Madrid, n.º 27: III-1948, p. 398, t. IX). Considera el caso de Cela —refugiado en la picaresca—, o el de Zunzunegui —refugiado en Baroja y en Galdós—; no cuenta para el caso, C. Laforet porque *Nada* es "una bella flor que le ha salido del alma a su autora, pero las flores no tienen historia".

[190] Creo es la actitud adoptada por Eugenio de Nora, José Corrales Egea y Santos Sanz Villanueva en sus conocidos libros.

[191] P. 289, n.º 3: III-1948, de "Finisterre", Madrid.

Ledesma Miranda, José María Pemán, Bartolomé Soler, Juan Antonio de Zunzunegui"; en tanto un crítico del exilio, el profesor Emilio González López, proclamaba en 1947[192] la buena salud de la novela española en España, después de tantos años de escaso cultivo:

> El signo literario de España en estos momentos es la novela. Excelente novela en su presentación de caracteres humanos y en sus temas, llenos de hondo y verdadero dramatismo; pero igualmente excelente en la calidad y condiciones de su lenguaje, que contrasta notablemente con aquel otro de las generaciones anteriores tan premioso y forzado, tan poco natural y fluido.[193]

El futuro había comenzado.

[192] "Revista Hispánica Moderna", New York, XIII, 1947, p. 62.

[193] Idéntica convicción expresaría González López reseñando años después en la misma revista (XX, 1954, p. 231), *La colmena*.

3

De "La Colmena" a "Tiempo de silencio" (1951-1962)

EN 1951, en Buenos Aires, de mano de Emecé editores, salía *La colmena*, de Camilo José Cela, acabada de escribir nada menos que en 1945. Con ella se abría nuevo rumbo a la novelística española de postguerra, cerrado ya al final de los años 40, por cansada repetición y agotamiento, el rumbo que había abierto el mismo Cela con *La familia de Pascual Duarte*. [1] "Hacia 1951, la literatura española, andadas ya las trochas del tremendismo [...] dio un giro a su intención y empezó a marchar por la senda [...] del relato objetivo que, en su postrer deformante maduración, dio lugar al nuevo

---

[1] "El autor de este artículo sabe que el autor de aquel libro conoce de sobra todo el daño que hizo a la novela española, daño sólo parejo al producido por Lorca a la poesía con su *Romancero gitano* [...] El camino de *La familia de Pascual Duarte* —como el del *Romancero gitano*— era fácil, o así se imaginaba, y el éxito (o su engañadora máscara) estaba asegurado; sólo era preciso sentarse a escribir, narrar barbaridades en un estilo crudo y directo, en un estilo en cueros, y esperar a que la consagración llegase [...]" (Camilo José Cela, *Dos tendencias de la nueva literatura española,* pp. 26-27 del vol. "Al servicio de algo", Madrid, Editorial Alfaguara, 1969; el artículo apareció por vez primera en el n.º 98 de "Papeles de Son Armadáns", octubre de 1962).

brote de la llamada literatura social"; al lado de
"el objetivismo a ultranza, el objetivismo aideoló-
gico y entendido como una tradición de la sangre"
había de surgir una tendencia de claro y concreto
matiz político; "por esta senda, con timidez, al
principio, más tarde con el descaro que le restó
eficacia, no ya literaria sino también política, entró
la más joven novela española un tanto ingenuamente y a contrapelo de lo que por el mundo abajo
se entiende por última estética". [2] Iba a continuarse,
pues, el comenzado futuro, ahora con nuevas posibilidades instrumentales y de contenido, más la
incorporación de jovencísimos autores. Cantidad y,
también, calidad, señaladas con gozo ya en 1951,
año que tomo como jalón cronológico inicial del
presente capítulo, por Fernando Guillermo de Castro, quien no dudaba en afirmar: [3] "Yo creo que
nunca hemos contado con tantos novelistas como
actualmente tienen nuestras letras. Y nuestro conjunto de novelistas es, además del más numeroso,
el de mejor calidad media que hemos tenido hasta
ahora", advirtiendo que "todos ellos han nacido a
las letras en el momento más difícil para hacer novela de cuantos momentos difíciles ha encontrado
nuestra literatura en su largo devenir". Variedad,
igualmente, porque es en 1951 cuando se publican
en España novelas tan distintas a *La colmena*
como: *La vida nueva de Pedrito de Andía*, de Rafael Sánchez Mazas y las *Industrias y andanzas de
Alfanhuí*, de Rafael Sánchez Ferlosio. [4]

---

[2] C. J. Cela, pp. 31, 33 y 34 de *Al servicio de algo*.
[3] P. 3, n.º 31: 1-IX-1951, de "Correo Literario", Madrid.
[4] Eugenia Serrano, a quien hemos visto (nota 123 del cap.
II) tronar en 1950 contra el tremendismo novelesco, expresa
ahora (p. 5, n.º 23: 1-V-1951, de "Correo Literario") su satisfacción porque parece que, mirando a esas dos novelas y a *La*

Pasarán después muchas cosas hasta llegar a 1962, jalón final de nuestro recorrido, año en que se publica *Tiempo de silencio,* la novela de Luis Martín Santos que tanto es cierre como apertura o, quizá, ambas cosas al mismo tiempo, sirviendo de término de relación el llamado realismo "social" y los novelistas afectos a esta tendencia. Diríase que, en la marcha de nuestra novelística de postguerra, hemos caminado de un cansancio a otro cansancio, por agotamiento de ciertos contenidos y modos de hacer, que fue lo sucedido con el tremendismo, antes, y será lo que suceda con un realismo muy específicamente matizado, ahora.

I.   Una nueva generación

Ella va a ser protagonista principal, pero ni exclusiva ni única, del período acotado para este capítulo, ya que coexiste con los novelistas del período anterior, integrantes de una generación distinta, algunos de los cuales revalidarán ahora sus méritos y nombradía —casos, vgr., de Cela, Delibes, Torrente Ballester—. Juan Goytisolo, con el apasionamiento banderizo que le distingue, gustó de enfrentar ambas generaciones: [5]

---

casa de la fama, de Ramón Ledesma Miranda, comienza un cambio efectivo en el sentido por ella anhelado: "Tres novelistas españoles, desde ámbitos y posiciones personales muy distintas, están consiguiendo un renacimiento elegante y delicado, y al mismo tiempo, de enorme vitalidad de la actual novela española. Un suave neorromanticismo [...] empapa las mejores páginas del presente año".

[5] Respuesta textual, en carta desde París, a las preguntas de Luis Sastre: p. 8, n.º 173: 15-VII-1959, de "La Estafeta Literaria".

Creo que el grupo de jóvenes que empezamos a escribir a partir de 1950 [...] tenemos como denominador común una actividad crítica, más o menos despiadada según los casos, hacia el mundo concreto que nos ha tocado vivir. Los escritores anteriores, salvo una o dos excepciones, me parecen mucho más blandos, más conformistas y alejados, por tanto, de la realidad nacional. [...] Su idealismo, su clasicismo huero creó un estilo retórico que sólo ha dejado huella en las reseñas de los castillos que envuelven las cajas de cerillas de la Fosforera española.

Se trata de quienes eran niños cuando la guerra civil española, cuyas peripecias y consecuencias padecieron, y que, al mediar el siglo, van haciendo acto de presencia con su peculiar talante, no unánime ni mucho menos. Andrés Amorós [6] y Ricardo Senabre, [7] cada uno por su parte, han advertido cómo no existió ese bloque monolítico supuesto por Goytisolo y sí, en cambio, una rica diversidad entre los presuntos componentes del mismo, y hasta una distancia en la fecha de aparición. De un lado están quienes, como Rafael Sánchez Ferlosio, Ana María Matute, Jesús Fernández Santos e Ignacio Aldecoa, constituyen un "grupo homogéneo, de amigos, de formación universitaria, rebelde" (Amorós) pero no politizado, y primeros cronológicamente; [8] de otro, "un grupo caracterizado por el *realismo crítico*, que busca una concreta eficacia político-social, de denuncia" (Amorós): Juan Gar-

---

[6] *Notas para el estudio de la novela española actual (1939-1968)* ("Vida Hispánica", XVI, 1968, pp. 7-13).

[7] *La novela del "Realismo crítico"* ("Eidós", Madrid, 1971, n.º 34, pp. 3-18).

[8] Ana María Matute, nacida en 1926, se dio a conocer en la cuarta convocatoria del "Nadal" (1947) y su novela *Los Abel* fue publicada en 1948 por Ediciones Destino.

cía Hortelano, Antonio Ferres, Armando López Salinas; Juan Goytisolo queda entonces "como un enlace o puente entre [esas] dos promociones de signo diverso" (Senabre), pero más inclinado hacia la segunda de ellas. Son varios los modos y formas del realismo —(acaso común denominador, si se entiende muy latamente)— que se dieron en la década de los 50 y en mano de los jóvenes, lo cual se corrobora de paradójica manera cuando el lector de ciertos recuentos de novela realista-crítico-social[9] advierte coincidencia en la exclusión de dos de los cuatro nombres primeramente mencionados, los cuales no encajan dentro de ciertas rígidas hormas.

Si pretendiéramos agruparlos de acuerdo con un criterio generacional habría de señalarse que su nacimiento oscila entre 1924-1925 (Luis Martín Santos, Antonio Ferres; Armando López Salinas, Ignacio Aldecoa, Carmen Martín Gaite, Francisco

[9] Así proceden Salvador Clotas —*La decadencia de la novela,* ensayo que ocupa las pp. 11-64 del vol. "30 años de literatura en España" (Barcelona, Editorial Kairós, 1971)— y José Corrales Egea —*La novela española actual. (Ensayo de ordenación)* (Madrid, Edicusa, 1971).
De una exclusión por el estilo se lamentaba Mauro Muñiz (entrevista que le hace Manuel Antonio Rico en "La Nueva España", Oviedo, 12-III-1972): "A mi novela *La huelga,* 1968, se le hizo muy poco caso. Trataba con ella de dar un testimonio, de contar una parcela de la realidad que conocía bastante bien [...] Volvieron la espalda a mi novela aquellos que, por definición, debieran tener más respeto a esos temas. En fin, que la literatura española está escrita, en un noventa por ciento, por unos señoritos a quienes se les tiene respeto. Ellos cuentan con la clave de los temas y eliminan a aquéllos que no se amoldan a su fisonomía [...] Alguien preguntó alguna vez en "Cuadernos para el diálogo", extrañado, por qué yo no había sido aceptado. Tal vez, pienso, porque no tengo el sentido del profesional de la literatura, porque rehuyo prestarme a ciertos juegos, porque hablo de los que sufren desde una óptica que oficialmente no vale".

Candel, el cuentista Medardo Fraile y el dramaturgo, pero también narrador, Alfonso Sastre— y 1934-1935 —Ramón Nieto; Luis Goytisolo-Gay, Gonzalo Torrente Malvido—, pasando por 1926 —José Manuel Caballero Bonald, Ana María Matute, Jesús Fernández Santos, Fernando Morán o Andrés Bosch—, 1927 —Mario Lacruz y Rafael Sánchez Ferlosio—, 1928 —Manuel Arce, Juan García Hortelano, Alfonso Grosso, Manuel García-Viñó o Carlos Rojas—, 1930 —Jesús López Pacheco, José Luis Martín Descalzo o Antonio Prieto—, 1931 —Juan Goytisolo, Rodrigo Rubio o Daniel Sueiro—, 1932 —Mauro Muñiz— y 1933 —Juan Marsé—.

Para todos ellos, la guerra civil española y la postguerra y los acontecimientos mundiales coincidentes con esta última fueron algo así como el hecho generacional, que actúa de eficacísimo revulsivo. Merced a él acaso han elegido una actitud y han cargado deliberadamente de intención social (entendamos con larga generosidad significativa este vocablo) [10] sus narraciones. Algunos incluso han militado en política y el signo de su orientación y actuaciones determinó su encarcelamiento, [11] o dificultades con la censura, [12] o el exilio voluntario de

---

[10] El marginado Ignacio Aldecoa (vid. nota 9) explicaba así su actitud: "Ser escritor es, antes que nada, una actitud en el mundo. Yo he visto y veo continuamente, cómo es la pobre gente de toda España. No adopto una actitud sentimental ni tendenciosa. Lo que me mueve, sobre todo, es el convencimiento de que hay una realidad española, cruda y tierna a la vez, que está inédita en nuestra novela" (entrevista en "Destino", Barcelona, n.º del 3-XII-1955).

[11] Es el caso de Luis Goytisolo-Gay, que pasó cuatro meses de 1960 en la prisión de Carabanchel (Madrid).

[12] Han publicado en el extranjero libros suyos no autorizados en España: Armando López Salinas (*Año tras año,* París, Ruedo Ibérico, 1962), Antonio Ferres (*Los vencidos,* en versión

Juan Goytisolo y, desde luego, su concepción del
Arte y su entendimiento de la Novela. Es en sus
opiniones a este particular donde queda harto claro
cómo estos novelistas prefieren lo ético a lo estético, anteponen la política a la literatura y consideran —como antaño algunos miembros de la llamada "Quinta del S.E.U."— que el arte solamente
se justifica si está al servicio de una ideología. Para
Goytisolo-Gay [13] no existe otra tendencia válida que
el realismo —"lo primero es enfrentarse con la
realidad, analizarla, casi como pudiera hacerlo un
científico"—, ya que, fácil partición maniquea, "del
arte por el arte me parece que ni vale la pena hablar". La belleza y la técnica diríanse las bestias
negras de García Hortelano, muy temeroso de que,
por prestarles atención, le precipiten en el derrum-
badero: [14]

> No admito la *novela artística* como entidad indepen-
> diente; creo en la belleza únicamente en función de
> la expresividad. Me preocupa la adquisición de una
> técnica (o varias) y un lenguaje, aunque vislumbre que
> esta forja de herramienta puede llevar a un estéril tec-
> nicismo y a un estilismo retórico.

Carece de sentido para Ana María Matute aquella
novela que no resulte *desagradable* a los paladares
burgueses y esteticistas, tan estragados sin duda,
pues "a la par que un documento de nuestro tiempo y que un planteamiento de los problemas del

---

italiana, Milán, Feltrinelli, 1962), Alfonso Grosso (*El capirote,*
México, Joaquín Mortiz, 1963) y Daniel Sueiro (*Estos son tus
hermanos,* México, Ediciones Era, 1965).
[13] P. 4, n.º 146: I-1959, de "Ínsula".
[14] P. 19, n.º 128: VIII-1959, de "Índice de Artes y Letras",
Madrid.

hombre actual, debe herir, por decirlo de alguna
forma, la conciencia de la sociedad, en un deseo
de mejorarla". [15] Novela muy apegada a unos concretos hechos españoles, muy circunstancial y, por
lo tanto, fácilmente perecedera, es la que propugna
Caballero Bonald en 1962: [16]

> Estoy convencido de que es ésa, y sólo ésa, la novela
> que las circunstancias exigen: la vinculada a la reali-
> dad nacional y la que se propone como norma espe-
> cífica reproducir unos hechos de muy concreto matiz
> español. Para mí —y para tantos otros— la novela debe
> cumplir, con independencia de sus valores puramente
> literarios, con una insoslayable función social.

Quizá en su no declarada y concreta militancia
política esté la causa primordial que excluye a algunos novelistas de ciertos interesados recuentos, a
los que muy bien pudiera aplicarse lo que Alfonso
Sastre, en trance desmitificador, [17] apuntaba:

> En aquellas presentaciones de lo que ocurría en la
> vida literaria española, se solía, es verdad, perdonar
> la vida de algún escritor como Ana María Matute, pero
> se solía ignorar a tan sospechosos narradores como
> Ignacio Aldecoa o a poetas como José Hierro y, en
> cambio, se ensalzaba al último *escribidor* de prosa pe-
> destre... y *socialista*.

Quizá sea, también, que no resulte perdonable el
hecho de que jóvenes como Aldecoa o Fernández
Santos rompieran a publicar en revistas del S.E.U.

---

[15] P. 4, n.º 160: III-1960, de "Ínsula".
[16] P. 5, n.º 185: IV-1962, de "Ínsula".
[17] *La revolución y la crítica de la cultura* (Barcelona, Ediciones Grijalbo, 1970), p. 148.

—como "Juventud", [18] "La Hora" [19] o "Alcalá" [20]—,
tan activas y abiertas. [21] Gaspar Gómez de la Serna
evoca a Ignacio Aldecoa, que era "independiente y
libre, no obediente jamás a consigna alguna, sino
sólo a las propias determinaciones de su conciencia
honrada de español de su hora", y recuerda cómo

[18] "Juventud" tuvo una primera época en los años 40, como
semanario del S.E.U., con ocho grandes páginas e impreso en
tinta verde. Allí escribía José García Nieto unas cartas lírico-
críticas dirigidas a autores de libros recientes y, también, amigos (recuerdo a Dámaso Alonso, por *Hijos de la ira* o a
Vicente Aleixandre, por *Sombra del paraíso*); allí atacaba Enrique Azcoaga, crítico de teatro, al feliz triunfador Adolfo
Torrado. En este "Juventud" se publicó (4-VII a 18-X-1944) *El
nuevo Lazarillo,* de C. J. Cela.
    Del "Juventud" de los años 50 ha dicho Dámaso Santos
(p. 120 de *Generaciones Juntas,* Madrid, Editorial Bullón, 1962)
que "fue la tribuna, el campo de entrenamiento, de abierta
concurrencia de los escritores más exigentes consigo mismos,
que eran niños crecidos cuando la guerra".
[19] Subtitulada "semanario de los estudiantes españoles", fue
dirigida, primero, por Jaime Suárez y, después, por Miguel
Ángel Castiella. En sus páginas, por ejemplo, hacía crítica literaria y teatral José María de Quinto quien, junto con Alfonso
Sastre, publicó el manifiesto por un "Teatro de Agitación Social" (T.A.S.). "Fue ["La Hora"], hay que decirlo, no poco liberal con nuestras independientes posiciones [...] El dogmatismo
y el sectarismo de la izquierda tradicional [...] llevó a que
se entendiera por algunos como *colaboracionista* (e incluso
falangista) nuestro trabajo en aquellas publicaciones o en los
T.E.U.", declara Alfonso Sastre (pp. 81-82, n.º 507, extra: 17-
VI-1972, de "Triunfo", Madrid).
[20] Semanal; sustituyó en 1952 a "La Hora"; se subtitulaba
"revista universitaria española". Dedicó su número 50: 10-II-
1954, a un homenaje a Azorín.
[21] En 1963, a cargo de la jefatura nacional del S.E.U., se
publicó en Madrid un volumen antológico de estas revistas,
Con la misma esperanza, prologado por José Miguel Ortí Bordás, el cual afirma (p. 6) que "desde el empuje primerizo de
"Haz" hasta el punzante desasosiego de "24", pasando por la
obra bien hecha de "Alcalá" y la continuada serenidad de
"La Hora", las revistas del Sindicato han sido testimonio fecundo de cada una de las promociones que han ido engarzándose
a la vida del país durante estos años", y añade (p. 5) que "las
publicaciones seuístas nunca supieron ser cotos cerrados para
nada ni para nadie".

"el primer reconocimiento importante que recibió su obra [...] fue el premio "Juventud" [concurso nacional de cuentos] de 1954, patrocinado por el semanario de ese nombre y dotado por la Delegación Nacional de Juventudes". [22]

También corresponde a esta década, y es empresa en la que Aldecoa y algunos de sus compañeros de generación tuvieron mucho que ver, la "Revista Española", "publicación bimestral de creación y crítica", fundada por el erudito Antonio Rodríguez-Moñino. El n.º 1 sale con fecha mayo-junio de 1953 y el sexto y último pertenece a la primavera del año siguiente; la revista, que patrocinaba Editorial Castalia, tiró 2.000 ejemplares de los cuatro primeros números y sólo 500 de los dos últimos; como no tuvo la necesaria acogida, dejó de publicarse.

Tres objetivos perseguía "Revista Española", a saber:

> brindar estímulo a la creación literaria que hasta ahora no había encontrado acomodo en otra parte; ofrecer a los lectores de habla española un repertorio de ensayos y obras breves, nacidas con plena independencia y sumisas solamente a la inspiración que les dio vida; y, en suma, llevar a todos el convencimiento de que es posible afrontar las realidades que nos asedian y darles expresión artística.

Llama la atención que su n.º 1 se abra con la traducción, por Sánchez Ferlosio, de *Totó el bueno* o *Milagro en Milán*, de Cesare Zavattini, cuento que dio lugar a la película que iba a titularse (y no se tituló) *Los pobres estorban*; la inserción con-

---

[22] Gaspar Gómez de la Serna, *Ensayos sobre literatura social* (Madrid, Guadarrama, 1971), p. 88.

tinúa y concluye en el n.º 2, donde, a seguido, se ofrece la síntesis argumental del mismo que sirvió para el guión cinematográfico. [23] En el n.º 3 (IX-X-1953) va la traducción, por Josefina Rodríguez, del relato de Truman Capote, *Maese Miserias.* (¿Es una muestra de la otra influencia extranjera poderosa por estos años? Después vendría Francia con el objetivismo.)

Colaboran en "Revista Española", con relatos breves, algunos de los jóvenes narradores siguientes, poco o nada conocidos entonces: Alfonso Albalá, Aldecoa, Juan Benet (con una pieza teatral, *Max*), Miguel Ángel Castiella, Castillo Puche, Jorge Campos, Luis de Castresana, J. Fernández Santos, Medardo Fraile, Carmen Martín Gaite, Carlos Edmundo de Ory, Manuel Pilares, José María de Quinto, Josefina Rodríguez, Sánchez Ferlosio, Alfonso Sastre y Ramón Solís.

¿Importancia de esta publicación? Fue breve su existencia, no fueron muchas sus páginas, escasa (según sabemos) su difusión. Los nombres invocados anteriormente son hoy nombres conocidos y, algunos de ellos, nombres bien importantes. "Promovimos un nombre desconocido: Jesús Fernández Santos; [24] "sirvió para reunir a una serie de escritores". [25]

---

[23] Recordemos que es la época de auge del cine neo-realista italiano; en 1950, por ejemplo, se proyecta en dos salas madrileñas *Ladrón de bicicletas,* película acogida con entusiasmo por Azorín en su artículo *Nadie* (ABC, 22-VI-1950). Comienzan a llegar, asimismo, novelas de autores como Elio Vittorini y Vasco Pratolini, traducidas y publicadas en Buenos Aires por Editorial Losada.

[24] Alfonso Sastre, p. 147 de *La revolución y la crítica de la cultura* (Barcelona, 1970).

[25] Jesús Fernández Santos: *Ignacio* [Aldecoa] *y yo* ("Ínsula", n.º 280: III-1970, p. 11).

El primer nombre en sonar y ser editado fue el de Ana María Matute; siguió, en 1951, Rafael Sánchez Ferlosio, editándose el *Alfanhuí*. 1952 trajo varias revelaciones a medias (quiero decir: no seguidas de publicación inmediatamente): Juan Goytisolo ganó el premio "Joven Literatura" del editor José Janés con *El mundo de los espejos*, y Jesús Fernández Santos obtuvo con *Los bravos* brillante calificación en el "Nadal", y Mario Lacruz quedó bien clasificado en la misma convocatoria. Siguiendo a partir de aquí la historia externa de algunos premios de novela se documenta obviamente el surgimiento, avance y triunfo de esta nueva generación.

El fallo del premio "Nadal" 1953, que dio el triunfo a *Siempre en capilla*, de María Luisa Forrellad, destacó en tercer lugar a *Juegos de manos*, de Juan Goytisolo y concedió algún voto a *En la hoguera*, de Jesús Fernández Santos y, en las escaramuzas iniciales, a *Mercería Ruiloba, paquetería*, de Manuel Arce. Ana María Matute ganó el premio "Planeta" 1954 con *Pequeño teatro*, dejando finalista a Ignacio Aldecoa, *El fulgor y la sangre* y tercer clasificado a Juan Goytisolo, *Duelo en el paraíso*. [26] Cuando Sánchez Ferlosio obtiene con *El Jarama*, por unanimidad, el "Nadal" 1955 alguien señala [27] que el autor premiado "pertenece a la última promoción de novelistas jóvenes que cuentan hoy alrededor de los treinta años, de la

[26] Un jurado compuesto por Eusebio García Luengo y Álvaro Fernández Suárez (en nombre de la revista), Torcuato Luca de Tena y José María Castellet (elegidos por los lectores de ella) y Antonio Vilanova concedió a esta novela, en los primeros días de diciembre de 1955, el premio "Índice de Artes y Letras", dotado con 10.000 ptas., como la mejor española del año. (Había sido publicada por Editorial Planeta, Barcelona.)

[27] Antonio Vilanova, artículo en el n.º de *Destino* que da cuenta de esta convocatoria del "Nadal" (enero 1956).

que forman parte Ignacio Aldecoa, Jesús Fernández Santos y Juan Goytisolo" y añade que "evidentemente proceden directa o indirectamente de la profunda renovación que el gran novelista gallego [Camilo José Cela] imprimió en 1951 a la novela española contemporánea". Y la carrera continúa, ascendente, en el "Nadal" 1956, que ganó José Luis Martín Descalzo con *La frontera de Dios*, por cinco votos contra dos a Jesús López Pacheco, autor de *Central eléctrica*, quedando muy destacados: Jorge C. Trulock, *Las horas*, Antonio Ferres, *La balandra*, Fernando Morán, *También se muere el mar* [28] y Juan García Hortelano, *Barrio de Argüelles*; y en el "Nadal" 1957, que ganó *Entre visillos*, novela de Carmen Martín Gaite; y en el "Nadal" 1958, que ganó *No era de los nuestros*, novela de José Vidal Cadelláns; y, finalmente, en el de 1959 que, por seis votos contra uno a *La mina*, de Armando López Salinas, revalidó la nombradía de Ana María Matute, autora de *Primera memoria*, siguiendo a continuación Alfonso Grosso, *Un cielo difícilmente azul* y, con estimable votación, Daniel Sueiro, *Fuera de juego*. (Perdónese tan cansada relación en gracia a lo probativa que resulta.)

Debe repararse en la confianza que los novelistas, jóvenes y desconocidos o muy poco conocidos, tenían por entonces en el premio "Nadal" (en la preparación y honestidad de sus jurados), harto probada con su nutrida e insistida concurrencia; fueron bastantes los nombres dados a conocer mediante la publicación en "Áncora y Delfín", serie de Ediciones Destino, de las novelas premiadas, finalistas o, simplemente, destacadas, poniendo,

---

[28] Novela que publicaría en 1958 la editorial argentina Losada.

otras veces, a las novelas y a sus autores en condiciones favorables para que distintas editoriales los
acogieran. Entre éstas sobresalió la barcelonesa
Seix y Barral, que, en un principio, se benefició
con algunas revelaciones "nadalianas", dándoles
cabida en sus colecciones "Biblioteca Breve" y "Biblioteca Formentor", al tiempo que iba creando su
propio equipo, [29] al que en ocasión ya lejana se me
ocurrió denominar "Grupo FORMENTOR". [30]

¿Cuáles han sido, en el momento de su salida
a luz, los *dii maiores* literarios de estos jóvenes, de
ordinario universitarios de clase media? Lo que
les vale como ejemplo eficaz dentro de las letras
españolas es el desgarro de la picaresca o, mejor,
su ofrecimiento de "una imagen cruel, certera, de
la sociedad de los siglos XVI, XVII y XVIII". [31] Puede
que Galdós en algún caso y título. *La Regenta*,
de Leopoldo Alas, cuyo mensaje denunciador de
la hipocresía de una ciudad fue destacado en 1961 [32]
por el poeta José Agustín Goytisolo. Sólo Baroja,
entre los noventayochistas. Y, cerrando la lista, el
Cela de *La colmena*, cuya condición de libro de
apertura había sido celebrada por Castellet, crítico

---

[29] Del suplemento al n.º 11 (IV-1961; p. 12) de la revista
"Acento Cultural", Madrid, tomo la curiosa noticia siguiente:
"[...] Luis Goytisolo-Gay, Jesús López Pacheco, Antonio Ferres, Daniel Sueiro, García Hortelano. El último fichaje para
el citado *equipo* de novelistas jóvenes ha sido el de Ramón
Nieto. Si a este nombre añadimos los de Armando López Salinas, Juan Marsé, Jesús Fernández Santos y José María de
Quinto, tendremos los *once* [sic] que vestirán, a partir de este
año, la *camiseta* de Seix Barral".

[30] Así se titula uno de los apartados de que consta mi artículo *El novelista Juan Goytisolo* ("Papeles de Son Armadáns", n.º XCV, febrero 1964; pp. 130-138).

[31] Juan Goytisolo, p. 92 de *Problemas de la novela* (Barcelona, Seix y Barral, 1959). (En adelante citaré *Problemas*.)

[32] José Agustín Goytisolo, *"Clarín" en Italia* ("Ínsula", n.º
173: VI-1961, p. 12).

de la generación. [33] La llamada novela social de la preguerra, es decir: Díaz Fernández, Arconada, Carranque de Ríos, acaso fuera de la preferencia de algunos de estos jóvenes si la rareza de sus libros no hubiese dificultado grandemente tal conocimiento. [34]

Por lo que se refiere a incitaciones foráneas algo se apunta en una respuesta de Luis Goytisolo-Gay, [35] quien destaca como novelistas que le interesan a algunos norteamericanos de la "generación perdida", y otro tanto revelan sendas contestaciones de Antonio Ferres [36] —"Hay una primera fase de influencias en la literatura joven española, y concretamente en la mía, que es la de la novela norteamericana. Por un lado William Faulkner y, de otro, John Dos Passos. Encontrábamos esta novela muy viva, menos intelectualista y más acorde con un país como el nuestro, un poco separado del contexto europeo"— y Ramón Nieto. [37] Menciona Goytisolo-Gay al italiano Cesare Pavese, a cuyo lado podrían ir los nombres de Elio Vittorini, Vasco Pratolini, Carlo Levi, etc., autores que han padecido durante años el régimen totalitario de su país y a los que preocupa un deseo de testimonio y denuncia; constituyen una fuerza cuyo impacto

---

[33] Vid. pp. 63-74 de sus *Notas sobre la literatura española contemporánea* (Barcelona, Ediciones Laye, 1955).

[34] Aunque no se trate de una modelo novelístico, debe recordarse como nombre paradigmático para algunos componentes de esta generación el de Larra, habida cuenta de su postura comprometida en la sociedad española contemporánea (vid. Juan Goytisolo, *Actualidad de Larra*, suplemento literario de "Novedades", México, n.º del 16-X-1960).

[35] N.º 146 de "Ínsula", 1959.

[36] *Encuentro con Antonio Ferres*, por Antonio Núñez ("Ínsula", n.º 220: III-1965, p. 6).

[37] *Encuentro con Ramón Nieto*, por Antonio Núñez ("Ínsula", n.º 221: IV-1965, p. 4).

ejemplar en nuestros compatriotas no puede igno-
rarse, ya que poseemos en corroboración palabras
de Fernández Santos, Ramón Nieto, Antonio Prieto
y Sánchez Ferlosio. Fue Seix y Barral quien ofreció, a partir de 1956, como volúmenes de su "Biblioteca Breve", traducciones de Alain Robbe-
Grillet, presentándolo como "un gran escritor a la
vanguardia de una nueva técnica narrativa", Michel
Butor, Marguerite Duras o Nathalie Sarraute.
¿Cómo influyeron los novelistas de "l'école du re-
gard" en sus jóvenes colegas españoles? Técnicamente, sí, en algunos pues, como admitía Ramón
Nieto, [38]

> el *Nouveau Roman* creo que nos ha servido para con-
> seguir una enorme depuración de estilo y de enfoque.
> Posiblemente, me han influido, más que los objetivistas
> a ultranza, matemáticos, tipo Robbe-Grillet, los objeti-
> vistas sentimentales, como Marguerite Duras o Jean
> Cayrol.

II.   1959: UN COLOQUIO Y UN LIBRO TEÓRICO

Los días 26, 27 y 28 de mayo de 1959 se celebró
en Formentor el I Coloquio Internacional de Novela. Asistieron escritores extranjeros, como el
italiano Vittorini y los franceses Butor y Robbe-
Grillet, y un grupo de españoles —Carmen Martín
Gaite, Mercedes Salisachs, Camilo José y Jorge
Cela, Delibes, Celaya, Castillo Puche, López Pacheco, Juan y Luis Goytisolo, José María Castellet,
José María Valverde, Juan Petit y Joan Fuster—.
Fueron debatidas, a veces muy empeñadamente, estas
tres cuestiones: *El novelista y la sociedad, El no-*

---

[38] Entrevista citada nota 37.

velista y su arte, El porvenir de la novela. [39] En la discusión de la primera, tangente en algunos aspectos con la segunda, quedó muy definida la actitud *social* española frente a la actitud *artística* francesa, particularmente la mantenida por Robbe-Grillet quien, según Fuster,

> afirmó que, en todo caso, el novelista no interviene en la historia *total* sino a través de la historia de la novela, y que sólo contribuiría a aquella empresa preocupándose del progreso del género que cultiva.

En semejante enfrentamiento vino a decirse por parte española —(la que más nos interesa y compete)— que el experimentalismo puede quedarse en sólo virtuosismo técnico, el cual posiblemente alejaría de la novela a alguno de sus presuntos lectores, si se despreocupa de los contenidos, amplio muestrario temático del que, en determinadas circunstancias, acaso resulte necesario destacar algunas facetas y manipularlas intencionadamente, con lo cual pasaremos de lo estético a lo ético y, como sin notarlo a veces, a lo político y hasta politizado. [40] El país está como está y la novela —la literatura,

[39] Para más detalles pueden consultarse las compendiosas crónicas firmadas por Castellet ("Ínsula", núms. 152-153: VII-VIII de 1959, pp. 19 y 32), Fuster ("Papeles de Son Armadáns", n.º XLI: VIII-1959, pp. 207-212 del t. XIV) y López Pacheco ("Índice de Artes y Letras", Madrid, n.º 126).

[40] Tiempo después Robbe-Grillet publicaba en "L'Express" (París, 19-IX-1963) el artículo *La literatura perseguida por la política,* muy claro y contundente en favor del "Nouveau Roman" y de su despreocupación y búsquedas técnicas, y en contra de cualquier forma de realismo, sea burgués o socialista. He aquí algunas de sus aseveraciones: la novela no es un instrumento de nada, ni siquiera un medio de expresión, sino una búsqueda. No tiene por qué servir a la sociedad, ni de hecho ha servido nunca. Novela es invención, invención del mundo y del hombre.

en general— ha de salirse de sus quicios habituales
y propios para extraviarse en el cumplimiento de
menesteres que le son ajenos pero que andan des-
atendidos; en Francia, país que está de otro modo,
no es preciso un tal extravío. He aquí la diferencia
y en ella, tan importante, se asienta la incompatibilidad de pareceres entre unos y otros coloquian-
tes; una cita de Juan Goytisolo ilustra cumplidamente:

> Los novelistas españoles —por el hecho de que su pú-
> blico no dispone de medios de información veraces res-
> pecto a los problemas con que se enfrenta el país—
> responden a esta carencia de sus lectores trazando un
> cuadro lo más justo y equitativo posible de la realidad
> que contemplan. De este modo la novela cumple en
> España una función testimonial que en Francia y los
> demás países de Europa corresponde a la prensa, y el
> futuro historiador de la sociedad española deberá ape-
> lar a ella si quiere reconstruir la vida cotidiana del país
> a través de la espesa cortina de humo y silencio de
> nuestros diarios. [41]

Y ya tenemos al novelista en el papel de gaceti-
llero y a la novela, de sucedáneo de la prensa;
aunque se nos antoje nociva semejante inversión de
funciones lo cierto es que hubo algunos novelistas
de esta generación —Ferres, López Salinas, Sueiro— [42] que la aceptaron, y no han faltado compren-

---

[41] *El furgón de cola* (París, Ruedo Ibérico, 1967), p. 34.
[42] En su comunicación titulada *Silencio y crisis de la joven
novela española,* presentada en la Universidad Internacional
"Menéndez Pelayo", Santander, agosto de 1968, y recogida en
Prosa novelesca actual II (Madrid, 1969): "[...] la ausencia de
una verdadera información completa y objetiva [y] el abuso
en el suministro de los somníferos y drogas sociales y políticas,
abocan muchas veces al escritor a la titánica y acaso inútil
pretensión de cubrir con sus libros algunos de los vacíos que

siones críticas [43] de un hecho que con harto buen sentido y experiencia lamentará Francisco Ayala al referirse [44] a los novelistas españoles jóvenes "que confunden la creación literaria con el periodismo". [45]

Problemas de la novela, el libro teórico de Juan Goytisolo, agrupa en sus ciento cuarenta y dos páginas en octavo artículos de tono polémico, entre defensivo y dogmático. [46] Los postulados básicos del libro coinciden (al menos en espíritu) con algunas indicaciones del crítico José María Castellet [47] y con

---

dejan esos medios de masiva confusión, a suplir [...] y así escribimos por lo regular esos libros de tan corto alcance y tan a ras de tierra, justo al nivel de la vida propia del propio país" (pp. 170-171).

[43] Es el caso de Corrales Egea en pp. 140-141 de su *La novela española actual...*

[44] María Embeita, *Francisco Ayala y la novela* ("Ínsula", n.º 244: III-1967).

[45] Mucho más centrada y prudente me parece la actitud y la práctica de otro miembro de la generación, Rodrigo Rubio: "Creo que hay un compromiso general con los problemas de nuestro tiempo. Hay que hacer denuncia, mostrar a la gente que algo hay detrás. Eso fue lo que me llevó a escribir *La deshumanización del campo* y *Radiografía de una sociedad promocionada,* libros que no son novelas y que me descargan de una serie de preocupaciones para poder escribir después una novela de temática menos urgente" (p. 17, n.º 447: 1-VII-1970, de "La Estafeta Literaria").

[46] Habían sido publicados con anterioridad en el semanario barcelonés "Destino", en números de 1956, 1957 y 1958. A ellos habría que añadir el trabajo titulado *Para una literatura nacional popular* (aparecido en el n.º 146 de "Ínsula", enero 1959), replicado meses después, mayo, en la misma revista por Guillermo de Torre.

[47] En su libro *La hora del lector* (Barcelona, Seix y Barral, 1957) —donde, por ejemplo, identifica la "omnisciencia" del narrador con la "novela burguesa", y propugna que autores y personajes han de estar al mismo nivel en la novela—. (Un anónimo reseñista formuló ciertos reparos en el suplemento del n.º 103: VII-1957, de "Índice de Artes y Letras"). El libro de Castellet forma parte de la "Biblioteca Breve" y se subtitula "Notas para una iniciación a la literatura narrativa de nuestros días".

puntos de vista expuestos en diversas ocasiones por otros jóvenes colegas, si bien debe advertirse que no constituyen la teoría y la práctica aceptadas por todos los integrantes de la generación que nos ocupa.

Adelantemos estas tres cosas:

1.ª Que *Problemas...* es una adecuada introducción a la lectura de obras de Juan Goytisolo como *La isla* (1961) y *Fin de fiesta* (1962).

2.ª Que sus afinidades y repulsiones las expresa el autor con claridad meridiana.

3.ª Que el basamento histórico-erudito del libro y algunos de sus asertos prueban un mediocre conocimiento de las cuestiones abordadas.

La rotunda negativa a la novela sicológica es una prueba fehaciente de ello: "Hoy —leemos— es sólo la novela sicológica un monumento, un cadáver, que *ningún autor consciente de la problemática de nuestro tiempo se atreve a abordar sin avergonzarse*" (el subrayado es mío). Siguiendo con el mismo artículo, en la misma página 16, dará el lector con este párrafo o muy sabroso desatino:

La novela sicológica había escogido como radio de acción un sector muy limitado, por no decir mínimo, de la especie humana: la burguesía misma de la que era hija y de la que, por vicio de origen, le iba a resultar imposible separarse. Pues el análisis sicológico al que se entregaron nuestros antepasados sólo es concebible en ambientes muy reducidos, donde los personajes —adinerados y cultos— tengan capacidad, tiempo y medios materiales de observarse. Aplicado a otros sectores, pongamos por ejemplo: pobres de espíritu, mujeres de la vida, horteras, empleados —para los que los delicados problemas anímicos no han existido nunca, han sido un lujo que no han podido pagarse—, resulta difícilmente viable.

Compadezcámonos de esos desdichados "pobres de espíritu, etc." a quienes la cruel e insaciable burguesía privó de todo en la vida, de sicología incluso; y, de paso, llevemos la contraria al autor de tales afirmaciones haciendo memoria de novelas y novelas del siglo pasado —y del presente—, de casa y de fuera, con mucho de sicológicas y protagonizadas por esas pobres gentes, vistas con amor y penetración.

Con lo que Goytisolo comulga es con aquella clase de novela que, como nuestra picaresca o como la de Pío Baroja, constituye testimonio, denuncia o revelación de una realidad externa y largamente multitudinaria. No sirven las "nivolas" de Unamuno, porque son literatura egocéntrica y sus protagonistas sólo encarnan —estima Goytisolo— los peculiares problemas que aquejaban al autor, problemas intemporales y universales, no de ahora y de aquí tal como exige una literatura comprometida con los hombres de determinada latitud geográfica, clase social y cuarto o década de siglo. El novelista que reclaman las circunstancias es aquel que, como ha enunciado Nathalie Sarraute (y nuestro autor hace suya la cita), sale de sí mismo —torre de marfil— cuando advierte que:

fuera ocurren cosas muy importantes (quizás, se dice con angustia, las únicas cosas verdaderamente importantes): hombres probablemente muy distintos de él y de sus parientes y amigos, hombres que tienen otras cosas en que ocuparse que de sus estremecimientos íntimos [...] se agitan y viven, y sabe que para estar de acuerdo con su conciencia y responder a las exigencias de su tiempo, debe hablar no de él, sino de ellos.

Sí, *hic et nunc*, aquí y ahora. ¿Y mañana?, ¿y el arte? Hoy efímero, arte de circunstancias. ¿Buen

camino, único camino? No tardando mucho, ya en
la década de los 60, encontraremos (capítulo 4 de
este libro) bastantes y sorprendentes respuestas negativas. [48]

III. CRÍTICA

Con la llegada y el paulatino asentamiento de una
nueva generación, ¿cambia el estado de realidades
como la crítica literaria, los premios de novela y
la censura? Veamos.

La falta de crítica responsable y la confusión que
esta falta producía parecen continuar, si aceptamos,
de entre otros, este par de testimonios: el de M.A.,
1953, [49] a quien preocupa el estado de crisis que
atraviesa nuestra crítica literaria, "no sólo por ella
en sí, sino [...] por el funesto porvenir que pueda
acarrearnos. A la literatura española en primer lugar, mas también a los buenos escritores, siempre
en peligro de perecer ahogados en un océano de
confusión, mezclados con escritorzuelos y sin posibilidad de lejana salvación si no es fruto del azar
más insospechado"; y el de José María Castellet,
1955, para quien la mayor parte de los que por entonces andaban metidos a críticos adolecía de importantes carencias: "ausencia de vocación", "falta de
preparación profesional" y de independencia crítica
pues "le(s) convendría vivir alejado(s) de los medios
literarios, donde no pudiera alcanzarle(s) la onda

---

[48] El novelista Ildefonso Manuel Gil expresó sus reparos a
Problemas (*Sobre el arte de escribir novelas*, pp. 39-47, n.º 121:
I-1960, de "Cuadernos Hispanoamericanos", Madrid), poniendo
de manifiesto, además, algunos deslices, reveladores ya de gruesa ignorancia, ya de no menos gruesa mala fe.

[49] *Diatriba contra la crítica literaria* ("Cuadernos Hispano-
americanos", Madrid, n.º 37: I-1953, pp. 112-113).

de compromisos y falsas amistades de los núcleos intelectuales". [50] ¿Dónde están, preguntamos, los no alcanzados por esa onda maléfica? Pero, esporádicamente, se produce algún movimiento contra la confusión ambiente: tres novelas ruidosamente premiadas en 1954, 1958 y 1962 merecen el varapalo de algunos críticos. [51]

En abril de 1956 se reunieron en Zaragoza, bajo la presidencia del catedrático de aquella Universidad, Francisco Yndurain y con el patrocinio de Radio Zaragoza, unos cuantos críticos literarios de Madrid —Melchor Fernández Almagro (ABC), [52]

[50] P. 41 de *Notas sobre la literatura española contemporánea* (Barcelona, 1955).

[51] 1954: la reseña de *Siempre en capilla*, "Nadal" 1953, por María Alfaro (p. 11, n.º 100-101: IV-1954, de "Ínsula"), concluye así: "Cuesta trabajo creer que, entre las muchas obras presentadas al jurado del Nadal, no hubiera unas cuantas superiores a este relato propio para esos lectores bonachones e indoctos, buscadores de emociones *realistas* y, a ser posible, teñidas de seudociencia". // 1958: José Ramón Marra-López se preguntaba (p. 6, n.º 148: III-1959, de "Ínsula"), frente a la novela *Pasos sin huellas*, "Planeta" 1958, si "¿habrá sido ésta *verdaderamente* la mejor obra presentada al concurso? Si es así, ¿cómo serían las otras? [...] Si *verdaderamente* era la mejor obra presentada, ¿tan grave resulta declararlo desierto?" // 1962: Comentan desfavorablemente *El curso*, "Nadal" 1961, Marra-López (n.º 185 de "Ínsula") y José Corts Grau ("Ya", Madrid, 21-III-1962).

[52] Melchor Fernández Almagro (1893-1966) se ocupó desde 1939, año de su incorporación a ABC, de las letras españolas inmediatas. En 1950 fue elegido académico de la Lengua y años más tarde se le concedió el premio de la Fundación March correspondiente a la crítica literaria; su labor se caracteriza, según José Luis Cano (p. 2, n.º 53: V-1950, de "Ínsula"), "por un sentido de objetividad y de equilibrada ponderación, y por una finísima sensibilidad para percibir los valores literarios y humanos de una época, dentro de un estilo sereno y claro, animado y directo, que hace siempre agradable su lectura". En lo que a novela atañe Almagro, que la consideraba como un género literario obligadamente narrativo, no comulgó con el tremendismo, ni se avenía con la expresión descuidada y torpe. Actuó más en Valera que en "Clarín", lo cual no quiere

Bartolomé Mostaza ("Ya"), Antonio Valencia ("Arriba"), Manuel González Cerezales ("Informaciones"), Rafael Vázquez Zamora ("España", de Tánger), [53] Eusebio García Luengo ("Índice de Artes y Letras") y José Luis Cano ("Ínsula")— y Barcelona —Tomás Salvador, a quien se deben idea e iniciativa [54] ("Lecturas"), Esteban Molist ("Diario de Barcelona"), Juan Ramón Masoliver ("La Vanguardia Española"), Julio Manegat ("El Noticiero Universal"), Antonio Vilanova ("Destino"), José María Castellet ("Revista") y Lorenzo Gomis ("Radio Nacional de España en Barcelona")—, actuando como secretario Luis Horno Liria ("Heraldo de Aragón", Zaragoza); el fin de la reunión era conceder por vez primera el premio de la Crítica a una novela y a un libro de verso, elegidos entre los publicados en España durante los doce meses anteriores con el objeto de (como escribió uno de los jurados) [55] "poner un poco de seriedad y de rigor en la euforia actual de los premios literarios. Juzgar, con absoluta independencia, sin compromisos editoriales ni de ningún

---

decir que su crítica fuera complaciente y el crítico se olvidara de indicar defectos y discrepancias.

[53] Rafael Vázquez Zamora (1911-1972) dispuso, en su condición de jurado del premio "Nadal", de un miradero excelente para atalayar la marcha de la novelística española de postguerra y su labor como crítico inmediato en "Destino" y "España", de Tánger, fue de no pequeña importancia. Manuel Cerezales, colega suyo, le ha recordado (p. 13, n.º 497: 1-VIII-1972, de "La Estafeta Literaria") como "crítico generoso con el autor analizado y exigente consigo mismo [...] Leía cuidadosamente los libros y buscaba los valores ocultos, cuando no era fácil encontrar los visibles [...] Los que seguimos con atención su labor de crítico, tenemos que reconocer que merced a su cultura, a su penetrante mirada y a su bondad había llegado a situarse, sin deslizarse por el plano de las fáciles condescendencias, en un centro de equilibrio [...]".

[54] Vid. p. 5, n.º 41: 29-IV-1956, de "La Estafeta Literaria".

[55] J. L. Cano: p. 2, n.º 118: 15-X-1955, de "Ínsula".

género, cuál es el mejor libro del año". *La catira,* de Camilo José Cela fue la novela distinguida entonces y a ella seguirían —hasta 1962 inclusive—: *El Jarama, Gran Sol* (Ignacio Aldecoa), *Los hijos muertos* (Ana María Matute), *Las crónicas del sochantre* (Álvaro Cunqueiro), *Tristura* (Elena Quiroga), *Las ciegas hormigas* (Ramiro Pinilla) y *Las ratas* (Miguel Delibes).

Pese a reparos, [56] disensiones internas y acusaciones de fuera y, también, a que tal vez, entre los críticos actuantes, ni son todos los que están ni, desde luego, están todos los que son, estimo que los premios de la Crítica —sin dotación económica alguna; para libros, además de publicados, no presentados ni por sus autores ni por sus editores— han cumplido hasta hoy una importante misión clarificadora y orientadora. [57]

IV. PREMIOS

Si el premio de la Crítica ha servido para clarificar y orientar no siempre, por desgracia, puede decirse lo mismo de otros premios de novela, editoriales y estatales, en los que el interés del negocio, el dinero ofrecido y el artilugio montado en torno, la base de la convocatoria prohibiendo que el premio quede desierto, las presiones políticas o de grupo y amistad, etc., privan sobre la calidad estética. La confusión crece porque la crítica denunciadora es-

---

[56] Como los que, desde dentro del jurado, formulaba García Luengo (p. 6, n.º 100-101: IV-V de 1957, de "Índice de Artes y Letras") a concretos pormenores de procedimiento.

[57] Puede consultarse el artículo de Enrique Molina Campos. *Los premios de la Crítica* (pp. 7-11, n.º 2: VII-1972, de "Camp de l'arpa", Barcelona), donde, acaso por errata, se afirma que el "Nadal" fue fundado en 1942.

casea, casi tanto como prolifera el afán de crear premios para la novela.

Entre 1951 y 1962 hacen su única aparición algunos premios que por su cuantía económica alcanzaron cierto efímero renombre, a más de nutrida concurrencia. Se trata de: el "Don Quijote" (100.000 pesetas), que ganó Manuel Pombo Angulo en 1951 con *Valle sombrío*; el "Fémina" (editorial Colenda, 50.000 pesetas) otorgado en 1953 a Ángeles Villarta, *Una mujer fea*; el "Menorca" (200.000 pesetas), 1955, concedido a Carmen Laforet por *La mujer nueva*; y el de la "Fundación March" (300.000 pesetas), para novelas publicadas desde el 1.º de enero de 1955 hasta el 11 de noviembre de 1959, que distinguió *El señor llega*, de Gonzalo Torrente Ballester.

Junto al premio estatal "Miguel de Cervantes", concedido desde 1949 por el Ministerio de Información y Turismo a novelas publicadas durante los doce meses anteriores y presentadas por sus autores o editores; junto al ya veterano "Nadal", nace en la década de los 50 un par de premios destinados, y ello por motivos bien distintos, a hacerse famosos en el conjunto al que se integran (ambos, para novelas inéditas): el "Planeta", 1952 (de la editorial del mismo nombre, Barcelona) y el "Biblioteca Breve", 1958 (de la editorial Seix y Barral, Barcelona).

El "Miguel de Cervantes", con jurado cuyos miembros varían de convocatoria a convocatoria, parece tener en contra su condición de premio estatal lo que, ya de entrada, hace que (acaso sin razón suficiente para ello) se autoexcluyan ciertos autores y determinadas editoriales, politizando así un galardón que, por estar dotado con dinero de todos los españoles, debería mantenerse libre de tales manipulaciones. A partir de 1951 y hasta 1962 lo obtuvieron las novelas siguientes: *La casa de la fama*, de Ramón Ledesma Miranda, 1951; *De pantalón largo*, de José Antonio Giménez Arnau, 1952; *Los cipreses creen en Dios*, de José María Gironella, 1953; *Cuerda de presos*, de Tomás Salvador, 1954; *Diario de un cazador*, de Miguel Delibes, 1955; *La mujer nueva*, de Carmen Laforet, 1956; *El lazo de púrpura*, de Alejandro Núñez Alonso, 1957; *Hicieron partes*, de José Luis Castillo Puche, 1958; *Los hijos muertos*, de Ana María Matute, 1959; *Monólogo de una mujer fría*, de Manuel Halcón, 1960; *Los muertos no se cuentan*, de Bartolomé Soler, 1961; y *El premio*, de Juan Antonio de Zunzunegui, 1962.

Puede advertirse una cierta variedad de autores —que pertenecen a diversas generaciones: desde Bartolomé Soler, Ledesma Miranda y Zunzunegui hasta Ana María Matute y Castillo Puche, pasando por Delibes y Gironella— y de tendencias —novela histórica de época lejana y lugares exóticos, como *El lazo de púrpura* o de época inmediata y en el propio país, caso de *Los cipreses creen en Dios*; novela de tesis, como lo es *La mujer nueva*, o erótica, como el *Monólogo de una mujer fría*—, pero con marcado predominio del realismo tradicional, remozado en ocasiones por algún recurso técnico y lejos de cualquier sugestión experimentalista. Se advierten, además, coincidencias de títulos o autores distinguidos también por el premio de la Crítica; ausencias significativas, sin duda voluntarias —Cela o *El Jarama*, pongo por caso—; y, alguna vez, el refrendo de considerables éxitos de público, como ocurrió con las novelas de Gironella y Halcón. Se destaca a Zunzunegui en un momento en el cual diríase ha bajado su cotización crítica, quien denuncia implacable en *El premio* las mil y una vergonzosas trapisondas que suele traer consigo la práctica de estas competiciones.

El "Nadal" sigue entre 1951 y 1962 una marcha que presenta apreciables altibajos de calidad y éxito —pensemos en *El Jarama* frente a *El curso*—, y las naturales modificaciones de dotación económica [58] y de nombres de los jurados. [59] Buen número de originales presentados (que en varias ocasiones pasó de doscientos). Salvo muy contados casos —los de Ferlosio, Martín Gaite o Matute— el "Nadal" ha ido en esos doce años a manos de escritores inéditos en el género o de inéditos absolutos. El realismo social más obvio —exaltación del proletariado oprimido e indefenso, vilipendio de la burguesía ociosa y viciosa— quedó más de una vez finalista —con López Pacheco, López Salinas y Torrente Malvido—, al igual que el experimentalismo, representado por *La gota de mercurio,* de Alejandro Núñez Alonso; [60] una obra de excepción, *La puerta*

[58] De las 5.000 ptas. de 1944 se pasó, 1946, a 15.000; 25.000, en 1948; 35.000, en 1949; 50.000, en 1952; 75.000, en 1953; 150.000, en 1959; 200.000 (cuantía actual), en 1966. Excepcionalmente, 1968, bodas de plata del premio, el "Nadal" estuvo dotado con 500.000 ptas.

[59] De los cinco fundadores de 1945 se pasó a siete —Néstor Luján y Sebastián Juan Arbó son los que se añaden en 1951—. En 1956 cesa Ignacio Agustí y le sustituye José María Espinás, así como Antonio Vilanova sustituye a Arbó en 1959. En 1969 vuelve a estar integrado por cinco miembros: Luján, Vilanova, Masoliver, Vergés y Vázquez Zamora.

[60] Núñez Alonso, nacido en Gijón, 1905, comenzó su obra novelística en Méjico. En 1953, luego de veinte años de ausencia, regresó a España. *La gota de mercurio,* derrotada en la última votación del "Nadal" 1953 por *Siempre en capilla,* de Luisa Forrellad, fue publicada por Ediciones Destino y el volumen iba rodeado de una faja con el texto siguiente: "Una

de paja, del muy culto escritor gallego Vicente Risco, hubo de ceder en el "Nadal" de 1952 ante la evocación familiar y local de Dolores Medio en *Nosotros, los Rivero.* (Hispanoamericanos o algunos escritores ya conocidos obtendrían en años posteriores el premio "Nadal", pero semejante historia se contará en el capítulo siguiente.)

El premio "Planeta" se falló por primera vez en Madrid el 12 de octubre de 1952; estaba dotado con 40.000 pesetas y fue concedido a *En la noche no hay caminos,* de Juan José Mira, nacido en 1907. [61] Su patrocinador tuvo siempre el deseo de que fuese el mejor dotado económicamente lo que, desde luego, ha conseguido; [62] por ello se ha hecho famoso este galardón, así como por el escándalo que su fallo produjo alguna vez, [63] acaso favorece-

---

voz nueva y sorprendente dentro de la actual novelística española".

[61] Componían el jurado de esta convocatoria, junto con el editor Lara: Bartolomé Soler, "Tristán la Rosa", Gregorio del Toro, Pedro de Lorenzo, González Ruano y José Romero de Tejada.

[62] En 1953 fue ya de 100.000 ptas.; en 1959 comenzó a ser de 200.000. (De modificaciones posteriores se informa en el epígrafe *Premios* del cap. IV).

[63] Es el caso del "Planeta" 1958, concedido a *Pasos sin huellas,* de Fernando Bermúdez de Castro, siendo finalista *La ciudad amarilla,* de Julio Manegat (vid. nota 51). Formaban el jurado, con el editor Lara: Wenceslao Fernández Flórez, Núñez Alonso, Santiago Lorén, Gironella, Pedro de Lorenzo y Álvaro de Laiglesia; había ocho títulos destacados: *Los zarzales* (Rafael Azuar), *Pasos sin huellas, La vida de nadie* (José Julio Perlado), *La ciudad amarilla, La fuga* ("José Carol", seudónimo de Andrés Bosch), *Manos cruzadas sobre el halda* (José Manuel Castillo Navarro), *Edad prohibida* (Torcuato Luca de Tena) y *Angostura* (Blanca de la Puente). Parece surgió un enfrentamiento entre los jurados, algo así como una rivalidad "Madrid" (o Torcuato Luna de Tena)-"Barcelona" (o Julio Manegat), que, dispuestos a no avenirse, terminaron por hundir a su particular candidato y por sacar, extraña carambola, a un tercero con el que nadie contaba, autor de una novela des-

dor de la venta pero sólo de ésta. José Manuel Lara
defiende los premios de novela, no por lo que atañe
a los autores o al adelantamiento del género sino
por lo que se refiere a los lectores en potencia:

> De lo que se trata [...] es no de buscar valores nue-
> vos, puesto que éstos surgen por sí solos, sino de con-
> seguir nuevos lectores. Personas que nunca han leído,
> aunque no sea más que por mera curiosidad, leen las
> novelas premiadas. Muchos no vuelven a leer, pero a
> otros les entra el virus. He aquí cómo se consiguen
> lectores. [64]

En sus primeros once años el "Planeta" ha al-
ternado escritores ya conocidos en el género —Ana
María Matute, Tomás Salvador, Torcuato Luca de
Tena— con revelaciones de muy diversa jerarquía
estética. [65]

---

provista de méritos. Se echó la culpa al sistema de votación
"Goncourt", pero Fernández Flórez y Gironella anunciaron su
decisión irrevocable de no volver a ser jurados y al año siguiente hubo en el mismo no pocos cambios. Lara escribió entonces
una carta al preterido Luca de Tena en la que, entre otras
cosas, le decía: "Desde luego, después de lo sucedido en la
votación del "Planeta" de este año he decidido cambiar el sistema de votación, por ser éste peligrosísimo y prestarse a cosa
como la acontecida en esta última edición del premio, donde
una novela como la tuya, que llevábamos de ganadora cinco
de los miembros del jurado, fue eliminada en la tercera votación".

[64] En respuesta a la pregunta "¿Por qué esa afición a establecer premios literarios?", que le hace Santiago Córdoba
(ABC, 12-X-1956).

[65] Tras Juan José Mira, 1952, obtuvieron este premio: Santiago Lorén (Una casa con goteras, 1953), Ana María Matute
(Pequeño teatro, 1954), Antonio Prieto (Tres pisadas de hombre, 1955), Carmen Kurtz (El desconocido, 1956), Emilio Romero (La paz empieza nunca, 1957), Fernando Bermúdez de
Castro (Pasos sin huellas, 1958), Andrés Bosch (La noche, 1959),
Tomás Salvador (El atentado, 1960), Torcuato Luca de Tena
(La mujer de otro, 1961) y Ángel Vázquez (Se enciende y se
apaga una luz, 1962).

Entre otros objetivos el premio "Biblioteca Breve", inaugurado en 1958, se propone distinguir "aquellas obras que por su contenido, técnica y estilo respondan mejor a las exigencias de la literatura de nuestro tiempo" y ha resultado en algunas convocatorias, ciertamente, un premio de muy estimable novedad. Abrió marcha el jovencísimo Luis Goytisolo-Gay, con *Las afueras,* [66] buena prueba para la crítica que dudaría ante ella de su entidad novelesca. [67] Quedó desierto en 1960; [68] distinguió en 1959, *Nuevas amistades,* al quizá máximo objetivista español, Juan García Hortelano y en 1961, una novela social del vino andaluz, *Dos días de setiembre,* del jerezano José Manuel Caballero Bo-

---

Ediciones Picazo publicó en 1972 un libro de Carlos de Arce en el que se hace historia, entre periodística y apologética, con desaforadas arremetidas a algunos críticos y revistas, de este galardón.

[66] A esta primera convocatoria, dotada con 100.000 ptas., concursaron más de setenta originales, algunos procedentes de Hispanoamérica; se destacaron las novelas presentadas por: "Hely Zagher" (*Cuarto menguante,* que obtuvo un voto frente a los tres de *Las afueras;* hubo otro voto en blanco), Enrique Lorenzo Ovellano, Miguel Buñuel, Fernando Díaz-Plaja, F. Soto Aparicio, Liberata Masoliver, José Vidal Cadellàns, José Fernández de Castro y Rosa Figuerola. Integraban el jurado: Víctor Seix y Carlos Barral (por la casa editora), Juan Petit, José María Castellet y José María Valverde.

[67] Es la reacción, entre otras más, de críticos como Jesús López Pacheco ("Acento Cultural", Madrid, n.º de enero 1959) y Julio Manegat ("El Noticiero Universal", Barcelona, 29-II-1959), ambos novelistas, quienes en sus reseñas plantean, de entrada, la cuestión de si el libro de Goytisolo-Gay puede ser considerado como novela. En la reseña de López Pacheco, por ejemplo, encontramos expresiones como: "supone una aportación importante al género *desde el punto de vista técnico*", "gran *hallazgo de estructura*", o "un importante y probablemente fructífero *hallazgo técnico*" (los subrayados son míos).

[68] Daniel Sueiro, con *La criba* (que en 1961 publicaría Seix y Barral dentro de la Colección "Biblioteca Formentor"), fue finalista muy destacado.

nald; en 1962, *La ciudad y los perros,* revelación del peruano Mario Vargas Llosa, sirvió para reafirmar la tendencia al experimentalismo, en tanto abría las puertas a la irrupción hispanoamericana.

V. CENSURA

El 11 de abril de 1953 José María Gironella se manifestaba públicamente en el Ateneo de Madrid contra la censura que venían padeciendo los novelistas españoles:

> No puedo por menos de manifestar que la influencia de la censura no hay que medirla por el número de obras que pasan o son rechazadas, ni por los párrafos mutilados [...] La censura realmente importante es la que el escritor se ve obligado a ejercer *a priori* sobre su obra en la elección del tema y en la manera de desarrollarlo. Este punto es, a mi entender, decisivo y capaz por sí solo de frustrar la obra de toda mi generación [...] Yo pediría que nos juzguen como delincuentes comunes en el caso de que produzcamos pornografía o atentemos manifiestamente contra la Patria; pero, en lo demás, gocemos de absoluta libertad. [69]

Pero en junio del mismo año un tal "Juan de Loaisa" arremetía [70] contra quienes como Dolores Medio, muy reciente premio "Nadal", culpaban a la censura de cortes y supresiones que habían afectado gravemente a la entidad y hasta la calidad de sus obras:

---

[69] *El novelista ante el mundo* (Madrid, n.º 52 de la colección "O crece, o muere", 1953).
[70] *Defensa de la censura* ("Correo Literario", Madrid, n.º 74: 15-VI-1953).

Me parece un abuso [...] el ir publicando por ahí, como marchamo de propaganda y cartel publicitario, que la censura suprimió lo mejor de sus obras. Los autores que juegan a esto [...] demuestran muy poco talento al suponer que por unos *tacos* de menos una obra literaria puede perder calidad e interés.

Sí que hay vivos en este país nuestro para los cuales resulta cómodo expediente culpar a las tijeras y al lápiz rojo del censor de menguas e incompleteces, justificar su inactividad diciendo que cómo escribir y para qué mientras exista censura, o crearse en ciertos medios extranjeros fama de novelista perseguido. Mas no siempre se trata de anécdotas personales y casos de cuño picaresco ya que la censura persiste, y pesando lo suyo: no ha cedido la vigilancia política ni, tampoco, la moral atañente al sexto mandamiento que es, diríase, el único mandamiento con moral. [71] Ejemplo de esta bipolar atención pudiera ser lo ocurrido con *El haragán*, 1956, novela de Tomás Salvador, en manos de Guillermo Alonso del Real, encargado de su censura: "Me suprimiste tres palabras; dos en una misma: de *guerra civil* me quitaste *civil*. Y la otra fue la palabra *cachonda*, aplicada a una mujer de temperamento ardiente". [72] Tomás Salvador aprovecha para señalar la "falta de un criterio definido" dentro del cuerpo de censores, ya que se ha dado el caso —apoteosis de la confusión— de originales novelísticos que cambian de fortuna al cambiar, dando tiempo al tiempo, de persona encargada de revisar-

[71] Es la época, anterior a la ocupación de España por el turismo internacional, de rígidas y ridículas normas morales para estar en las playas o entrar en las iglesias.
[72] *Las plagas de la Literatura. Duodécima plaga* ("La Estafeta Literaria", un n.º de 1956).

los. Una plaga más, la duodécima y última (pero
no en gravedad) de las que, según ese mismo escritor, obstaculizan la libre y buena marcha de nuestras letras.

VI. RECUENTO Y COMENTARIO DE NOVELAS Y NOVELISTAS, TENDENCIAS Y SUCEDIDOS

La novela española ha ido en claro aumento cuantitativo y cualitativo entre 1951 y 1962, por lo cual
no resulta fácil su recuento y comentario. Nos en-
frentamos a conjunto de alguna complejidad (aunque no lo crean así ciertos interesados simplificado-
res): mayor contacto con el extranjero; relativo
aumento de posibilidades para el novelista; existencia de un público lector que apoya, siquiera sea
con imperfecciones y limitaciones. Extravíos, torpe-
zas y mimetismos,[73] falta de crítica rigurosa y sobra
de censura son obstáculos, inevitables y algunos
diríase que normales, pese a los que ha proseguido,
arrolladora, la aventura.

Tres colecciones

Tres colecciones de otras tantas editoriales, des-
tinadas a recoger la obra de novelistas españoles
del momento, constituyen, independientemente de
su realización y logros, importante sucedido. En

---

[73] Rafael Vázquez Zamora advertía algo de esto al hacer
("Destino", Barcelona, n.º 1275: 13-I-1962) el recuento de lo
presentado al "Nadal" 1961: "Son las mismas, pero más acen-
tuadas, es decir, las tendencias del realismo social, las evoca-
ciones de la infancia y la adolescencia, la religiosa (ésta con
menos y peores aportaciones) y, en lo constructivo, las novelas
de numeroso censo y floja estructura. Por supuesto, hemos tenido un gran número de novelas en torno a los problemas de la
juventud y escritas, seguramente, por jóvenes".

1952, al tiempo que convocaba por vez primera el premio "Planeta", creaba José Manuel Lara la "Colección de Autores Españoles Contemporáneos", la cual publicaría, en un principio, las novelas galardonadas y otras relacionadas con el certamen para ampliar, después, este estrecho marco; según Arturo del Villar, su biógrafo, [74] esta serie se ha movido

> siempre dentro de una línea realista tradicional. Desde luego, no están aquí presentes todas las oscilaciones de la novelística hispana [...], ni se hallan incluidos en ella muchos de los grandes innovadores de la postguerra.

"Nova Navis" se llama la colección que en 1955 saca el editor madrileño Aguilar, "sin ningún propósito comercial, con el solo objeto de dar ocasión a que conozca la luz pública un número relativamente grande de obras —doce por año, repartidas en cuatro volúmenes, uno por cada estación— que, de otro modo, por no ajustarse del todo a las normas habituales en los concursos establecidos hasta la fecha, quedarían sumidas en el olvido, pese a sus ostensibles méritos" (según se declara en la presentación del volumen primero). No hay premio en metálico, ni jurado, ni fiesta de sociedad coincidiendo con el fallo. Los autores deberán ser nuevos, ya en la literatura, ya en el cultivo del género.

En 1962, con idea y bajo la dirección de Tomás Salvador, Plaza-Janés, Barcelona, iniciaba sus "Selecciones LENGUA ESPAÑOLA" para narradores españoles e hispanoamericanos; esta colección publicaría mensualmente un título, escogido entre las novelas sometidas a la consideración de un jurado.

[74] N.º 475: 1-IX-1971, de "La Estafeta Literaria".

He aquí tres intentos, animados por muy loable
intención, ante los cuales cabe preguntarse si es que
la novela española de postguerra comenzaba a interesar a nuestros editores.

Las mujeres novelistas

Llama la atención de mucha gente y llega hasta
las páginas de diarios y revistas otro peregrino sucedido: la incorporación de la mujer al cultivo del
género. Ha muerto en 1955 Concha Espina, tantos
años mujer-novelista en solitario, y ahora son bastantes las mujeres-novelistas, temibles y afortunadas
competidoras pues si nos colocamos dentro de la
postguerra y hasta 1956 (año al que corresponden
los testimonios que aduciré), son ya cuatro, sobre
doce, los "Nadal" obtenidos por mujeres. Cultivadoras de la novela "rosa" había desde tiempo atrás
pero las novelistas actuales, algunas de ellas cuando
menos, no se han quedado a la zaga de sus colegas
masculinos y han hecho neo-realismo, naturalismo,
tremendismo o como se guste llamar a lo fuerte y
desagradable. ¿Es el mero deseo de asombrar, de
asustar incluso?, ¿o es, más importante, un afán
reivindicativo contra la tópica y peyorativa separa-
ción literatura *masculina* / literatura *femenina*?

En el número 76 de "La Estafeta Literaria" [75] se
recogía tal sucedido y se consideraban algunas de
sus implicaciones, obteniéndose respuestas tan distintas como la del novelista Alejandro Núñez Alonso y la del crítico Carlos Foyaca, quienes, además,
parten de pareceres contrapuestos respecto a la
novelística española del momento, "más importante
y mejor que nunca" —para Núñez Alonso—, sim-

[75] 29-XII-1956.

plemente, "de andar por casa" —según el periodista
de "El Alcázar"—. El primero de ambos, que ofrece
en su artículo [76] abundantes ejemplos de novelistas
premiadas o merecedoras de galardón, estima que
la novela escrita por mujeres suele resultar (y esto
constituye, para él, valor destacable) más puramente
novelesca, en general, que la compuesta por varones: "La mujer es más *pura* en el género que el
hombre. Los novelistas hacemos novelas y propen-
demos a inmiscuir en ella algo más que elementos
novelescos. Posiblemente porque los hombres, obe-
dientes a móviles de mayor proyección o alcance,
somos menos objetivos, menos inmediatos que las
mujeres"; Foyaca [77] piensa, por el contrario, que la
mediocridad imperante es lo que posibilita y explica
el auge de la mujer metida a novelista pues "ella
es más meticulosa y tenaz en lo pequeño que el
hombre".

Una encuesta

1956 y "La Estafeta Literaria" llevan a ocuparse
de un tercer sucedido: una especie de encuesta en
sus páginas acerca del presente de la novela española; los testimonios elegidos muestran una cierta mayoría optimista, frente a un voto negativo y a una
arremetida contra un realismo "social" vertido en
receta y práctica monocordes. Antonio Prieto, re-
cientísimo premio "Planeta", asegura [78] ("después de
haberme dado una vuelta muy larga por la novela
extranjera") que "nuestra novela anda perfectamente de salud"; Alejandro Núñez Alonso, regresado
de Méjico y al tanto de la moderna novela extran-

---

[76] *Caballeros, primero las damas*, p. 1.
[77] P. 4 del mismo n.º 76.
[78] P. 8, n.º 44: 19-V-1956, de "La Estafeta Literaria".

jera, se alegra [79] de que "el cuadro de novelistas
actuales es impresionante" y "por sí solo suficiente
para dar una categoría de primera potencia literaria
a un país"; y Ricardo Fernández de la Reguera, a
quien acaban de conceder el premio "Concha Espina", [80] considera [81] "extraordinaria" nuestra situación novelística actual ya que, si bien "no existe
una figura extraordinaria, como un Baroja; [...]
como grupo [...] hay veinte o veinticinco magníficos
novelistas". Ya ha triunfado *El Jarama* y ha habido, a la hora de la crítica, sus más y sus menos, y
los imitadores miméticos han aparecido y seguirán
apareciendo, cuando Salvador Pérez Valiente [82] arremete contra el método magnetofónico de quienes,
gustosos de lo sórdido e incapaces de trascendencia,
ni siquiera saben escribir:

> Parece ser que han descubierto una especie de ramplón
> reportajismo muy del agrado de las gentes con prisa.
> Nada de sutilezas estilísticas: la palabra en crudo. A
> la máquina [...] como sale. [...] Cortan de la vida más
> sórdida como un gran pedazo de carne, si es posible
> con su gusanera en movimiento, y a utilizar la cinta
> magnetofónica [...] allí los albañiles hablan como alba-
> ñiles, y las prostitutas como prostitutas, como médicos
> los médicos, y el elogio que la crítica dedica a estos
> personajes es decir de ellos que están arrancados de la
> realidad y que el autor demuestra en su tratamiento
> una gran economía expresiva.

Carlos Junyer Pardillo escribe desde Barcelona
al director de "La Estafeta Literaria" [83] y se dice

---

[79] P. 6, n.º 53: 21-VII-1956, de "La Estafeta Literaria".
[80] 1956, en Torrelavega, por su novela *Bienaventurados los que aman* (Barcelona, Planeta, 1957).
[81] P. 5, n.º 59: 1-X-1956, de "La Estafeta Literaria".
[82] P. 8, n.º 59: 1-X-1956, de "La Estafeta Literaria".
[83] P. 8, n.º 75: 22-XII-1956, de "La Estafeta Literaria".

lector habitual de ella y crítico literario; responde
a la optimista aseveración de Antonio Prieto pues
piensa que, salvo Cela, Zunzunegui y "algún otro",
"no he encontrado nada en la nueva novelística que
no sea merecedor del fuego purificador del cura y
el barbero del Quijote", y esto porque nuestros novelistas carecen de talento, les falta preparación
literaria, son víctimas de los premios y de los críticos cobardes y de capillita; el tiempo dirá la última
y verdadera palabra, y a él apela el irritado Junyer
Pardillo. [84]

Y, sin embargo, he aquí al editor francés Gallimard, protagonista de un sucedido importante. En
1956 Juan Goytisolo se establece en París y consigue trabajo y destacado puesto en esa editorial, lo
que ayudará grandemente a la difusión de su obra
pero, también, a la causa de la joven novelística
española más allá de nuestras fronteras. Es el caso
de Ana María Matute, el catalán Joan Sales, Miguel
Delibes, Cela, Sánchez Ferlosio, Fernández Santos
y Elena Quiroga, traducidos al francés y presentados al lector en volúmenes de una colección narrativa [85] acogida entre nosotros con justificado albo-

[84] Juan Goytisolo se mostraba igualmente optimista al declarar en 1957 (entrevistado por José Luis Cano, p. 8, n.º 132:
XI-1957, de "Ínsula"): "Desde la publicación de *La colmena*,
contamos con media docena de novelistas [...] Las nuevas
generaciones han superado el vacío creado por la guerra y el
porvenir se presenta magnífico. Si comparamos la situación con
la de antes de 1936, el progreso es evidente. Pese a todos los
obstáculos, los jóvenes, a partir de Cela, han aprendido a escribir con honestidad y rigor".

[85] "El mérito de la colección corresponde al hispanista norteamericano John B. Rust, uno de los finos conocedores de
nuestras letras, autor de la traducción americana de *Juegos de
manos* y de un detallado estudio sobre la novelística española
contemporánea. Él hizo llegar mis libros a Coindreau que, a
su vez, los hizo aceptar por Gallimard. Desde entonces, Gallimard lleva adquiridas más de una quincena de novelas", informa Goytisolo a José Luis Cano, entrevista citada en nota 84.

rozo.[86] De antes[87] y después[88] de 1956 son otros
sucedidos franceses favorables para el conocimiento
de nuestra novela última, los cuales algo deben con-
trapesar las opiniones nacionales negadoras.

Dos novelistas en la Academia de la Lengua

Para rematar cronológicamente este recuento de
sucedidos demos la noticia de que en los meses
primeros de 1957 la Real Academia Española de la
Lengua eligió como miembros numerarios a los novelistas Camilo José Cela —para la plaza del almi-
rante Rafael Estrada— y Juan Antonio de Zunzunegui —para la vacante de Pío Baroja—, lo cual
pudiera interpretarse como el espaldarazo solemne
y oficial a la novelística de postguerra.[89]

[86] De "buena noticia" la calificaba "Ínsula" (n.º 123: II-1957,
p. 2); La novela española rompe el bloqueo titulaba "Índice
de Artes y Letras" la gacetilla inserta en la p. 4, n.º 99: III-
1957.

[87] El profesor Bernard Lesfargues obtuvo en 1953 con su
versión de La vida nueva de Pedrito de Andía, de Rafael Sánchez Mazas, el premio a la mejor traducción publicada durante ese año en Francia.

[88] La revista francesa "Arts" dedicó su número del verano de
1959 a un panorama de la novela española de postguerra, que
no es, ni podía ser, exhaustivo. Se incluyen los nombres de
Cela y Juan Goytisolo, como los más importantes o que gozan
de una mayor reputación en la Francia de entonces; se añaden
los de: Delibes, Ferlosio, Fernández Santos, Carmen Laforet,
Elena Quiroga, Ana María Matute, Carmen Martín Gaite,
Gironella, Luis Goytisolo-Gay, López Pacheco y Aldecoa. La
generación española del "medio siglo", no entendida con el
rigor con que venimos haciéndolo en este capítulo (pues Cela,
Gironella, Delibes, Carmen Laforet o Elena Quiroga no pertenecen propiamente a ella), es considerada por los críticos
franceses que han preparado este número-homenaje como la
que ha llevado a cabo la resurrección de la novela española.

[89] Cela lee su discurso de ingreso el 26 de mayo, La obra
literaria del pintor Solana; le contesta el Dr. Marañón, que
dijo: "Cela llega a la Academia por derecho propio, con su
renombre de escritor consagrado...". Zunzunegui, que era des-

Balance en blanco y negro

Perogrullesca verdad sería el decir que hubo, entre 1951 y 1962, años novelísticos mejores y peores en cantidad y calidad de títulos publicados, y así 1954 resultó abundante y significativo; 1956, interesante, al decir de Carmen Laforet [90] —"Creo que ha dado algunos títulos excelentes [...] Creo que entre los autores jóvenes este año han dado un interés verdadero a la novela Castillo Puche, Aldecoa y Ferlosio [...]; los buenos autores ya de más años siguen manteniendo su personalidad y su nivel"—; 1958, destacado por sus revelaciones —"Después del año 54 [...] ha sido el 58 el más pródigo en revelaciones durante ese decenio. Es en efecto el año en que Lera (no inédito, pero sí desconocido antes) publica *Los clarines del miedo*; en que Martín Gaite, en situación análoga, se ve premiada con *Entre visillos*; y en que, más rigurosamente inéditos, se dan a conocer López Pacheco y [...] Luis Goytisolo-Gay. Pues bien, a estos nombres, generalmente considerados hoy como insustituibles entre los novelistas jóvenes, creo de justicia añadir el de Lauro Olmo, que [...] destaca precisamente como finalista del "Nadal", al lado de Carmen Martín Gaite, con su novela *Ayer, 27 de octubre*"—. [91] Entre medias, 1957 se quedó más bien corto, al decir del crítico

---

de 1943 premio "Fastenrath", demoró hasta el 2-IV-1960 recepción y lectura; trató de *Baroja y su obra* y en el obligado párrafo de gracias dijo: "Pero esta satisfacción [la de haber sido elegido para el sillón académico] que me da, de otra parte, *la consagración oficial de mis novelas* [...]" (el subrayado es mío).

[90] "La Estafeta Literaria", n.º 75: 22-XII-1956.
[91] Eugenio de Nora, *La novela española contemporánea* II 2 (Madrid, Gredos, 1962), p. 340.

Antonio Vilanova [92] —"Es posible afirmar, en lo
que se refiere a la producción novelesca, que dentro
de un estimable tono medio y pese a unas cuantas
creaciones realmente logradas, no presenta [el año
1957] ninguna obra cuyo valor y calidad literaria
destaquen de una manera absoluta por encima de
las demás, hecho que no había ocurrido en los dos
años precedentes"—. 1951, jalón inicial de este capítulo, es año novelesco de alguna riqueza y variedad ya que ofrece junto a la reiteración bélica de
Rafael García Serrano, en *Plaza del Castillo,* y la
reiteración tremendista de Cela, en *La colmena,*
algo así como el canto de cisne de Ramón Ledesma
Miranda, cuya novela *La casa de la fama* es la
historia familiar y social de un tiempo pasado; y,
asimismo, la confesión adolescente de *Pedrito de
Andía,* de Rafael Sánchez Mazas y la libérrima fantasía de Sánchez Ferlosio en *Alfanhuí.*

"La vida nueva de Pedrito de Andía"

Parece ser que Rafael Sánchez Mazas, culto y
vario escritor —corresponsal en el extranjero, colaborador de diarios, ensayista, poeta, narrador—, a
más de político importante y activo unos años de
su vida, era consciente de la in-actualidad de su
obra narrativa [93] y así no llegó a concluir la novela
Rosa Krüger (de la que había anticipado algún capítulo en revistas), pero fue esta condición, sin embargo, que apartaba radicalmente su *La vida nueva
de Pedrito de Andía* de la moda tremendista al uso,

---

[92] P. 330 de *Los cuatro ángeles de San Silvestre...,* Almanaque de "Papeles de Son Armadáns" para el año 1958.
[93] Le decía a Dámaso Santos (y éste lo recoge en la p. 285
de *Generaciones juntas*) que "su melodía no sería escuchada
en nuestro ronco tiempo".

lo que más se valoró en algunas de las muchas críticas obtenidas por esta novela —"bandera de buenas letras hispánicas [...] que ha despreciado los temas y las modas de la novela actual de morbos o de instintos", se leía en la presentación, con más de anuncio que de análisis, hecha, destacadamente, en la primera página del número 18 (15-II-1951) de la revista "Correo Literario"—. Muchas críticas y muy favorables, [94] salvo la de Juan Fernández Figueroa, que denuncia en un folleto, [95] muy pronto agotado, la evasión que esta novela —un relato sicológico— suponía, más significativa y peligrosa por tratarse de un autor maduro y maestro, y comprometido políticamente (numerosos textos doctrina-

---

[94] Como las debidas a: Fernández Almagro (ABC del 7-II-1951) —quien la considera "una novela de doble vertiente: poemática y psicológica, ésta y aquélla, matizadas con primor y amorosoa penetración en el detalle, bajo un común designio de autenticidad"—; Ramón Sierra ("Región", Oviedo, 7-II-1951); Manuel Aznar (ABC, 27-III-1951); Gonzalo Torrente Ballester ("Cuadernos Hispanoamericanos", Madrid, n.º 21: V-VI, 1951, pp. 436-444) —para quien "lo verdaderamente importante no es el hecho de que se haya escrito una excelente novela, o una novela singular, o una novela excepcional. A mi juicio, su verdadera trascendencia reside en su ejemplaridad. No es el camino seguido por Sánchez Mazas el único posible para una redención de la novela; pero es, entre los contados existentes, uno de los mejores".

[95] *Comentarios a "La vida nueva de Pedrito de Andía"*, n.º 1 de los Cuadernos de "Política y Literatura", anejos de la revista "Índice de Artes y Letras" (Madrid, 1951). Con tales cuadernos Fernández Figueroa, su director e inspirador, aspiraba a conseguir verdad y honradez en varios ámbitos de la vida y de la actividad nacionales; declaraba que "el clima público, las letras de este país están huérfanas, hace más tiempo del debido, de honradez y veracidad, y es obligación moral del que tenga títulos para ello, del que sepa y pueda, intentar lo imposible porque las recobren. Sin esas virtudes no hay literatura, no hay política, no hay convivencia. En rigor, sin esas virtudes no hay vida". (Otros números de esta serie fueron: una revisión del teatro de Lorca, por Eusebio García Luengo, y una noticia de Miguel Hernández, debida a Juan Guerrero Zamora.)

les, [96] la oración por los caídos de la Falange); despropósito que parece un rezago de otros del mismo signo y color, formulados años atrás, y semejante a los que, con opuestos coloración y signo, formularán años después personas afectas al realismo social. [97]

"Plaza del Castillo" y otras novelas de la guerra

Preguerra en Pamplona y postguerra en Madrid es lo que ofrecen las novelas de García Serrano, *Plaza del Castillo* y Cela, *La colmena*, aparecidas en 1951, novelas que constituyen sendas reiteraciones —temática, la primera; tonal, la segunda— en sus respectivos autores, si bien *La colmena* fue, para buena parte de la novelística posterior, un libro de apertura.

En *Plaza...* sigue García Serrano con el tema de nuestra guerra, que es *su* tema. Han pasado varios años desde *La fiel infantería* pero debe decirse, de entrada, que se nota poco pues la actitud del autor es la misma de antes y la técnica se parece de todo en todo a la usada en la novela de 1943. Ahora es la inmediatísima pre-guerra: del lunes 6 al domingo 19 de julio de 1936; en Pamplona, en torno a la Plaza del Castillo; coincidiendo con los días de San Fermín, días de exaltación y, a la par, de calma entre facciones enemigas, días tormentosos y muy

---

[96] Como los reunidos en el volumen de 1957, *Fundación, hermandad y destino.*

[97] ¿Está comenzando una curiosidad recuperadora de la obra de Sánchez Mazas, acaso marginada por la filiación política de su autor? Muestras de la misma podrían ser la reciente edición de *La vida nueva...* (Biblioteca General Salvat, n.º 21) y el volumen *Sonetos de un verano antiguo y otros poemas* (n.º 20, colección "Ocnos", Barcelona, 1971, que anuncia "en preparación", una antología poética).

claramente precursores de tormenta nacional. [98] No hay un protagonista, aunque haya unos cuantos personajes destacados porque aparecen con mayor frecuencia que los otros, no porque posean rasgos que acusadamente los perfilen; creo es novela de protagonista colectivo ya que toda Pamplona, en fiestas, con los que a ellas vienen desde fuera, actúa como tal.

Este protagonismo colectivo ayuda al autor, dado que le permite una dispersión y una brevedad en la presentación de personajes y de estampas o cuadros que van muy bien a su idiosincrasia de novelador alusivo-elusivo. Adviértese que directamente, haciendo que sus personajes hablen y actúen a nuestra vista, nunca trabaja García Serrano, el cual nos deja sin saber muchas cosas de las peleas políticas en la Pamplona de entonces; [99] y desvae en lirismo y vaguedad relaciones amorosas más o menos románticas y otras con logro físico. Cierto que también salen a relucir prostitutas (pp. 112-120) pero el prostíbulo es, en esta ocasión, antes que casa de placer, lugar para encontrarse sin riesgo unos jóvenes falangistas conspiradores contra el gobierno. Expresión y situaciones producen, a menudo, irrealismo, alejamiento de la realidad más real.

Hay divagaciones de tema político inmediato o de tema español, [100] que no dan altura trascendente

[98] Véase (pp. 129-132 de la edición de 1964. Madrid, Fermín Uriarte) la descripción, a lo militar, de una tormenta meteorológica que se cierne, amenazadora, sobre el ámbito geográfico de la ciudad.

[99] Sólo unas pocas líneas en pp. 329-330: termina el día 16 de julio.

[100] He aquí algunos ejemplos: 137 —Luis en la cárcel, frente a las sucias inscripciones de las paredes de la celda, piensa en la limpieza que España necesita; 306 —la suciedad y chatez de la vida española, lo mismo en los de la izquierda

a la novela y constituyen, a veces, como un pegadizo inútil.

Aún no hay guerra declarada pero hay una muy clara actitud beligerante que comporta unas preferencias y unas repulsas. El personaje Felisín, un adolescente con ganas de hacerse hombre, "desconocía, producto normal de un bachillerato aburrido y mediocre, la gracia de los versos" (p. 304). Aquí la Poesía es un estímulo limpio y alto, algo que choca venturosamente con el ambiente chato y garbancero; es algo muy distante de un reblandecimiento del ánimo, de un disuasor de la acción arriesgada. En la p. 386, sin embargo, el novelista dice que el personaje Marino Aldave, poeta, en aquel momento —día 19 de julio—, emoción de la partida a la reconquista de España, "envidiaba al teniente Sanz mucho más que a Juan Ramón Jiménez".

La guerra se anticipa, en estas jornadas visperales de Pamplona, como una gozosa aventura, llena de gloria y carente de sucesos desagradables, mas el tiempo no pasa en balde y quizá por ello la novela de Ricardo Fernández de la Reguera, *Cuerpo a tierra*, de 1954, presenta la guerra sólo en cuanto lucha, ajustada a la realidad de cada día y cada noche, desprovista de belleza [101] y no merecedora de

---

que en los de la derecha, vida española que nada podía ofrecer a los jóvenes, limpios e inquietos—; 336, hasta 340 —una serie de motivos españoles, por varios contertulios, partiendo de la jota—; 371-374 —disquisición entre poética e histórica a propósito de la llegada a Pamplona en la mañana del 19-VII de gentes de su campo con armas y entusiasmo para la lucha recién comenzada—.

[101] Una breve antología de expresiones y situaciones, hecha solamente a base de las 43 primeras páginas de *Cuerpo a tierra* (utilizo la edición de 1963, Bullón, Madrid), prueba lo apun-

loanzas; por encima de otros aspectos resalta su absurdidez. [102]

Precisamente uno de los mayores éxitos registrados en el lapso de tiempo que historía este libro lo obtuvo una voluminosa novela con la guerra española como tema: *Los cipreses creen en Dios*, de José María Gironella, 1953, primera parte de una trilogía [103] que pretende ser, al mismo tiempo, visión española del acontecimiento histórico y réplica a varios conocidos testimonios extranjeros. [104] Visión

---

tado: 28, primer párrafo: "Algunos morirán. ¿Y yo?"; 31, líneas 2-3: "Era muy patético verlos avanzar dócilmente [...]"; 33, línea 6 (en un bombardeo): "—¡Esto es horrible!" (dice el personaje Augusto Guzmán, protagonista); 34, línea 4: "Los hombres del pelotón huyeron despavoridos"; 34, líneas 37-38: "No era él solo el que tenía miedo. A todos les imponía el riesgo inminente, mortal"; 38, el tremendo cuadro ofrecido en esta página; 39, línea 3: el protagonista exclama: "¡No podré resistirlo!"; 39, penúltimo párrafo: "Augusto vio pasar a sus compañeros sin risas, sin canciones, abrumados"; 43, línea 9: "Guzmán pensó que todo aquello era absurdo".

[102] José Luis S. Ponce de León, *La novela española de la guerra civil (1936-1939)* (Madrid, Ínsula, 1971), sólo menciona título y autor y no dedica una sola línea a esta novela.

[103] Parece que Gironella ha ampliado su trilogía a tetralogía, o más.

[104] Son los cuatro siguientes: Hemingway, *¿Por quién doblan las campanas?*; Koestler, *Un testamento español*; Malraux, *L'espoir*; Bernanos, *Les grands cimetières sous la lune.* "A estos cuatro autores [...] intento replicar con mi anunciada trilogía [...] El aspecto político es el que menos me importa de la cuestión. Lo que duele positivamente no es que Koestler calumnie a la guardia civil, que Bernanos baraje cifras erróneas, que se afirme que la guerra fue un capricho sanguinario. Lo que duele es que se falsee la arquitectura espiritual del hombre español, del hombre a secas, incorporado en Barcelona o en Burgos, que nos carguen defectos ¡y cualidades! que no son nuestros, que no se estudie el problema en su totalidad, que se altere la realidad de la vida en nuestros pueblos, en nuestras capitales de provincia, en nuestras ciudades", (José María Gironella, n.º 57: 1-X-1952, de "Correo Literario", Madrid).

española no quiere decir partidista porque, cabal-
mente, el autor de *Los cipreses*... se ha impuesto
el deber de conducirse con la mayor objetividad
posible; prueba de que no ha traicionado este su
propósito puede ser el parecer de Julián Marías: [105]

> Es una gran novela ésta de Gironella [...] nos da un
> buen trozo de la realidad española de mis años juve-
> niles, tan difícil de encontrar en los miles de páginas
> de todos los colores que sobre ella se publican. Ahí
> está: las páginas de Gironella son blancas; negro sobre
> blanco, lentas, minuciosas páginas de novela, en que se
> condensan esenciales porciones de vida española —de
> vida individual y de vida colectiva—, sincera y veraz-
> mente contadas.

Considerada sólo como novela acaso resulte endeble y convencional en ocasiones, poco brillante y
cuidada la expresión, de una gran tradicionalidad
técnica [106] pero *Los cipreses*... sirve también, a lo
que creo, para entender la vida española de los
años 1931 a 1936, y sus consecuencias. [107]

[105] *Guerra en la paz* (ABC, 8-V-1953).
[106] Puede leerse al respecto el artículo de Eduard J. Gramberg. *José María Gironella, ¿novelista?* ("Cuadernos", París,
n.º 79: XII-1963).
[107] *Un millón de muertos*, 1961, segunda parte de la trilogía,
que se ocupa, en cerca de mil páginas, de la guerra española
(1936-1939) en las dos zonas (frente y retaguardia), fue muy
mal acogida en algunos medios españoles. Dejando aparte lamentables anécdotas, cabe registrar la aparición de tres libros
con claro sentido de censura y hasta de repulsa: *Crítica y
glosa de "Un millón de muertos"*, por Luis Emilio Calvo-Sotelo
(Madrid, 1961); *Por qué luchó un millón de muertos*, por
Juan Rey S. J. (Santander, 1961); y *España a dos voces (Los
infundios y la Historia)*, por Joaquín Pérez Madrigal (Madrid,
1961).
Un joven crítico de la revista universitaria "Acento Cultural",
Rafael Conte, hizo una reseña honrada y comprensiva de *Un
millón*... (pp. 44-45, núms. 12-13, extra, 1961) y concluía así:
"En resumen, la obra de Gironella, de gran aliento e impor-

"La puerta de paja" y la novela católica

Aunque rompamos por un momento el orden pre-establecido, alejándonos así de *La colmena,* convendría recordar que 1953 es el año en que se publicaron dos novelas al margen de los módulos realistas imperantes y, acaso por ello, marginadas pese a alguna atención crítica. *La puerta de paja,* obra de Vicente Risco, que ocupó en el "Nadal" de 1952 un tercer puesto (tras *Nosotros, los Rivero,* de Dolores Medio y *La ciudad sin horizontes,* de Severiano Fernández Nicolás), fue publicada por "Planeta". Hubo quien, como José Ángel Valente, [108] estimó que la novela de Risco, junto con *Los cipreses creen en Dios,* tan diferentes ambas, eran "las dos primeras obras plenas [...] de la novela española desde la guerra —por poner un hito claro— hasta hoy"; Marcelo Arroita Jáuregui, [109] Luis Trabazo [110] o José Luis López Cid, [111] entre otros, pusieron de manifiesto la singularidad de esta novela histórica donde la Edad Media evocada por el erudito escritor gallego no pesa y la imaginación discurre libre e intencionada, a la búsqueda de sucesos intemporales por cargados de simbolismo. A su aparición escribí [112] que, acostumbrados como estába-

tancia, está siendo llevada a término con honradez, buena fe y estimable calidad. Da una impresión general eficaz y limpia del más importante problema de la historia de España en nuestro siglo. Quiero también reconocer la grandeza del personaje central, Ignacio, al que algún crítico ha llamado estúpido, y que a mí me parece una humanísima creación".

[108] N.º 65-66: VII-VIII-1953, de "Índice de Artes y Letras", Madrid.

[109] N.º 73 de "Correo Literario", Madrid.

[110] N.º 66 de "Revista", Barcelona.

[111] P. 7, n.º 92: VII-1953, de "Ínsula".

[112] *"La puerta de paja", o una novela sin premio* ("La Nueva España", Oviedo, 12-XI-1953).

mos a tantas narraciones de problemas vulgares y
minúsculos, y a bastantes noveladores que, cuando
más, entretenían, resultaba muy comprensible el
hecho de que *La puerta...* hubiera sido reputada
como algo insólito, especie rara —¿novela intelectual?— que se había perdido y parecía retornar
vigorosa.

El éxito de *La noria,* movida y realista narración
de Luis Romero, "Nadal" 1951, cayó pesadamente
sobre *Carta de ayer,* su segunda novela, sencilla
historia de amor, contada con sencillez y desde
dentro por uno de los solo dos protagonistas de la
misma. José Luis Cano consideraba [113] a *Carta...*
como "una insólita y agradable excepción en el nutrido ejército de novelas tremendistas de nuestra
hora".

La historia del protagonista de *La puerta de paja,*
el apoplético obispo Baldonio que no cree en Dios,
a quien, finalmente, encuentra, lleva a que nos ocu-
pemos —antes de entrar en *La colmena* y en sus
consecuencias— de la llamada novela católica,
bastante discutida entre nosotros por estos años
50. Entendamos, para no equivocarnos, que se trata
de una tendencia temática, esto es: propensión a
ciertos planteamientos, casos y soluciones, y que en
este aspecto no existe norma homogénea alguna
entre sus cultivadores, dándose, sin embargo, al
igual que en otros ámbitos, un ostensible predominio del realismo. Pienso que, entre otras causas, el
ejemplo de Graham Greene, Julien Green, Bernanos, Mauriac, Gertrudis Von Le Fort o Carlo

[113] P. 7, n.º 90: VI-1953, de "Ínsula".

Coccioli, vgr., [114] traducidos y publicados en Argentina y, menos, en España, constituyó estímulo importante para algunos colegas españoles. Podía ser, además, un camino nuevo y lleno de posibilidades, capaz para una deseable trascendencia de la que tan menesterosa andaba nuestra novelística; más que contraponer tesis, encarnadas en personajes (lo cual sería un regreso a la decimonónica, y casi siempre maniquea, novela de tesis), se trataría de pensar, dudar, interrogar, caer para levantarse, etcétera, y un tal problematismo, tan distante de la tradicional fe del carbonero, acaso pudiera producir fricciones con la censura y entre los lectores. José Luis Aranguren examinó decididamente la cuestión al preguntarse qué es novela católica y cuáles serían sus características y, por último, si se ha dado y se da entre nosotros; concluyó negativamente. Paradójica situación ésta en un país tenido por católico a machamartillo; acaso por esto hubo en algunas gentes interés en buscar ejemplos recientes de novela católica en España: *Mi idolatrado hijo Sisí*, 1953, de Miguel Delibes, alegato contra el egoísmo y castigo final para el padre egoísta; *La mujer nueva*, 1956, de Carmen Laforet, historia de la revuelta vida espiritual de Paulina, convertida nada convincentemente, novela muy premiada y exaltada por encima de sus méritos reales; [115] *La*

[114] Puede leerse el capítulo dedicado a la novela católica en el libro de Leopoldo Rodríguez Alcalde, *Hora actual de la novela en el mundo* (Madrid, Taurus, 1959).

[115] En la convocatoria del premio "Menorca" de novela, obtenido por *La mujer nueva*, hay un párrafo que apunta claramente a tesis y catolicismo: "Nacen estos premios con el nombre de la mediterránea isla de Menorca para significar el propósito fundacional de exaltar en estos momentos de crisis de los valores de nuestra cultura occidental y cristiana, su vinculación y raigambre mediterránea. Por ello, tanto los trabajos de investigación como los de creación literaria que hayan

frontera de Dios, con la que el joven sacerdote José Luis Martín Descalzo, que había sido estudiante en el eclesiástico Colegio Español de Roma, obtuvo el "Nadal" 1956, novela más ambiciosa que lograda; más algún título de otros autores, sin que entre todavía en juego el llamado grupo "metafísico".

(Demos, para concluir, dos noticias: 1.ª) la editorial Escelicer tenía una colección titulada "El Diablo" y dedicada a la novela católica; la misma editorial convocaba un concurso de novela católica para otorgar el premio llamado "Laurel del Libro" que empezó en 1956, con 50.000 pesetas, y se dejó desierto. En 1957 se dio el de este año, dotado ya con 75.000, a *Hicieron partes,* de Castillo Puche; y se concedió el de 1956 a *La verdad sin luz,* de Mirén Díez de Ibarrondo. La segunda noticia refiere que en febrero de 1960 (días 3, 10 y 13) se celebró en el Ateneo de Madrid un ciclo de conferencias, entre históricas y preceptivas, sobre la novela católica a cargo, respectivamente, de los novelistas Núñez Alonso y Castillo Puche y del crítico Leopoldo Rodríguez Alcalde. [116]

---

de concurrir a este certamen versarán sobre un tema relativo a la intervención y aportación españolas a este milenario legado cultural, o tendrán, en su clima, ambiente o fondo, alguna relación con los valores permanentes de aquél, válidos para la resolución de los problemas que la hora presente plantea al hombre de Occidente".

Años antes, en 1951, el premio "Don Quijote", dotado con 100.000 ptas. por el Sr. Pujol (D. Agustín), se había dedicado a distinguir un original dependiente de una tesis muy concreta, ésta: "El desnivel cultural entre los individuos hace imposible el buen entendimiento entre las clases"; su ganador, Manuel Pombo Angulo con *Valle sombrío,* se declara en esta obra partidario de la solución de todo problema social por medio de la religión.

[116] El texto de la conferencia de Castillo Puche, *Libertad y servidumbre del novelista católico,* puede leerse en el n.º 198:

"*La colmena*" y la novela behaviorista

La colmena, que entró clandestinamente en España, fue, desde muy pronto, acogida y reconocida como libro importante y novela que mostraba un considerable crecimiento de su autor. En el mismo 1951, una encuesta en la revista *Índice de Artes y Letras* [117] lo indicaba de modo paladino; Dámaso Alonso, Torrente Ballester y González Ruano reputaban *La colmena* de, respectivamente: "admirable", "maravillosamente escrita", y "muy lograda, muy madura ya". El predominio de lo sexual o la proclividad al *mal costumbrismo* son aspectos del libro reparados por Torrente y Ruano. Llama la atención que el novelista Gonzalo Torrente Ballester conteste, asimismo: "No estoy de acuerdo con la composición y con la carencia de protagonista individual", dos rasgos muy nuevos entre nosotros que convierten a *La colmena* en destacado libro de apertura.

Dos grandes reducciones —temporal, espacial—, coexistiendo en la novela con una considerable ampliación —el poblado censo de personajes, sin que ninguno de ellos posea entidad de protagonista—. Las dos primeras harían fortuna posteriormente y los autores que las aceptan probarán al todavía más difícil, limitando el tiempo a un día (Luis Romero en *La noria*, 1952) o a unas horas de un día (Sánchez Ferlosio en *El Jarama*, 1956), y el espacio a sólo uno o dos lugares (vuelvo a pensar en *El Jarama*). El protagonista colectivo se mantiene tam-

---

1-VIII-1960, de "La Estafeta Literaria"; la de Rodríguez Alcalde, *La novela católica como género* en n.º 200: 1-IX-1960, de "Idem".

[117] N.º 44: 15-X-1951; *La miel y la cera de "La colmena"*.

bién pero haciéndolo menos multitudinario, redu-
ciéndolo a grupos de pre-establecida relación entre
sus miembros. Se puede llegar por este camino,
como siempre, al mimetismo y al cansancio [118] pero
la posibilidad nueva y enriquecedora queda suficientemente a salvo. [119]

Pero Cela (aunque las apariencias digan, engaño-
samente, lo contrario) continúa en *La colmena*
como novelista omnipotente y omnisciente, que crea
y manipula a su antojo seres y situaciones; los ho-
múnculos de esta novela suya se retratan, sí, hablando y haciendo pero Cela contribuye con palabras propias, casi siempre de comentario flagelante, a
la intencionada presentación. No guarda, pues, la
impasibilidad naturalista (el humor y la soterrada
ternura se lo impiden) y, gustosamente, entra en la
danza.

A esa impasibilidad naturalista, propia también
del "behaviorismo" o "conductismo" —"considerar
solamente real, en la vida psicológica de un hombre
o de un animal, lo que podría percibir un observa-
dor puramente exterior, representado en el límite

---

[118] Veamos, de la mano de Rafael Vázquez Zamora (*Destino*
de enero de 1957, donde se da cuenta del premio "Nadal"),
algo de lo sucedido a este respecto en el "Nadal" 1956 (el
siguiente a *El Jarama*): "*Sociedad anónima*, de Pedro Espinosa, pertenece a la tendencia que tan interesantes libros ha
dado al "Nadal" de este año, la tendencia que podríamos
llamar "colectivista", en la que abundan las historias entrela-
zadas y en las cuales falta el protagonista propiamente dicho
[...] Podemos citar también, dentro de esa línea, las novelas
Barrio de Argüelles (García Hortelano), *Uno por uno* (Carmelo Martínez), *Pensión* (Juan José Poblador), *Las amazonas*
(no se da nombre de autor), *La balandra* (Ferres)".
[119] Puede consultarse el breve artículo de José Francisco
Cirre, *El protagonista múltiple y su papel en la reciente novela
española* ("Papeles de Son Armadáns", XXXIII, 1964, n.º 98,
pp. 159-170), donde se ocupa de *La colmena, La noria, El
Jarama* y *Tormenta de verano*.

por el objetivo de una cámara fotográfica", "reducir la realidad psicológica a una serie de conductas,
en las que las palabras o los gritos tienen la misma
importancia que los ademanes o los cambios de fisonomía", según definición de Claude-Edmonde
Magny—, tratarán de llegar (y lo conseguirán más
que Cela) un Sánchez Ferlosio y un García Hortelano, los cuales sólo por inadvertencia comentan o
señalan por su cuenta, ya que han aceptado abandonar la condición de novelista-dios. Pero lo que
resulta obrando con tan rigurosas limitaciones puede
parecer a algunos lectores cosa más bien insípida, y
ésta es reconvención frecuente en la abundante bibliografía periodística promovida por *El Jarama*.
Otra cuestión insistida por alguna crítica es la de
la posible significación de esta novela que, según
su autor, [120] no es deliberadamente simbólica, "lo
que pasa, que muchos pequeños motivos, y la novela son los pequeños motivos, la vida cotidiana, el
lenguaje vulgar, tienen honda significación a veces".
¿Cuál? ¿Acaso la de un país que ha perdido, con
el paso del tiempo, su pulso heroico y algunos de
cuyos actuales jóvenes han casi olvidado lo que fue
nuestra guerra civil? Tal piensa el periodista barcelonés Rafael Manzano que, en artículo publicado [121] a raíz de la concesión a *El Jarama* del premio
de la Crítica, truena de este modo:

> [...] conviene señalar que el entendimiento de la no-
> vela como receptor y vehículo de vulgaridades y me-
> diocridades entraña en sí un concepto que atenta contra
> el ser caballeresco de Occidente; amenaza a la sustan-

[120] Entrevistado por Mauro Muñiz en la p. 4, n.º 41, 29-IV-
1956, de "La Estafeta Literaria".
[121] En el diario barcelonés "Solidaridad nacional"; fue reproducido en la p. 2, n.º 92: 20-IV-1957, de "La Estafeta Literaria", por donde cito.

cia de lo heroico, clara vena que ha regado los mejores instantes de Europa [...] ¿Es que estamos buscando, en España, premiar el "antiquijote"? ¿Sustituir la lucha por el ideal [sic] e instalar la simple existencia sobre soportes mediocres? [...] No nos arriesgamos para esto —dejando en el empeño la juventud, la sangre y las entrañas— muchos españoles que aún no peinamos canas. No se movilizaron para esta tarea los héroes de *La fiel infantería,* de Rafael García Serrano. [122]

1959 y 1962 son los años de publicación de *Nuevas amistades* y *Tormenta de verano,* respectivamente, novelas de Juan García Hortelano, destacadas con premio [123] y cumbres rigurosas del objetivismo entre nosotros, dada la perfección con que se cumple en ambas la normativa técnica peculiar de esa tendencia, cuyas dificultades afronta victoriosamente el novelista mas, sin embargo, queda evidente en ellas la suma frialdad del método. García Hortelano denuncia en sus dos novelas (que son, en realidad, una y la misma, repetida con ciertas modificaciones) el ocio vicioso de gentes de la burguesía española, jóvenes, durante los meses de trabajo en Madrid y, veraneantes, en una de tantas playas turísticas de moda, con lo que se inscribe, temáticamente hablando, en una línea de novela acusadora de aquella clase social, practicada con mayor o menor técnica objetiva y hasta el cansancio por algunos de sus colegas de generación y correligionarios de actitud ideológica.

Los libros del crítico José María Castellet, *La hora del lector,* y del novelista Juan Goytisolo, *Pro-*

[122] Mucho más inteligente y comprensivo, dando al paso del tiempo lo que es suyo, anduvo José Antonio Giménez-Arnau en el artículo *Jaramas* (ABC del 7-VIII-1956).

[123] El "Biblioteca Breve", 1959, la primera; el "Formentor", 1961, la segunda.

blemas de la novela fueron el principal apoyo teórico de nuestros objetivistas pero despertaron no pocos recelos y reconvenciones. Se produjo como un enfrentamiento, ficticio, desde luego, entre novela tradicional —burguesa y decimonónica— y novela nueva —técnicamente más avanzada y derruidora de los postulados de su compañera, llamada a extenderle el acta de defunción—. Me parece que esto es lo que ha entendido, y a lo que se opone con todas sus veras, el novelista Ignacio Agustí en su trabajo *Rebelión y continuidad en la novelística española*, [124] una lanza por la tan denostada novela burguesa y sicológica.

La disparidad de criterios al respecto se generaliza y convierte casi en polémica al comenzar los años 60. Porque si "Acento Cultural", la revista universitaria madrileña, hace la loa del objetivismo y de sus practicantes, Carlos Luis Álvarez (desde la revista "Punta Europa") o José Julio Perlado (en "La Estafeta Literaria") tratan de poner algunos puntos de reparo sobre ciertas íes muy fervorosas, viniendo a constituir Rafael Morales y Ricardo Domenech [125] el deseable término medio, pues en

[124] Publicado en el n.º 71 de la revista "Nuestro Tiempo" y reproducido en el n.º 198: 1-VIII-1960, de "La Estafeta Literaria".

[125] Perlado, *Notas a una moda literaria* (n.º 201: 15-IX-1960, de "La Estafeta Literaria"), Morales, *Objetivismo* ("El Alcázar", Madrid, 2-XII-1961), Doménech ("Ínsula", n.º 180: XI-1961). Rafael Morales resume el debate planteado en España a propósito del objetivismo en el siguiente párrafo de su artículo: "Admitimos, hasta cierto punto, que los objetos no sean más que objetos, y, de buen grado, que los objetivistas nos hayan librado de los últimos restos de las más o menos admisibles *consideraciones* propias que el novelista solía introducir en su relato [...] Admitimos también que el carácter de un personaje no sea *explicado*, aunque no nos gusta la falta de profundidad humana de éstos al ser sólo presentados por sus reflejos y actos, vistos siempre desde fuera [...] Pero, ¿podemos renunciar

sus artículos la información va acompañada con el pertinente señalamiento de pros y contras. El proverbial apasionamiento ibérico, estimulado en este caso por el personalismo y la politización, contribuyó a desenfocar un sencillo asunto de técnica literaria, ni tan originalmente nueva ni tan poderosamente derruidora como algunos pretendían.

El novelista Juan Goytisolo desde "Juegos de manos" a "Fin de fiesta"

1962, jalón final de nuestro recorrido en este capítulo, es, también, el año en que Juan Goytisolo publicó *Fin de fiesta,* una novela de técnica objetiva y denuncia anti-burguesa. A estas alturas Goytisolo se ha convertido en el exponente más representativo de su generación, de una parte de ella (dicho sea con mayor exactitud), y, sin duda, en el nombre más conocido, lo cual justifica la atención que paso a concederle.

Utilicemos para empezar las palabras por medio de las cuales Juan Goytisolo distinguía como dos maneras en su obra de novelista:

> A menudo, en lo pasado, intentaba amoldar la materia del relato a una determinada forma o estilo de narrar

---

a que en nombre de esas tres características esenciales del *relato objetivo* se pierda todo aliento de grandeza espiritual, y objetos, personajes y autor sólo reflejen un inmenso vacío y una ausencia absoluta de idealidad?".

Algo por el estilo es el reparo fundamental que Francisco Fernández-Santos hace ("Cuadernos", París, n.º 41: III-IV-1960) a *Nuevas amistades*: "Yo diría que la novela de García Hortelano es un notable experimento técnico al que le falta fuerza de significación espiritual, impulso de creación humana superior [...] Por lo que a García Hortelano respecta, sus notables dotes de novelista deben exigirle un esfuerzo de elaboración espiritual que esté a la altura de sus posibilidades técnicas".

(monólogo interior, enfoque cinematográfico, etc.). De ello resulta la deformación intelectual que se percibe en todas mis novelas anteriores a *La resaca*; buscando una originalidad formal sacrificaba la autenticidad de las situaciones y los personajes. Ahora creo que el tema determina necesariamente la técnica.

Dígase que una preocupación por la técnica se advierte tanto en *Juegos de manos,* 1954, como en *Duelo en el paraíso,* 1955, novelas deliberadamente algo confusas en su estructura porque el autor gusta de jugar en ellas con el tiempo (en compañía, a veces, del espacio) superponiendo los planos respectivos; hace uso del monólogo interior, de la descripción y de la narración, de la letra cursiva que sirve para destacar y diferenciar, etc. No es que la técnica, su preocupación, pese obsesivamente sobre el contenido pero resulta indudable que preocupa al autor y que puede, en ocasiones, distraer la atención del lector.

Alude en esas palabras Goytisolo a una "deformación intelectual" en sus novelas anteriores a *La resaca,* 1959, y ello es cierto si las cotejamos con las posteriores. Lo que da materia a *Juegos...* y a *Duelo...* es una historia o una serie de historias poco normal, con episodios extraños protagonizados por gentes como en excitado desequilibrio, lo que (personajes y acaecimientos) parece en ocasiones confinar con lo inverosímil. Creo, sin embargo, que se trata más bien de apariencia de inverosimilitud, pese a cuanto pueda haber de alucinada pesadilla en la actuación de los jóvenes de *Juegos...,* o en la libertad cruel de los niños de *Duelo...*; pese (dentro de esta última) a Doña Estanislaa, que tan extrañamente amó a sus dos hijos varones, deformando caprichosamente la realidad.

Contribuye a semejante deformación el absurdo que, como deidad impasible, preside el mundo en que se mueven (o en que se momifican) los personajes de ambas narraciones. Si leemos con cierta atención advertiremos cómo en un instante de la peripecia de *Duelo...*, Quintana, el viejo maestro tan cargado de años y de desengaños, exclama comentando un sucedido reciente: "—Es absurdo— murmuró, todo es absurdo." Absurdas son las existencias sobrepuestas de los jóvenes de *Juegos...*, mal avenidos con la vida que han visto y están viendo en sus familias —con la posibilidad de "llevar la vida que Dios manda"— y deseosos de hacer algo, no saben desde luego qué, capaz de distinguirlos y justificarlos.

No todo es así —deformación intelectual o atmósfera de irrealidad— en las dos primeras novelas de Goytisolo, quien acaso tenga ya, aunque sólo sea oscuramente, una intención de comprometerse con la circunstancia en torno, intención que le adscribe resueltamente al realismo, tendencia que en su próximo futuro se desplegará sin cortapisas. En *Juegos...* resulta más claramente advertible esa intención, pues bien pudiéramos convertir esta novela en primera muestra del proceder objetivo de Juan Goytisolo, quien elige de la realidad por él conocida aquello que le importa, para ofrecerlo con fidelidad escrupulosa, sin la compañía de calificativos que delaten su parecer y dejando al lector la tarea de juzgar. De este modo, *Juegos...* aparece como adelantado de *La isla* o de *Fin de fiesta,* ya que sus jóvenes burgueses desocupados, sin rumbo en la vida y sin muchas ganas de encontrarlo, son quizá los mismos personajes que años más tarde se aburren y malviven (un malvivir social y moral)

en las playas catalanas o en las de la Costa del
Sol. Pero las referencias sexuales, tan demasiada-
mente reiteradas después, tienen escasa importancia
en *Juegos...* y ninguna en *Duelo...*: he aquí una
diferencia.

Un común denominador de crueldad gratuita preside este absurdo universo creado y beneficiado por
Goytisolo; universo limitado geográficamente en
una y otra novela: Madrid, en *Juegos...*; una aldea
catalana, en *Duelo...*, ámbitos espaciales constreñi-
dos de los que es posible evadirse merced al recuerdo, y éste comporta salto hacia otros tiempos y
lugares. Es el caso de Doña Estanislaa, de Abel
y de algunos personajes más de *Duelo...*; el mismo
de los antecedentes personales y familiares de los
miembros de la juvenil y viciosa pandilla de *Juegos...*; a veces son los propios interesados quienes
realizan la rememoración, y otras es el novelista
el que refiere hechos pasados, acaso aclaradores del
presente en que se halla instalado el grueso de la
acción.

A lo que creo, tiene bastante de estática la novela de Goytisolo, y ello por el lugar de la acción
—que es uno y el mismo en cada título, apenas
con variaciones efectivas y, desde luego, nunca sus-
tanciales—; estatismo, también, por la confinada
existencia de los personajes, prisioneros de sus costumbres y ambientes, de su dedicación u holganza.
¡Cuán lejos quedan, distantes como seres de *otro
mundo,* los errantes vagabundos de Baroja! Doble
estatismo éste que se acusa en todos los momentos
de la obra de nuestra narrador.

Duelo... me parece caso aparte en su producción,
con algunos vínculos (ni demasiados, ni muy elo-
cuentes) que la unen a los demás libros pero, sobre

todo, con rasgos que Goytisolo no volverá a ofrecer. Aunque no suele amar, ni compadecer siquiera,
a sus personajes puesto que la sátira es clave que
conforma su visión del mundo, en *Duelo*... encontramos por parte del novelista un cariño impreciso,
una difuminada piedad hacia las criaturas mayores
y menores, víctimas de la exasperación bélica o, ya
antes de que ésta se produjese, víctimas de unas
circunstancias que desbordan formas de vida (de
sentimiento especialmente) abocadas sin remedio a
extinguirse. Por eso pienso que puede hablarse de
romanticismo en *Duelo*..., pues de inequívoco signo romántico resulta semejante desajuste realidad/
sentimiento íntimo como, igualmente, el contraste
entre el aura mágica de algunos pasajes y el brutal
sabor de otros. Nunca más ha conseguido Goytisolo logro tan rico y seductor, pese a algunos juveniles yerros, como el que supone *Duelo*... [126]

Es en la trilogía "El mañana efímero", a partir
de alguno de sus títulos: *Fiestas*, 1958 y, más abiertamente, *La resaca*, 1959, donde se inicia en la
novelística goytisolana una nueva era, temática e
incluso técnica. "El mañana efímero", título de este
conjunto de tres piezas que, no demasiado exacta-

---

[126] Pese a lo dicho puede que esté en lo cierto el autor de
Duelo... cuando años después declaraba a Emir Rodríguez Monegal ("Mundo Nuevo", París, n.º 12: VI-1967, p. 47): "De
todas las novelas de este período [su primer período], *Duelo
en el paraíso* es la mejor y la más interesante. Me da gran
tristeza haberla escrito a los 23 años porque si la hubiese
escrito diez años después hubiese hecho algo completamente
distinto; hubiese aprovechado de verdad todas las posibilidades del tema. En aquel momento mezclé una serie de vivencias
reales con otras excesivamente librescas, mal digeridas, mal
asimiladas. Por eso, hoy, al enfrentarme con *Duelo*... no leo
la obra en sí; veo únicamente su frustración, la obra que
hubiese podido ser. Y es tan enorme la diferencia entre una y
otra que me pongo de mal humor y prefiero no leerla".

mente, llamo trilogía, lo es también de un poema de Antonio Machado, nombre dilecto para Goytisolo y para algunos de sus compañeros de grupo, si bien la estimación que sienten por el poeta se dirige hacia un muy concreto sector de sus versos.

Vemos que *El circo*, 1957, lleva como lema estos versos del poema machadiano:

> *El vano ayer engendrará un mañana*
> *vacío y ¡por ventura! pasajero;*

y es en este mañana —para Machado—, convertido por el paso del tiempo en hoy —para Goytisolo—, donde se encuentran instalados los personajes de la novela y, sobre todo, el extraño sujeto, bien poco verosímil a ratos, llamado Utah, de profesión pintor de cuadros. Utah, y mucho de lo que le rodea, constituye ese mañana vacío y efímero, digno de impugnación en la mente y en la pluma del novelista. Hay en el lugar en que sucede la acción: un pueblo catalán, Las Caldas (que tiene a San Saturnino por patrono), unas pobres gentes que habitan un suburbio de barracas pero es muy escasa e inexpresiva la referencia a esos vecinos; el novelista no ha saltado en *El circo,* de la sátira al himno, de la negación a la afirmación, y así ocurre que la esperanza para el futuro, el tercer instante que falta en la cita de Machado, no brota, ni siquiera como débil rayo consolador, acá o allá en sus páginas.

Otros versos del poema machadiano de 1913 apadrinan, realzando su sentido, el nuevo libro de Goytisolo, *Fiestas*; dicen así los versos:

> *Esa España inferior que ora y embiste,*
> *cuando se digna usar de la cabeza,*
> *aún tendrá luengo parto de varones*

amantes de sagradas tradiciones
y de sagradas formas y maneras.

Es a esta específica tradicionalidad a la que se acogen, rutinariamente, sin fe ni caridad efectivas, muchas de las gentes de la gran ciudad, Barcelona, en la que va a comenzar, primero, y ha comenzado ya, una vez avanzada la acción de la novela, cierta importante asamblea religiosa. Pero el núcleo de *Fiestas* no es la sátira, fácil, sí, porque el objetivo elegido brinda flancos muy propicios para encarnizarse; el núcleo de la novela lo forman las andanzas de varios niños (dígase al paso que con este motivo encontrará el lector unas cuantas páginas excelentes), y, especialmente, de uno, Pipo, con su amigo, el extraño niño grande, sicológicamente confuso, a quien sus compañeros del puerto (es marinero de profesión) llaman "Gorila". En *Fiestas* también hay murcianos emigrados a Barcelona en busca de un cacho de pan, y barracas como albergue suyo, y una injustísima medida de la municipalidad contra ellos pero pese a todo: asamblea religiosa contrastando con el brutal desahucio; o la incoada protesta verbal del profesor Ortega, separado por sus ideas de su cátedra de Instituto y personaje de grandes posibilidades no beneficiadas por Goytisolo, éste no ha ahondado en el hoy —en su sátira—, ni explicita nada para el futuro, porque nada ni nadie existe en *Fiestas* que se escape creadoramente hacia otro ámbito tempóreo. No sin fundamento podría hablarse de la superficialidad de esta novela.

La cita machadiana que lleva *La resaca,* última pieza de la serie, aun perteneciendo al mismo poema resulta más claramente expresiva de esperanza;

oigamos los versos del poeta y cotejémoslos con
los leídos poco ha:

> *Mas otra España nace,*
> *la España del cincel y de la maza*
> *con esa eterna juventud que se hace*
> *del pasado macizo de la raza.*
> *Una España implacable y redentora,*
> *España que alborea*
> *con un hacha en la mano vengadora,*
> *España de la rabia y de la idea.*

Nos preguntaremos ahora si el contenido de la
novela de Goytisolo así apadrinada está de acuerdo con semejante visión porvenirista, si en efecto
existe en *La resaca* alguna incitación a la esperanza. Digamos antes que el autor ha abandonado
aquí cualquier elemento de irrealidad (tipo, el pintor Utah, en *El circo*; o el marinero "Gorila", en
Fiestas) para ceñirse más estrictamente a una parcela de la realidad, vista con ojo implacable; continúan, pues, haciendo acto de presencia algunas de
aquellas gentes barcelonesas que en la práctica ruti-
naria y externa del catolicismo encontraban gustosa
complacencia. Algunas de tales gentes llegan a veces hasta el provisional suburbio de los murcianos
emigrados a la urbe; la relación entre unos y otros
seres humanos resulta superficial, como de forzoso
trámite. Los habitadores de las chabolas, "la resaca", han sido y continúan siendo víctimas propiciatorias de un estado de cosas injusto pero mantenido con empeño por quienes en él han sido
agraciados con la mejor parte. Gentes que en la
guerra civil española combatieron en el bando vencido, y que antes de ella sólo supieron de hambre
y de opresión, y, después de ella, de cárcel y de
hambre otra vez; gentes ya cansadas, sin ideales,

atenidas a la materialidad de la vida que intentan
olvidar en la taberna, donde, sin embargo, encontramos un interesante tipo, el obrero Giner, no
ahondado gran cosa por el novelista, que, pese a
todas las adversidades y contra el conformismo
interesado de su mujer y la incomprensiva indiferencia de sus hijos (dos muchachos jóvenes), sueña
todavía en la acción que ha de llevarle —a él y
a todos sus hermanos oprimidos— de este hoy efímero a un mañana distinto. Pero la sátira y el testimonio a secas ocupan toda la novela y su autor
desatiende a Giner, pareciendo unirse así al pétreo
coro de sus parientes más próximos.

A secas, acabo de escribir refiriéndome al aspecto externo del testimonio ofrecido por Goytisolo en
La resaca, y es así como suele obrar nuestro autor
en cuanto novelista de inequívoca intención social.
Semejante sequedad, que prohibe toda confidencia
personal y cualquier escapada poética —(lo que, en
grado excelente, brindaba Vasco Pratolini, el neo-
rrealista italiano, en su *Crónica de los pobres amantes)*—, es cosa totalmente deliberada, exigida por
la técnica objetiva que Juan Goytisolo ha hecho
suya más que nunca desde *La resaca,* es decir:
desde el momento en que cree se le ha revelado su
verdadero camino. Ajenamiento absoluto a los personajes, a todos los personajes; impasibilidad de
parte del narrador, que sólo debe mostrar hechos
y presentar personas pero no emitir juicios, sin que
esto suponga actitud aséptica ya que antes de nada
él ha elegido y juzgado en su fuero interno y muy
veladamente, sin apenas palabras, esa postura suya
llegará al lector, cuya colaboración resulta indispensable para que la obra del escritor alcance cabal e
iluminador sentido.

Es también que Goytisolo no experimenta amor por sus personajes; claro está que no lo siente hacia aquellos que flagela por vía satírica —casos aludidos de *Fiestas* y de *La resaca*—, pero tampoco sufre atracción cordial hacia esas pobres gentes que parecen dejadas de la mano de Dios. Y por eso la invocación a un mañana no-efímero y la esperanza en esa "otra España" adivinada temblorosamente por Antonio Machado son, en las novelas de esta serie, bulto que buscamos vanamente, palpando sólo el vacío más trágico.

En cuanto a la estructura de *El circo, Fiestas* y *La resaca* debe indicarse que Goytisolo se muestra menos ambicioso que en las novelas precedentes y, al tiempo, más dueño del instrumental técnico, ahora manejado con una mayor destreza. Cuadros sueltos correspondientes a acciones múltiples y simultáneas, cada una con sus personajes, que rara vez se juntan con los de otra porque todos andan por su camino sin entrecruzarse; pese a este fragmentarismo impresionista, la integración de las varias piezas en el conjunto aglutinador se logra satisfactoriamente —así, en *El circo*—. En *Fiestas*, sátira y ficción: el Congreso Eucarístico de Barcelona, 1954, y las andanzas del niño Pipo y de su amigo "Gorila", alternan capítulo a capítulo o dentro de un mismo capítulo, aunque no demasiado equitativamente. Con mayor habilidad se contrapuntean en *La resaca* los dos antagónicos estamentos humanos que constituyen su juego. Y en las tres novelas resulta hacedero destacar situaciones y páginas que acreditan en su autor talento narrativo no vulgar.

Leyéndolas se echará de ver en ocasiones una defectuosa expresión: ¿por ignorancia, por descui-

218JOSÉ MARÍA MARTÍNEZ CACHERO

do, por desinterés? Ignacio Iglesias en su elogiosa
reseña de *El circo* [127] reparaba en "ese defecto común a la casi totalidad de los jóvenes novelistas
españoles, que no es otro que el de ofrecer una
prosa poco cuidada, tal vez por abandono inconsciente o posiblemente por deliberado menosprecio
hacia la forma literaria". Escribir bien no parece
computarse ya como mérito y los primores de estilo
son lujo artístico vituperable, inmoral casi; "yo
confieso que ante ciertas novelas realistas de hoy,
llego a echar de menos los deliciosos ejercicios de
estilo y los relatos poéticos de un Benjamín Jarnés". [128]

Entramos en la fase del novelista Juan Goytisolo
representada por: *La isla*, 1961, y *Fin de fiesta*,
1962. Hélo ya caminando seguro porque su oficio
de narrador ha ganado con el reiterado ejercicio
y, sobre todo, porque piensa haber encontrado la
senda mejor avenida con su capacidad y talante
estéticos.

En la presentación editorial de *La isla* encontramos la siguiente ilustradora caracterización:

[...] se abre ante el lector el abanico de relaciones, pequeños dramas y cómodas angustias de una sociedad
cosmopolita, cínica y viciosa, de una sociedad que practica el hedonismo y la *dolce vita* incrustada en una de
las zonas más pobres y doloridas de la costa mediterránea española. Pero los personajes no son juzgados,
comparecen en estas páginas con todo el relieve de su
complejidad humana y moral, de su ternura, de su angustia y de su cinismo, recortando su ocio y sus aventuras sobre uno de los paisajes más luminosos de
España.

[127] "Cuadernos", París, n.º 31: VII-VIII-1958, p. 108.
[128] José Luis Cano en el n.º 194: I-1963, de "Ínsula".

Importará nos fijemos en que lo ya popularizado con el nombre de *dolce vita* constituye la materia tratada ahora por nuestro narrador, tratada impasiblemente. Palabras ajenas y hechos de los personajes: aquéllas, no muchas e insustanciales; los hechos, más bien aburridos y presididos por el instinto sexual en desenfrenado libertinaje. Grandes limitaciones, pues, las que el novelista Goytisolo se ha impuesto a sí mismo.

Estimo que la presentación editorial citada exagera cuando alude a que los personajes "comparecen en estas páginas con todo el relieve de su complejidad humana y moral". Afirmo que los personajes de *La isla,* al menos en la semblanza que de ellos brinda el novelista, no poseen ninguna clase de complejidad; resultan muy secamente elementales, aburriéndose, y nada más, día tras día de su estancia en Torremolinos. Su existencia en el tiempo no de veraneo, la entrega a la familia (los que la tienen) y a la profesión (los que no son desocupados perpetuos): he aquí extremos de interés indudable que Goytisolo ha querido olvidar.

La no intervención del novelista se persigue hasta el punto de que aparezca como narrador de la peripecia alguno de los personajes que, a un tiempo, la viven y contemplan. Claudia —en *La isla*— relata los once días de permanencia en Torremolinos de ella y su marido, acompañados por muy igual y repelente cohorte de amigas y amigos, aburridos, fornicadores y borrachos casi hora a hora; cada una de las cuatro historias que integran *Fin de fiesta* es contada por alguno de sus protagonistas: un muchacho, un marido, una esposa, el amigo de los cónyuges de un matrimonio, respectivamente.

Siendo así, de igual modo que la intención objetiva
no sufre desviaciones, la sicología y la descripción
morosa y pormenorizada resultan poco verosímiles
en boca de quien, personaje como los demás a fin
de cuentas, no goza de la situación privilegiada sólo
concedida al novelista y por éste libérrimamente
usada para la introspección anímica y la estampa
literaria plástica.

Tremendamente insípido resulta el universo humano y moral ofrecido en esas dos novelas. Ningún
destello de gracia, de poesía, de ideas, de ahondamiento en los personajes y en las situaciones anima
este páramo, refrescándolo por un instante. Siempre lo mismo, con leves variaciones, de un libro a
otro; casi lo mismo, dentro de cada libro; la constatación denunciadora es lo que impera e importa.

Para los desocupados de *La isla* y *Fin de fiesta,*
la vida (y no son cronológicamente viejos) carece
de sentido y si fuesen capaces de actitudes heroicas
(dice alguno de ellos), se suicidarían. Un hondo,
inapresable e inexpresable malestar los destruye y
todo lo que hacen es aturdirse para no caer en la
cuenta de que las cosas son como son. Claudia,
la narradora de *La isla,* piensa (página 87) que
"vivir era disolverse hasta acabar", y define esa
acongojante desazón como "una erosión íntima que
corroía poco a poco" (página 148); Rafael, personaje de la segunda historia de *Fin de fiesta,* hablando de lo que la vida resulta para él, declara
(página 48): "Tengo la impresión de que nos vamos
disolviendo, tú, yo, mi mujer, todos. [...] Antes
[tiempo algo lejano] hablábamos de crear cosas.
Ahora nos ensañamos en destruirlas".

Concluíamos en 1964 este repaso [129] a la obra narrativa de Juan Goytisolo lamentando que su indudable talento caminara voluntariamente por entre ciertas cortapisas limitadoras y señalando el peligro de anquilosamiento en un manierismo temático y técnico. Sus novelas posteriores —*Señas de identidad*, 1966, y *Reivindicación del Conde Don Julián*, 1970, publicadas fuera de España— parecen ofrecer señales de relativo cambio. [130]

"Tiempo de silencio", cierre y apertura

Creo fueron pocos los lectores de *Tiempo de silencio*, la novela de Luis Martín Santos, a su aparición en 1962 y menos todavía los críticos que se dieron cuenta entonces de su importancia; [131] después se ha llegado hasta una apoteósica y casi unánime [132] mitificación. Novela de cambio y, tam-

[129] *El novelista Juan Goytisolo* ("Papeles de Son Armadáns", n.º XCV, febrero 1964).

[130] Puede consultarse el artículo de Ricardo Senabre (*Reseña*, Madrid, n.º 41: I-1971, pp. 3-12), *Evolución de la novela de Juan Goytisolo*.
Tienen interés las revelaciones del autor sobre *Señas de identidad*, recogidas en su conversación con Rodríguez Monegal (n.º 12 de Mundo Nuevo, París).

[131] Destaquemos, entre las excepciones, a Ricardo Doménech que en "Ínsula" (p. 4, n.º 187: VI-1962, *Ante una novela irrepetible*) destacó los valores intrínsecos —novela con densidad intelectual, por ejemplo— y extrínsecos —su absoluta diferencia respecto a las novelas de otros narradores jóvenes— de *Tiempo de silencio*.

[132] Sorprende lo suyo la reciente arremetida de Alfonso Sastre (p. 84, n.º 507, extra: 17-VI-1972, de "Triunfo", Madrid): "Se exageró mucho el valor de esta novela, escrita desde una falta de sensibilidad literaria bastante notable. ¿Se trataba de salir del "impasse" del "populismo" y de la frustrada "escuela de la mirada" ibérica? De acuerdo con esta necesidad, pienso sobre todo en la necesidad crítica de no mitificar lo mediocre por la discutible razón de que no haya otra cosa. ¡Si lo que hay es vacío, el demonio [sic] de la crítica auténtica consiste en certificarlo!".

bién, de cierre y apertura. No hay protagonismo
colectivo, sino un bien marcado protagonista individual —Pedro—; no hay conductismo, sino demorado auto-análisis de una vicisitud —los pasos de
un fracaso profesional y personal—; no hay personajes o sólo *buenos* y humillados (como en la
novela social "proletaria" al uso,[133] o sólo *malos*
y ociosos (como en la novela social "anti-burguesa"
al uso);[134] sí hay unos, otros y otros, estos, esos y
aquellos interrelacionados y víctimas, más bien, de
las circunstancias. Víctima, también, el país en que
estos personajes viven y del que son naturales, objeto por Martín Santos de implacable y resentida
flagelación. Realismo "dialéctico", como lo deno-
minó el propio novelista, porque las gentes que pue-
blan el universo contradictorio de su novela son
distintas económica, social y culturalmente, y todas
participan, al mismo tiempo, en la danza que Martín Santos ha inventado para ellas.[135] Si acaso, una

[133] Tomando pie en la novela *En plazo,* de Fernando Avalos
(colección "Formentor", 1961), que es novela de *buenos* —los
humillados y ofendidos de siempre— y de *malos* —los explotadores, también de siempre—, el crítico Ricardo Doménech
aprovecha (p. 4, n.º 182: I-1962, de "Ínsula") para escribir
acerca de "la voluntad de *probar,* que les lleva [a los cultivadores de este tipo de novela] a deformar caprichosa e injustamente las cosas. Incluso la novela social, además de la *utilidad*
—mejor dicho, para que verdaderamente sea útil— ha de buscar abarcar la *verdad.* Si no lo hace, será útil, quien lo duda,
pero no será buena literatura".

[134] Es el caso de algunas novelas de Juan Goytisolo (consideradas más atrás), o de las dos debidas a García Hortelano.

[135] A este respecto del realismo dialéctico sería injusto olvidar una excelente novela publicada asimismo en 1962, *Dos
días de setiembre,* de José Manuel Caballero Bonald (premio
"Biblioteca Breve" 1961, Seix y Barral), en la que se ofrece
un cuadro social completo —altos, medianos y bajos—, a lo
largo de cuarenta y ocho horas, en Jerez de la Frontera y su
campo, durante la época de la vendimia; rico y barroco lenguaje, diríase que a veces muy de poeta (Caballero Bonald
comenzó escribiendo y publicando versos).

reducción en el tiempo y otra en el espacio mas sin que se adviertan, al revés de lo que ocurre en otras novelas, como pesadas losas. Añadamos una rica e insólita expresión, una bien sabida y manejada técnica, y una carga intelectual como tres considerables ingredientes que distinguen a *Tiempo de silencio* de lo que a la sazón se estilaba, convirtiéndola en punto final de un cansancio y comienzo de un camino distinto. [136]

(En este mismo año 1962, el peruano Mario Vargas Llosa obtenía el premio "Biblioteca Breve" con su novela *La ciudad y los perros* y así empezaba una saludable irrupción, riego vivificante para nuestra novelística.)

[136] Camino proseguido por el propio Martín Santos en su segunda novela, *Tiempo de destrucción* que, enero de 1975, sacó Seix Barral; José Carlos Mainer ha corrido con el trabajo, nada fácil ciertamente, de hacer asequible la lectura del incompleto original. ¿Merecía la pena el consumo de tanta paciencia? Creo que la historia del juez Agustín, con las implicaciones familiares, educacionales y ambientales que le condicionan, es otra historia más de esa España sagrada que Martín Santos manipulaba complacida y resentidamente, y tal como éste la dejó queda bastante por bajo de la del médico-investigador Pedro (*Tiempo de silencio*), habida cuenta sin embargo de la excelencia de algunos pasajes y del relevante manejo lingüístico privativo de su autor. Los símbolos que subyacen, las aproximaciones de su contenido a ciertas novelas españolas de 1902, o la anticipación temática respecto de alguna novela posterior no son sino hipótesis del prologuista ajenas a la específica entidad artística de unos fragmentos rescatados por y para la erudición contemporánea.

4

Cansancio y Renovación (1962-1969)

I. 1969, PUNTO FINAL

ARBITRARIAMENTE acaso cierro este capítulo, último de mi libro, en 1969, correspondiéndole así la historia de sólo siete u ocho años —muy abreviada década de los 60—, caracterizada, entre otros hechos, por: el cansancio de un cierto modo de realismo, harto repetido; la irrupción de la novelística hispanoamericana; el conocimiento de la obra inmediata y mediata de los narradores exiliados; la proliferación de los premios y la alarmante degeneración de algunos; dígase la recuperación de varios novelistas importantes luego de pasos en falso —caso de Carmen Laforet con *La insolación*, 1962—, [1] o de largos períodos de silencio como tales —caso de Cela y de Fernández Santos—; la conversión de la novela española de postguerra en un tema doctoral, apto para especulaciones críticas e investigaciones históricas (más de las primeras que de las segundas). Algunos de estos

[1] Reseñada muy favorablemente por Marra-López (n.º 203: IX-1963, de "Ínsula") en artículo titulado *Carmen Laforet, novelista perdida y reencontrada*.

hechos se producen en 1969, o son el remate de un proceso que en ese año culmina.

1969 es, además de año abundante en publicación de nuevas novelas, cuando se concede el premio "Planeta" a un exiliado, autor ya más que prestigioso, Ramón J. Sender, por *En la vida de Ignacio Morel,* [2] y el "Ramón Llull" para novela catalana (de la misma editorial) a Mercedes Rodoreda, otra exiliada, por *La plaza del diamante.* En 1969 sale de su silencio de años (desde *Laberintos,* 1964) Jesús Fernández Santos, con *El hombre de los santos*; su recuperación fue gozosamente acogida [3] y la novela obtuvo en abril de 1970 el premio de la Crítica. De su largo y debatido silencio como novelista [4] salió también Camilo José Cela, al que algunos deseaban suponer agotado como tal; su *San Camilo 1936* (o con toda propiedad y extensión: *Vísperas, festividad y octava de San Camilo del año 1936 en Madrid*) sorprendió —por el uso y pleno dominio de la técnica novelística más cacareada y al día—, irritó —por el segundo párrafo

[2] Tomás Zamarriego (p. 211, n.º 34: IV-70, de "Reseña", Madrid) escribe: "Y si la novela ha merecido el Premio Planeta, no debían rayar a gran altura los competidores. Si ésta es la verdadera realidad, lo lamentamos por la novelística española del momento. ¿O se trataba de incorporar plenamente a Sender a nuestros valores más considerados como propios, con el reconocimiento y el espaldarazo de nuestro premio literario más dotado?". Con todos los respetos, dada su condición de "senderiano convencido", viene a decir lo mismo (n.º 439: 1-III-1970, de "La Estafeta Literaria") Antonio Iglesias Laguna.

[3] Pueden servir como ejemplo los artículos de Carmen Martín Gaite y Ana María Navales ("La Estafeta Literaria", n.º 425: 1-VIII-1969) y el de Antonio Núñez ("Ínsula", n.º 275-276: X-XI de 1969).

[4] Son muestra de esa preocupada ansiedad por el ya largo silencio del novelista Cela los artículos de Marra-López (*El "celismo" de Camilo José Cela,* "Ínsula", n.º 215: X-1964) y Dámaso Santos (*¿Qué es Cela?,* "Arriba", 24-X-1965), y la entrevista de Salvador Jiménez ("Arriba", 8-XI-1964).

de la dedicatoria o por la aparente falta de respeto
al encararse con la guerra civil española—, des-
agradó —por lo que llamaríamos su excesividad erótica— [5] y, asimismo, convenció plenamente —"magnífica novela, una de las mejores que en lengua
castellana se nos han ofrecido en estos últimos
tiempos"—. [6] En cualquier caso, Cela, como ya es
acostumbrado en él, volvió a convertirse en dispu-
tado protagonista.

Si Cela muestra en su novelar estar al día, otro
colega, bien conocido y justamente prestigiado, Miguel Delibes, muestra estarlo asimismo con *Parábola de un náufrago*, salida poco antes que *San Camilo* y diversamente acogida por críticos como José
Domingo, Andrés Amorós y Antonio Blanch [7] —todos ellos favorables—, Federico Carlos Sáinz de
Robles y Leo Hickey —para quienes, en suma, no
necesitaba Delibes entregarse a los virtuosismos técnicos a que se entrega en esta novela, los cuales
no van con su idiosincrasia artística—. Parece como
si, de algún modo, se acusara a Delibes y a Cela,
novelistas nada bisoños, de no querer que los deja-
ran atrás sus colegas de Hispano-América, tan no-
vedosos algunos de ellos, para lo cual era preciso
salir a la palestra con modernísima faz a la última;
quienes han podido pensar así diríase prohiben al
novelista de cierta edad todo cambio, sin darse cuen-

[5] Es el caso, por ejemplo, de Iglesias Laguna (n.º 437:
1-II-1970, de "La Estafeta Literaria"), para quien semejante excesividad "resta dimensión humana a esta novela"; y de José
Domingo, quien (n.º 279: II-1970, de "Ínsula") se pregunta
"¿por qué esa proclividad de Cela a no ver más que una porción tan limitada del Madrid de 1936?".

[6] Ignacio Iglesias en "Mundo Nuevo" (París, n.º 49: VII-
1970).

[7] Domingo (n.º 277: XII-1969, de "Ínsula"); Amorós ("Revista de Occidente", n.º 83: II-1970); Blanch ("Reseña", n.º
31: I-1970).

ta, además, de que ciertos planteamientos temáticos
—el desequilibrio español de julio de 1936, o la
frustrada rebelión de Jacinto Sanjosé ante la aliena-
dora sociedad de consumo— soportan perfectamente, hasta casi lo exigen como natural envoltura, un
relato quebrado de mil diversas maneras.

¿Es que ha llegado la hora de la vanguardia?
En 1969 saca Jorge C. Trulock, *Inventario base,*
con mucho de ejercicio experimental, y comienza a
sonar un poco más de lo sonado hasta ahora Juan
Benet, de quien se reedita la colección de cuentos
Nunca llegarás a nada y a quien le es concedido
el premio "Biblioteca Breve" del año por la novela
Una meditación. [8]

El "Nadal" de 1968 se concedió a una novela
que "se encuentra, exactamente, en el antípoda de
lo que representó *El Jarama*", [9] *Un hombre que se
parecía a Orestes,* de Álvaro Cunqueiro, novelista
ya en los tiempos de la revista "Vértice" —antes,
incluso, de la década de los 40—, estimado en los
años 50 como un anacrónico sin futuro [10] y que, tras
el agotamiento de fórmulas que parecieron indele-
bles y a favor de la nueva fortuna de la imagina-

---

[8] Pueden consultarse sobre Benet los artículos de Rafael
Conte (*Juan Benet, o la escritura secreta,* suplemento n.º 200:
4-V-1972, de "Informaciones", Madrid) y Sergio Gómez Parra
(*Juan Benet: la ruptura de un horizonte novelístico.* "Reseña",
Madrid, n.º 58: IX-X 1972, pp. 3-12).

 [9] Guillermo Díaz-Plaja, *Cien libros españoles. Poesía y Novela. 1968-1970* (Salamanca, Anaya, 1971), p. 227.

[10] Fernando Quiñones comenta el libro de Cunqueiro, *El
Caballero, la Muerte y el Diablo* (Madrid, El Grifón, 1956), y
escribe ("Papeles de Son Armadáns", n.º 4: VII-1956): "[...] el
inconveniente [...] es que estos tiempos literarios no van con
las fantasmagorías [...] He aquí, sin embargo, a este noble
oficiante de una literatura muerta, de una literatura gótica,
pero con trama de cargazón barroca, por desgracia llamada a
recoger".

ción —declaraba Cunqueiro en marzo del 69: [11]
"La literatura ha dado un viraje muy pronunciado,
en España, desde luego, y no sólo por la llegada
de estos sudamericanos, sino también por la fatiga
subsiguiente a tantos años de marchar una literatura en una misma dirección. Abrías un libro y
todos eran iguales. Naturalmente que esta literatura
de imaginación en estos momentos tan celebrada
tendrá un bache dentro de unos años. Pero ya no
se podrá volver a la literatura deshidratada que se
estaba haciendo"— vuelve a mostrarse en toda su
riqueza y distintividad. [12]

En 1969, contrapunto a los desafueros cometidos
durante unos cuantos años de vigencia del sistema
y, por lo mismo, decisión extraña, el jurado del
premio "Alfaguara" lo dejó desierto en su quinta
convocatoria, por estimar que ninguna de las novelas que habían llegado a la última votación poseía
calidad suficiente. El 15 de noviembre fallecía en
Madrid Ignacio Aldecoa, dejando incompletas las
dos trilogías comenzadas —la de las gentes humildes y la tierra castellana, con *El fulgor y la sangre*
y *Con el viento solano,* y la de los pescadores, con
Gran Sol y *Parte de una historia*—.

[11] Entrevista por Baltasar Porcel: "Destino", 8-III-1969.
[12] Otras veces han sido razones políticas las utilizadas para
la desestimación de la literatura narrativa cunqueirana; a tal
respecto ha advertido ("Grial", Vigo, n.º 34: XII-1971, p. 497)
R.[amón] P.[iñeiro]: "O outro reparo, o de procedencia política, incurre no erro de confundir os valores literarios cos
valores políticos, polo que se descalifica de seu. Non cai na
conta de que xuzgar os valores literarios con estrictos criterios
políticos resulta tan necio como xuzgar os actos políticos con
estrictos criterios estéticos. Son reparos seudocultos e, como
tales, doados pra se convertiren en mostrencos lugares comúns.
Mas a política ten os seus valores literarios e artísticos, ben
importantes por certo, e non precisa deturpar os valores literarios e artísticos con estériles sofisticacións".

Año también, el 69, de abundante movimiento crítico en torno a nuestra novela de postguerra, tal como lo prueban, entre otros, los sucedidos siguientes: el número monográfico de la "Revista de la Universidad de México" dedicado a la literatura española de postguerra, en el cual son varios los trabajos referentes a novelas y novelistas; [13] la publicación en mayo del extra XIV de la revista "Cuadernos para el diálogo", titulado *30 años de literatura. Narrativa y Poesía españolas 1939-1969*, conteniendo algunos artículos dedicados a la novela, no suficientemente imparciales, ni debidamente documentados y completos por lo que merecieron impugnaciones de toda laya; [14] la concesión en diciembre del premio estatal "Emilia Pardo Bazán", de crítica literaria, al libro de Antonio Iglesias Laguna, *Treinta años de novela española. 1938-1968*, primer tomo de una vasta empresa estructurada con excesiva rigidez generacional —cinco generaciones en juego—; en ocasiones, con escasa jerarquización valorativa dentro de un nutridísimo conjunto pues diríase existe en Iglesias Laguna el deseo de incluir en su libro a todos los que *están* aunque no *sean*; y con el uso de etiquetas clasificadoras —vgr.: rea-

---

[13] N.º 5-6, enero-febrero. Colaboraciones de: Rafael Conte, *La novela española, hoy. Una literatura del subdesarrollo*; Alberto Míguez, *Clases sociales y narrativa en España*; Federico Álvarez, *"La familia de Pascual Duarte" a los 25 años*; Jorge Arturo Ojea, *El Jarama es un río*; Juan Carlos Curutchet, *Juan Goytisolo y la destrucción de la España sagrada*; Eduardo Naval, *Requiem por todos nosotros* y Valquiria Wey, *Otra vez Sender*.

[14] Son las debidas a: Dámaso Santos, Tomás Salvador, "Ariel" (seudónimo de Juan Van-Halen), Ángel María de Lera y un anónimo en el diario madrileño "Ya"; recogidas en las pp. 94-98 del extra XXIII de "Cuadernos para el diálogo" (Madrid, XII-1970).

lismo *objetivo, histórico, irónico, intimista, lírico*— que creo más confunden que precisan.

II. EL REALISMO "SOCIAL": HISTORIA DE UN CANSANCIO

Hubo unos años de la postguerra —parte de los 50 y algunos de la década siguiente— durante los cuales el realismo dominó en nuestra novela, suceso que no constituye (según sabemos) mayor novedad mas ahora debo referirme a un muy concreto matiz del realismo, al que se han aplicado calificaciones como *social, testimonial, crítico, de denuncia,* siendo la primera de ellas la más utilizada. Dentro del realismo social, practicado por bastantes de nuestros novelistas, desde Juan Antonio de Zunzunegui, [15] pongo por caso, hasta Luis Goytisolo-

---

[15] Zunzunegui se ha declarado más de una vez novelista muy afecto a la realidad socio-económica contemporánea, reflejada en novelas como: *Esta oscura desbandada,* 1952, *La vida como es,* 1954 o *El mundo sigue,* 1960. Le entrevista Pedro Álvarez ("La Nueva España", Oviedo, n.º del 15-IV-1956), y le pregunta: "—¿Qué idea principal te ha obsesionado mientras pensabas y escribías *El hijo hecho a contrata?* —La de que todos los males del mundo no tienen otro origen que el mal reparto de la riqueza, y que mientras no se corte de arriba, del lado de los logreros y capitalistas embalados hacia el gatuperio, en beneficio de los humildes y desheredados, el mundo irá cada día peor... —¿Crees por tanto que la novela debe tener un contenido social? —En estos momentos de reajuste social, la novela debe tener, más que nunca, un contenido social, el novelista debe ser un poco notario de su época".

Darío Fernández Flórez explica así su condición de novelista social: "Creo haber demostrado reiteradamente con las obras que he escrito en nuestra postguerra [...] [*Lola, espejo oscuro,* 1950; *Frontera,* 1953; *Alta costura,* 1954; y *Memorias de un señorito,* 1956] el interés que siento por mi sociedad y hasta mi dependencia literaria de ella. Ahora bien, este interés, e incluso esta dependencia, nacen de un profundo desacuerdo. De aquí que yo me tema que mientras esta sociedad acepte y

Gay o Gonzalo Torrente Malvido, cabe distinguir un grupo muy estricto que hizo de su literatura un arma de combate político "a favor de" (digamos el proletariado) y/o "en contra de" (digamos la burguesía). Al realismo de base y a semejante intención politizadora, se añaden otros rasgos característicos: el descuido del estilo; el menosprecio hacia el experimentalismo, entendido sencillamente como ánimo lúdico y sin sometimiento a ulteriores aplicaciones interesadas; la proscripción de lo sicológico y, casi casi, del protagonista individual; la negación de lo imaginativo puro y de la omnipotencia del novelista-narrador, obligado a ser un fidelísimo o magnetofónico notario de palabras y conductas externas; el empleo de sólo ciertos asuntos, con determinados planteamientos. Tales son, enunciados, los principios teóricos a que se sometió la práctica narrativa de unos cuantos novelistas, estimulados y

---

ensalce valores que se me antojan vituperables, mi observación y mi producción literaria van a ofrecer un resultado más bien negativo [...] Yo me limito a denunciar estos falsos valores en mis páginas y a novelar esta precipitada, utilitaria y ramplona realidad social que nos rodea. Porque, aunque me disguste como hombre, creo que como novelista no puedo volverme de espaldas a ella" (*Nuestra sociedad y nuestra novela*, p. 1, n.º 61: 15-IX-1956, de "La Estafeta Literaria").

Luis Romero considera *Las viejas voces*, 1955, como una novela-testimonio y en su prólogo declara que "son cosas que pasan en nuestras ciudades, y pensar en silenciarlas es pensar en lo excusado. La llaga existe y atreverse a poner el dedo en ella es peligroso".

Reseñando Marra-López *La hoja roja*, 1959, de Miguel Delibes, advierte que el cultivo de la novela social no es monopolio de ningún grupo o generación pues al lado de los más jóvenes "hay otro grupo de novelistas, jóvenes también, aunque no tan recién llegados a nuestras letras, que realiza una labor tan eficaz, aunque de una forma más callada, presentando testimonios tan reales como los anteriores, pero diferentes en mundo y técnica" (p. 10, n.º 160: V-1960, de "Ínsula").

vigilados de cerca, por el crítico José María Castellet, antes de que sonase la hora de su infidelidad,
y por el editor Carlos Barral, benemérito desde
luego, aunque no poco exclusivo y excluyente, y,
llegado el momento, no menos abandonista que
Castellet. Novelistas, crítico y editor insistieron tan
empecinadamente en sus respectivos hacer y decir
que llegó a producirse el cansancio, reclamándose
entonces, por algunos críticos y lectores, un más que
necesario cambio de rumbo. Reseñando en 1963 el
libro de Marra-López sobre la narrativa española
del exilio, advertía y profetizaba así Guillermo de
Torre: [16]

> Esta apología [la del realismo, hecha por M.-L. en su
> libro] se produce ya en un momento en que hemos
> llegado a la saturación del realismo monocorde [...] no
> es mayormente aventurado presumir un desquite de la
> imaginación, últimamente preterida, y una vuelta hacia
> los valores del estilo, hoy tan menospreciados; en
> suma, un más allá del realismo novelesco.

Historiemos, pues.
Fueron, primero, las advertencias y, después, las
reconvenciones y, por último, las negaciones y las
deserciones aunque, a veces, se adelante o se atrasen
o se mezclen en el tiempo. En 1961 José Ángel
Valente advertía [17] lo positivo de incorporar determinados asuntos, digamos sociales, a la literatura
pero semejante tendencia temática, unida a "un
antiformalismo más o menos polémico", "no sólo
no es suficiente sino que puede ser paralizadora", y
jamás "justifica al escritor ni garantiza la existencia
de la obra literaria"; en tanto que Guillermo Díaz-

---

[16] "Revista de Occidente", II, 1963, pp. 106-114.
[17] *Tendencia y estilo* (p. 6, n.º 180: XI-1961, de "Ínsula").

Plaja, que se autodefinirá como crítico esteticista y gustoso de la obra bien hecha,[18] reconvenía por la evidente pobreza formal —"No puedo disimular mi hastío ante eso que suelo llamar literatura magnetofónica. El género aflige especialmente a la novela, y puede definirse como una copia fotográfica, casi notorial, de la realidad que circunda al escritor. Se trata, digámoslo ya, de captar lo que se ve y lo que se oye por un procedimiento de selección a la inversa, que deja fuera del objetivo las realidades nobles, para gozarse largamente en las abyectas"—, y remataba: "Estamos hambrientos de fantasía".[19] (Por uno u otro camino —los inevitables fondo y forma— irán los posteriores testimonios en esta aleccionadora historia.)

Muchas más en cantidad que las novelas proletarias —*Central eléctrica*, de Jesús López Pacheco, 1957; *La piqueta*, de Antonio Ferres, 1959; *La resaca*, de Juan Goytisolo, 1959; *La mina*, de Armando López Salinas, 1960— fueron, dentro del realismo social, las novelas antiburguesas, sobre todo a partir del éxito obtenido por García Hortelano en 1959, con *Nuevas amistades*, y en 1962, con *Tormenta de verano*. Dos novelas publicadas en 1963: *Oficio de muchachos*, de Manuel Arce y *Hombres varados*, de Gonzalo Torrente Malvido, dieron motivo, independientemente de sus excelencias, para la advertencia y la reconvención, formuladas de inmediato por sendos críticos —"El retratar a una burguesía en decadencia, que se desmorona a

[18] Al hacerse cargo en ABC (abril 1966; tras el fallecimiento de Melchor Fernández Almagro) de la sección semanal de crítica de libros de creación.
[19] *Del infrarrealismo a la fantasía*, artículo de 1961 recogido en el volumen "La letra y el instante" (Madrid, Editora Nacional, 1967), p. 23 y p. 24.

pasos agigantados, se ha convertido en una especie de juego divertido, en el que todos quieren participar"; [20] "me parece monótono y peligroso reiterar el testimonio, encerrarse en la playa, el sexo y el alcohol como fenómeno que atañe a sólo unos pocos, cuando nuestro país, su inmensa mayoría anda por problemáticas más urgentes, reales y trascendentales". [21]

Semejante reiteración temática suele ir acompañada de carencias como las dos siguientes:

a), elementalidad de tales denuncias o testimonios —lo cual, dicho sea de paso, es patrimonio de buena parte de la novelística española de postguerra, donde la densidad intelectual, digamos aproximadamente, acostumbra brillar por su ausencia. [22]

b), mal trato —torpe, trivial, no artístico— del lenguaje.

Por la primera carencia reconvenía en 1963 Víctor Fuentes [23] al escribir que

> la grave impugnación que se puede hacer a estos jóvenes novelistas es que, a pesar de su intención de novelar la España actual, se limitan, las más de las veces, a reproducir las circunstancias externas, sin ahondar en el análisis de las causas que las producen.

[20] José Batlló reseñando *Oficio...*: "Cuadernos Hispanoamericanos", Madrid, n.º 173: V-1964, p. 437.
[21] Marra-López reseñando *Hombres...*: "Ínsula", n.º 199: VI-1963, pp. 8-9.
[22] "En este país, donde el mérito mayor es escribir con los riñones, quien lo haga con la cabeza está perdido", afirma, rotundo, Torrente Ballester, víctima de ese estado de cosas (*Historia de un libro*. "Don Juan", p. 22, n.º 270: 20-VII-1963, de "La Estafeta Literaria").
[23] Reseñando *La ciudad de los muertos*, de Consuelo Álvarez (Seix y Barral, Barcelona, 1961; en "Revista Hispánica Moderna", New York, XXIX, 1963, p. 74).

La segunda de dichas carencias dio más que sobrado pie a unas *Notas sobre lenguaje y novela actual*, [24] en las que Gonzalo Sobejano constataba —1966— una realidad lamentable —"[...] dentro del panorama literario de la España actual, [hay] una creciente despreocupación del escritor respecto del lenguaje. Va importando cada vez menos el cómo de la obra literaria; sobre todo, el cómo evolutivo, idiomático"— y propugnaba un cambio de método —"[...] en nombre de la belleza como fascinación imaginativa de la verdad y, por tanto, en nombre del lenguaje artístico radicado siempre en auténticas y depuradas representaciones, es preciso combatir, con un respeto profundo a la palabra, los riesgos de trivialidad y barbarie que se ocultan tras esa sojuzgación del cómo al qué". [25]

Cuando al mediar la década de los 60 parece se afianza el régimen político español, demostrándose la ineficacia de la literatura concebida y practicada como un arma de combate; literatura que no ha llegado al pueblo, su deseado destinatario; literatura que, frecuente y deliberadamente, ha olvidado o menospreciado las inexcusables exigencias del arte, cunde el desánimo entre los novelistas practicantes del realismo "social" y comienzan a oírse y verse negaciones y deserciones. No es posible continuar así, hace falta un cambio de rumbo: estos son los dichos que mejor compendian el talante de aquella

---

[24] En "Papeles de Son Armadáns", n.º 119: II-1966, p. 125 y p. 126.

[25] Para el novelista Daniel Sueiro, a la altura de 1966, las cosas parecían harto distintas pues "se trata de escribir para hoy y no para mañana. A mí me importa muy poco que la posteridad diga que yo colocaba los adjetivos en su sitio. La obra del escritor tiene que estar en la calle, como una especie del activismo ideológico, ése es su sitio", declaraba a Antonio Núñez (p. 4, n.º 235: VI-1966, de "Ínsula").

hora. ¿Es que ha fracasado toda [26] una generación, defraudando la confianza puesta en ella, incluso el artilugio propagandístico que favorecía a algunos de sus componentes? Tal parece creer José Batlló —1964—: [27]

No podemos por menos que señalar un fenómeno alarmante en nuestra joven novela: su ya sintomática insulsez. Aquella generación pujante que se apuntaba por el año 1955 y que llega a su esplendor total alrededor del 1960 no se halla solamente estancada, sino que no ha respondido en absoluto a todo el aparato montado en su torno, a toda la charanga organizada para anunciar su aparición a bombo y platillo. Nuestros jóvenes novelistas [...] no han acertado a hacer otra cosa que ir repitiendo las mismas fórmulas, esperando vanamente que éstas les fueran de una utilidad eterna.

José Corrales Egea —1965— advierte [28] la anquilosis padecida y apunta la conveniencia de un cambio o evolución:

Una vez llevada a cabo la cura de realismo que se imponía, y ganado ya su puesto dentro de la historia literaria actual, nuestra literatura debe abrirse a nuevos horizontes, sea por ampliación del realismo dándole la profundidad que no se le ha dado, e intentando a través de él una explicación o una interpretación —sin conformarse con la simple exposición de hechos; o sea por su transformación pura y simple y su enriquecimiento humano y artístico [...] Lo menos que puede

[26] Importa que se recuerde ahora lo dicho en los primeros párrafos del epígrafe *Una nueva generación,* cap. III.

[27] Reseñando *Laberintos,* de Jesús Fernández Santos (Seix y Barral, Barcelona, 1964) en "Cuadernos Hispanoamericanos", Madrid, p. 452, n.º 177: IX-1964.

[28] *¿Crisis de la nueva literatura? Reflexiones sobre una apuesta* ("Ínsula", n.º 223: VI-1955, p. 3).

pedírseles a los autores de 1965 es que, consecuentes consigo mismos, no sigan siendo los autores de 1950.

El editor Barral y el crítico Castellet, antaño fervorosos estimuladores, resultan ahora los abandonistas más notorios. El primero ha llegado a cansarse de ser generoso con la obra de tanto mimético novelista social como viene a sus manos —aquellos jóvenes de ordinario procedentes de "las trastiendas del "Nadal", que después comparecieron "de un modo coherente en una colección, la "Formentor", en la que yo era muy generoso en cuanto a la calidad de los libros porque creía que de allí partiría un movimiento renovador". [29] El segundo, que tanto había animado, excitado y proscrito con su labor crítica acerca de poesía [30] y novela, pontífice infalible para no pocos derretidos fieles, advierte ahora de los peligros a que conducen actitudes y prácticas que antaño fueran meritorias, y condena tardíamente —1968— [31] lo que en otro tiempo había merecido sus complacencias:

> Este tipo de literatura testimonial ha desviado la atención de los escritores de su finalidad estricta; se han conformado con hacer un cierto tipo de naturalismo documental que poco tiene que ver con la novela.
> No hacen más que un maniqueísmo intelectual [...] que invade la literatura española durante estos años, despojándola de uno de los requisitos elementales de

[29] P. 14 de *Literatura y política (En torno al realismo español)*, por Eduardo G. Rico (Madrid, Edicusa, 1971) (En adelante citaré: Rico, *Literatura*).
[30] Baste recordar su divulgada antología de la poesía española de 1939 a 1959, precedida de muy polémica introducción. (En su 4.ª edición, publicada también por Seix y Barral, 1966, se titula *Un cuarto de siglo de poesía española (1939-1964)*.)
[31] *Tiempo de destrucción para la literatura española* ("Imagen", Caracas, n.º del 15-VII-1968).

la buena literatura: la presentación del mundo como
entresijo de contradicciones.

Así, a fuerza de advertencias, reconvenciones y
deserciones, se llegó a la negación por el ridículo
cuando a César Santos Fontenla se le ocurrió lanzar en las páginas de la revista "Triunfo" —1969—
el despectivo "Generación de la berza" como nombre calificador de la obra y afanes de los novelistas
realistas sociales. Desde entonces, *berza* y *sándalo*
quedaron enfrentados como especies aromáticas significativas de sendas modalidades novelescas, la segunda de las cuales surgía esplendorosa y exquisita
sobre los desagradables restos de su agonizante
compañera; algunos de los jóvenes que por aquel
tiempo comenzaban a novelar lo harían influidos
negativamente por una modalidad que atufaba con
su hedor. [32]

Unos pocos años antes nuestros narradores y críticos afectos al realismo social habían reafirmado,
colectiva y aguerridamente, sus puntos de vista consabidos desde el coloquio de Formentor. Con el
tema general de *Realismo y realidad en la literatura
contemporánea,* el patrocinio del Instituto Francés
y del Club de Amigos de la UNESCO., y la presidencia del catedrático de la Universidad de Madrid,
José Luis López Aranguren se reunió en esta ciudad
—octubre de 1963— medio centenar de escritores

[32] Tal es el caso de José María Guelbenzu, autor de *El
mercurio,* 1968, que, preguntado por Rico, *Literatura*: "—¿Has
recibido alguna influencia de la literatura *social* de los años
cincuenta?", responde (p. 35): "—Negativamente, por cuanto
mi obra novelística se empezó a desarrollar exactamente en
oposición a esta tendencia, es decir, que su existencia me
obligó a tratar de manejar un método expresivo que cubriera
los (para mí) defectos graves de esa forma de entender la
narrativa".

españoles y algunos extranjeros. Fueron expuestas
y debatidas cinco ponencias, a saber: *Novela y realidad* (por Nathalie Sarraute), *Realismo y Literatura*
(por Nicola Chiaramonte, ensayista italiana), *Cuatro notas para un coloquio sobre el realismo* (por
José María Castellet), *Realidad y realismo, poesía*
(por José Bergamín, que había vuelto recientemente
a España) y *Problemas de la novela actual* (por
Gonzalo Torrente Ballester). Casi de entrada se
marcaron claramente dos líneas de pensamiento: la
de los partidarios del realismo social, aunque con
matices que van del realismo socialista (Castellet,
Celaya, García Hortelano, López Salinas, José
María de Quinto, Alfonso Sastre, López Pacheco)
al realismo continuador, actualizador de la línea
realista española que arranca de Cervantes y pasa
por Galdós (Torrente); y la de los defensores de
una literatura no comprometida con la sociedad en
cuanto situación histórica necesitada del apoyo del
escritor (en esta última línea se situaron Delibes,
que sostuvo que una obra tendría sentido si el
escritor es sincero, y casi todos los asistentes extranjeros). De las cinco ponencias sólo la de Castellet se pronunció a favor del realismo crítico, social, comprometido; las cuatro restantes sostuvieron
el derecho del artista a hacer su obra con entera
libertad y al margen de toda determinación impuesta por motivos histórico-sociales. (Por entonces aún
pensaban los realistas sociales en las imperiosas
exigencias socio-económico-políticas —que no artísticas— de la situación española vigente.)

La necesidad de un nuevo rumbo, salvador del
callejón sin salida a que se había abocado, afectaba no sólo a los que comienzan su carrera narrativa (caso de Guelbenzu) sino, y más todavía, a los

novelistas motejados de anquilosis o insulzez. Después de lo ocurrido,[33] a la novelística española le hacían muchísima falta: imaginación, profundidad, *otros* asuntos, lenguaje y estilo, así como eliminar urgentemente prejuicios condicionantes extra-literarios. Quienes prosiguen en el cultivo del género así lo comprenden, tal es el caso evolutivo de: Juan Goytisolo —que explicaba la distinta apariencia de *Señas de identidad*, 1966, porque "la crisis actual de la novela española viene de que hemos empleado exhaustivamente, desde hace muchos años, un mismo tipo de lenguaje, y he sentido la necesidad de hacer una obra de ruptura válida no sólo para mí, sino para los novelistas de mi generación"—,[34] Juan Marsé —que, también en 1966, comienza a parecer otro en su novela *Últimas tardes con Teresa*—,[35] Daniel Sueiro —cuyo *Corte de corteza*, 1969, y la actitud que presidió su composición suponen un

[33] Corroboramos, con palabras recientes de Alfonso Sastre (p. 82, n.º 507, extra de "Triunfo", Madrid), la denuncia de un estado de cosas indeseable: "Las posiciones en que este grupo desembocó, durante los últimos cincuenta y primeros sesenta, fueron extremadamente erróneas y perjudiciales. Estas posiciones, analizadas con doloroso rigor [...] podrían describirse así: Hiperpoliticismo de la crítica literaria [...] Marxismo vulgar, sociologismo: creencia en la heteronomía absoluta —en vez de en la autonomía relativa— de los procesos literarios, relación mecánica de estos procesos con sus condiciones socioeconómicas y sus marcos históricos. Los hechos literarios se entendían como mecánicamente expresivos de las *condiciones* en que se producían. Degradación de la estética. Desprecio de la imaginación [...] Dogmatismo: cierre a la discusión con los autores *excluidos* del paraíso literario [...] o mantenedores de otras posiciones teóricas. Sectarismo: un mecanismo *mafioso* para la constitución de la *nueva literatura española* y su *presentación* a Europa [...]".
[34] P. 53, n.º 12: VI-1967, de "Mundo Nuevo", París.
[35] Puede consultarse el elogioso artículo de Vargas Llosa, *Una explosión sarcástica en la novela española moderna* (sobre esta novela de Marsé) ("Ínsula", n.º 233: IV-1966). *Últimas tardes...* fue premio "Biblioteca Breve", 1965.

giro de bastantes grados respecto a radicales posturas y prácticas de años atrás— [36] y Alfonso Grosso, el aplaudido, zarandeado y espectacular sevillano —a partir de *Inés Just Coming*, 1968, reforzada en 1970 por *Guarnición de silla*—. [37]

He leído y oído con cierta insistencia una explicación no literaria de tal cambio, formulada del siguiente modo por uno de sus mantenedores: [38]

> Cabe pensar también [...] que al ser concebida como *literatura de urgencia*, la obra apresurada de los *sociales* no pudiera perdurar por su torpeza técnica, inadvertida en un momento de crisis, pero notoria en una situación de mayor sosiego; fue la suya una fórmula provisional, oportuna un instante y desfasada en seguida, que perdió pie al intensificarse el ritmo de los hechos sociológicos y aumentar la capacidad del sistema para la asimilación de los conflictos, al formalizarse una nueva política *liberalizante* que vació de contenido a la rebeldía literaria tal como se venía manifestando. [39]

---

[36] Vid. el texto de Sueiro ofrecido en la nota 25 y cotéjese con estas palabras suyas de 1969: "He dejado de alimentarme de vasos de tinto tomados frente a mostradores de zinc en viejas tabernas, he dejado de escuchar el habla popular estereotipada [...] Todo está cambiando en el mundo, y algo está cambiando entre nosotros. Yo he decidido en esta novela escribir sobre cosas nuevas y hacerlo de una manera no tan aburrida [como antes, con la novela realista], sino más apasionante, y, a mi modo de entender, más libre" (declaración a Miguel Fernández-Brasso; n.º 415: 1-III-1969, de "La Estafeta Literaria").

[37] José Domingo (p. 5, n.º 290: I-1971, de "Ínsula") destacaba en *Guarnición de silla*, "la prosa bellísima, la estructura de armónica disposición, el seguro diseño de los personajes, la aguda introspección, la naturalidad de los monólogos [...] todo tiende a hacer de esta novela un seguro avance en el camino de incorporación de nuestra narrativa a las nuevas tendencias de la novelística internacional".

[38] Rico, *Literatura*, p. 17.

[39] Vid., también, el punto 5.º, p. 44 (Rico, *Literatura*).

Cualquiera, al leer esto, pensará que los problemas se habían solucionado y, consiguientemente, desaparecido. Que, por ejemplo, la prensa informaba de lo sucedido en el país y no era preciso, por tanto, salir en busca del lector con esa forma supletoria de la novela social; o que ya no había emigrantes, explotación y explotadores, burgueses que se mueren de hastío durante el verano y el invierno, formas caducas de mentalidad que sacar a la picota, etc. ¿Es así?

El realismo social, que fue modalidad de éxito durante algún tiempo de los años 50 y 60, creo no es ya más que objeto de arqueología literaria, suscitador de alguna bibliografía, a veces entre denigratoria y lamentosa. [40]

III. Datos sobre el grupo llamado "Metafísico"

Manuel García-Viñó es un sevillano, nacido en 1928, novelista y crítico, disconforme con la teoría y la práctica del realismo social y justamente deseoso de otra novelística más rica y profunda. Él fue quien conjuntó este grupo, corto en número de miembros, el cual daría sus primeras señales de vida poco antes de que estallara el cansancio referido en el epígrafe precedente:

en el curso 1961-1962 [...] se publican en España cuatro novelas, debidas a cuatro autores de casi la misma edad —nacidos entre 1926 y 1929— [*El borrador*, Manuel San Martín; *Las llaves del infierno*, Carlos Rojas; *Homenaje privado*, Andrés Bosch; *Nos matarán jugando*,

[40] Así ocurre con bastantes afirmaciones y respuestas de las contenidas en Rico, *Literatura*.

Manuel García-Viñó], que presentan una serie de características comunes, tanto de forma como de contenido, habiendo incluso coincidencias de frases y de desplantes y gestos de los protagonistas. [41]

Los novelistas integrantes de tal grupo son, además de García-Viñó, dos ya fallecidos: Manuel San Martín (1930-1963) —que fue premio "Leopoldo Alas" de cuentos en 1962 por su libro *El insolente*; autor de novelas como *El borrador*, 1961, y *La luz pesa*, publicada póstumamente en 1964— [42] y José Vidal Cadelláns (1928-1960) —que obtuvo el "Nadal" de 1958 con *No era de los nuestros*, siendo publicadas póstumamente: *Cuando amanece*, 1961, y *Ballet para una infanta difunta*, 1964—; y: Alfonso Albalá (nacido 1924), el nombre de más reciente incorporación luego de sus iniciales libros de verso; Andrés Bosch (nacido 1928), premio "Planeta" 1959; Carlos Rojas (nacido 1928), premio "Ciudad de Barcelona" 1958 y premio "Miguel de

---

[41] Manuel García-Viñó, *Novela española actual* (Madrid, Guadarrama, 1967), p. 218. (En adelante citaré: García-Viñó, *Novela*).

Otra muestra de conjunción, donde aparecen tres novelistas no-sociales (incluido quien firma las reseñas), es la que sigue: Antonio Prieto ("Revista de Literatura", Madrid, XIX, n.º 36: X-XII de 1960, pero que salió en fecha posterior) reseña las obras de J. M. Castillo Navarro —*Caridad la Negra*, 1961— y de Carlos Rojas —*El asesino de César*, 1959— y al tiempo que señala méritos de ambas y de sus autores, alude a la defectuosa y limitada práctica novelística imperante; dice que "Castillo Navarro representa en la joven novela brotada en el ambiente catalán, y junto a Carlos Rojas, un vigoroso hacer novelístico afortunadamente opuesto a la errónea novela objetiva practicada por otros en su servilismo a una moda francesa amenazada de extinción" (p. 304), y que la novela de Rojas muestra en su autor, "una cultura propia no demasiado frecuente entre los jóvenes escritores, tan dados a camuflarse bajo despectivas [sic] orientaciones de última moda" (p. 310).

[42] Vid. pp. 167-171 de García-Viñó, *Novela*.

Cervantes" 1968; José Tomás Cabot (nacido 1930);
y Antonio Prieto (nacido 1930), premio "Planeta"
1955. A ellos debe unirse el rumano exiliado en
España (nacionalizado ya español), Vintila Horia,
premio "Goncourt" y escritor en francés y en castellano, quien declaró en cierta ocasión: [43] "Éramos
amigos por afinidades electivas, que teníamos la
misma manera de escribir". Universitarios; nacidos
en diferentes lugares de España y residentes unos en
Madrid y, otros, en Barcelona; [44] ganadores de no
pocos premios importantes; publicando sus libros
en diversas editoriales: Destino, Planeta, Plaza-
Janés, Guadarrama. Estiman mezquina y sin futuro
la novela de los realistas sociales, a cuya boga asis-
ten mientras van escribiendo y sacando las propias,
en las cuales "la realidad es mirada como algo más
que un cuadro de costumbres; [...] es trascendida,
profundizada; [...] se toma por realidad no sólo lo
que se ve, sino también lo que no se ve: los problemas del mundo interior, los sentimientos, los
sueños". [45]

Cuando García-Viñó presenta esta serie de aspi-
raciones y logros es 1967; se está sintiendo intensamente el cansancio ya historiado y poco tiempo
falta para que José María Castellet, desde la revista
venezolana "Imagen" (julio de 1968), acuse de varios graves defectos a sus antiguos patrocinados.
¿Le correspondió a ese grupo "un papel importante"
(como piensa Vintila Horia) en la nueva situación
novelística? ¿Quedó la ambiciosa teoría de los *metafísicos* por encima de sus efectivos resultados prác-

[43] N.º 474: 15-VIII-1971, de "La Estafeta Literaria".
[44] Carlos Rojas es desde hace años profesor de literatura
española en EE.UU.
[45] García-Viñó, *Novela*, p. 218.

ticos? Fueron, cuando menos, una apasionada y saludable voz discrepante. [46]

IV. PREMIOS

Continúa en la década de los 60 el fenómeno de los premios, caracterizado ahora por su proliferación más que excesiva —es, por ejemplo, la época en que los ayuntamientos de no pocas ciudades y villas españolas deciden la creación del correspondiente premio narrativo, mantenido con cargo al presupuesto municipal— y, a todas luces, inconveniente —en muchas convocatorias existe una cláusula estableciendo que el premio en cuestión no podrá dejarse desierto—. La cuantía económica suele ser tentadora y, de ordinario, va acompañada con la edición de la obra distinguida pero, ¿de dónde saldrán, año tras año, las novelas capaces de merecer dignamente tantos y tales galardones? Originales deteriorados en su físico por los viajes que realizaron a lo largo y a lo ancho de la geografía patria llegan a manos de los jurados del premio que sea, más de una vez concedido a la novela menos defectuosa. Hasta ha surgido una literatura novelesca para premio, observando cómo eran las obras galardonadas en convocatorias precedentes y queriendo obtener de su conjunto el común y principal denominador de los gustos del jurado. Semejantes circunstancias, unidas a otras anomalías —im-

---

[46] Pueden consultarse: el artículo de Florencio Martínez Ruiz, *García-Viñó o la realidad trascendida* ("Reseña", Madrid, n.º 32: II-1970, pp. 67-74) y el libro de Emilio del Río S. J., *Novela intelectual* (Madrid, Prensa Española, 1971; trata de novelas debidas a Bosch, García-Viñó, Rojas y Horia).

pago o pago demorado de la cantidad ofrecida; [47]
resultado conocido por el público antes de la reunión final del jurado; autores de nombradía invitados a concursar para que ganen y prestigien el
premio, etc.— han acabado por hundir en el des-
crédito a la institución, en general y a algunos premios, en particular, tema ya de sátira novelesca [48] y
objeto de contestación. [49]

Entre los premios creados en esta década daré
noticia de los tres siguientes: "Bullón", de la editorial madrileña del mismo nombre, dotado con
200.000 pesetas, para novelas inéditas; en su primera convocatoria —1963— lo obtuvo, entre 34
originales presentados, *Un siglo llama a la puerta*,
de Ramón Solís, novela histórica gaditana relativa
a los años finales del siglo XVIII, que es época
documentadamente conocida por este novelista. "Alfaguara", de la editorial madrileña del mismo nombre, dotado con 200.000 pesetas, para novelas
inéditas; en su primera convocatoria —fallada en
diciembre de 1965— lo ganó, entre 146 originales
presentados, un joven de 23 años, Jesús Torbado,
literariamente desconocido, con *Las corrupciones*,
novela considerada por algunos críticos [50] como importante y esperanzadora revelación en un momento

[47] Lo cual condujo a que el Ministerio de Información y
Turismo estableciera la obligatoriedad del depósito previo de
la misma.

[48] En títulos como: *La llaga*, de Luis Junceda, 1960; *El
premio*, de Zunzunegui, 1961; y *Los importantes: Elite*, de
Francisco Candel, 1962.

[49] La colección "Tábano" —de narrativa— la publica desde
1969 Ediciones Picazo, de Barcelona; se abrió con *Ceguera al
azul*, novela de Javier Tomeo. La curiosidad radica en que la
colección tiene como subtítulo "Galería de *no* premiados".

[50] Como José Domingo (p. 7, n.º 234: V-1966, de "Ínsula") y
el jesuita Balbino Marcos (p. 198, n.º 13: VI-1966, de "Reseña").

de languidez narrativa; "Águilas", de la localidad
murciana de este nombre, dotado a su creación
—año 1968— con 200.000 pesetas, [51] aportadas por
sus habitantes en suscripción voluntaria, para novelas inéditas; en su primera convocatoria lo consiguió, entre 96 originales presentados, el farmacéu-
tico murciano Lorenzo Andreo por *El valle de los
Caracas,* más bien un reportaje sobre la emigración
española a Hispano-América. [52]

Siguen su marcha, acaso preocupados por tan
abundante competencia y alguno de ellos por no
quedarse atrás en la disputada carrera de la dotación económica, los premios de algún modo veteranos: "Nadal", "Miguel de Cervantes", "Planeta"
y "Biblioteca Breve". El "Nadal", que destacó a
Álvaro Cunqueiro en un momento lleno de cansancio y proclive al cambio, había sacado antes
—1966— una muy valiosa novela de Vicente Soto,
La zancada y continuó padeciendo otra de las ré-
moras que aquejan sin excepción a los concursos
para novelas inéditas: "la novela premiada cada
año no debe convertirse en un modelo para el siguiente [...] constituye un notable fenómeno de
nuestro concurso el que cada vez recibimos novelas
a la manera del premio del año anterior". [53] En dos
convocatorias —1963 y 1965— fueron galardonados
otros tantos novelistas colombianos: Manuel Mejía
Vallejo —*El día señalado*— y Eduardo Caballero

[51] Posteriormente, 250.000 —1969—, 500.000 —1970— y
700.000 —1972—, con la colaboración desde 1969 de la editorial barcelonesa Linosa, que publica la novela premiada.
[52] Vid. el artículo de Miguel Pérez Calderón, *El premio de
novela "Águilas" (Apuntes para su pequeña historia)* (Suplemento de "Informaciones", Madrid, n.º 203: 25-V-1972).
[53] Lo advierte Rafael Vázquez Zamora: n.º 1275: 13-I-1962,
de "Destino".

Calderón —*El buen salvaje*—, casi abriendo la marcha de una boga (y moda) que alcanzaría su mayor intensidad pocos años más tarde.

El "Miguel de Cervantes" premió en los años 60 tres novelas que, de algún modo, tienen por tema la guerra civil española —1963, *La encrucijada de Carabanchel*, de Salvador García de Pruneda; 1965, *19 de Julio*, de Ignacio Agustí; 1967, *El otro árbol de Guernica*, de Luis de Castresana—; un libro de relatos del veterano narrador Tomás Borrás, *Historias de coral y jade*, 1966; y dos novelas, interesantes y difíciles, de otros tantos jóvenes autores: *Auto de fe*, de Carlos Rojas, 1968 y *Marea escorada*, de Luis Berenguer, 1969.

El "Planeta" ha pasado por diversas vicisitudes externas en este lapso de tiempo: en 1959 el acto del fallo (día 15 de octubre) se trasladó, definitivamente, a Barcelona; la dotación pasó de 200.000 pesetas en 1959 a 250.000 en 1966, y a un millón cien mil pesetas desde 1967, constituyéndose así en el premio gordo de nuestras letras. Cabe registrar en los años 60 revelaciones como la de 1965 —Rodrigo Rubio, *Equipaje de amor para la tierra*—, éxitos como el de 1967 —Ángel María de Lera, *Las últimas banderas*—, inanidades como la de 1968 —Manuel Ferrand, *Con la noche a cuestas*—,[54] o la incorporación de un novelista exiliado —Ramón J. Sender, 1969, *En la vida de Ignacio Morel*—.

El "Biblioteca Breve" muestra entre 1963 y 1969 una trayectoria muy de acuerdo con el carácter renovador que se había propuesto; no existiendo

---

[54] "La novela de Martín Ferrand es muy mala. En realidad nos parece tan mala que pensamos que lo mejor que podíamos hacer por la literatura era ignorarla. Sólo la insistencia del director de RESEÑA..." (F. Delgado, p. 25, n.º 26: II-1969, de "Reseña", Madrid).

entre nosotros algo satisfactorio al respecto va a parar, en cuatro de siete convocatorias —1963, 1964, 1967 y 1968—, a otros tantos novelistas hispanoamericanos —el mejicano Vicente Leñero, *Los albañiles*; el cubano Guillermo Cabrera Infante, *Tres tristes tigres*; el mejicano Carlos Fuentes, *Cambio de piel* y el venezolano Adriano González León, *País portátil*, respectivamente—; refrenda en otra convocatoria —1969— la actitud experimentalista de Juan Benet, distinguiendo su segunda novela, *Una meditación*. [55]

Dicho queda en otro lugar (epígrafe *El "Nadal"; los premios de novela*, capítulo II) que el premio "Fastenrath", dotado con sólo 6.000 pesetas y que corresponde cada cinco años a un distinto género literario para obras publicadas en ese lapso de tiempo y presentadas por sus autores o editores, se concedió en 1943 y 1948 a sendas novelas de Juan Antonio de Zunzunegui y Carmen Laforet. En la década de los 50 el "Fastenrath" tocó de nuevo —1953 y 1958— a la narración, declarándose desierto en la primera de tales convocatorias y otorgándose en la otra a Miguel Delibes por *Siestas con viento sur*, libro de relatos. La década de los 60 registra dos ocasiones más: 1963 —desierto—

[55] En vista de la desatentada carrera de las dotaciones de los premios de novela, Seix y Barral, la editorial patrocinadora del "Biblioteca Breve", decidió que éste, a partir de 1968, "consistirá exclusivamente en la garantía de la publicación de la obra escogida por el jurado, con la mención Premio Biblioteca Breve del año en cuestión. El autor de la novela ganadora recibirá una sola moneda de plata con la inscripción sobregrabada *Premio Biblioteca Breve* del año que fuere. Recibirá simultáneamente el contrato de edición", pues considera la editorial que el único valor del premio "estimable por parte de los escritores y por el público interesado por la literatura, es el prestigio que a cada nuevo autor que obtenga el premio otorgan los nombres de los escritores que le precedieron".

y 1968 —*Los soldados lloran de noche,* de Ana
María Matute—. ¿Es que no había entre las nove-
las publicadas de 1958 a 1963, y presentadas al
"Fastenrath" de este último año, ninguna merece-
dora del mismo? Sé que concursaron diez y seis
autores, entre ellos: José Luis Castillo Puche,
Salvador García de Pruneda, Ángel María de
Lera, José Luis Martín Vigil, Alejandro Núñez
Alonso, Federico Carlos Sáinz de Robles y José
María Souvirón; formaban el jurado los académicos
Federico García Sanchiz, Julio Guillén y Luis Martínez Kleiser, quienes decidieron el no-ha-lugar. [56]
¿Por qué así? Uno de los jurados cuenta cómo
hizo él [57] —"Deseché doce libros, no porque ado-
leciesen de deficiencia literaria, que no adolecían,
sino por el mayor empeño que creí ver en los cuatro
restantes, cuyas páginas revelaban a trozos un propósito serio y de gran impulso en los que los fir-
maban"—, y acaso justifica su voto negativo al
destacar algo que muy de veras le desagrada: "la
viciosa costumbre del empleo de palabras malsonan-
tes, de palabrotas. No las toleraríamos si de viva
voz las oyésemos a nuestro lado. Y no se encuentran
en los clásicos, pese a la picaresca y su realismo".
Ni qué decir tiene que la decisión académica fue
muy comentada y casi siempre desfavorablemente. [58]

[56] La Real Academia Española de la Lengua no permite la
consulta del expediente de sus premios hasta pasados cincuenta
años de su concesión; tal es el motivo de que mis noticias
de este curioso sucedido sean de segunda mano.
[57] Federico García Sanchiz, *Gamberrismo literario* ("Ya",
Madrid, 3-IV-1964).
[58] Así en "La Estafeta Literaria", p. 32, n.º 289: 11-IV-1964:
"Cuando [...] toda la gente que por obligación, por gusto o
por moda se mueve más o menos entre las letras, está hacién-
dose cargo del surgimiento actual de nuestra literatura, y especialmente de nuestra narrativa, resulta bastante escandaloso
el que la Real Academia de la Lengua presente semejante faz,

V. CRÍTICA

La crítica literaria cuenta desde 1964 con un premio "Emilia Pardo Bazán", concedido por el Ministerio de Información y Turismo, para destacar la producción de un crítico, ya en forma de colaboración periodística (diarios y revistas), ya de libro, cualquiera que sea su asunto (clásico o moderno), durante los doce meses anteriores. Hasta 1969 lo han obtenido críticos tan activos y notorios como José Luis Vázquez Dodero —del semanario "Blanco y Negro"; primer galardonado—, Antonio Valencia —de "Arriba"—, Dámaso Santos —de "Pueblo"— y Federico Carlos Sáinz de Robles —de "Madrid"—, por su labor casi diaria; entre los volúmenes galardonados cuenta, por lo que al género novela atañe, el citado libro de Antonio Iglesias Laguna —crítico de "La Estafeta Literaria"—.

Otros dos sucedidos de esta década son:

a), el nacimiento de una crítica inmediata joven y exigente, que en las páginas de la revista universitaria "Acento Cultural" dio las primeras señales de vida (tal es el caso de Rafael Conte), o que tuvo cabida en las columnas de la revista "Ínsula", donde Ricardo Doménech y José Ramón Marra-López informaron y comentaron con ecuánime rigor acerca de lo que deparaba el momento narrativo.

b), el comienzo en algunas publicaciones periódicas de lo que llamaríamos, un tanto imprecisamente, crítica especializada pues no va a ser ya una

---

ostente tal gesto, demuestre tal indiferencia y acredite tamaña superficialidad".

sola persona quien se ocupe de cualquier género de libro. [59]

VI. CENSURA

A los alegatos contra la existencia y la acción de la censura recogidos en la década de los 50 es dado añadir bastantes más de los años 60, debidos en buena parte a novelistas incursos en el realismo social, víctimas propiciatorias en razón de sus asuntos e intenciones. Antonio Ferres, por ejemplo, decía en 1965 [60] que la censura "es un elemento coactivo, que enmascara y oscurece todas las situaciones", y que el escritor "debe estar en condiciones de libertad para escribir en el mundo actual"; por lo que se refiere a España y a su actual novelística afirmaba Ferres que "hay siempre una parte de la realidad que el escritor vela considerablemente, hasta el extremo de que se ha llegado a pensar si esto no estaría dando origen a un tipo especial de literatura". Ramón Nieto, en ocasión idéntica a la anterior, [61] también en 1965, después de aludir a los "genios" que no escriben por mor de la censura, afirma que ésta es "una manera de limitar mentalmente al creador" y que "tiene un porcentaje de culpa en el clima que se respira, o que se ha respirado hace años". [62]

[59] Tal es el caso de ABC en cuya sección crítica convivieron durante años Fernández Almagro —para libros de creación— y Gonzalo Fernández de la Mora —para libros de pensamiento e historia—.

[60] P. 6, n.º 220: III-1965, de "Ínsula": *Encuentro con Antonio Ferres*, por Antonio Núñez.

[61] P. 4, n.º 221: IV-1965, de "Ínsula": *Encuentro con Ramón Nieto*, por Antonio Núñez.

[62] En el volumen II de *Prosa novelesca actual* (Madrid, Universidad Internacional "Menéndez Pelayo", 1969) son varios

¿Por qué la matización temporal que hace Ramón Nieto en abril del 65? Indudablemente algo han cambiado las cosas, y algunas decisiones de los años 40 —(caso, vgr., de *La colmena,* publicada ya en España por Editorial Noguer, de Barcelona)— resultarían ahora inconcebibles. ¿Es el ambiente qua posibilitó la ley Fraga de Prensa e Imprenta, cuyo proyecto pasó a las Cortes en 1965 y se hizo realidad legislativa en 18 de marzo de 1966? Con todo, continúan produciéndose de vez en cuando fricciones y limitaciones expresivas.

¿Qué tipo especial de literatura era el que estaba generando la censura, según la indicación de Ferres? Responderíamos que una literatura de clave o elusivo-alusiva, que dice sin decir, un tanto ambigua en la presentación de la realidad, lo que permite pensar en símbolos o interpretaciones significativas; todo ello servido por una expresión llena de astucia y cautela. Juan Goytisolo ha constatado [63] al respecto que

> si algún mérito hay que reconocer a la censura es el de haber estimulado la búsqueda de las técnicas necesarias al escritor para burlarla e introducir de contrabando en su obra la ideología o temática *prohibidas* […] Sin ésta [la censura], por ejemplo, el objetivismo, behaviorismo y otros procedimientos narrativos de despersonalización del autor no hubieran obtenido la aceptación que han tenido —y tienen aún— en los últimos años.

---

los novelistas que hablan de y atacan a la censura, como Sueiro, Torbado, Candel y Manuel Arce.

[63] P. 32 de *El furgón de cola* (París, Ruedo Ibérico, 1967).

VII. LA IRRUPCIÓN DE LOS HISPANOAMERICANOS Y
EL RETORNO DE LOS EXILIADOS

El premio "Biblioteca Breve" y el premio "Nadal" fueron concedidos en más de una convocatoria durante la década de los 60 a novelistas hispanoamericanos; [64] el silencio que venían guardando algunos de sus colegas españoles, unido a la monotonía y al mimetismo en que otros habían caído, favoreció, junto a una calidad indudable, su triunfo. Después, sí, apareció la moda: denigrar a los de casa, ceder su sitio editorial [65] a los de fuera, exaltar a éstos sin más ni más y, también, arremeter contra ellos sin ton ni son.

Tal vez la historia haya comenzado con el éxito de *La ciudad y los perros*, de Mario Vargas Llosa, 1962, y continuado, de forma avasalladora, con el de *Cien años de soledad* (a partir de 1967, primera edición, y 1968-1969, años de su difusión masiva entre nosotros); haya sido corroborado con premios, entrevistas y artículos, estancias prolongadas en España de algunos autores (Vargas Llosa, García Márquez o José Donoso, por ejemplo), polémicas, conferencias, libros y esté ya próxima a convertirse en un cansancio más, un tercer cansancio en nuestro recorrido. [66]

[64] El premio de la Crítica participó, asimismo, de esa tendencia pues en 1966 fue concedido al peruano Mario Vargas Llosa por su novela *La casa verde*.

[65] "Seix y Barral, que propiciaba la edición de los novelistas españoles del grupo realista, descubrió con *La ciudad y los perros* la eficacia comercial de la novela de los jóvenes narradores de América latina, a los que abrió su capacidad editora mientras la cerraba parcialmente —al menos se pueden consultar las listas de publicaciones— a sus anteriores patrocinados" (Rafael Conte, "Informaciones", Madrid, 22-V-1969).

[66] Con razón escribía Rafael Conte (suplemento n.º 180: 16-XII-1971, de "Informaciones", Madrid): "Estamos en los terre-

Esas dos novelas, algunas de las premiadas en España, otras aquí editadas, amén de las que fueron llegándonos son muestra de una literatura en libertad —sin coacciones de censura oficial pero, asimismo, sin las trabas impuestas por una rígida militancia política—, complacida en el lenguaje y en la técnica, haciendo uso no temeroso de la imaginación, de la divagación gratuita, de la total realidad humana. Comparados con los novelistas españoles coetáneos —con censura oficial y trabas de militancia política; sin mayor libertad para asomarse fuera y hondo—, éstos quedan, en conjunto, por bajo de aquéllos pero, y aunque algunos denigradores lo hayan hecho, tal vez no sea justo ni rigurosamente crítico comparar a unos con otros, ya que "de sobra sabemos lo que aquí hubieran dado de sí esos escritores [los españoles], durante el cuarto de siglo de censura de la que ellos [los hispanoamericanos] se han librado". [67]

Sin ton ni son se arremetió entre nosotros contra la irrupción novelística hispanoamericana, no dándose cuenta, por ejemplo, de lo mucho que ésta tenía de riego saludable para la nuestra. Se habló de un fenómeno de habilidad editorial; recurrieron algunos a las argumentaciones críticas adversas de Manuel Pedro González [68] y de Ignacio Iglesias; [69]

---

nos de la simple comercialización, de la explotación editorial de un filón que, sin estar agotado, no da para más. Habría que contentarse con la cosecha recogida, que ha sido excepcional, y no intentar enmascarar los frutos".

[67] Es lo que piensa Manuel Halcón, entrevistado por Antonio R. de las Heras en ABC del 21-VIII-1969.

[68] En su comunicación, *La novela hispanoamericana en el contexto de la internacional,* al simposio celebrado en la Washington University, primavera de 1966; recogida en las pp. 37-109 de *Coloquio sobre la novela hispanoamericana* (México, Fondo de Cultura Económica, 1967).

[69] *Novelas y novelistas de hoy* ("Mundo Nuevo", París,

sacaron otros las cosas de quicio aludiendo a un modo de sutil penetración castrista. (También se dijo que la novela hispanoamericana había comenzado antes de ahora mismo, lo cual es muy cierto pues, dentro del siglo XX y antes de ahora, existieron novelistas importantes y en no pequeña cantidad.) La intervención más espectacular y escandalizadora corrió a cargo del novelista Alfonso Grosso, en Madrid, 1969, y por dos veces: conferencia en el Club "Pueblo" y declaraciones en un diario de la capital. Grosso dijo cosas como éstas: "Cortázar es un histrión y no me interesa nada. García Márquez es un bluff. Vargas Llosa es muy turbio y no ha descubierto nada. ¡Ya está bien de novela hispanoamericana!". [70]

---

n.º 28: X-1968); artículo contestado en el n.º 33: III-1969, de la misma revista por Fernando Ainsa, Alejandro Lora Risco y Leonilda J. León, a quienes replicó Iglesias, *Crítica a unos críticos* (n.º 35: V-1969, de "idem.").

[70] Grosso dijo también: "Yo estoy emparentado con el *realismo justiciero* de los años sesenta sólo de un modo muy circunstancial". Resulta triste, pero también gracioso y significativo, lo contado por Grosso en la p. 34 de Rico, *Literatura*: "A la llamada *Escuela de Madrid* mis primeras novelas le *sonaban* a sudamericanas, término muy despectivo por aquellos años y quedaban invalidadas precisamente por mi preocupación estilística. *Están demasiado bien escritas, y escribir demasiado bien es muy peligroso para un novelista,* me decía García Hortelano mientras volábamos en un viejo Convair-Metropolitan, acompañados por Antonio Ferres, hacia Barcelona [...] Recuerdo que nuestro viaje lo hacíamos por razones editoriales; corría el año de gracia de 1961, y una de nuestras visitas en Barcelona —resultaba inevitable para mí, y para ellos era indispensable— sería la de saludar a Castellet, el pontífice del realismo, que se negó siempre [...] a incluirme en la nómina de sus elegidos, aunque la gente creyera lo contrario porque mis novelas eran traducidas, por Gallimard o por Seuil, al francés". De nuevo sería motejado Grosso de hispanoamericano por algunos compañeros de viaje de otro tiempo, más fieles al realismo social, en el acto de presentación de su novela *Inés Just Coming*: saloncito de conferencias de la librería madrileña Cult-Art, 1969.

Quedó abierta así una polémica (es un decir) ficticia y sin sentido porque en ella, desde el principio, se trataba de enfrentar la novelística hispanoamericana más reciente con la española del realismo social, como si ésta fuera la única existente en nuestro país por los años 50 y 60. En las páginas literarias de "Informaciones" se preguntó si era "lícita la equiparación de la novela latinoamericana con la escrita en España por la generación realista de finales de los años cincuenta", pregunta a la cual también en otras páginas literarias se respondió negativamente. [71] Pero todo esto es ya agua pasada. [72]

El retorno de los novelistas de la España peregrina fue operándose muy poco a poco. Recuerdo cómo, vía editoriales argentinas, fueron llegando a España —década de los 50—, subrepticiamente, la trilogía de Arturo Barea, 1951, novelas de Rosa Chacel o *Muertes de perro*, de Francisco Ayala,

---

[71] ABC, "Mirador Literario": Ángel María de Lera (28-XI-1968), Francisco García Pavón (15-V-1969) y Manuel Halcón (21-VIII-1969).

[72] Existe un trabajo de José María Castellet (*La actual literatura latinoamericana vista desde España*, pp. 47-61 del volumen "Panorama de la actual literatura latinoamericana", Madrid, Editorial Fundamentos, 1971, pero que recoge intervenciones de un ciclo celebrado en La Habana, enero de 1968) que es un ejemplo de lamentable improvisación: sin datos concretos; sin precisiones de ningún tipo; refiriéndose sólo a la novela (como es natural, pero ¿el título del trabajo no obligaba a ocuparse de los demás géneros?); creyendo que los únicos receptores españoles de tal literatura a partir de 1960, más o menos, fueron los miembros de su generación (los llamados *sociales*); dando a Cuba una importancia grande, decisiva casi en el fenómeno de la irrupción o auge ("boom"), con lo cual da la razón a quienes, torcidamente, consideran que ese fenómeno es una maniobra castrista; haciendo, como es usual en él, política (no reconociéndole nada de nada al Instituto de Cultura Hispánica, editor en Madrid de revistas como "Cuadernos Hispanoamericanos" y de colecciones de poesía como "La Encina y el Mar").

1958. Entre nosotros creo fue Ediciones Cid, de Madrid, la primera en publicar —1960— un libro narrativo de autor exiliado, [73] a la que seguirían, años más tarde, las editoriales barcelonesas Seix y Barral, [74] Delos-Aymá [75] y Destino. [76] En 1967 se iniciaba la nueva serie de la conocida publicación "Novelas y Cuentos" [77] con *La aventura equinoccial de Lope de Aguirre*, de Sender, con prólogo de Carmen Laforet.

En el ámbito crítico debe destacarse el hecho de que Juan Luis Alborg dedicara en el volumen segundo de su libro *Hora actual de la novela en España*, 1962, bastantes páginas a la obra de tres exiliados: Sender, Max Aub y Barea; tal como, menos extensamente, hizo, ese mismo año, Eugenio G. de Nora. Pero quien llamó decisivamente la atención sobre el exilio y su quehacer narrativo fue José Ramón Marra-López con *Narrativa española fuera de España. 1939-1961*, libro aparecido en 1963.

Es hacia 1969, coincidiendo en el tiempo (pero nada más) con la irrupción hispanoamericana, cuando la llamada "operación retorno" comienza ampliamente: viajes a España de Francisco Ayala y de Max Aub; [78] asentamiento en Madrid de Ma-

---

[73] *El centro de la pista*, cuentos de Arturo Barea, que había fallecido en 1957, en Inglaterra, nacionalizado inglés.

[74] *Un olor a crisantemo*, de Segundo Serrano Poncela, 1961.

[75] *Crónica del alba*, de Ramón J. Sender, 1966 y 1967. (A este libro le sería concedido el premio "Ciudad de Barcelona", 1967).

[76] Incluyó en la colección "Áncora y Delfín" dos novelas de Sender: *El bandido adolescente* (n.º 267, 1965) y *Elegía del prieto Trinidad* (n.º 274, 1965).

[77] Con formato de libro, a cargo de Editorial Magisterio Español y dirigida por Manuel G. Cerezales.

[78] En el otoño de 1969, para preparar un libro sobre Luis Buñuel; objeto de curiosidad y de atención: artículos, entre-

nuel Andújar; premio "Planeta" 1969 a Sender; reediciones de la Editorial Andorra [79] y otras varias publicaciones, entre las que destaca un volumen antológico debido a Rafael Conte; [80] entrevistas, artículos, conferencias, prólogos y libros en nutrido número, como pretendiendo compensar en un momento el desconocimiento y los vejámenes anteriores. Hecho feliz, necesario, justísimo el de semejante retorno pero del mismo

> no se debe esperar [ha dicho un testigo de excepción] [81] la panacea universal que cure a la literatura española de todos sus males. No todo escritor del exilio, por el mero hecho de serlo, es un artista excepcional, ni mucho menos [...] En la mayoría también se observa un tradicionalismo expresivo consecuente con su situación de desarraigo que obliga a conservar el idioma.

---

vistas, declaraciones. Max Aub, que volvería en la primavera de 1972 (poco antes de su muerte), trae pasaporte mejicano y tiene interés en subrayar que "he venido, pero no he vuelto". *La gallina ciega* es el título del diario de este primer viaje español después de la guerra civil, publicado en Méjico por Joaquín Mortiz.

[79] No se trata de ofrecer un catálogo completo; recordemos solamente la publicación de: *Vísperas*, la trilogía de Manuel Andújar; *Campo del moro*, de Max Aub; y libros de Rosa Chacel y de Francisco Ayala.

[80] *Narraciones de la España desterrada* (Barcelona, Edhasa, 1970).

[81] Rafael Conte, en "Informaciones", Madrid, 23-X-1969.

5

El final de la post-guerra: 1970 a 1975

¿PODREMOS llamar, sin que ello se preste a confusiones y ambigüedades, tiempo de post-guerra en España a gran parte de los años recorridos en este libro y hasta noviembre de 1975, con el fallecimiento de Francisco Franco? Tal vez sea hacedero y conveniente. En este capítulo tratamos, por tanto, de sus postrimerías que cierran un ciclo, un largo período —¿la "Era de Franco"?, que dijo un economista ocasionalmente metido a historiador—, y dan paso a otro ciclo o período (que ahora no nos incumbe), distinto cuando menos en la inexistencia del exilio político y de la censura ideológica, dos graves desgracias algo atenuadas ya durante esas postrimerías.

Por lo que atañe a la historia de nuestra novela en tal sexenio creo muy difícil el señalamiento de unos hitos —libros, autores, tendencias, hechos varios— que lo abanderen o denominen inequívocamente. Sexenio de crisis y de búsqueda, de afirmaciones y renovaciones —apartado quinto—; con fuegos que brillan sólo un momento —apartado tercero— y soles cuyo resplandor verdadero o ficticio —apartados primero y segundo— tiende a apagarse; sexenio que muestra subidas y descensos, años fastos y nefastos —apartado cuarto— y en cuyo transcurso los premios, numerosos y no poco generosos, siguieron, para bien y para mal, haciendo de las suyas —apartado sexto—; muestra también este sexenio en alza creciente el prestigio digamos académico de semejante conjunto de novelas y novelistas —apartado séptimo y último—.

I. LA PRESENCIA HISPANO-AMERICANA

A la altura cronológica de 1971, la fuerza del llamado "boom" de la novela hispano-americana había remitido entre nosotros, si bien algunos hechos —premios, publicación de libros— mantuvieran aún su actualidad. Según Iglesias Laguna, de cara a lo habido durante el año 1970 [1] "[...] se advierte que va cediendo la marea de la imitación indiscriminada de la nueva novela hispanoamericana [...] [y] un retroceso cualitativo en los hispanoamericanos que publican en España [...]"; en tanto Rafael Conte afirmaba, a fines de 1971: [2] "Estamos en los terrenos de la simple comercialización, de la explotación editorial de un filón que, sin estar agotado, no da para más". Tal situación continuará en años posteriores.

De 1971 data la publicación de *Los españoles y el boom,* conjunto de opiniones obtenidas en entrevistas por Fernando Tola de Habich y Patricia

---

[1] Antonio Iglesias Laguna, *La narrativa española en 1970.* ("La Estafeta literaria", Madrid, n.º 459: 1-I-1971, p. 19).
[2] Rafael Conte, *Cuando el "boom" hispanoamericano se muerde la cola.* ("INFORMACIONES de las Artes y las Letras", Madrid, n.º 180: 16-XII-1971, p. 2).

Grieve. [3] ¿Se vuelve aquí, de mano de algunos narradores y críticos, a un artificial enfrentamiento
entre novela española y novela hispano-americana?
A veces, en ciertos entrevistados, sí se vuelve a las
odiosas comparaciones o a la incomprensión injusti-
ficada mas el tono general resulta admirativo sin
caer en el papanatismo, mero reconocimiento de un
hecho evidente, quizá desquiciado por la propaganda editorial pero eficaz y hasta necesario en un momento dado de la narrativa española. Se admite que
hay autores y títulos importantes, entre los que Vargas Llosa y *Cien años de soledad* resultan abundantemente preferidos y también el cuentista Cortázar,
con cuya *Rayuela* sin embargo (igual sucede con
Paradiso, de Lezama Lima) no han podido todos los
ahora convocados; Carlos Fuentes motiva opiniones
favorables y menos favorables. Aquello que en los
narradores hispano-americanos del "boom" suena
sólo a tecnicismo novedoso desagrada a nuestros
realistas más contumaces. Para los hispano-americanos, finalmente, todo o casi todo fueron facilidades:
libertad temática y expresiva, contacto con el extranjero, existencia en la propia casa de colegas mayores
y magistrales en tanto sus colegas españoles eran sufridas víctimas de no pocas limitaciones. El novelista Daniel Sueiro aventura en su respuesta (página
229) la siguiente hipótesis, según la cual el régimen
político español de entonces quedaría implicado en
dicho artificial enfrentamiento a favor de los hispano-americanos: "[...] se pretendió, e incluso se
hizo, y está en el ambiente, intentar demostrarnos o
hacernos ver, que nosotros no sabíamos hacer las

---

[3] *Los españoles y el boom. Cómo ven y qué piensan de los
novelistas latinoamericanos.* (Caracas, editorial "Tiempo Nuevo",
1971).

cosas y que eso sí era escribir, y eso sí era novelar, y que esa gente estaba viva y sabía crear personas y mundos, y que nosotros estábamos fracasados [...] únicamente por nuestra propia insuficiencia".

Aunque puedan ser estimadas manifestaciones residuales lo cierto es que al despacho de algunos editores y a la convocatoria de bastantes premios[4] llegaban todavía no pocos originales hispano-americanos, con el deseo de conseguir la buena fortuna obtenida tiempo atrás en España por algunos colegas y compatriotas. A veces no les sonreía el éxito; en otras ocasiones el resultado era más favorable. Carlos Barral declararía a finales de 1971[5] que en la colección Hispánica Nova "no he conseguido incluir [a lo largo de un año de su existencia] más que novelistas latinoamericanos". La que pudiéramos denominar costumbre iniciada en 1962 —cuando el premio "Biblioteca Breve" a *La ciudad y los perros*, de Mario Vargas Llosa— y continuada en años sucesivos, prosigue notoriamente en el espacio que va de 1970 a 1974 con dos "Planeta", un "Alfaguara", un "Biblioteca Breve", un "Barral", un "Nadal" y un "Gabriel Miró", siete premios en total concedidos a otros tantos escritores hispano-americanos.[6]

[4] He aquí sólo dos muestras. Al primer "Barral" (1971) concursaron 102 originales y de entre ellos la mitad eran hispano-americanos; al octavo "Vicente Blasco Ibáñez" (1973) lo hicieron 106, de los que 39 eran obra de hispano-americanos.

[5] N.º 179 (9-XII-1971) de "INFORMACIONES de las Artes y las Letras", p. 6.

[6] He aquí la lista detallada y ordenada cronológicamente. 1970: *La cruz invertida*, del argentino Marcos Aguinis obtuvo el premio "Planeta" y *Todas esas muertes*, del chileno Carlos Droguett, el "Alfaguara". // 1971: *Sonámbula del sol*, de la cubana Nivaria Tejera, el "Biblioteca Breve"; *En vida*, del argentino Haroldo Conti, el "Barral"; y *El país del largo viaje*, del argentino José Baidal, el "Gabriel Miró". // 1972: *La cárcel*, del colombiano Jesús Zárate, póstumamente, el "Planeta". //

En cuanto a publicación de libros narrativos la boga de años anteriores continúa aunque menos relevante cualitativamente. Vargas Llosa, que había consolidado su prestigio en 1970 merced a *Conversaciones en la Catedral*, supera anteriores éxitos de público con *Pantaleón y las visitadoras* (1973), que posee "vocación de best-seller". [7] Se esperaba desde hacía tiempo por García Márquez, cuya historia de Eréndira (*La increíble y triste historia de la cándida Eréndira y de su desalmada abuela*, 1972) no hizo más que avivar la expectación existente respecto de su tan anunciada —en artículos, entrevistas, noticias varias y a veces contradictorias— nueva novela, *El otoño del patriarca* (1975): un dictador hispanoamericano que coincide con más de un modelo histórico y se asemeja a otros literarios, lo cual no supone nada en contra del talento de su autor, poderosísimo y diestro en el manejo de historias, personajes y lenguaje. *El otoño...* creo no logró entre nosotros el éxito arrollador, por lo entusiasta y unánime, de *Cien años...* Tiempo después García Márquez abandonaba su habitual residencia barcelonesa y casi el cultivo de la estética para trabajar en pro de la liberación de algunos tiranizados países de Hispano-América.

Autores menos conocidos que los dos precedentes dieron señales de vida con libros no tan esperados como los de esos sus colegas. Tal es el caso del chileno José Donoso —*El obsceno pájaro de la*

1974: *Culminación de Montoya,* del argentino Luis Gasulla, el "Nadal".

Hubo también finalistas estrictos, así: Hilda Perera (en el "Planeta" de 1972) o Guillermo A. R. Carrizo, que había sido premio "Ciudad de Barbastro" 1973 (en el "Nadal" de 1974).

[7] Rafael Conte en "INFORMACIONES de las Artes y las Letras", Madrid, n.º 285: 27-XII-1973.

noche (1971)—, del peruano Alfredo Bryce Echenique —*Un mundo para Julius* (1971) y el libro de cuentos *La felicidad, ja, ja* (1973)—, del argentino Manuel Scorza —autor de la vigorosa historia *Redoble por Rancas* (1971)—, del chileno Jorge Edwards —*Persona non grata* (1973), entre novela política y libro de memorias—, del mejicano Salvador Garmendía —cuyas *Memorias de Altagracia* (1974) son el retrato de una sociedad enajenada y condicionada por un sistema opresor de lo humano—, o del chileno Carlos Droguett —*El hombre que trasladaba ciudades* (1973), curiosa muestra de novela histórica—. En resumen, tres chilenos, un peruano, un argentino y un mejicano que son nada más que media docena de ejemplos, destacados sin duda en calidad entre un conjunto nutrido aunque harto desigual estéticamente.

Tras la fulgurante explosión —lo que propiamente pudiera ser conocido como el "boom"— vino la interesada comercialización del mismo. Pero también una segura consolidación, operada ya no con exclusividad de unos cuantos nombres y títulos últimos sino ampliando y enriqueciendo el conjunto con otros autores y obras; ocurrió así en la extensa área geográfica universal donde se sintió de algún modo la irrupción narrativa hispano-americana y claro está que también, y muy peculiarmente a veces, en España. Aquí es el caso de aquellos escritores que —como Vargas Llosa, García Márquez, José Donoso o Jorge Edwards— fijan su estancia entre nosotros, exiliados de sus respectivos países de nacimiento y a favor de circunstancias editoriales propicias; es el caso también de los que nos visitan temporalmente y conocen acogidas fervorosísimas —como Julio Cortázar cuando en junio de 1974, reciente la aparición del volumen de cuentos *Octaedro*, incluido en la prestigiosa y exigente colección "Alianza Tres", vino desde París a firmar ejemplares en la Feria del Libro madrileña—; es, por último, el caso de los invitados por el Instituto de Cultura Hispánica a conferenciar en el ciclo "La literatura hispano-americana comentada por sus creadores", que entre 1973 y 1975 contó, entre otras, con la asistencia del uruguayo Juan Carlos Onetti y del argentino Manuel Mujica Láinez. Semejante mirada hacia atrás buscando, acaso sin pretenderlo, prestigiosos y a veces no muy difundidos colegas y maestros que en cierto modo respalden, supuso una justísima y saludable operación ampliadora.

Porque (y es cuestión más de una vez abordada, agresivamente incluso),[8] ¿fue el llamado "boom", además de un rentable lanzamiento editorial, la maniobra llevada a cabo con éxito muy lisonjero por un reducidísimo y no franqueable club de amigos, sociedad limitada de exaltadores bombos mutuos? Tal sostuvo el crítico uruguayo Ángel Rama en un "Coloquio Internacional sobre el libro" (Caracas, agosto 1972, bajo el patrocinio del Instituto Nacional de Bellas Artes); su polémica intervención queda resumida en el rotundo párrafo que sigue:

> Yo no conozco nada igual a lo que se ha llamado el "boom". Es el club más exclusivista que ha existido jamás en la historia de la cultura hispanoamericana. Es un club con cinco personas y no tiene más que cinco asientos: pueden entrar algunos, pero de pie. De estos cinco, cuatro tiene sillones con nombre y apellido [...]

---

[8] Tal es el caso de *Historia personal del "boom"* (Barcelona, Anagrama, 1972), de José Donoso, testigo directo y avizor del fenómeno, cuya crónica, denunciadora de algunas vergüenzas y derruidora de ciertos tópicos, resulta a veces bien triste.

y ellos son: Cortázar, Vargas Llosa, Fuentes y García Márquez. El quinto sillón es variable: algunos se lo han dado a Donoso, otros a Lezama Lima [...] Quienes marcaron estos valores, quienes determinaron estas formas, no son los críticos. El mercado no solamente comprime, reduce, imposibilita su trabajo, sino que también repercute sobre el escritor.

¿Fueron así las cosas? Algunos colegas y algunos críticos que dicen conocer los entresijos del llamado "boom" se han complacido, antes y después de Rama, en arrojar piedras a ese tejado, acaso construido con no escaso riesgo de fragilidad. Por encima de tales chismografías, superando políticas comerciales, ideológicas (¿una maniobra alentada por el castrismo?) o amistosas, llegada la hora del balance hago mía la aseveración de Andrés Amorós: [9] "Queda [...] la realidad indudable de media docena de grandes autores, de talla universal, y una amplia nómina de nuevos narradores de buena calidad e interés indudable", palabras a las que añado mi certeza de que la presencia directa de la narrativa hispano-americana entre nosotros constituyó en su momento eficaz riego vivificador, por encima de imitaciones serviles y de reacciones desconsideradas.

II.   "NARRALUCES" Y "NARRAGUANCHES"

Entre 1968 y 1972 fija Ruiz Copete [10] el tiempo de auge de la narrativa andaluza o lo que, en términos más periodísticos y llamativos, fue denominado

[9] *Novela española e hispanoamericana.* ("El Urogallo", Madrid, n.º 35-36: IX-XII, 1975, p. 75.
[10] Juan de Dios Ruiz Copete, *Introducción y proceso a la nueva narrativa andaluza.* (Sevilla, Publicaciones de la Diputación Provincial, 1976).

el "boom" de los "narraluces", creyendo o deseando
encontrar sus mantenedores una réplica nacional al
coetáneo auge hispano-americano. ¿Fue una mera
invención de un fenómeno artificial urdida por algún
avispado seguidor de nuestra literatura novelística?[11]
¿Fue, por el contrario, un movimiento coherente
y responsable, surgido en buena parte como reacción frente al cansancio engendrado por la novela
del social-realismo? Cierto es que tuvo más nega-
dores y contempladores indiferentes que fervorosos
partidarios y por eso, a la altura de 1974, le era dado
escribir a Antonio Burgos, uno de los supuestos implicados en tal "boom", que de semejante montaje
quedaría finalmente "la obra de unos cuantos autores a quienes son más las cosas que separan que las
que les unen".[12] Y a confesión de parte...

Unos cuantos autores que, según recuentos efec-
tuados, llegan a sesenta y, consiguientemente, una
considerable cantidad de títulos. Muy distintos unos
de otros, desde los mayores en edad —caso de Francisco Ayala (nacido 1906) o de Manuel Andújar (nacido 1913)— hasta los jóvenes recién llegados; y no
sólo la generación a que pertenezcan es elemento se-
parador sino que la adscripción a concretos grupos
y la adhesión a determinadas tendencias y estéticas
constituyen otros motivos diferenciadores. Les une
su naturaleza andaluza, muchas veces no muy visible en la obra realizada, y también un rasgo estilístico nada desdeñable, común sobre todo a algunos

[11] Aludo a la encuesta "¿Se puede hablar de una narrativa
actual específicamente andaluza?", llevada en las páginas literarias del vespertino madrileño "Pueblo" a lo largo de 1971
por el periodista Miguel Fernández-Braso, con la presentación
y el beneplácito del crítico Dámaso Santos.
[12] Antonio Burgos, *Cuando el "boom" andaluz va de retirada.* (ABC, Madrid, 24-I-1974, p. 45).

de los más jóvenes, y valioso tanto en sí mismo como circunstancialmente, por suceder a una época de expresión deliberadamente descuidada y pobre. Los "narraluces", antes ya de los años 70 (ahí está el ejemplo de Caballero Bonald en *Dos días de setiembre*), escriben brillante y hasta barrocamente, complaciéndose en la hermosura de la palabra, atendiendo a su sonoridad, demorándose con gusto en los pasajes descriptivos, nunca hostiles al buen decir y resultando, como consecuencia, unos dignificadores de la prosa narrativa. [13] Otro apoyo al pretendido conjunto andaluz fue el hecho de que entre 1967 y 1975 los premios novelísticos más conocidos y concurridos recayeron en obras de escritores nacidos en la región —"distintas editoriales, distintas tendencias, diferentes líneas estéticas, todos parecen ponerse de acuerdo en dar sus más codiciados galardones a narradores andaluces"—, [14] lo que produjo la impresión de que, como en otras décadas ocurriera con la poesía, por entonces el meridiano de la novela española pasaba por Andalucía. [15]

[13] A este respecto comentaba José Domingo ("Ínsula", Madrid, n.º 310: IX-1972, p. 7): "Esta calidad de la prosa es una de las características a subrayar en los actuales novelistas andaluces; por encima de esos pretendidos rasgos generacionales de los que habría mucho que hablar, existe una positiva realidad: su labor dignificadora de la prosa, del arte del buen decir". Añadiré el testimonio del novelista José María Requena ("INFORMACIONES de las Artes y las Letras", Madrid, n.º 203: 25-V-1972, p. 2), quien no cree en la existencia de una escuela narrativa andaluza pero reconoce se dan "circunstancias que nos unen en cuanto al estilo [...] aquí [en Andalucía] se hace novela con nuevos cauces de expresividad".

[14] Así opina el novelista Manuel Barrios: "INFORMACIONES de las Artes y las Letras", Madrid, n.º 203: 25-V-1972, p. 2.

[15] He aquí un recuento acaso no completo.

1967: Manuel Ferrand, premio "Elisenda de Moncada" con *El otro bando*.

Dejando a un lado, como cuestión más bien baladí, la existencia de una muy trabajada conciencia de grupo, clan o círculo restringido con la consiguiente preocupación propagandística y editorial, [16] lo cierto es que el montaje de los "narraluces" sirvió para que se atendiera a un abundante conjunto, disperso por la localización geográfica actual de sus integrantes —residentes en Andalucía (Sevilla, princi-

---

1968: Luis Berenguer, premio de la Crítica con *El mundo de Juan Lobón* y Manuel Ferrand, premio "Planeta", *Con la noche a cuestas*.

1969: Luis Berenguer, premio nacional "Miguel de Cervantes" con *Marea escorada*.

1970: Ramón Solís, premio nacional "Miguel de Cervantes" con *La eliminatoria*.

1971: José María Requena, premio "Nadal" con *El cuajarón*; Alfonso Grosso, premio de la Crítica con *Guarnición de silla*; Luis Berenguer, premio Alfaguara" con *Leña verde* y Julio M. de la Rosa, premio "Sésamo" (novela corta) con *Fin de semana en Etruria*.

1972: Francisco Ayala, premio de la Crítica con *El jardín de las delicias*; Antonio Burgos, premio Ciudad de Marbella" con *El contrabandista de pájaros*; José Leyva, premio "Biblioteca Breve" con *La circuncisión del señor solo*; Alfonso Grosso, premio "Alfaguara" con *Florido mayo* y Manuel Barrios, premio "Ateneo de Sevilla" con *Epitafio para un señorito*.

1974: Aquilino Duque, premio nacional "Miguel de Cervantes" con *El mono azul* y José Manuel Caballero Bonald, premio "Barral" con *Ágata ojo de gato*.

1975: José Manuel Caballero Bonald, premio de la Crítica con *Ágata...* y Manuel Barrios, premio "Ciudad de Barcelona" con *Al paso alegre de la paz*.

Repárese en que son ocho años, doce autores (algunos galardonados varias veces) y doce premios los elementos integrantes de este recuento, del que excluyo las obras estrictamente finalistas, que también hubo. ¿Mera casualidad esta abundancia triunfadora en espacio temporal tan corto?

[16] Tal vez convenga recordar aquí la advertencia a sus colegas formulada en 1972 por Carlos Muñiz-Romero ("Reseña", Madrid, n.º 55: V-1972, p. 12), quien avisa del apetito de los editores que, deseando beneficiarse de la favorable circunstancia exaltadora, les haría caer "en la propia trampa, cediendo a su congénita tendencia a la improvisación y a la facilitonería".

palmente), Madrid e incluso en lugares del exilio—
y vario. Un conjunto, en suma, que, distinguido por
aspectos temáticos —lo histórico, lo rural, lo ciudadano, con muy peculiares toques; como personajes,
gentes de la tierra pertenecientes a todas las clases
sociales— y técnicos —el ya señalado cuido estilístico y una cierta complicación estructural (así, vgr.,
Alfonso Grosso en *Florido mayo*)—, venía a con-
cretarse tanto en una posibilidad salvadora después
de empobrecimientos deliberados e inevitables cansancios como en recambio para modas y modos de
fuera. ¿Cuál será la suerte futura de estos "narraluces" avisados, conminados casi por la siguiente
conclusión aprobada en el primer congreso de Escritores Andaluces (agosto de 1976): "En esta co-
yuntura histórica nos parece necesario insistir en la
urgencia de una producción literaria cuyas excelencias formales no olviden los niveles significativos que
puedan comunicar con todos los sectores del pueblo
andaluz"?

Al iniciarse los años 70 se comenzó a hablar de
otro supuesto "boom": el de la narrativa canaria,
aireándose fuera de los estrictos límites del archipié-
lago unos cuantos nombres y títulos. Era un no muy
nutrido conjunto de jóvenes escritores, sin el respaldo magistral de colegas vivos y activos pertenecientes a otras generaciones pues Agustín Espinosa
y Claudio de la Torre, por ejemplo, [17] habían falle-

---

[17] Agustín Espinosa (1897-1939), catedrático de literatura y
novelista, fue autor de *Crimen, Lancelot 28º 7º* y *Media hora
jugando a los dados* (que reeditó en un volumen, dentro de
su colección "Taller Uno", Ediciones J. B., de Madrid), interesante muestra, casi única entre nosotros, de una vanguardia
narrativa impregnada de surrealismo.
El olvidado Claudio de la Torre (1895-1973), que comenzó
como poeta y fue también dramaturgo de éxito y director tea-

cido tiempo atrás; y casi unánimemente entregados a la aventura de experimentar. Algunos certámenes insulares, algunos empeños editoriales, la publicación de algunos libros, más unos cuantos artículos y conferencias vinieron a dar cohesión a este grupo de amigos que no movimiento trabado y con unos objetivos definidos. Por eso alguien con sobrado motivo para emitir opinión escribía en 1972 y 1973: [18] "En Canarias no ha estallado ningún "boom" [...] Fue una invención en la que todos tuvimos parte [...] Todo el mundo se aprovechó como pudo del deteriorado término [...]"

Tres premios: el "Galdós" (patrocinado por el Cabildo Insular de Gran Canaria), que en su convocatoria de 1975 obtuvo J. J. Armas Marcelo [19] con *El camaleón sobre la alfombra*; el "Benito Pérez Armas" (patrocinado por la Caja General de Ahorros de Santa Cruz de Tenerife), que galardonó novelas de Alfonso García-Ramos —*Guad*, 1970—, Juan Cruz Ruiz [20] —*Crónica de la nada hecha pedazos*, 1971—, Fernando G. Delgado —*Tachero*, 1973—, Félix Francisco Casanova —*El don de Vorace*, 1974—, y quedó desierto en 1975; y el "Canarias", el benjamín y el más audaz de los tres (que

---

tral, ganó con su novela *En la vida del señor alegre* el premio Nacional de Literatura, 1924, y revalidó sus méritos como narrador en *Alicia al pie de los laureles* (Madrid, Biblioteca Nueva, 1940).

[18] Jorge Rodríguez Padrón, *Novelar en España, novelar en Canarias* (ABC, Madrid, 19-X-1972) e *Informe objetivo (dentro de lo que cabe) sobre la nueva narrativa canaria* ("Camp de l'arpa", Barcelona, n.º 7: VII-VIII de 1973).

[19] Nacido en 1946, licenciado en Filosofía y Letras, dedicado a tareas editoriales. *Estado de coma*, su segunda novela, vio la luz en mayo de 1977 (Barcelona, Plaza-Janés, libros Reno).

[20] Nacido en 1948, periodista; en 1975, Ediciones J.B. sacó *Naranja*, su segunda novela.

patrocina la editorial grancanaria Inventarios Provisionales), no adjudicado en su primera convocatoria —la de 1973— [21] y concedido en la de 1974 a *Las lecciones suspendidas*, obra del "novísimo" poeta y narrador Félix de Azúa, no canario. Estos cinco nombres y algunos más, revelados como finalistas en tales certámenes o con algún libro publicado: caso de Luis Alemany —*Los puercos de Circe*—, Orlando Hernández —*Máscaras y tierra*—, Alberto Omar —*La canción del morrocoyo*—, Rafael Arozarena, Luis León Barreto —*Ulrike tiene una cita a las 8*—, Emilio Sánchez Ortiz —autor de *O* (1975), anunciada como "la novela más revolucionaria, la más terrible ceremonia de autoprofanación: desde el O hacia la libertad"— y Víctor Ramírez, son los que en su entusiasmo ("paciente e inteligente dedicación", al decir de Rodríguez Padrón) han dado pie para que se hablara del "boom" de los "Narraguanches". La publicación en 1973 del volumen antológico *Aislada órbita*, compuesto por Rafael Franquelo con trabajos de once jóvenes narradores de las islas, vino a concederle un cierto asiento oficial.

Si hubiéramos de precisar características comunes, capaces de dar una cierta cohesión de grupo, repararíamos en la condición de universitarios de buena parte de tales novelistas; su deseo de profesionalidad como escritores, dejando de ser meros y curiosos aficionados; la renuncia al tratamiento pintoresco de temas costumbristas y folklóricos para sobrepasar así el limitado espacio geográfico isle-

[21] Así lo decidió un jurado que integraban el sueco Arthur Lundkvist, Vargas Llosa, José Luis Cano, Andrés Amorós y los canarios Rodríguez Padrón, Alfonso de Armas y J. J. Armas Marcelo en vista de la insuficiente calidad de los originales presentados; se concedió un accésit a la novela de Carlos Edmundo de Ory, *Mephiboset en Onou*.

ño; [22] el ensayo de nuevas fórmulas estilísticas y estructurales. [23] Dos editoriales: Taller Ediciones J. B. e Inventarios Provisionales, con una decidida propensión hacia lo experimental (basta un repaso de sus respectivos catálogos para comprobarlo), han estimulado a los miembros del grupo acogiendo propiciamente sus narraciones.

Ciertos extremos declarados por J. Cruz Ruiz en una entrevista de 1972 [24] pueden, a lo que creo, extenderse a otros colegas coterráneos. El autor de *Crónica* ... reconoce gustosamente una deuda con ciertos antepasados literarios recientes llamados, vgr., Joyce, Proust, Kafka, Faulkner y Cortázar, quienes le conducirán por caminos ni trillados ni cómodos; se confiesa narrador canario que, sin olvido de las raíces biológicas, procura trascenderlas —"[...] en su sentido más superficial, ésta [la novela *Crónica*...] no es una novela de la isla"—. La insularidad es un condicionante grave y singular que produce una sensación de encierro y aislamiento y engendra, simultáneamente, un vivo deseo de salir de esas fronteras impuestas: "así surge, en mi caso, esa necesidad asfixiada de salir de un mundo que en la novela es el mundo del sueño y que en la realidad es la existencia concreta de la soledad y de la lejanía".

---

[22] *Guad*, de Alfonso García-Ramos, es considerada por el crítico Víctor Rodríguez Jiménez (reseña en p. 76 del n.º 1, 1973, de "Revista de Letras", Universidad de La Laguna) como "una novela que remonta los puros límites de lo regional por el aliento y vigor narrativo y por la amplitud de su contenido [...]"

[23] Respecto de *Guad*, el crítico Rodríguez Jiménez reconoce en su autor "excelente dominio de las técnicas de estilo, principalmente de la buena narrativa hispanoamericana".

[24] La firma Ramón Pedrós: ABC, Madrid, 27-X-1972, p. 60.

El paso del tiempo ha confirmado unas palabras mías de 1974 que aconsejaban suma prudencia frente a unos supuestos o fabricados "boom" de ámbito regional español, ideados acaso con buen deseo clasificador o con loable ánimo exaltatorio; repito aquí esas palabras:

> A la sombra del "boom" por antonomasia (o hispanoamericano) surgieron en los años setenta otros nacionales, de menos entidad y más fácil y pronto declive, halagadores quizá de algún complejo local; unos cuantos escritores con alguna epidérmica coincidencia entre sí, algunos títulos aparecidos próximamente en el orden cronológico, acaso algún premio, tal vez un compartido ingrediente temático serían causa bastante para levantar en el aire artificioso castillo.

III.   HISTORIA DE UN LANZAMIENTO EDITORIAL

1971 fue ciertamente "uno de los [años] peores de la historia de la novela española de los últimos lustros"[25] y casi todos los críticos —siete—, novelistas —cinco— y editores —cinco— preguntados a su término[26] sobre la situación actual de nuestra novela se muestran de acuerdo con semejante balance negativo, producido no por falta de originales e incluso de libros publicados, sino más bien por el escaso interés estético de unos y de otros, incapaces para sacar adelante el género; el testimonio del editor Carlos Barral no deja lugar a dudas:

---

[25] Tal opina Rafael Conte en *La difícil supervivencia de la novela* ("INFORMACIONES de las Artes y las Letras", Madrid, n.º 179: 9-XII-1971, p. 2).

[26] Pp. 3-7 del n.º 179: 9-XII, de "INFORMACIONES de las Artes y las Letras": *¿La novela, enferma?*

> A mi mesa de editor llegan mensualmente varios manuscritos de jóvenes autores españoles, pero se trata casi sin excepción de libros mediocres, malogrados en un naturalismo antiguo, marcados por un lenguaje irresistiblemente envejecido [...], o gratuitamente experimentalistas, de un experimentalismo improvisado, frívolamente imitativo, que no parte de la seria formalización de un lenguaje particular. Novelas rurales o costumbrismo provinciano, veladas autobiografías sin ironía o sin nervio, memoriales de la iniciación erótica sin educación sentimental... Parecen todas novelas velozmente escritas y con un mundo cultural de referencias de bachiller más o menos aprovechado y de lector de dudosas traducciones... Los más son libros correctos, pero mediocres [...], [27]

al tiempo que José Vergés (de ediciones Destino) se preguntaba:[28] "¿Dónde está una obra genial como *El Jarama?*" Un intento de cambio iba a producirse no tardando y sería el propio Barral fautor destacado del mismo.

Porque tras su asistencia al Coloquio de Caracas, de regreso ya en España anunciaría (30-IX-1972, artículo en el semanario "Triunfo") su propósito de, tal como antaño había propiciado el social-realismo y el boom" hispano-americano, estimular ahora un resurgimiento (si cabe denominarlo así) de la narrativa española[29] y para ello "publicaré en los próxi-

---

[27] P. 6 de ídem.
[28] P. 7 de ídem.
[29] El novelista Jesús Fernández Santos advertía en 1970 a los autores del libro *Los españoles y el boom* (p. 142) acerca de los intereses comerciales que solían primar en el ánimo de Carlos Barral: "va a remolque de lo que se vende. Los latinoamericanos se venden y él edita hispanoamericanos. Antes lo interesante era el realismo social y editaba escritores realistas". Respecto a este último interés (primero en el tiempo) debe señalarse el estímulo que el editor recibió del partido comunista

mos meses una serie de obras de "novísimos" [30] [...]
y una serie de libros de escritores de generaciones
anteriores que han escogido nuevos rumbos [...], sin
el examen de una parte de los cuales me parecería
frívolo y deshonesto insistir, en el futuro inmediato,
en la afirmación de una crisis de indigencia de la
novela española". Historiaré puntualmente dicho
lanzamiento, ocurrido entre octubre y noviembre
de 1972.

El lunes 16 de octubre, aprovechando la estancia
en Barcelona de los informadores invitados al fallo
del premio "Planeta", se celebró en el hotel Ritz una
rueda de prensa que tuvo como protagonistas a los
editores Carlos Barral y José Manuel Lara (junior),
y como relativo aguafiestas al periodista y narrador
Antonio Burgos. Los dos primeros comunicaron al
auditorio la realidad (adoptando una idea de Baltasar Porcel) de un lanzamiento novelístico destinado
a animar nuestra cansina república literaria. Repitió
Barral los argumentos expuestos en el artículo de
"Triunfo" y dio los nombres y los títulos propiamente suyos en esta compartida aventura: cinco novísimos y otros cinco autores ya conocidos de la crí-

---

español, entonces en la clandestinidad, y que Barral recuerda
en varias páginas del tomo II de sus memorias, *Los años sin
excusa* (Barcelona, Barral editores, 1977), como: "El Partido,
colaborador imprescindible, se hacía cargo de la "operación
realismo" en lo concerniente a los novelistas, al mantenimiento
de su coherencia como grupo y a la vigilancia de su dedicación" (p. 207); "el monopolio del partido en materia de resis-
tencia intelectual era casi absoluto. [...] Y el contacto con ellos,
con los comunistas de Madrid [...] se hizo íntimo y constante
a partir de nuestra gemelación de poetas periféricos y de clé-
rigos de la edición con los novelistas mesetarios" (p. 232).

[30] Utiliza Barral el término que años antes (1970) había servido al crítico José María Castellet para titular una antología
de nueve jóvenes poetas españoles, publicada precisamente por
Barral Editores.

tica y del público lector; otro tanto hizo Lara con
sus cinco autores, además de facilitar una nota ex-
plicativa de la finalidad perseguida donde, entre
otras cosas, se lee:

> [...] siempre se ha distinguido [esta editorial] por su
> apoyo a nuestra literatura [y] ha decidido sumarse a la
> iniciativa de Barral Editores de hacer un lanzamiento
> especial de diversos novelistas españoles de última hora
> para probar la vitalidad y la vigencia de la narrativa
> que se hace en España en el momento presente. Por
> ello, conjuntamente con Barral Editores, aunque man-
> teniendo una total independencia en cuanto a presen-
> tación, formato y sello editorial,[31] PLANETA presentará
> cinco novelas españolas que considera representativas
> de las actitudes más renovadoras y originales que exis-
> ten hoy en nuestro país.

Antonio Burgos, al igual que otros asistentes al acto
y que no pocas personas tiempo después, mostró su
extrañeza por el insólito maridaje de dos editoriales
harto distintas (si se quiere, opuestas) hasta entonces
y se preguntó en voz alta y maliciosamente si es que
los créditos que se decía solicitó antaño Carlos Barral
del Banco Atlántico no le serían concedidos en adelante por José Manuel Lara, lo cual negó el interesado. Como insólito estimó algún cronista de tal
reunión[32] el riesgo corrido por uno y otro editor pues
"el producto que se quiere lanzar al consumo de la

---

[31] Las novelas del lanzamiento que nos ocupa publicadas por
Barral forman parte de la serie "Hispánica Nova", donde alternan con obras de narradores hispano-americanos; las ofrecidas
por Lara constituyen volúmenes de la colección "Biblioteca
Universal Planeta".
[32] Miguel Fernández-Braso en "Pueblo", Madrid, 24-X-1972,
p. 32.

lectura [es] la narrativa experimental de unos jóvenes españoles".

La presentación en Madrid de los autores y libros del lanzamiento se celebró en veces y separadamente, como si ya de entrada se deseara subrayar el carácter "circunstancial" de la unión entre Lara y Barral. Este último presentó en la librería Rayuela el lunes 30 de octubre, a las ocho de la tarde, a su equipo de cinco novísimos —Ana María Moix, Carlos Trías, Félix de Azúa, Javier Fernández de Castro y Javier del Amo— y fue el novelista Juan García Hortelano quien hizo el panegírico de sus jóvenes colegas, a los que exaltó como mejores escritores que la mayor parte de los novelistas aparecidos en los años 50 y 60, y en cuyas obras rastreó la presencia del "nouveau roman" francés al tiempo que destacaba *Alimento del salto,* la novela de Fernández de Castro, como la más valiosa y difícil del conjunto presentado. El viernes 3 de noviembre, Carlos Barral presentaba individualmente a García Hortelano, autor recuperado tras largo tiempo de laboriosidad exigido por la composición de *El gran momento de Mary Tribune,* novela que su editor reputó entonces como uno de los grandes títulos de nuestra narrativa de post-guerra, equiparable acaso al *Pascual Duarte, El Jarama* o *Tiempo de silencio.*

Por su parte Lara presentó en la librería Epesa, entrado ya el mes de noviembre, a sus cinco novísimos (no tanto, algunos de ellos) —Manuel Vázquez Montalbán, Ramón Hernández, Federico López Pereira, José María Vaz de Soto y José Antonio Gabriel y Galán—, introducidos muy elogiosamente por Alfonso Grosso, para quien "ellos escriben por libre, que es la única forma de hacerlo honestamente".

Salidos ya a los escaparates de las librerías los
diez y siete títulos del lanzamiento, [33] ofrecidos como
respuesta a la pregunta "¿Existe o no una nueva
novela española?" que, como franja envolvente llevaban los doce de Barral, [34] pronto empezaron a hacerse eco de su aparición los animadores y críticos
literarios. [35] En cuanto a la acogida prestada por el

[33] He aquí la lista completa del lanzamiento.
El editor Lara sacó: *Yo maté a Kennedy*, Manuel Vázquez
Montalbán; *Diálogos del anochecer*, José María Vaz de Soto;
La última llave, Federico López Pereira; *Punto de referencia*,
José Antonio Gabriel y Galán e *Invitado a morir*, Ramón Her-
nández.
El lote de Barral Editores lo integran cinco "novísimos"
—Javier del Amo, *La espiral;* Félix de Azúa, *Las lecciones de
Jena;* Javier Fernández de Castro, *Alimento del salto;* Ana
María Moix, *Walter, ¿por qué te fuiste?* y Carlos Trías, *El
juego del lagarto*—, a los que debe añadirse María Luz Melcón,
con *Celia muerde la manzana*, novela que estuvo a punto de
obtener, en competencia con *En vida*, de Haroldo Conti, el
premio Barral 1971, atribuido al escritor argentino "tras una
deliberación excepcional del Jurado". Y otros seis autores que
no lo son tanto o que, resueltamente, no son "novísimos", a
saber: Concha Alós, *Rey de gatos* (cuentos); Ramón Carnicer,
También murió Manceñido; Antonio Ferres, *Ocho, siete, seis;*
Juan García Hortelano, *El gran momento de Mary Tribune;*
Baltasar Porcel, *Los argonautas* y Germán Sánchez Espeso,
Laberinto levítico.
[34] Barral Editores preparó un cartel anunciando su propio
lanzamiento, encabezado por la pregunta (letras en blanco
sobre fondo negro) "¿Existe o no una nueva novela española?"
y cerrado por el emblema de la casa y el consejo (ídem.) "Siga
a Barral Editores". Centrando el cartel iba un atadijo de libros
(casi todos los del lanzamiento) mostrando sus portadas, del que
sobresalía (hacia el ángulo superio: derecho) la bandera rojo
y gualda.
[35] He aquí una incompleta relación sólo bibliográfica de
reseñas.
Dámaso Santos, con el título general "¿Existe o no una
nueva novela española?", inició en las páginas literarias de
"Pueblo" (n.º del 21-XI-1972) una serie de artículos presenta-
tivos de obras y autores, comenzando por los seniors —García
Hortelano, Concha Alós, Ramón Carnicer— e incluyendo a
veces la referencia a otros nombres, no del lanzamiento pero

¿EXISTE O NO UNA NUEVA NOVELA ESPAÑOLA?

DISTRIBUCIONES DE ENLACE – BAILEN 18 – BARCELONA

SIGA A BARRAL EDITORES

público lector creo puede afirmarse que fue más bien
escasa en general (tal vez alguno de los autores ya

---

sí de interés y actualidad por la publicación reciente de alguna
novela suya (caso de Antonio Prieto y su *Secretum*, premio
"Novelas y Cuentos" de 1972).

Rafael Conte escribió con el título general de *En busca de
una "nueva ola"* y con títulos particulares de artículo en
artículo una serie de ocho que salieron en "INFORMACIONES de
las Artes y las Letras" desde el n.º 229: 23-XI-1972 hasta el
n.º 241: 15-II-1973, donde se ocupa de "novísimos" y de algunos compañeros de lanzamiento que no lo son tanto (o lo son
nada), así como de autores: Gonzalo Suárez, José Leyva, Ramiro Pinilla, Juan Cruz Ruiz, ajenos a semejante operación
editorial.

Fueron cinco los números de "La Estafeta literaria" en los
que se habló, y con la diversidad de opiniones procedente de
los varios comentaristas convocados para hacerlo, del lanzamiento y de sus novelas. En el 506 (15-XII-1972, pp. 1170-1173)
Leopoldo Azancot hace una muy atendible introducción al
asunto; a ella siguen reseñas firmadas por el mismo Azancot
(Rey de gatos), Mauro Armiño *(Las lecciones de Jena)*, Marcelo
Coddou *(La espiral* y *Alimento del salto)*. En el n.º 507
(1-I-1973, pp. 1186-1190), Coddou reseña *El juego del lagarto*
y *Yo maté a Kennedy;* Manuel Gómez Ortiz, *Diálogos del
anochecer;* Carlos Murciano, *Ocho, siete, seis;* y Enrique Sordo,
El gran momento de Mary Tribune y *El juego del lagarto.*
En el n.º 508 (15-I-1973, pp. 1203-1204), Gómez Ortiz se ocupa
de *También murió Manceñido.* En el n.º 509 (1-II-1973, pp.
1219-1220), Coddou, de *Invitado a morir.* En el n.º 511 (1-III-
1973, p. 1250), José María Bermejo, de *Laberinto levítico.* //
"La Estafeta literaria" concedió mucho espacio a este lanzamiento pues con anterioridad a los números reseñados había
ofrecido una entrevista de Ricardo Huertas con los editores
Lara junior y Barral (n.º 503: 1-XI-1972, pp. 10-11) y celebrado
un coloquio —con intervención de Francisco Umbral, García
Viñó, Jorge C. Trulock, Pablo Corbalán, Demetrio Castro Villacañas y José Antonio Llardént— sobre lanzamientos literarios
(n.º 505: 1-XII-1972, pp. 25-28).

José Domingo dedicó su página habitual de "Ínsula" (n.º 316:
V-1973) al comentario del lanzamiento Barral-Planeta: artículo
"Novísimos", "nuevos" y *"renovados".*

Rafael L. Torre en *Chequeo a la supuesta nueva novela
española. (De Vázquez Montalbán a Ramón Hernández),*
("Avanzada", Madrid, n.º 48: III-1973, pp. 35-37) hace un
brevísimo repaso biográfico-crítico a nueve de los autores incluidos en el lanzamiento.

conocidos constituya excepción: caso, vgr., de García Hortelano), dada la dificultad de tales libros y el hecho de que, pese a la campaña propagandística del lanzamiento, les faltó el espaldarazo consagratorio de un escándalo o de un premio sonado.[36]

¿Constituían los autores incluidos en este lanzamiento y otros no difícilmente asimilables, algo así como una nueva y joven generación en la historia de la novela española de post-guerra? Tal es el parecer más que optimista de Juan Pedro Quiñonero que, en su crónica de la presentación madrileña de los narradores de Barral,[37] exultaba así:

> El acto tuvo el valor del manifiesto: con él *nacía a la luz pública una generación de novelistas* [...] Desde los tiempos del realismo crítico, este otoño es la primera ocasión *del lanzamiento masivo de una generación* [...] de autores en cuyo porvenir de alguna manera se cifra el de nuestra novela" (los subrayados son míos).

Otros animadores y críticos literarios[38] y, lo que acaso importe más, los autores afectados rechazan la idea de una tal generación ya que no encuentran los lazos que traben coherentemente a los supuestos

---

[36] ¿Con qué fundamento se permite Rafael L. Torre (artículo en "Avanzada", Madrid, n.º 48: III-1973, p. 35) escribir que "los libros parece que se van vendiendo *muy bien* [subrayo]"?

[37] En "INFORMACIONES de las Artes y las Letras", Madrid, n.º 226: 2-XI-1972, pp. 4 y 5.

[38] Es el caso de Rafael Conte, quien se pronunciaba del siguiente modo ("INFORMACIONES de las Artes y las Letras", Madrid, n.º 241: 15-II-1973, p. 2): "En realidad no se puede advertir en la floración novelesca de principio de temporada [la que va del otoño de 1972 a junio de 1973] una imagen coherente, generacional o de manifiesto estético [...] Por el contrario, se trata de un auténtico *muestrario* de las manifestaciones narrativas en nuestra patria, procedentes tanto de los jóvenes escritores como de otros no tan jóvenes, pero que han manifestado un expreso deseo de renovación".

integrantes de ella; véase cómo opinan al respecto Vaz de Soto —"No creo que exista ningún lazo común, a no ser la edad, [...] Otro lazo común (de poco interés, por obvio) puede que sea el de pertenecer la mayoría a una misma clase social [...] Quizá más interesante sea el adoptar una postura crítica respecto a la ideología de la clase a que pertenecemos [...]"— y Gabriel y Galán —"[...] Lo que sí existen son escritores nuevos más o menos radicalmente emancipados de la generación social-realista. Estos nuevos escritores [...] sienten una preocupación común por desarrollar unos nuevos modos expresivos y unas técnicas más complejas"—. [39]

Joan de Sagarra apuntó la sospecha de que el lanzamiento que nos ocupa no fuera sino un tinglado para arropar debidamente la aparición de *El gran momento de Mary Tribune,* la novela de García Hortelano publicada por Barral, [40] al que se unió Lara por el deseo de conseguir cierto respaldo intelectual para su labor editora no siempre aplaudida. Se ha insinuado también que el lanzamiento obedeció en parte al propósito barraliano de sacar a la luz determinados originales concursantes en la segunda convocatoria (año 1972) del premio novelístico de Barral Editores, obra alguno de ellos de persona muy relacionada con dicha firma. [41] Sabemos

[39] De su respuesta al cuestionario presentado por Rafael L. Torre ("Avanzada", Madrid, n.º 48: III-1973, p. 36).

[40] A la pregunta de Ramón Pedrós (ABC, Madrid, n.º de 19-VII-1973, p. 62): "—Juan, se ha dicho que todo este imprevisto y heterogéneo "boom" sólo se ha montado para lanzar *El gran momento...*", contesta el interesado: "—No, yo creo que *Mary Tribune* ha venido a amparar el lanzamiento de estas novelas".

[41] Ana María Moix, con su *Walter, ¿por qué te fuiste?,* meses después incluida en el lanzamiento, estuvo a punto de obtenerlo pues en opinión de Julio Cortázar, jurado del premio,

también que algunas de las novelas así lanzadas esperaban turno de publicación en las respectivas editoriales y que sus autores hubieron de aceptar la posibilidad y la compañía ofrecidas, aunque se sintiesen bastante ajenos al montaje. Todo lo cual corrobora la falta de cohesión apuntada en el párrafo que precede y nos lleva a distribuir en grupos el improvisado conjunto.

Es obvio que ni entre los autores barralianos ni tampoco entre los planetarios resultan ser todos "nueva ola", "novísimos" o como se prefiera decir; basta con repasar la bio-bibliografía de unos y otros [42] para darse cuenta de las diferencias de edad —Ramón Carnicer nació en 1912; Concha Alós, Antonio Ferres, J. García Hortelano en la tercera década del siglo (nacidos, respectivamente, en 1927, 1924 y 1928); Ramón Hernández, Baltasar Porcel, Vaz de Soto y Vázquez Montalbán en la cuarta década (respectivamente en 1935, 1937, 1938 y 1939); los restantes nacieron en los años 40 desde 1940 (Sánchez Espeso y Gabriel y Galán) hasta 1946 (Trías y María Luz Melcón)— [43] y de nombradía y

era uno de los dos mejores originales presentados. Otros autores finalistas, cuyas obras serían publicadas posteriormente, fueron Félix de Azúa, Javier del Amo, Javier Fernández de Castro y Carlos Trías. Para José Domingo ("Ínsula", Madrid, n.º 316: V-1973, p. 6), "sólo el hecho de que la mayor parte de ellos presentaran sus novelas al premio "Barral" de novela 1972, sin que el jurado se decidiera a distinguir a ninguno, es ya un indicio de que no nos hallamos ante ninguna obra no ya excepcional, sino ni siquiera notable".

[42] Barral Editores publicó por entonces un folleto de 24 páginas que, bajo el título "¿Existe o no una nueva novela española?", recoge el citado artículo de Carlos Barral en el semanario "Triunfo" y la biobibliografía de los doce narradores en cuestión, así como una breve noticia del contenido de su libro.

[43] Se contradice así la declaración de Vaz de Soto a la revista "Avanzada" (p. 36, n.º 48: III-1973): "[...] la edad,

obra —junto a los que empiezan en el género novela
o casi comienzan en la literatura, figuran escritores
con obra extensa y variada, en ocasiones objeto de
premio: es el caso de Concha Alós, Carnicer, Ferres,
García Hortelano y, también, el de Ramón Hernández y Vázquez Montalbán—. Cabe señalar, por último, diferencias en el orden técnico, lingüísticas y
estructurales, ya que Ramón Carnicer ha resultado
en todo momento un narrador más bien tradicional, [44] en tanto que en las novelas de Ferres y García
Hortelano quedan rezagos del social-realismo y conductismo que antaño profesaron sus autores; así, ni
uno ni otros aparecen próximos a los arriesgados
experimentalismos de los más jóvenes, no compar-
tidos en la práctica por Vaz de Soto y Vázquez
Montalbán. Habrá que rendirse, por tanto, a la evidencia de unos subgrupos o direcciones que, circunstancialmente y con peligro de confundir al contemplador, se ofrecieron como bloque unitario; dos
serían sobre todo y resulta significativa su casi exacta
correspondencia con la cronología vital y estética
privativa de los autores en cuestión; Rafael Conte
ha clasificado así: [45]

Esta nueva novela se articula en dos tendencias principales: o en la renovación de nuestro realismo tradicio-

---

no muy distante entre los más jóvenes y los más viejos", que
es de veintiocho años entre Carnicer y los nacidos en 1940, y
de treinta y cuatro respecto de los nacidos en 1946.

[44] Gómez Ortiz concluye su reseña de la novela *También
murió Manceñido* (n.º 508 de "La Estafeta literaria", p. 1204)
considerándola como "relato de corte tradicional en la construcción" y José Domingo (n.º 316 de "Insula", p. 6) advierte
a Carnicer "siguiendo su línea literaria de siempre y sin necesidad de adentrarse por otros vericuetos [...]"

[45] En "INFORMACIONES de las Artes y las Letras", Madrid,
n.º 241: 15-II-1973, p. 2.

nal —donde ha dado sus mejores frutos—, o en la plas-
mación de fenómenos subjetivos con apelación a los
métodos de la vanguardia europea, camino que por
ahora se presenta como más dudoso y menos objetivo. [46]

El realismo tradicional aludido por el crítico
puede ser tanto el de la nostalgia y el humor, que ad-
judicaríamos a Carnicer por, respectivamente, *Los
árboles de oro* (1962) y *También murió Manceñido*
(1972), como el más comprometido y desasosegante
de Antonio Ferres en *La piqueta* (1959) y algunas de
sus novelas posteriores, o el frío e implacable de
García Hortelano quien, con *Nuevas amistades*
(1959) y *Tormenta de verano* (1962), llegó entre nosotros a la cota máxima en la práctica del behaviorismo. Su renovación (la de García Hortelano) es
sólo relativa pues ateniéndonos, por ejemplo, a lo
ofrecido en *El gran momento de Mary Tribune,* el
lector advierte que en esta extensa (dos tomos y 824
págs.) y largamente trabajada novela (ocho años
como tiempo empleado en su composición) subsisten
motivos ya tópicos en el autor —personajes tiranizados por el sexo y el alcohol, pertenecientes a la clase
burguesa ociosa y sorprendidos por la irrupción en
su pandilla de la extraña súbdita norteamericana
Mary Tribune, como lo habían sido sus iguales de
Nuevas amistades por el anuncio de un no deseado
embarazo y los de *Tormenta* ... por la aparición del
cadáver de una prostituta— y, asimismo, la importancia del diálogo, conducido con su habitual peri-

---

[46] Por su parte, José Domingo (n.º 316 de "Ínsula") prefiere
distinguir entre *renovados* —lo serían autores ya veteranos
como C. Alós, Carnicer, Ferres y García Hortelano—, *nuevos*
—caso de Federico López Pereira, Sánchez Espeso, Vaz de
Soto, Vázquez Montalbán— y *novísimos* —más acusadamente:
Javier del Amo, Azúa, Fernández de Castro y Carlos Trías—.

cia, y el cuido casi obsesivo de la disposición estructural. Pero el empleo de un lenguaje más cargado y rico, el uso abundante de referencias culturales, [47] el manejo de algunos procedimientos técnicos cuyos antecedentes más inmediatos hay que buscar en colegas hispano-americanos constituyen muestra clara de esa importante aunque relativa renovación. [48]

Si de los "novísimos" estrictos tratamos, esto es: de aquellos que ofrecen aquí su primera o segunda novela, que rondan la treintena, que incluso comenzaron su actividad literaria cultivando género distinto a la novela, [49] cabe decir que, como era esperable, sus novelas suelen resultar imperfectas o defectuosas, [50] gratuitamente difíciles para el lector,

[47] A Enrique Sordo, que reseña con elogio en "La Estafeta literaria" (n.º 507, p. 1188) esta novela, no le satisface su carga culturalista: "[...] lo que no siempre resulta tan evidente —ni útil— es el trufado de citas ajenas que el autor inserta".

[48] El gran momento de Mary Tribune fue la novela más leída y comentada del lanzamiento. Los críticos no estuvieron siempre de acuerdo en su estimación, y así ocurre que mientras Conte (artículo El discreto encanto de Juan García Hortelano, "INFORMACIONES de las Artes y las Letras", Madrid, n.º 231: 7-XII-1972, pp. 1-2) escribe largo y elogioso para concluir que "hay que saludar la resurrección de J. G. H., que ha encontrado definitivamente el sentido de su "demarche" como escritor, en plena madurez [...]", José Domingo ("Insula", Madrid, n.º 316: V-1973, p. 6) se lamenta "de lo baldío de un trabajo que ha supuesto para su autor nada menos que casi diez años de actividad creadora [...] el ingenio y la habilidad técnica que G. H. ha prodigado a lo largo de su trabajo [...] imprime a algunas de sus páginas un dinamismo, una soltura y una gracia que nos hacen lamentar más todavía la frustración de su tenaz esfuerzo".

[49] López Pereira, Azúa, María Luz Melcón y Ana María Moix habían publicado ya libros de versos. Gabriel y Galán y Fernández de Castro eran a la sazón, o habían sido, periodistas en activo.

[50] José Antonio Gabriel y Galán reconoce ("Avanzada", Madrid, n.º 48: III-1973, p. 37): "Es una obra [Punto de referencia] con defectos. Yo sé dónde están, pero no he podido superarlos. A mi modo de ver es una buena novela imperfecta, cosa

casi siempre aburridas,[51] con muy escasa peripecia
sustentadora pues hacen de la fábula indagación y
reflexión, preocupados sus autores por la experimentación lingüística y técnica pero sin que lo obtenido
corresponda a lo ambiciosamente pretendido. Algunas de estas narraciones encierran un alegato contra
la sociedad en la que el protagonista o los personajes están insertos —caso de *Las lecciones de Jena,*
de Azúa—, culpable de su frustración y consiguiente
escepticismo —Sabas, uno de los dos amigos de *Diálogos del anochecer,* la novela de Vaz de Soto, concluye desoladamente: "Mi verdad es muy sencilla en
cualquiera de las tres personas, en singular y en plu-
ral, en pasado, en presente y en futuro, y yo no me
he negado nunca a aceptarla. Se resume en un solo
término, que es verbo y sustantivo, esencia y existencia: ¡fracaso! Esa es la palabra exacta, el matiz necesario, el verso justo. ¡Fracaso! Esa es mi vida, esos
son mis amores, ahí están mi ayer y mi mañana".
La infancia y la adolescencia evocadas por algunos
de estos novelistas —caso de Ana María Moix en
Walter, ¿por qué te fuiste? o de Sánchez Espeso en
Laberinto levítico— distan mucho de haber sido los
acostumbrados paraísos idílicos cuya recordación
llena de dulce melancolía a incontables seres huma-

---

que no me molesta, pues soy un amante de las grandes obras
literarias imperfectas".

[51] Marcelo Coddou, que aprecia la excepción de *Yo maté
a Kennedy* (n.º 507 de "La Estafeta literaria", p. 1187), echa
de menos en algunos compañeros de Vázquez Montalbán la
condición de amenos o entretenidos en lo que ofrecen: "[...]
a pocos cabe ese adjetivo *amenos,* que no me explico por qué
parece proscrito de las valoraciones de los comentaristas, como
si no fuese importante ver al creador cumplir con todos sus
cometidos sin hacer abandono de, por ejemplo, el buen humor,
la inteligencia satírica, la capacidad de entretención [sic]".

nos. En que esto sea así tal vez incida, negativamente, el duro tiempo de la post-guerra española que autores y criaturas de ficción vivieron y padecieron.

Hacia la primavera de 1973 podía darse como concluida la expectación suscitada por el lanzamiento Barral-Planeta. Dejando a un lado reacciones negativas —como la del siempre comedido José Domingo en el artículo de "Ínsula" tantas veces citado— y, asimismo, la frívola alegría de quien deseaba hallarse ante nada menos que una nueva generación de narradores, estimo que algo (o algos) hubo de útil en este montaje editorial, tan poco apto de entrada para un rotundo éxito de venta. "Se ha conmovido el panorama, se han agitado las conciencias críticas, se ha despertado una curiosidad en el público". [52] Desde luego. Y, además, se ha hecho un intento de sacar a nuestra novelística del letargo producido por el agotamiento y el cansancio del social-realismo, intento coincidente en el tiempo —año de 1972— con otros sucesos que historiaré seguidamente.

IV. El año 1972, en el centenario de Pío Baroja

En capítulos anteriores quedó constancia de la presencia barojiana, presencia considerada magistral, en nuestra novela de post-guerra desde quienes consideran a Pío Baroja ejemplo relevante de narrador realista (Ledesma Miranda) o "autor monumental" (Vázquez Zamora) hasta los que buscan su cola-

[52] Tal es el balance del lanzamiento para Rafael Conte ("INFORMACIONES de las Artes y las Letras", Madrid, n.º 241: 15-II-1973, p. 2).

boración para iniciar y prestigiar series novelísticas
(la segunda "La Novela Corta") y catálogos (ediciones "La Nave"), pasando por aquellos jóvenes
colegas que se declaran sus admiradores —Juan Antonio de Zunzunegui o José Suárez Carreño— e incluso le siguen en la práctica —el Gironella de *Un
hombre,* Ramón Cajade, etc.—. Fallecido en octubre
de 1956, Baroja —su obra— no sufrió purgatorio
crítico alguno y en estimación tan favorable continuaba al llegar 1972, centenario de su nacimiento,
efemérides que fue extensa y clamorosamente celebrada : números monográficos de algunas revistas y
algunos diarios, publicación de unos cuantos libros
acerca de aspectos de su vida y literatura, exhuma-
ción de escritos juveniles, conferencias y coloquios,
resurrección de la editorial Caro Raggio sólo para
ir sacando en volúmenes de sencilla y cuidada factura los títulos que integran su dilatada obra. La
novelista Carmen Laforet escribió en su Diario [53] que
Baroja "es todavía un continente que no ha sido
explorado del todo" y para el crítico Rafael Conte,
a vueltas entonces con los novísimos del lanzamiento
Barral —Planeta, "si el dictamen dependiera del público lector, resultaría que la novela española sigue
siendo don Pío Baroja, y que la "nueva ola" de este
otoño feraz la constituyen *El mayorazgo de Labraz,
Las inquietudes de Shanti Andía* [...], que los lectores se han arrebatado de las manos". [54] Pero mayor
importancia que tal celebración (cuya crónica no
nos incumbe) reviste el hecho de que 1972, año del
centenario barojiano, fue de excelente balance cua-

[53] ABC, Madrid, 19-I-1972, p. 43.
[54] *Baroja, en la novela española contemporánea.* ("INFOR-
MACIONES de las Artes y las Letras", Madrid, n.º 234: 28-XII-
1972, p. 1).

litativo y cuantitativo en el curso histórico de nuestra novelística más reciente, hecho sin duda casual que, no obstante, puede ser considerado como tácito homenaje rendido al venerable patriarca.

Ocurría esto luego de un 1970 que fue año novelístico más bien anodino [55] y de un 1971 "de los peores de la historia de la novela española de los últimos lustros", [56] puesto que ni los premios habían descubierto nada interesante, ni los recién llegados, los conocidos ya o los veteranos presentes con sus novelas a lo largo del año aportaron cosa de mayor relieve, dicho sea en términos generales. 1972 fue, felizmente, harto distinto, un año "absolutamente ejemplar", [57] señalado por la aparición de unas cuantas obras considerables, de algunos prometedores jóvenes, de un mejor desenlace de ciertos premios. [58]

---

[55] Para Iglesias Laguna (n.º 459: 1-I-1971, de "La Estafeta literaria", p. 21) "no ha sido 1970 año de grandes sorpresas novelísticas"; para Quiñonero ("INFORMACIONES de las Artes y las Letras", n.º 128: 17-XII-1970), durante 1970 la novela española "ha transitado cauces sensatos, sin sobresaltos ni precipicios, plácida y austera en su discurrir monocorde".

[56] Así lo afirma Rafael Conte ("INFORMACIONES de las Artes y las Letras", n.º 179: 9-XII-1971, p. 2).

[57] Así lo afirma el mismo Conte ("INFORMACIONES de las Artes y las Letras", n.º 241: 15-II-1973, p. 2).

[58] He aquí una lista, por orden alfabético, de aquellos premios que en su convocatoria de 1972 tuvieron algún particular interés:

"Águilas" —Maremagnum, del periodista Juan Pla: "un libro auténtico, en el que el capricho lírico, el lujo del idioma y los esnobismos de última hora ceden ante la sinceridad, la reflexión y la pasión personal con que me ha tocado vivir [habla el autor] aquí y ahora"—; "Alfaguara" —Florido mayo, Alfonso Grosso—; "Biblioteca Breve" —La circuncisión del señor solo, José Leyva—; "Ciudad de Marbella" (que se concedía por primera vez) —El contrabandista de pájaros, Antonio Burgos: "una fábula sobre la libertad del hombre [...], coartada tanto en un régimen totalitario como en otro democrático [...]", al decir del autor—; "Nadal" —Groovy, José María Carrascal, que aborda el nacimiento y el final del movi-

Y la buena racha prosiguió, acaso un poco atenuada, en los años posteriores de nuestro recorrido. [59]

Del amplio muestrario de título correspondientes a 1972 [60] selecciono para este apartado los de cuatro

---

miento hippy—; "Novelas y Cuentos" (también primera convocatoria) —*Secretum,* Antonio Prieto—; y "Nueva Crítica" (primera convocatoria igualmente) —*Un viaje de invierno,* Juan Benet—.

Añadamos que el premio "Barral" fue declarado desierto en esta su segunda convocatoria y que la Real Academia Española de la Lengua concedió el premio "Álvarez Quintero" (para novelas publicadas durante los cuatro años anteriores) a *El novillo del alba,* muestra fiel de un pintoresco ruralismo costumbrista debida a Julio Escobar.

[59] Conte establece como balance novelístico de 1973 ("INFORMACIONES de las Artes y las Letras", Madrid, n.º 285: 27-XII-1973): "Ha habido libros excelentes, apariciones y reapariciones necesarias, se ha sostenido un tono al que ya estábamos desacostumbrados". Eugenio R. de la Mota (n.º 562: 15-IV-1975 de "La Estafeta literaria, p. 2068) afirma que 1974 "con el descubrimiento de Gil-Albert narrador y la publicación de *Ágata ojo de gato* (Caballero Bonald), de *La señorita* (Ramón Nieto) y de *Escuela de mandarines* (Miguel Espinosa), quedará señalado en la historia literaria de la posguerra como aquél [año] en que la novela española alcanzara su verdadera identidad". Por lo que atañe a 1975 puede servirnos como resultado último la media de algunos pareceres emitidos en la encuesta de la editorial Castalia (*El año literario español 1975,* Madrid, 1975: "¿Qué opina usted sobre la situación de la literatura en España en 1975?"); sean los del crítico José María Alfaro —"no creo que se puedan señalar ningún despliegue ni avance espectaculares en el año que acaba" (p. 164)—, el editor Carlos Barral —"no me parece un año particularmente significativo sino en los aspectos que confirman la perplejidad y el desaliento de los cultivadores de la llamada 'nueva narrativa'" (p. 166)—, y los novelistas Caballero Bonald —"[...] la novela parece consolidar su saludable liberación de muchos precedentes marasmos y artificios de moda" (p. 168)— y Delibes —"creo que en 1975 la narrativa española, en lengua castellana, ha sostenido el noble tono que le caracteriza desde el final de la Guerra Civil" (p. 171)—.

[60] A más de los diez y siete títulos del lanzamiento Barral-Planeta, alguno de ellos aparecido ya en meses de 1973 (como la novela de Ana María Moix), ofrezco (por orden alfabético)

autores que hasta ahora no han sido más que mencionados o insuficientemente tratados por mí; de
otros me he ocupado ya o lo haré no tardando. [61]
Benet, Pinilla, Prieto y Torrente Ballester (por orden
alfabético) son los elegidos.

A la altura cronológica en que escribo JUAN BE-
NET resulta ya un nombre importante en la narrativa
española de post-guerra [62] pero en 1972, año de publicación de *Un viaje de invierno,* acaso no fuese tan
evidente semejante condición. Nacido en 1927,
miembro del grupo de colaboradores de "Revista Española", autor de un libro de narraciones, *Nunca
llegarás a nada* (editado por su cuenta, 1961, y que
pasó desapercibido), ensayista sobre asuntos literarios en *La inspiración y el estilo* (1966, Revista de

---

una lista de otros diez y siete títulos, ciertamente de importancia desigual pero ninguno desdeñable, que vieron la luz en
1972:

Ignacio Agustí, *Guerra Civil;* Juan Benet, *Un viaje de invierno;* Luis Berenguer, *Leña verde;* Andrés Berlanga, *Pólvora mojada;* Juan Cruz Ruiz, *Crónica de la nada hecha pedazos;* José
María García López, *Del laberinto al treinta;* José Jiménez Lozano, *El sambenito;* José Leyva, *Leiv-motiv* y *La circuncisión del
señor solo;* Javier Marías, *Travesía del horizonte;* Isaac Montero, *Documentos secretos/1* y *Los días de amor, guerra y omnipotencia de David el Callado;* Ramiro Pinilla, *Seno;* Juan Pla,
Maremagnum; Antonio Prieto, *Secretum;* José Vicente Torrente,
El país de García; Gonzalo Torrente Ballester, *La saga/fuga
de JB.*

[61] Los "novísimos" del lanzamiento Barral-Planeta o *El gran
momento de Mary Tribune,* de García Hortelano, han sido
vistos en el apartado anterior de este mismo capítulo; José
Leyva, por ejemplo, lo será en el apartado que sigue.

[62] Corroboración de ello (una entre varias que podrían ser
aducidas) fue su elección, junto a Francisco Ayala y a los
académicos Cela y Torrente Ballester (no fue posible contar
con el también académico Miguel Delibes), para intervenir en
el ciclo (junio 1975) "Novela española actual", de la Fundación
"Juan March".

Occidente), Benet comenzó a llamar la atención en
1968 por su primera novela *Volverás a Región* y
su reciente y minoritaria nombradía se afianzó al
año siguiente cuando el jurado del premio "Biblioteca Breve" galardonó *Una meditación*. La actividad
creadora de Juan Benet se ha mantenido incesante
desde entonces pues casi año tras año aparecen nuevos libros narrativos suyos —*Una tumba* (1971),
Cinco narraciones y dos fábulas (1972), *La otra casa
de Mazón* (1973), *Sub-rosa* (1973)—, aparte su obra
ensayística y dramática, al tiempo que crece la bibliografía a ella dedicada. [63] La hábil propaganda
en torno a los libros de Benet realizada por algunas
firmas barcelonesas, sus editoras; la divulgación de
pintorescas rarezas benetianas —el rollo de papel
continuo en que fue escrita *Una meditación,* fotogra-
fiado para el público lector en una de las solapas del
volumen—; o los deliberados exabruptos, chocantes
y escandalosos —sus frecuentes arremetidas contra
Balzac, Zola y Galdós, por ejemplo, o su polémica
con Isaac Montero, paladín del social-realismo narrativo, en una mesa redonda de "Cuadernos para el
diálogo" y en las páginas de esta revista—, contri-
buyen también a esa nombradía.

Un viaje de invierno es la tercera novela extensa
del ciclo de Región, un lugar fabuloso en cuanto
libérrima creación del autor —"si yo [Juan Benet]
me moví e inventé esa denominación, era para mo-
verme a gusto [...]"—, [64] pero acaso coincidente con

---

[63] En la nota 8 del capítulo cuarto de este libro recojo dos
trabajos sobre Benet (de fecha 1972), a los que debe añadirse
el n.º 5-6 (1974) de la revista "Norte" (Amsterdam) y el trabajo de Darío Villanueva (con abundante bibliografía "sobre"),
Las narraciones de Juan Benet (pp. 133-172 del volumen *Novela
española actual,* Madrid, Fundación "Juan March", 1976).
[64] P. 185 de *Novela española actual* (Madrid, 1976).

España. [65] Benet continúa siendo en *Un viaje* ... el escritor difícil para un lector al uso de novelas al uso, el inventor y cultivador de su personalísima vanguardia, muy atento al estilo y al vocabulario así como a la carga culturalista, no pocas veces reemplazadora de la realidad. Más condensada que sus compañeras de ciclo (*Volverás*... y *Una meditación*), Benet descarga el texto de esta novela con unas notas marginales muy distintas en longitud, contenido y función —reflexiones varias, llamadas de atención, glosas del texto—. Demetria (recuerdo de la diosa griega Deméter, madre de Coré) o Nemesia (idem. de Némesis, diosa de la venganza) es la protagonista (llamada con ambos nombres) que escribe, cuando la novela o su peripecia comienzan, las invitaciones para una fiesta que celebrará, al igual que otros años, con motivo del regreso a casa de su hija Coré; la novela da fin cuando, presuntamente, la anunciada fiesta ha concluido. Avance lento de la acción, que es tanto actualidad como recuerdo, y casi en todos los momentos de ella sensación de ruina, física y moral, que constituye ambiente muy distintivo del ciclo de Región. Si la primera novela de éste poseía un marcado acento épico (exposición geográfica e histórica) y si la segunda resultaba más lírica, en la tercera "me propuse hacer una obra que [...] no tuviera carácter épico ni lírico, sino exclusivamente narrativo [...]". [66] *La otra casa de Mazón*, no poco faulkneriana, es quizá el punto final de la saga re-

---

[65] Tal insinúa Ricardo Gullón en el artículo *Una Región laberíntica que bien pudiera llamarse España* ("Ínsula", Madrid, n.º 319: VI-1973, p. 3).

[66] Entrevista *Las fábulas de Juan Benet* (ABC, Madrid, 12-I-1973, p. 42), que firma Octavio Martí.

gionata cuando no del mito engendrado por Juan Benet.

Por *Seno,* [67] "una de las tres o cuatro novelas de este año feraz" (Rafael Conte dixit), comparece en nuestro repaso el novelista RAMIRO PINILLA (nacido 1923), a menudo olvidado por los tratadistas de la época y del género, quizá como consecuencia de su voluntario alejamiento desde hace tiempo en el caserío de Uri (cerca de Bilbao). Ganó el "Nadal" 1960, cuando era absolutamente desconocido, con *Las ciegas hormigas,* una fuerte peripecia ocurrida en el campo vascongado que baña el mar Cantábrico, protagonizada por esforzados y elementales seres humanos; un relato con clara resonancia faulkneriana, fruto sin duda de lectura atenta y bien asimilada. Pinilla volvió a dar señales de vida en 1969, *En el tiempo de los tallos verdes,* curioso entramado policíaco que tiene como cabeza a un niño paralítico. *Seno* le llevó tres años de trabajo y le exigió hasta seis redacciones, muestra de su amor por la expresión justa, manifestada en un lenguaje "vigoroso y popular", ese lenguaje "del que se han olvidado los escritores españoles" que siguen afectos a "un realismo de expresión muy pobre"; [68] pero Pinilla no mi-

[67] Publicada por editorial Planeta (Barcelona, 1972), fue finalista estricta en el premio "Planeta" de 1971. Uno de los jurados, el novelista Sebastián Juan Arbó, escribiría poco después del fallo (artículo *Reflexiones de un jurado,* ABC, Madrid, 6-XI-1971): "[...] no la hubiera votado para el premio [la novela *Seno*] [...] [no] porque no me pareciera una obra admirable —es, desde luego, la que leí con más gusto y con más sostenido interés—, sino porque no me parecía una obra adecuada para el premio", y aclara poco más adelante: "El jurado no debe, a mi entender, olvidarse de que el premio [¿el "Planeta"?] va destinado al gran público [...]"
[68] Son palabras tomadas de la entrevista a Ramiro Pinilla que firma Eugenio de Rioja en "La Nueva España", Oviedo, 24-X-1971.

lita, pese a su declarado interés por el lenguaje, en las filas de los distorsionadores del mismo. *Seno,* que es un gozoso canto a la maternidad y a la mujer, exaltadas una y otra por el cumplimiento del extraño deseo del abuelo Isidro —que entregaría el caserío con todas las tierras a la mujer de la familia que le pariera hijo varón en Arrigúnaga, el día de San Isidro"—, es también una lúcida muestra de imaginación desbordada (¿a lo García Márquez en *Cien años...?*), donde todo cabe y resulta posible.

El premio "Novelas y Cuentos" fue concedido por unanimidad en su primera convocatoria —1972— a *Secretum,* novela de ANTONIO PRIETO, autor nacido en 1930 y revelado a los veinticinco años cuando obtuvo con *Tres pisadas de hombre* el "Planeta" de 1955. Por edad estricta pertenece a la generación del medio siglo, que no cubre en todos sus integrantes la tendencia del social-realismo, pero atendidas su cultura, asuntos e intenciones queda más cerca del llamado grupo "Metafísico", aunque sin una decidida adscripción; el realismo alicorto y políticamente comprometido que practicaban en las décadas cincuenta y sesenta algunos colegas y que solía traducirse en pobreza de invención y de expresión, resultaba bien ajeno al talante culto e imaginativo de Antonio Prieto quien, a la altura de 1972, era profesor universitario, ensayista y editor, a más de haber publicado las cinco novelas siguientes: *Buenas noches, Argüelles* (1956), *Vuelve atrás, Lázaro* (1958), *Encuentro con Ilitia* (1961), *Elegía por una esperanza* (1962) [69] y *Prólogo a una muerte* (1965). En todas

[69] De ésta sacó en 1972 una como edición crítica —estudio introductorio, texto, notas bibliográficas y comentario textual—

y cada una de ellas, desde el cotidianismo del barrio
madrileño al extenso e intenso monólogo de *Prólogo...*, se ofrece a mi ver cumplida muestra de lo que
Dámaso Santos denominara "el desafío" de Prieto,
esto es: su navegación a contracorriente —"no someterse a los dictados de un realismo sin salida"— [70]
y levantar la bandera de otro realismo más jugoso.
Lo cual consigue en *Secretum* su máxima inflexión,
a través de un asunto sencillo pero con desarrollo
nada fácil y compleja estructura. En un tiempo futuro, los científicos vencen a la enfermedad y derro-
tan así a la muerte: se ha logrado que el hombre sea
inmortal; el crecimiento demográfico infinito se
cierne entonces como peligro inesquivable y gravísimo sobre la humanidad y para hacerle frente se
decide la esterilización obligatoria de los varones,
medida que rehúye un joven —el rebelde—, que ama
la vida no escindida de la muerte y, asimismo, todos
los valores y riquezas que esa normalidad comporta;
el rebelde es acusado, juzgado y condenado a la
hoguera. La dificultad del desarrollo y la complejidad estructural vienen dadas porque dicho protagonista "aparece fusionado con Petrarca, por lo que Petrarca entraña de entregarse en palabra poética para
vencer el olvido de la muerte; es un Petrarca que,
en primera persona, va explicándose a través de su
autocomentario del *Cancionero*. Después, ese único
protagonista aparece en otros dos planos: la "actualidad" narrativa (escrita en tercera persona), e
interpretada a veces como representación teatral, que
corresponde al momento en que es juzgado y conde-

---

el catedrático Ángel Valbuena Prat (Ediciones Narcea, colección "Bitácora", Madrid).
   [70] "Pueblo", Madrid, 7-XI-1972.

nado por su rebeldía [...]; y un tercer plano (escrito en primera persona, en presente), que corresponde al inmediato pasado del juicio [...]". [71]

El acontecimiento de 1972 fue la aparición (Ediciones Destino, Barcelona, n.° 388 de la serie "Áncora y Delfín") de *La saga/fuga de J. B.*, novela de GONZALO TORRENTE BALLESTER, nacido en El Ferrol (1910), escasamente leído y tenido en cuenta hasta entonces y de pronto, por obra y gracia de este libro, aclamado y famoso. "Ahora me conoce algo la gente y antes nada, en absoluto". [72] La elección para la silla E de la Real Academia Española de la Lengua (abril de 1975) y el clamoroso acto de ingreso (27-III-1977; a su discurso *Acerca del novelista y de su arte,* contestó Camilo José Cela) corroboraron la reciente nombradía. Pero ¿por qué tal desconocimiento anterior?

Repasemos antes de responder la trayectoria narrativa de nuestro autor. Comenzamos con la mala suerte de *Javier Mariño* (1943), que se compone tanto de la auto-censura (corrección que Torrente debió hacer en las circunstancias del desenlace de la novela [73] y de la prohibición censorial posterior, [74]

[71] Palabras de Antonio Prieto describiendo *Secretum* ("INFORMACIONES de las Artes y las Letras", Madrid, n.° 227: 9-XI-1972, p. 3).

[72] Entrevista con Torrente Ballester que firma B. Garazábal: ABC, Madrid, 27-III-1977, p. 37.

[73] Corrección explicada así por el autor (p. 96 del volumen *Novela española actual,* Madrid, 1976): "[...] al acabar la novela, abandonaba [el protagonista Javier Mariño] a la muchacha de su amor y se marchaba a la Argentina. Esto se correspondía además a su posición vacilante, casi neutra, ante el problema de su patria, así como a su carencia de convicciones profundas de otro orden, que pudieran influir en su determinación; por ejemplo, religiosas. La muchacha, por su parte, se suicidaba. Entonces, el joven escritor y profesor [el propio T. B.] llevó

como de las reconvenciones "morales" formuladas
en alguna crítica durante el escaso tiempo de libre
circulación de la obra; no hubo, pues, ocasión de
conocer una posibilidad harto distinta a lo que entonces representaron *Pascual Duarte* y *Nada,* una
posibilidad digamos intelectual. [75] Bastante tiempo
después, ni siquiera el premio de la Fundación "Juan
March", 1959, a *El señor llega,* ni la crítica favorable que fueron obteniendo los volúmenes de la serie
"Los gozos y las sombras" (1957, *El señor llega;*
1960, *Donde da la vuelta el aire* y 1962, *La pascua
triste*) consiguieron destacar algo más el nombre de
su autor, acaso porque éste procedía a contracorriente de la moda narrativa imperante. Otros dos
títulos posteriores: *Don Juan* (1963) —"una revelación inesperada y magnífica en nuestro panorama
novelesco"— [76] y *Off-side* (1969), no conocieron
mejor fortuna; seguía Torrente en lo suyo y padecía
las consecuencias de su actitud: "En este país, donde
el mérito mayor es escribir con los riñones, quien lo

---

su texto a la censura, en consulta previa, y el amigo que lo
leyó le dijo que, con aquel final, no sería permitida la publicación de la novela [...] Estaba muy entusiasmado por haber
sacado adelante aquellos trescientos folios y quería publicarlos.
Se sometió entonces a la imposición legal. Reformó su novela,
le dio un final *ad usum delphini,* e incluso introdujo determinadas modificaciones que la convirtieron nada menos que en la
historia de una conversión. De una doble conversión, religiosa
y política. La novela fue publicada [...]"
[74] "[...] pero subsistió [la novela *Javier Mariño*] en los escaparates de las librerías un par de semanas, todo lo más. Un
lector de las alturas había hallado en ella sobreabundancia de
imágenes lúbricas. Se prohibió" (pp. 96-97 *Idem.*).
[75] Puede verse al respecto el artículo de Ignacio Soldevila-
Durante, *Nueva lectura de "Javier Mariño"* (pp. 43-53, n.º 2,
1978, de "Anales de la novela de posguerra").
[76] Marra-López reseñando la novela *Don Juan* en "Ínsula",
n.º 203: X-1963, p. 9.

haga con la cabeza está perdido". La mala racha
solamente se quebraría en 1972.

Aunque en el párrafo precedente van indicadas
algunas posibles causas del desconocimiento sufrido
por la obra de Torrente Ballester —desgracia de
Javier Mariño, voluntario apartamiento de los modos narrativos de moda, condición de novelista intelectual—, no queda agotado con ellas el repertorio
de hipótesis explicativas de semejante hecho. En la
tarde del 3 de junio de 1975 formulé públicamente
al interesado ese repertorio: [77]

> [...] los antecedentes políticos falangistas de T.B., en
> algún momento y respecto de ciertos lectores y críticos,
> descalificadores; su dedicación a la crítica literaria, espe-
> cialmente la teatral, y el consiguiente encasillamiento
> que esta actividad, muy destacada en nuestro autor, pudo
> comportar [...] Y T. era un crítico excelente, sincero,
> que a veces levantaba ronchas. Pienso también que ha
> cultivado un tipo de novela [...] en el que el mundo de
> la cultura está muy presente y pesa mucho, novela de
> ideas que diría Dionisio Ridruejo. Este es un país en el
> que bastante gente cree, y hasta se escribe, que el rea-
> lismo es lo único que puede hacerse en novela y, ade-
> más, sólo un cierto tipo de realismo, pedestre y literal
> costumbrismo [...] El propio autor habla de la dificultad
> que indudablemente, y más o menos según los títulos,
> comportan sus novelas [...],

repertorio que el interesado redujo en su respuesta
a este solo extremo: [78] "Insisto en que [...] mis novelas pasaron inadvertidas por ser crítico y precisamente por eso". [79]

[77] Pp. 115-116 de *Novela española actual.* (Madrid, 1976).
[78] P. 118 *Idem.*
[79] Al repertorio por mí ofrecido a Torrente Ballester y contestado por éste, añadió en la misma ocasión el crítico Joaquín

Mas regresemos a *La saga/fuga* ... y comencemos a hablar de esta novelas guiados por el propio autor quien hizo, por ejemplo,[80] estas dos confidencias: 1.ª), "El secreto [del éxito obtenido] está, a mi juicio, en que los españoles estaban un poco abrumados por el éxito de la novela hispano-americana y de pronto encontraron una cosa que podía comparársele"; 2.ª), "Es una novela de entrada muy abrupta [...] Propone al principio una serie de cosas que son inhabituales y el lector se siente un poco despistado".

Dicho queda en apartado anterior de este capítulo que a la altura cronológica en que ahora nos encontramos —año 1972—, el llamado "boom" hispanoamericano había cedido en espectacularidad y brillantez si bien continuaba vigente (remito de nuevo a ese apartado). ¿Estaban ya "abrumados" los lectores españoles y querían como liberarse, y por eso acogieron con gozo una novela de casa que les ofrecía cumplidamente materia y técnica análogas a lo que les atraía y complacía en los novelistas hispano-americanos? Valga o no respecto del público lector esta causa —"secreto" determinante de un éxito considerable— habrá que preguntarse, como más de una vez se hizo,[81] por la presunta relación

---

Marco el siguiente pormenor de sociología literaria (p. 120 de *Idem.*): "Los primeros libros de T. B. aparecen en editoriales un tanto marginales, editoriales de escasa difusión, de mínimo aparato publicitario, de escaso eco".

[80] Entrevistado por Gladys Crescioni Neggers, *Gonzalo Torrente Ballester, nuevo académico* ("La Estafeta literaria", Madrid, n.º 564: 15-V-1975, p. 9).

[81] Así algunos oyentes de las conferencias de Torrente Ballester en el Curso para Extranjeros de la Universidad de Salamanca (julio de 1974); la respuesta del novelista es el fragmento recogido en el entrecomillado que sigue en el texto a esta nota.

entre *La saga/fuga* ... y el "boom" o, más concretamente, entre ella y *Cien años de soledad,* aunque
reputo secundaria la cuestión:

> Si alguna semejanza existe [...] es que a ambas novelas
> les sobran cien páginas. El resto transcurre por caminos
> tan diferentes que son opuestos [...] cierta facultad de
> ver lo que hay en los libros me permite asegurar que
> en los míos abundan los elementos intelectuales, en
> tanto que en los de García Márquez predominan los
> líricos [...] El tratamiento de lo fantástico es, asimismo,
> distinto, y no digamos el modo de usar el lenguaje, y
> el lenguaje mismo [...]

Mayor importancia reviste para mí la segunda confidencia torrentina.

Conocido el libérrimo procedimiento de composición utilizado en *La saga/fuga* ...: grabación y
transcripción de numerosas cintas magnetofónicas
—"[...] lo que hago es tumbarme, apagar la luz
(o cerrar las ventanas) y hablar en voz alta, pero,
entendámonos, no dictar un texto, sino anotar ocurrencias y discutir conmigo mismo su oportunidad
o inconveniencia. Después pasa o no al texto,
que escribo directamente a máquina y que corrijo
a mano [...]"—, [82] comenzamos a explicarnos la
diversidad del contenido —ese gozoso divertirse
con y entretenerse *en* lo que comparece a capítulo,
arbitraria o caprichosamente— y la compleja estructura —saltos en el decurso temporal, deliberada
confusión o nebulosidad— de esta novela, fruto de
una casi (al menos en su estadio inicial) escritura
automática, lo que supone dificultad no pequeña y

---

[82] Son palabras de Torrente Ballester a Andrés Amorós,
Conversación con G. T. B. sobre "La saga/fuga de J. B."
("Ínsula", Madrid, n.º 317: IV-1973, p. 4).

hace que algunas personas lleguen a abandonar la
lectura ("Yo [Torrente Ballester] sé de mucha gente
que no ha pasado de esas primeras sesenta páginas").

Pero ¿es tan imaginativa y novedosa *La saga/
fuga* ..., tan distinta a sus hermanas de autor? Torrente Ballester admite para ésta inequívocas anti-
cipaciones en títulos suyos precedentes:

> Quien conozca mis libros anteriores y se haya detenido
> a mirarlos con alguna atención descubrirá que en ellos
> están los gérmenes de toda *La saga/fuga*. Cuyo mundo
> es, sin duda, el de *Los gozos y las sombras,* aunque de
> otra manera tratado. Y de este tratamiento (fantasía,
> ironía, humor) hay precedentes, ensayos, esbozos en
> *El viaje del joven Tobías* [teatro], en *La princesa dur-
> miente va a la escuela,* novela frustrada [...]: en *Ifigenia*
> [novela corta], en *El retorno de Ulises* [teatro] y en cier-
> tos embutidos fantásticos de *Don Juan* [   ] [83]

¿Qué se cuenta al lector de *La saga/fuga...*? Bastantes y variadas cosas y, como de propina, se le
ofrecen multitud de digresiones, ajenas a veces al
núcleo "J.B." y al núcleo "Castroforte del Baralla",
no tan ajenas otras. Pueden ser éstas, verbi gratia,
las páginas a partir de la 110 —"me he visto en el
trance de cometer digresión", leemos—, donde se
hace aplicación práctica de teorías emitidas por el
Departamento de Sicología Experimental de la Universidad de Indiana (USA); o los textos entrecomil-
lados, de asunto histórico, que se toman de escritos
debidos a gentes que aparecen y desaparecen como
personajes de la novela. Tales fragmentos o digre-

---

[83] En "Los cuadernos de La Romana", página semanal de
"INFORMACIONES de las Artes y las Letras" (Madrid, n.º de
18-VII-1974, del fragmento correspondiente al día 11 de ídem.).

siones no siempre ayudan y completan ya que a veces, como en el caso del sicologismo norteamericano, más bien distraen y hasta aburren. [84]

Si recordamos lo dicho poco ha respecto al procedimiento de composición utilizado no ha de extrañarnos la presencia de esas digresiones, en las que lecturas y consideraciones personales recientes y menos próximas en el tiempo están proporcionando un rico material. Otro tanto podría decirse acerca de la aludida aparición y desaparición de ciertos personajes como traídos y llevados por un viento fugacísimo. La novela es un todo continuo —repárese en la disposición tipográfica sin puntos y aparte a lo largo de 585 páginas, aunque sí con otros signos de puntuación—, integrado lo mismo por el presente que por el pretérito, y con ambos tiempos, los personajes pertenecientes a uno y a otro.

Ocurre así que el hilo de la narración se corta con frecuencia y, andando páginas y páginas, tal como se ha cortado, se recoge; el abandono y el regreso se producen sin indicación explícita, diríamos que de modo caprichoso —una posible excepción a esta regla se encuentra en la página 174, donde leemos: "Todo lo cual me permite volver al hilo de mi narración, interrumpida en el punto mismo en que el busto de Coralina acababa de ser hallado", hallazgo realizado bastantes páginas atrás—. Es que la confusión, una confusión deliberada, querida, preside el conjunto; el personaje Reboiras comenta (página 171) un relato hecho por J. B. y le pregunta acerca de la "manera" con que lo ha ofrecido a los reunidos:

---

[84] No pongamos en olvido que, según el propio autor, a su novela le sobran una cien páginas.

"Me parece muy importante todo lo que Vd. ha descubierto, y la *confusión* [subrayo] con que lo ha contado se corresponde a la confusión de los hechos mismos [...] Sin embargo, no puedo menos que dar salida a una interrogación que me tortura y que, de callármela, con toda probabilidad me haría doler las tripas esta noche. Dígame, señor Bastida, ¿intentó Vd. alguna vez reducir ese montón de hechos, tan bien documentados, a esquema cronológico?" "No, por supuesto". "Y ¿por qué?" "Pues porque, como Vdes. tenían prisa por conocerlos, me limité a compulsar las fechas imprescindibles. Reconozco, no obstante, que una precisión mayor dejaría el relato bastante más bonito y, por supuesto, enormemente convincente". "O lo desbarataría por completo", contesta Reboiras.

Resulta indudable que Castroforte del Baralla se parece muy mucho a otros lugares gallegos conocidos en las novelas anteriores de Torrente Ballester, al igual que sus gentes y cosas se parecen no poco a otras gentes y a otras cosas ya ofrecidas. La diferencia estriba en la manera de presentar ese conjunto: normal o lineal, y más inteligible en los títulos precedentes —caso, por ejemplo, de la trilogía *Los gozos y las sombras*—; voluntariamente confusa y revuelta en *La saga/fuga* ... Alguien pudiera creer que el mundo de esta novela se ofrece más rico o enriquecido respecto de mundos anteriores pero tal vez se trate sólo de un espejismo: es el uso dentro del hecho presente de la historia que fue, el aprovechamiento de toda clase de ocurrencias lo que produce esa aparente impresión; probablemente antaño Torrente se haya prohibido semejantes salidas fuera del núcleo estricto de la narración y ahora se las ha permitido e incluso insistido en ellas. Sobran páginas, sí, y, también, falta desarrollo de lo que se queda en nada más que en apuntes, leves indicaciones o casi sugerencias y la novela, de acuerdo con el procedimiento de composición y con su estructura, podría prologarse indefinidamente, algo así como lo sucedido con el "Homenaje Tubular", invento de D. Torcuato del Río, dispuesto a añadir con periodicidad a su engendro tubos y más tubos: unos 1.095 al año, 273 metros de crecimiento real, para conseguir el cumplimiento de su deseo: "ver cómo los tubos convertían mi casa y sus contornos en una selva inextricable y al mismo tiempo rigurosa." Inextricable (o poco menos) y también rigurosa (porque obedece a una ordenación desordenada que se ha vigilado atentamente) resulta la novela que nos ocupa.

Los personajes de que se sirve Torrente Ballester son de muy varia condición, economía y cultura; ésta, la cultura, es un elemento que aparece con harta frecuencia en las páginas de la novela y en formas muy diversas: desde simples alusiones al paso hasta creaciones de lenguaje, corroborándose así la imagen de novelista culto o intelectual que ha llegado a hacerse tópica para nuestro autor; tales ingredientes cultistas son en ocasiones objeto propicio para la burla irónica —la utilización del sicologismo del Departamento universitario norteamericano o la ordenación (página 289) de los meandros de la sintaxis de Clotilde llevada a cabo por J. B., quien lo que efectivamente ordena es un fragmento poético de Góngora—. Otro tanto podría decirse respecto de la propensión erótica, muy clara en esta novela, con un tratamiento grotesco que pretende ser algo así como "una respuesta a lo pornográfico a la moda".

Estructuralmente hablando en los capítulos primeros de *La saga/fuga* ... —"Manuscrito o quizás

monólogo de J. B.", I; "Guárdate de los Idus de
Marzo", II—, muy extensos capítulos, se muestra
el narrador pausado, de marcha lenta y reiterativa
mientras que en el capítulo III —"Scherzo y Fuga"— se acelera exasperadamente el ritmo, aumen-
tándose la confusión y, por tanto, la intervención
de una fantasía aún más libre. Hay en la página 547
una alusión a Freud y, de inmediato, la asimilación
de esta novela a un sueño, incoherente en la superficie contada y recordada por quien lo tuvo más
coherente en su fondo o entraña:

> el de Vd., que es un sueño largo [Jacinto Barallobre
> a J.B.], es coherente a nivel textual, aunque la aparien-
> cia sea de verdadero revoltijo.

Si es que hubo lectores que no pudieron pasar
de la página sesenta de *La saga/fuga* ..., cierto es
que la crítica obtenida inmediatamente por esta novela no pudo ser ni más abundante ni más favorable: "espléndido libro" (José María Alfaro en ABC
del 27-IV-1973), "impar novela" (Carmen Martín
Gaite en "Cuadernos para el diálogo", n.º 118: VII-
1973), "una de las mejores novelas de estos últimos
lustros" (Rafael Conte, "INFORMACIONES de las Artes y las Letras", n.º 190: 24-II-1973) son breve
ejemplario elogioso.

V. EXPERIMENTALISMO, TRADICIONALISMO, RENOVACIÓN

Quiero advertir de entrada que se trata de tres
términos sólo aproximados a la realidad ofrecida
por los novelistas y sus obras; la frontera entre
semejantes términos no siempre resulta clara y se-

paradora, resulta incluso como un paso abierto y franqueable que conduce sin gran esfuerzo de uno a otro-s. Deseo ser preciso en sus definiciones y en el significado que otorgo a ciertos hechos pero no estoy seguro de que los agrupamientos que seguidamente efectúo parezcan convincentes respecto de todas y cada una de sus piezas integrantes. Comoquiera que el conjunto de autores y títulos es muy abundante me he visto obligado a colocar la mención de algunos en otros apartados de este mismo capítulo, aprovechando para hacerlo cualquier circunstancia propicia —el panorama que ofrece un año concreto del espacio temporal acotado, los premios, la adscripción geográfica o editorial de los escritores—; incluso en el presente apartado coloco a manera de coda la mención de tres narradores cuya presencia explícita resultaba ahora punto menos que inexcusable.

A) *Experimentalismo*

Del repaso hecho a la historia novelística de 1972 en los dos apartados precedentes, acaso algún lector del mismo querría deducir que nuestra narrativa transitaba entonces por caminos de vanguardia o experimentalismo, si bien éste resultara un tanto rebajado en su vigor y no siempre el logro se correspondiera con la ambición del intento, lo que puede hacerse extensivo a años atrás [85] y adelante. Autores muy jóvenes en edad y recién llegados a la literatura, otros de mayor madurez y bibliografía más

---

[85] Por lo que atañe al conjunto ofrecido en 1970 escribía Juan Pedro Quiñonero ("INFORMACIONES de las Artes y las Letras", Madrid, n.º 128: 17-XII-1970): "La nómina de experimentos es mínima, y en la mayoría de estos casos no existe tanta rebeldía formal como experimento en ciernes".

nutrida, hasta algún veterano suficientemente consagrado participan a su modo y aire de esa actitud.

¿Qué hemos de entender por "Experimentalismo"
en el caso concreto de género literario y de fechas
que nos ocupa? Globalmente hablando se trata de
un deseo muy loable no sólo de romper e innovar,
deseo propio de toda vanguardia artística, sino también de búsqueda-salida para una situación de cansancio y agotamiento a que en otro lugar de este
libro se hace referencia. Sucede que ni es único el
camino salvador elegido, ni existe una relativa homogeneidad entre los autores embarcados en la empresa
o entre sus respectivos libros novelescos. Por otra
parte, tal aventura de búsqueda-salida ya había comenzado mediada la década de los sesenta con:
Jorge C. Trulock, *Inventario base* (1969) —frecuente y extensa morosidad descriptiva (de una
cocina, de una percha), diversidad de planos y de
estilos narrativos, y el universo limitado y triste de
unas pobres criaturas anónimas—; el surrealismo
más bien inexperto de *Solo de trompeta* (1965), novela de Antonio Fernández Molina; el "precursor"
Gonzalo Suárez, a quien se deben tres novelas: *De
cuerpo presente* (1963), *El roedor de Fortimbrás*
(1965) y *Rocabruno bate a Ditirambo* (1966), muestra fehaciente de cómo Suárez "creó un ámbito
propio, personal [...] bajo una distanciación irónica
[...] Un idioma deliberadamente pegado al tópico,
funcional, irrisorio, de una cierta despreocupación
formal"—; [86] o José María Guelbenzu, cuya primera y primeriza novela, *El mercurio* (1968), es solamente una búsqueda de nuevas formas expresivas

---

[86] Son palabras de Rafael Conte ("INFORMACIONES de las
Artes y las Letras", Madrid, n.º 229: 23-XII-1972, p. 2: *Las
pesadillas irrisorias de Gonzalo Suárez*).

y cuya segunda novela, *Antifaz* (1970), es ejemplo, dentro de la misma tendencia, de una mayor seguridad por parte del autor, que en su tercera novela, *El pasajero de ultramar*, abandona "superficiales manifestaciones vanguardistas en favor de una mayor trabazón estructural y coherencia expresiva". [87] (No olvidemos en esta precursión a Juan Benet, que sacó en 1968 *Volverás a Región*; ni tampoco las ocasionales incorporaciones de Cela —*San Camilo 1936*— y Delibes —*Parábola de un náufrago*—, novelas aparecidas en 1969).

Metidos ya en el espacio temporal de este capítulo hay que empezar diciendo que los títulos narrativos más avanzados en la tendencia experimental encontraron acogida propicia en tres editoriales, sin que deba silenciarse a este respecto la misión cumplida por Seix Barral y el premio "Biblioteca Breve", [88] por Barral editores con el premio del mismo nombre y la serie "Hispánica Nova", por Alfaguara con su premio de novela y con algunos títulos (como los antes citados de Jorge C. Trulock y Antonio Fernández Molina) incluidos en su catálogo. Pero es que Akal —en una de las series de la colección "Manifiesto", con títulos del canario Luis León Barreto, Felipe Alcaraz y Mauro Armiño aparecidos durante 1975—, Azanca —serie "Narrativa Contemporánea", donde las traducciones de William Burroughs alternan con los originales de Mariano An-

---

[87] Darío Villanueva en su colaboración sobre "La Novela": pp. 22-23 de *El año literario español 1976* (Madrid, Castalia, 1976).

[88] Convocado por primera vez en 1958 y, tan tempranamente, con el propósito de distinguir "aquellas obras que por su contenido, técnica y estilo respondan mejor a las exigencias de la literatura de nuestro tiempo".

tolín Rato [89] y José Manuel Álvarez Flórez— y Taller
Ediciones J.B. —que en las colecciones "Taller Uno"
y "Taller Siete" publicó algunos títulos de jóvenes
narradores canarios y *La calle de los árboles dormidos,* quinta novela de José Leyva— han comprometido más que nadie entusiasmo y dinero en
pro de la causa experimentalista, buscando cumplida realización para una "línea heterodoxa de calidad
no comprometida ni tan siquiera por las modas del
mercado o por los dictados de los mandarines, y
de agresión al gusto establecido", tal como reza el
deseo de Azanca.

El andaluz José Leyva fue, como autor, la revelación del año narrativo 1972, cuando publicó *Leiv-
motiv* y obtuvo el premio "Biblioteca Breve" con
La circuncisión del señor solo. [90] La primera de ambas novelas, con más de seiscientas páginas, era obra
nada inexperta sino madura, al tiempo que compleja y difícil; el recorrido, ¿sin final?, del personaje Arturo Can por un mundo de pesadilla, de
naturaleza inequívocamente kafkiana, estaba lleno
de caminos, bifurcaciones, meandros, ocultaciones,

[89] La novela de Mariano Antolín Rato, *Cuando 900 mil
mach aprox* (1973) fue distinguida en junio de 1975 con el
premio de la "Nueva Crítica". A esta primera novela, de radical ruptura, que engloba materiales muy diversos, irónica y
distanciadamente tratados, siguió en abril de 1975 una novela
de anticipación, *De vulgari Zyklon B manifestante. Elementos
de psicocartografía literaria,* publicada en la misma editorial.
[90] Nacido en Sevilla, 1938, Leyva, que muy pronto pasó con
su familia a Madrid, declara no tener vínculo alguno con "za-
randajas de esa índole" (el supuesto "boom" de los narraluces).
Escribió teatro de vanguardia y colaboró en la revista del
S.E.U., "Acento cultural". Voluntariamente al margen de lo
que se llama la vida literaria, Leyva es un trabajador empe-
dernido que ha escrito novelas muy extensas y ha dedicado
bastantes años a la composición de alguna de ellas.

todo ello servido por una prosa modélica en su frialdad y precisión. El premio de la editorial Seix Barral [91] vino a corroborar tiempo después el naciente
y controvertido prestigio [92] de nuestro autor, cuya
Circuncisión ... quizá extrema, al menos en su intención, dificultades y rupturas —"trato de romper con
todos los moldes establecidos en el concepto tradicional de novela"—, [93] que le llevan a incidir abiertamente en lo surreal y en el absurdo. Pero donde
el estallido Leyva se hizo más espectacular fue en
Heautontimorumenos (1973), algo así como una su-
per-novela pues el ámbito estricto del género quedaba ampliamente rebasado, en tanto que sometido
a desintegración o destrucción, y, también, por la
inclusión en el mismo de zonas expresivas harto
distintas; ni personajes delimitados, ni situaciones
comprensibles; libre y muy caprichoso juego con
el espacio y el tiempo, extraña e incoherente carga
de una mitología equívoca en su multiplicidad; más
otros virtuosismos lingüísticos y formales. En suma,
un resultado estético capaz de producir en sus lecto-

[91] El "Biblioteca Breve" 1972 fue discernido por un jurado
que integraban Guillermo Cabrera Infante, Luis Goytisolo-Gay,
Juan Rulfo, Juan Ferraté y Pedro Gimferrer; en un primer
momento, tras el fallo, corrieron desatinados rumores acerca
de la identidad del autor premiado: que si un seudónimo de
Gimferrer, que si un grupo de escritores reunidos bajo la
sigla "Leyva".

[92] Hubo entre la crítica, respecto de *Leiv-motiv*, silencio,
malestar, aceptación y hasta exaltado entusiasmo. José Domingo
afirmó en "Ínsula" (n.° 305: IV-1972, p. 7) que esta novela
"puede presentarse sin más como un fruto de excepción [...]
puede ser en el anémico panorama de nuestra novelística, una
a modo de inyección revulsiva equivalente a lo que hace años
supuso la irrupción de Juan Benet con *Volverás a Región*".

[93] Declaración de Leyva en el acto de presentación de esta
novela en la Facultad de Filosofía y Letras de la Universidad
de Sevilla: 22-XII-1972.

res reacciones muy contrapuestas. [94] En *La calle de
los árboles dormidos* (1975) se ofrece una denuncia
de la sociedad masificada y consumista que padece-
mos, lo que constituye muestra clara de que Leyva
nunca convirtió su experimentalismo en pretexto
para ajenarse del entorno, [95] a través de 349 secuen-
cias con 25 contrapuntos en recuadro —recordemos
las notas marginales de Benet en *Un viaje de invierno* o las "mónadas" de Cela en *Oficio de tinieblas 5*—, que son ingredientes no poco aislados,
incapaces de articularse en narración coherente.

En otra ocasión destaqué el reiterado protagonismo de Camilo José Cela dentro de la novela española de post-guerra, en cuanto experimentador que
fue siempre a la cabeza, original y distinto, abriendo
caminos casi con cada obra suya: *La familia de
Pascual Duarte* en 1942, *La colmena* en 1951, *Mrs.
Caldwell habla con su hijo* en 1953, *San Camilo
1936* en 1969 y en 1973, *Oficio de tinieblas 5*, libro
muy anunciado y esperado, muy comentado a raíz
de la presentación por el autor en Barcelona y Madrid durante el mes de noviembre.

Deliberadamente he rehuido el término "novela"
porque *Oficio...* no lo es en un sentido genérico y
estricto, en lo que están de acuerdo (para bien y
para mal) Cela, sus críticos y, sin duda, los lectores.

[94] El crítico Juan de Dios Ruiz-Copete, atento e incansable
seguidor de la literatura andaluza actual, se pronunció muy negativamente (ABC, Sevilla, 9-II-1974) acerca de *Heautontimorumenos*, para él: "descomunal galimatías" o "una creación más
próxima de la siquiatría que de la literatura".
[95] "Sé que hay guerra en el mundo, hambre, problemas que
nuestra sociedad tiene [...] pero yo no puedo solucionarlos;
por ello con mi literatura trato sólo de aportar ideas que
lleguen a la conciencia del individuo", declaraba Leyva en el
dicho acto de presentación.

"Poesía" (dijo José María Alfaro en ABC del 15-II-1974), "poema o, mejor, conjunto de prosas poéticas o pequeños poemas en prosa" (escribió José Domingo en "Ínsula", n.º 327: II-1974), "un experimento, un mosaico despedazado" (afirmó Rafael Conte en "INFORMACIONES de las Artes y las Letras", n.º 285: 27-XII-1973).

Más importará saber que su autor considera a *Oficio...*, de una parte, "la purga de mi corazón" y, de otra, "el acta de defunción de mi maestría". ¿Es que con este libro, o revulsivo desahogo, ha concluido Camilo José Cela su existencia de narrador?

Libro extraño y difícil con el que parece que nuestro experimentalista nunca abdicado llega al no va más de lo posible, colocándose al frente de sus más arriscados colegas de tendencia; "novela, si no intelectual, sí intelectualizada", de acuerdo con un convencimiento muy sentido por Cela —"mi obligación es la de ensayar caminos"—. *Oficio...* es libro de la realidad interior —"[...] el espejo que se pasea, pero no a lo largo del camino, sino hacia dentro"—;[96] recorrido arriesgado por unos senderos del alma oscuros, turbios, revueltos que se vierte en escritura y estructura coherentes con tal caos o mezcolanza. [97]

[96] Son palabras del propio Cela, pronunciadas en un coloquio a propósito de *Oficio...* que se celebró en ABC de Madrid (véase el n.º de este diario correspondiente al domingo 3-II-1974).

[97] Entre la bibliografía suscitada por este libro de Cela destaco el artículo de Gemma Roberts, *Culminación del tremendismo: "Oficio de tinieblas 5"* (pp. 65-83, n.º 1, 1976, de "Anales de la novela de posguerra"), para quien la visión celiana del mundo, negra y pesimista, alcanza aquí su cota máxima y el humor negro, lo grotesco, la sexualidad y el uso frecuente de la negación como recurso estructural básico no hacen sino apoyarla brutalmente.

Tanto Cela como algunos de sus acompañantes
en el coloquio de ABC (Leopoldo de Luis, José
García Nieto) subrayaron la dificultad, no invenci-
ble, de *Oficio*... —acaso las "tinieblas" aludidas en
el título adviertan de ella—, situándola dentro de
un contexto narrativo universal que reclama la colaboración del lector; otro tanto sucede con casi todas
las novelas que pudieran ser agrupadas bajo la rúbrica de "Experimentalismo". La escasa peripecia
externa, la índole borrosa de sus más que proble-
máticos personajes, las no siempre atractivas divagaciones, las frecuentes y tal vez arbitrarias rupturas
temporales; todo ello servido por medio de un instrumental exasperado tanto en lo lingüístico como
en lo técnico, aparte la ausencia de las más elementales convenciones tipográficas, engendran unos
libros cuya lectura, por áspera y aburrida, pide un
lector no menos virtuoso que los autores y rechaza
rotundamente a quien persigue sobre todo el placer
del entretenimiento. En el diario escrito por Gonzalo Torrente Ballester con el título de "Los cuadernos de La Romana" hay (20 de junio de 1975) la
siguiente anotación:

> Me ha llegado una novela nueva [...] He intentado leerla
> como otra novela cualquiera; la he leído, finalmente,
> porque me lo impuse como obligación, pero sin el menor
> placer, sin la mínima satisfacción intelectual. Es una
> novela en la que se cuenta algo no muy claro relativo
> a unas entidades abstractas, sin otra realidad que la me-
> ramente verbal. El hombre no aparece por ninguna parte
> [...] Pronto me di cuenta de lo que era, pero seguí ade-
> lante con la esperanza de que la escritura en sí me inte-
> resase. Tampoco. El resultado del esfuerzo no compensa.
> La palabrería y sus complejidades son insuficientes. Se
> han excluido la poesía y el ingenio. La invención es

pobre, reiterada, monótona. He aquí un camino por el que no vamos a ninguna parte.

¿Por qué así? ¿Tal vez por la demasiada juventud y, consiguientemente, inmadurez de los autores que proyectan semejantes intentos? Ni Torrente Ballester es un lector ignaro, ni las desfavorables advertencias de algunos críticos son cosa baladí. [98] Y, sin embargo, nadie pondrá en duda que experimentar ha sido siempre necesario y que, finalmente, resulta enriquecedor. [99]

B) *Tradicionalismo*

¿Qué entender por "Tradicionalismo" en el conjunto novelístico que nos ocupa? Claro está que no el polo opuesto al Experimentalismo porque extremar radicalmente las cosas siempre fue la mejor manera de confundirse y si entre nosotros existen algunos innovadores a ultranza como al margen del pasado, difícil sería encontrar narradores apegados al mismo que hayan permanecido indemnes ante la modernidad y sus tentaciones; en otros autores, ¿los más valiosos?, desde luego que los de un mayor equilibrio en su obra, modernidad y pasado o no-

[98] Es el caso de Martín Vilumara reseñando ("Triunfo", Madrid, n.º 610: 8-VI-1974, p. 71) *Busto*, novela de Vicente Molina Foix, premio "Barral" 1973, claramente representativa de una insólita posibilidad: la de que "nuestra literatura haya asumido en estos tiempos de drogas y barbitúricos, el papel de un fármaco adormecedor más. Mi experiencia personal les garantiza en el caso concreto de *Busto*, que no hay insomnio que le plante cara de principio a fin".

[99] Para información acerca de los penúltimos pasos del experimentalismo narrativo entre nosotros remito al artículo de Juana Figueras y Argyslas Courage: *La "nova expressión" narrativa española* [...], ("Papeles de Son Armadáns", Palma de Mallorca, n.º 250: I-1977, pp. 23-46).

vación y tradición conviven y recíprocamente se enriquecen. Tradicionalismo es una rúbrica que a algunos novelistas (entre ellos, los que atiendo en el repaso que sigue) conviene de modo preferente pero nunca de modo exclusivo.

Si anotamos en A) la existencia de empresas editoriales empeñadas en pro de la causa experimentalista, habrá que referirse ahora a famosos premios de novela que se distinguieron en todo momento por su complicidad con el lector normal, ofreciéndole obras respaldadas por el galardón que iban a complacerle sin gran dificultad ni exigencia. Tal es el caso del "Planeta", pensado por José Manuel Lara para aumentar el número de lectores [100] aun a costa de algunas concesiones y trapisondas. Mas por encima de interesados conservadurismos hay dentro del conjunto que denomino tradicionalismo escritores de obra equilibrada y solvente, seguida con atención por el público y la crítica.

JUAN ANTONIO DE ZUNZUNEGUI, novelista galdosiano y barojiano, fervoroso de los grandes de la narrativa decimonónica, poderosa capacidad fabuladora, trabajador impenitente es uno de nuestros tradicionalistas convictos; el paso del tiempo le ha enseñado a podar excrecencias greguerizantes y neológicas en la expresión y le ha traído mayor hondura para sus asuntos y preocupaciones. Más de una vez mostró interés por la realidad socio-económica con-

[100] "De lo que se trata [declaró en 1956 el editor Lara al periodista Santiago Córdoba] es [...] de conseguir nuevos lectores. Personas que nunca han leído, aunque no sea más que por curiosidad, leen las novelas premiadas [...]" Sebastián Juan Arbó escribió en 1971 (ABC, Madrid, 6-XI) que "el jurado [y él lo es del "Planeta"] no debe, a mi entender, olvidarse de que el premio va destinado al gran público".

temporánea pero sin banderías políticas limitadoras; en *La hija malograda* (1973), cuya acción ocurre en un medio mesocrático desahogado —casa en el madrileño barrio de Salamanca, matrimonio con dos hijas bien casadas—, Zunzunegui plantea el tema de la falta de amor en la humanidad, incluso entre personas muy estrecha y familiarmente allegadas. Los padres de esta novela, entrando ya en la vejez, refuerzan deliberadamente su mutuo apoyo y buscan fuera (en la perrita dálmata "Linda") la criatura en que volcar su ya no correspondido afecto. Una tragedia sin sangre avanza de modo sigiloso por las páginas de este libro, humorístico a veces, naturalista, grotesco en el desenlace. [101]

Darío Fernández Flórez volvió en 1971 a la picaresca erótica que tanto éxito le había deparado años antes. La prostituta que protagoniza *Nuevos lances y picardías de Lola, espejo oscuro* y *Asesinato de Lola, espejo oscuro* (1974) ofrece en su narración como un vivo retablo de la vida española actual, centrada y resumida en Madrid, con alguna carga política —la impuesta por determinados personajes y sucesos— y erótica —dada la naturaleza de ciertos acaecimientos— pero sin caídas en el compromiso militante o en la pornografía declarada. [102]

---

[101] Zunzunegui, del que ha dicho su paisano y colega Luis de Castresana que es "el verdadero e indiscutible sucesor de don Benito Pérez Galdós en el sentido más legitimista y monárquico", es autor poco entrevistado y estudiado en la actualidad, pese a que continúa escribiendo y publicando novelas. Al profesor Delfín Carbonell se debe el libro *La novelística de Juan Antonio de Zunzunegui* (Madrid, Dos Continentes, 1965).

[102] Darío Fernández Flórez falleció en Madrid el 1 de diciembre de 1977.

"Lera eligió, desde sus primeros libros [*Los cla-rines del miedo,* 1958; *La boda,* 1959, son los más celebrados de entre ellos] una vía lineal; unos plan-teamientos servidos por mecánicas directas. En las contiendas interiores para la determinación de las reglas conductoras de sus relatos optó por un realis-mo exasperado [...]"; [103] y ha seguido fiel a seme-jante práctica así como a su postulado teórico de que la novela importa más por lo que cuenta que por el modo de contarlo y, consiguientemente, el lenguaje es para el novelista un instrumento al servi-cio de un contenido y nunca objeto de experimenta-ción con entidad autónoma. [104] La nombradía más extensa de ÁNGEL MARÍA DE LERA [105] comenzó cuan-do el premio "Planeta" le fue otorgado por *Las últimas banderas,* a la vez novela y reportaje, testi-monio nada libresco de un vencido en la guerra civil española (el propio autor) acerca de ciertas vicisi-tudes de ella: los días postreros del Madrid republi-

[103] José María Alfaro en ABC, Madrid, del 30-XI-1973, p. 54.
[104] Así se manifestó el 16-V-1973 en la presentación de su novela *Se vende un hombre,* Ateneo de Sevilla.
[105] Ángel María de Lera, nacido en 1912, combatió en el bando republicano y al final de la guerra civil fue encarcelado, condenado a muerte e indultado. A poco de salir en libertad y venciendo mil dificultades, se inició como escritor. Está en posesión de varios premios: a más del "Planeta" 1967, el "Álvarez Quintero" y el "Fastenrath" (discernidos por la Real Academia Española de la Lengua), el "Ateneo de Sevilla" 1973 y el "Pérez Galdós". Durante años dirigió en ABC de Madrid las páginas literarias semanales tituladas "Mirador literario".
En la colección "Grandes Escritores Contemporáneos" (Ma-drid, Epesa) hay (n.º 40, 1971) un *Ángel María de Lera,* debido a Antonio R. de las Heras —la vida de Lera, desde su salida en libertad provisional (1944) hasta 1967, año del "Planeta", se entrelaza con la creación, publicación y crítica de sus libros. Siguen (como es norma para los volúmenes de esta serie): antología, cronología y bibliografía "DE" y "SOBRE" el nove-lista (apartado este último que destaca por minucioso y exhaus-tivo)—.

cano, por ejemplo; realismo, abundante anécdota, lisa y llana narración de los hechos adscriben esta obra a lo que entendemos por tradicionalismo, mientras que un leve y ordenado contrapunto, que se indica tipográficamente, lleva al lector de un tiempo y un lugar a otros distintos y señala en Lera una impregnación de procedimientos técnicos más al día. La adscripción al tradicionalismo narrativo viene reforzada, más allá de *Las últimas banderas,* por los asuntos y ambientes elegidos —la Castilla rural de *La boda* o de *Los clarines...*; las sufridas víctimas de la emigración a Europa— que diríase no permiten otro tratamiento que el realista-naturalista. Lera ha proseguido el relato de su peripecia vital durante los años de post-guerra, presentándose como personaje-protagonista (con el nombre de Federico Olivares) o a través de otras variadas criaturas de ficción (otros dos ex-combatientes republicanos, Arias y Molina, vgr., en *La noche sin riberas*), en libros que integran un ciclo temático —la tetralogía "Los años de la ira": *Las últimas banderas, Los que perdimos, La noche sin riberas* y *Se vende un hombre*—, bien acogido por el público. *Se vende...* (1973; premio "Ateneo de Sevilla" 1973 y premio "Fastenrath" 1974) es una de estas novelas: la triste historia de un hombre que fue vencido en la contienda civil y que, luego de varias vicisitudes poco gratas, conseguida la libertad física, es vencido de nuevo, ahora por unas circunstancias que le obligan a venderse al mejor postor; la condición vagabunda del protagonista y su radical nihilismo sitúan este libro de Lera en la órbita barojiana. [106]

---

[106] Caso biográfico parecido al de Lera es el de Gregorio Gallego, también novelista de nuestra guerra civil con títulos de corte realista y barojiano: *El hachazo* (1965, publicada en

La guerra civil y sus consecuencias inmediatas fue asunto para una serie narrativa de JOSÉ MARÍA GIRONELLA, iniciada con éxito grande en 1953 —*Los cipreses creen en Dios*— y acaso todavía no cerrada en 1971 —aparición de *Condenados a vivir*, novela distinguida con el premio Planeta"—;[107] de una fecha a otra, de un título a otro título el prestigio de su autor ha ido bajando, al menos entre lectores y críticos más exigentes —"al parecer, está de moda *meterse* con Gironella", constataba Rafael Conte a la altura de 1972—.[108] La acción de *Condenados...* se sitúa espacialmente en Barcelona y cronológicamente va desde el final de la contienda hasta días bien recientes; es protagonizada por una muchedumbre de personajes, diversos en importancia novelesca, ideología, clase social, etc.; posee amplia base documental histórico-sociológica que en ocasiones pesa con demasía y fuerza así la libre fluencia narradora; relato apresurado[109] y esquemático o sin matices pero eficaz y apasionante en muchas pági-

---

Méjico), *La otra vertiente* (premio "Ciudad de Irún", 1972) o *Los caínes*.

[107] Tres votos contra dos para *Seno*, de Ramiro Pinilla; presentada bajo el seudónimo "J. Miró". A Sebastián Juan Arbó, miembro del jurado, *Condenados...* le satisfizo escasamente porque "[...] concebida sobre una idea determinada: la ruptura de las dos últimas generaciones o, como dice el escritor, la novela de la juventud, y escrita sobre este pie forzado, toda la obra se resiente de ello. Es una obra desordenada, con partes recargadas, con fallos graves e inverosimilitudes; tampoco creo que como documento de época [...] alcance muy alto valor" (artículo en ABC, Madrid, 6-XI-1971).

[108] Y continuaba ("INFORMACIONES de las Artes y las Letras", Madrid, n.º 191: 2-III-1972, p. 1): "Es un caso paradójico el de este escritor torrencial [...], que goza del favor masivo del público lector, mientras ve separarse progresivamente a amplios sectores de la crítica, especialmente de la crítica joven".

[109] Pese a que, según su autor, le llevó tres años de trabajo e hizo hasta cuatro borradores.

nas, prolongado tal vez con exceso. [110] Consta *Con-denados...* de cuatro partes ("Los padres", "Los hijos", "Enfrentamiento", "Ruptura"), a través de las cuales se reconstruye la España de post-guerra y se cuentan, entre otras, las vicisitudes del matrimonio Vega (él, ex-combatiente falangista; ella, de familia liberal, diversidad ideológica que nos recuerda la de los Alvear-Elgazu) y de sus hijos, con el deseo de ofrecer la oposición generacional examinando las enfrentadas posturas de maduros y jóvenes, a quienes el novelista concede frecuentemente la palabra para que el testimonio resulte así neutral y objetivo. [111]

El comienzo público del narrador RAMÓN SOLÍS (nacido en Cádiz, 1923) lo fecho en 1953, como integrante del grupo de colaboradores —su generación, en realidad— de "Revista Española"; lo continúo cuando poco después, en 1954, apareció en la serie "Novelistas de hoy" (editorial Rollán, Madrid) su novela corta *La bella sirena*; y lo remato en 1957, con la publicación de *Los que no tienen paz,* novela destacada en el premio "Planeta" del año anterior. A partir de entonces Ramón Solís fue nombre conocido a cuyo prestigio contribuyeron algunos cargos en la vida literaria española y varios premios

[110] Esta novela fue publicada por Planeta en dos tomos de casi cuatrocientas páginas cada uno.

[111] J. David Suárez Torres es autor del libro *Perspectiva humorística en la trilogía de Gironella* (Nueva York, Eliseo Torres, 1975), análisis que destaca la presencia pluriforme del humor en tales novelas (*Los cipreses...*, *Un millón de muertos* y *Ha estallado la paz*), donde no suele ser otra cosa sino un recurso técnico, logrado por la visión perspectivística de la realidad.

novelísticos. [112] Cuantos se ocuparon de su obra han destacado la sencillez narrativa de la misma como si las novedades técnicas no contaran para el autor, [113] instalado gustosa y seguramente en la historia decimonónica del Cádiz natal —*Un siglo llama a la puerta* y *El dueño del miedo* (1971)— [114] o en la realidad coetánea andaluza, con claro apego al medio rural —*Ajena crece la hierba* (1963), *El canto de la gallina* (1965) y *La eliminatoria* (1970)—, la presentación de cuyas gentes y modos constituye tanto un garboso despliegue costumbrista como un testimonio que denuncia sin politizada acritud. [115]

[112] Cargos como los de secretario técnico del Ateneo de Madrid (1962 a 1968) y director de "La Estafeta literaria" (1968 hasta su fallecimiento: enero 1978). Premios novelísticos como el "Bullón" (1963, *Un siglo llama a la puerta*) y el "Miguel de Cervantes" (1970, *La eliminatoria*).

[113] De *Ajena crece la hierba* dijo Gil Casado (p. 121 de *La novela social española (1942-1965)*. Barcelona, Seix Barral, 1968): "[...] está narrada con sencillez, sin complicaciones técnicas o de estructura [...]"

[114] Estas dos novelas de Ramón Solís dan pie para la mención de Héctor Vázquez Azpiri quien, tras años de silencio narrativo dedicados a las traducciones y a los trabajos de historia, publicó en 1972 *Juegos de bobos*, relato entre histórico y novelesco, de factura más bien tradicional, que tiene como base y escenario la Asturias sublevada contra Napoleón en 1808.

[115] En la colección "Grandes Escritores Contemporáneos" (Madrid, Epesa) hay (n.º 57, 1974) un *Ramón Solís*, debido a Manuel Ríos Ruiz —examen de los libros históricos y narrativos de S., desde *El Cádiz de las Cortes* (premio "Fastenrath" 1960) hasta *El alijo*. Siguen (como es norma para los volúmenes de esta serie): antología, cronología y bibliografía "SOBRE" el novelista tratado (la bibliografía "DE" va incluida en la cronología).

Consúltese también el n.º 630: 15-II-1978, de "La Estafeta literaria", que ofrece varios artículos necrológicos homenaje a Ramón Solís, con valoraciones, noticias y fotografías de algún interés.

En enero de 1970 obtuvo FRANCISCO GARCÍA PAVÓN, que lo había rondado muy de cerca en dos convocatorias anteriores, [116] el premio "Nadal" con su novela *Las hermanas coloradas,* una divertida pieza más del conjunto policíaco que protagoniza Plinio, el simpático y avispado jefe de los municipales de Tomelloso, pueblo natal del escritor cuyo ambiente, pobladores y costumbres suelen constituir su material narrativo preferente. Plinio, detective particular en horas libres del trabajo cotidiano, es un caso —o un tema, según se mire— insólito en la novela española de post-guerra y supone tal vez la máxima aportación innovadora de García Pavón, perfectamente adscribible por su obra a lo que llamamos tradicionalismo narrativo que en él se peculiariza por el empleo de un bienhumorado humor y de un eficaz expresionismo lingüístico que atiende tanto la inclusión, oportuna casi siempre, del vocablo o giro campesino (del área geográfica manchega) como la creación de, por ejemplo, formas diminutivas, compatible todo ello con la normalidad y la sencillez. [117]

Viene CARMEN MARTÍN GAITE a figurar entre los autores que he decidido considerar afectos al tradicionalismo narrativo porque desde que se dio a conocer en 1958 —*Entre visillos,* premio "Nadal", re-

---

[116] Segunda convocatoria, 1945, con *Cerca de Oviedo* y convocatoria de 1967, con *El reinado de Witiza.* Con *El rapto de las Sabinas* logró en 1969 el premio de la Crítica.

[117] "Su lengua es normal y cursiva, de andadura ligera y sin floripondios barroquizantes", comentó Guillermo Díaz-Plaja (ABC, Madrid, 9-IV-1970).
Alarcos Llorach ha escrito sobre García Pavón dos trabajos —*La obra narrativa de Francisco García Pavón* y *Un relato de García Pavón: "El último sábado"*—, recogidos ambos en el tomo "Ensayos y estudios literarios" (Madrid, Júcar, 1976).

lato de la vida provinciana y adolescente, con no pequeña carga salmantina y autobiográfica— hasta títulos más recientes —*Retahílas,* por ejemplo—, sus novelas han sido siempre de aquéllas en las que "se entiende todo". (Es autora asimismo de libros de cuentos, ensayos y versos).

Retahílas —"una de las mejores novelas de los últimos años", al decir de José Domingo— [118] destacó, absoluta y relativamente, en nuestro panorama narrativo de 1974. Mínima peripecia externa y espacio temporal reducido a pocas horas (las de una noche) pero con frecuentes salidas al pasado, entrecruzándose lo que fue con lo actual (gentes, cosas, paisajes, historias) en las retahílas interminables de Eulalia y Germán, los dos personajes que hablan y cuentan, a quienes relaciona una extraña intimidad; el pazo familiar, abandonado y ruinoso, sirve de escenario para la evocación-confesión en la cual queda bien de manifiesto el paso irreparable, destructor del tiempo. Novela realista, que atañe a una realidad íntegra y honda y no a la mera apariencia; cuidada en la expresión, donde cada uno de los interlocutores posee distintos matices de tono y timbre.

Desde que se revelara en la cuarta convocatoria del premio "Nadal", la carrera narrativa de MIGUEL DELIBES ha sido un progreso lento, ascendente y seguro, sin sucesos espectaculares, atendido por lectores y críticos, estimulado por la concesión de algunos otros premios [119] y diríase que respaldado finalmente por su elección para académico de la Española

---

[118] P. 13, n.º 337: XII-1974, de "Ínsula".
[119] "Miguel de Cervantes" 1955, a *Diario de un cazador;* "Fastenrath" 1958, a *Siestas con viento sur* (relatos); y "Premio de la Crítica" 1963, a *Las ratas.*

de la Lengua. [120] ¿Había sido *Parábola de un náu-frago*, novela aparecida en 1969, salida circunstancial y no sincera al ruedo experimentalista tal como creyeron Hickey y Sáinz de Robles? Lo cierto es que títulos posteriores le muestran de nuevo en su camino habitual —asuntos, personajes, ambientes y lugares; también, estructura y expresión—, que no es el de una tradición realista seca y amojamada sino camino abierto hacia lo simbólico y mágico; [121] camino, además, nunca forzadamente elegido: "según las exigencias del tema adopto [122] una técnica u otra, sin preocuparme demasiado si es tradicional o de vanguardia".

En el espacio temporal acotado para este capítulo publicó Delibes dos novelas: [123] *El príncipe destronado* (1973) y *Las guerras de nuestros antepasados* (1974). "Simple, transparente, directo", al decir de su autor, *El príncipe...*, historia que protagoniza el Quico, niño de tres años, es una magistral obra menor (si cabe decirlo así) lograda a base de la poderosa sencillez que salta por encima de obstáculos

---

[120] Fue elegido para ocupar la vacante del marino Julio Guillén y leyó el protocolario discurso de ingreso —nuevo alegato contra la violencia, en este caso la que el hombre civilizado ejerce día a día sobre la naturaleza, degradándola y destruyéndola— el 25 de mayo de 1975.

[121] Así lo ha visto Francisco Umbral: "[...] una fantasía y un humor que ya no permiten limitar a Delibes a los títulos, tan dignos por otra parte, de escritor realista. Lo que quisiéramos para este escritor es la fecundación, el ensanchamiento y la sementera de esa nueva magia que ha sabido crear [...], y sin recurrir al mimetismo y artificios al uso y moda en el país" (artículo en "La Voz de Asturias", Oviedo, 12-I-1975).

[122] Palabras de Miguel Delibes recogidas por Andrés Amorós en una breve entrevista: "Ya", Madrid, 19-II-1974, p. 40.

[123] Ambas, de mano de Destino en su colección "Áncora y Delfín". Delibes, pese a tentadoras ofertas económicas, permanece fiel a la editorial que le descubrió y patrocinó sus comienzos.

(limitaciones y reducciones) deliberadamente impuestos: tiempo limitado a unas pocas horas —diez de la mañana a nueve de la noche—, escaso número de personajes —el matrimonio, los hijos, la criada—, peripecia reducida fundamentalmente al niño protagonista —sus hechos y ocurrencias—, reducción asimismo en el escenario elegido —el piso familiar—. En *Las guerras...* insiste Delibes en preocupaciones y ambientes que le resultan especialmente gratos: aversión a la violencia y el mundo rural castellano, en este caso. Pacífico Pérez se confiesa noche tras noche (hasta siete) al doctor de la prisión, quien le dirige con sus preguntas. La historia del protagonista en el pueblo, entre los suyos (y lo suyo), creo supera a la historia de la cárcel, entre ocasionales compañeros; una y otra se ofrecen por medio de un casi monólogo de Pacífico —ser natural e ingenuamente bueno, a tono con el nombre de pila, y, por lo mismo, víctima propiciatoria de la sociedad, de los otros—, en que Delibes recoge con prodigiosa fidelidad (tal como años antes ocurriera en el largo monólogo de Menchu) su habla característica.

Sí, a despecho de modas no siempre fundadas y a menudo efímeras, la tradición sobrevive [124] legíti-

[124] Tal es el título de un artículo de Rafael Conte inserto en la p. 5 del n.º 350: I-1976, de "Ínsula".
Tres autores afectos al tradicionalismo narrativo, y alguno de ellos harto empeñadamente, fallecieron durante el sexenio: Juan Antonio Espinosa (1974) —barojiano y marinero en *El libro de Zubeldía* y *El capitán Amorrortu*, de 1948 y 1952 respectivamente, premiada la primera con el "Internacional de Novela" (José Janés) y con el "Ciudad de Barcelona", la segunda—; Ignacio Agustí (1974) —una de las revelaciones más ciertas producidas en los años 40. Se mantuvo fidelísimo a su manera de ser y de hacer y, deliberadamente, al margen de modos a la moda. Iniciando su obra novelística en una época

mamente en buen número de novelistas que buscan y suelen lograr el pertinente equilibrio entre la experiencia pasada y la innovación contemporánea.

C) *Renovación*

El término "Renovación" no se refiere en nuestro caso —el espacio temporal comprendido entre 1970 y 1975— al conjunto de novelistas españoles de postguerra que arrancando de bases tradicionales fueron capaces, por la utilización de ciertos recursos y procedimientos expresivos y estructurales, de actualizar o modernizar su obra; se refiere solamente a aquéllos que décadas atrás practicaron el social-realismo y que, llegados el agotamiento de la tendencia y el cansancio producido por su práctica, decidieron cambiar —renovarse para no perecer—, aunque no fuese más que en la apariencia.

---

que ha sido caracterizada como época del tremendismo, no se dejó alterar el pulso sereno de puntual narrador de una realidad completa, entreveradamente luminosa y oscura. Hacía testimonio y crítica de unas clases sociales en litigio y convivencia, dentro de un espacio concreto y durante unos años no por pasados menos conflictivos (claro está que aludo a su pentalogía "La ceniza fue árbol"); no necesitó para hacerlo someterse a las limitaciones y ceguedades del social-realismo. Cuando más tarde comenzó a hablarse del objetivismo como de la más novedosa y deslumbrante panacea narrativa, Agustí quiso salir al paso de teorizadores españoles y romper ardidamente una lanza por la tan denostada novela burguesa y sicológica—; y Bartolomé Soler (1975) —por antonomasia, el autor de *Marcos Villarí*, novela bronca de contenido y tradicional de factura; por este camino había de seguir, fiel a sí mismo pese a todos los pesares y beneficiándose de una singular peripecia aventurera que le llevó a tierras lejanas y a paisajes exóticos. Concluida nuestra guerra civil, Soler publicó bastante, obtuvo algún premio, redactó sus memorias y gustó siempre de jugar a la contra, de acuerdo con su apasionadísimo talante—.

Habían escrito tales narradores una obra más ética que estética; habían pretendido que ella fuese un sustitutivo de la prensa periódica e interesar a los presuntos lectores en temas y problemas existentes entre nosotros pero de prohibida divulgación; denunciaban; se rebajaban de grado a la mentalidad de un hipotético público nada exigente o más bien ignaro en materia de literatura; vivían poco menos que sometidos a una especie de terrorismo editorial y crítico que imponía modos de hacer y distribuía renombres, repudios y premios. Se llegó así a un estado de callejón sin salida, tras una novelística globalmente mediocre en lo estético, cargada de indeseable politización e ineficaz como despertador, revulsivo o arma de combate. Buen número de sus ocupantes abandonaba en las postrimerías de los años 60 una nave que hacía agua por todas partes.

El cambio —o la renovación— se impuso. Ya en 1970, y respecto de autores afectos al social-realismo que habían publicado libros en ese año —Juan Marsé, *La oscura historia de la prima Montse* y Alfonso Grosso, *Guarnición de silla*—, señalaba José Domingo [125] la existencia de un apuntado proceso evolutivo:

> [...] tuvieron en su día carta de naturaleza como novelistas de ese movimiento realista crítico o social [...] escribieron obras perfectamente encajadas en aquella inquietud generacional, y también, con perfecto sentido de escritores inquietos e inconformistas, para quienes la evolución no es un capricho, sino una necesidad y un deber, han iniciado un nuevo viraje y se adentran por los movedizos terrenos de la experimentación [...]

[125] Artículo *Del realismo crítico a la nueva novela* ("Ínsula", Madrid, n.º 290: I-197, p. 5).

El proceso prosiguió con la sucesiva incorporación de casi todos los autores incursos en dicha tendencia, cuando menos de los mejor dotados;[126] tiempo después, a la altura de 1974, era posible constatar que:

> [...] se está levantando el sólido edificio de una novela española que busca afanosamente su propia renovación, desde esas posiciones ya conquistadas, aunque atendiendo a la necesidad de no anquilosarse en unos estrechos márgenes que ya nadie considera inamovibles. Los novelistas *anatematizados* [se alude al remoquete de "generación de la berza" con el que alguien los apeló] han hecho caso omiso de las acusaciones [...] [y] han ido evolucionando, o pretendiendo evolucionar, al encuentro de nuevos cauces en los que pueda desembocar [...] su continuidad narrativa.[127]

"Relativa renovación", dejo escrito en el apartado tercero de este capítulo respecto a la mostrada por Juan García Hortelano en *El gran momento de Mary Tribune*, y ello porque la imagen del autor producida por esta su tercera novela no difiere sustancialmente de la que poseíamos a través de sus compañeras; a lo que allí apunté, cabe añadir lo advertido por Rafael Conte que, en su elogiosa reseña, reiteraba expresiones como "el objetivo temático es *el mismo*", "estos mismos elementos *siguen estando presentes* en *Mary Tribune*" y afirma que "surge

---

[126] Queda voluntariamente al margen Armando López Salinas quien, después de *Año tras año* (1962, premio "Ruedo Ibérico", París), su segunda novela, abandona el cultivo del género ya que se declaró incapaz de resistir la marcha del tiempo, plegándose a lo que la misma arrumba e impone; motivo al que ha de añadirse la dedicación preferente a su notoria militancia política.

[127] Así escribe Jorge Rodríguez Padrón ("Cuadernos Hispanoamericanos", Madrid, n.º 284: II-1974, pp. 320 y 321), analizando el caso de Isaac Montero, uno de tales "renovados".

[esta obra] del mundo de su autor, de sus preocupaciones y de sus obsesiones, que *siguen siendo las mismas*" (los subrayados son míos). Otro tanto podría escribirse acerca de los temas —preocupaciones y obsesiones, exasperadas a veces hasta la náusea— de algunos "renovados", ahora distintos a antaño quizá sólo en cuanto a la cobertura de sus novelas.

De todos ellos acaso haya sido ALFONSO GROSSO el más libre de ataduras no estéticas y, también, el más dotado para renovarse, simplemente insistiendo en cualidades propias. [128] Se habla de una primera etapa (social-realista) en su obra —la que va desde *La zanja*, 1961 a *Testa de copo*, 1963— y de una segunda —barroquizante, por designarla con sólo una palabra, tal vez no muy precisa—, cuyo gozne estaría en *Ines Just Coming* (1968). *La zanja* quedó bien clasificada en las votaciones del "Nadal" 1960 y fue incluida por Destino en la colección "Áncora y Delfín". Es el relato de un día cualquiera en la existencia de Valdehigueras, pueblo de la serranía andaluza próximo a una base USA; ricos y pobres, viciosos e hipócritas, parados y fuerzas vivas de la localidad componen una casi tópica galería de personajes, vistos con cierto maniqueísmo que condena sin más a los poderosos y exalta a los desheredados, sus víctimas. "La técnica cuidada y la estructura elaborada [...] El rápido ritmo narrativo aligera de tal modo el contenido que la novela se lee sin cansancio [...] es, técnicamente, sobre todo, una de las me-

---

[128] "Aun con la camisa de fuerza del socialrealismo, los primeros relatos del escritor de Sevilla acusaban una gran personalidad", según Antonio Iglesias Laguna (reseña de *Guarnición de silla*, ABC, Madrid, 20-VIII-1970).

jores novelas de tendencia social [...]" [129] Muy semejantes en contenido —cierta intención testimonial—
y en el cuidado técnico resultan los títulos que
siguieron inmediatamente: *Un cielo difícilmente azul*
(1961), la vida de un par de camioneros; *El capirote*
(1963; que hubo de publicarse en Méjico), con un
fondo de Semana Santa sevillana; *Testa de copo*
(1964), relato de un error judicial. El premio de la
Crítica 1971 concedido a *Guarnición de silla* (1970)
y el "Alfaguara" 1972 para *Florido mayo* sirvieron
de apoyo a esa evolución. *Guarnición...* equivale a
la historia pasada y al momento presente de una
familia de bodegueros jerezanos, los Caballero, con
alguna sangre inglesa en sus venas; narración como
con meandros: entrecruzamiento de sucesos y super-
posición de planos espaciales y temporales. *Florido
mayo,* escrita con una beca de la Fundación "Juan
March" y vencedora entre 136 obras, [130] es la consecuencia de tres años de trabajo cuidadoso, "un relato
muy denso y de difícil lectura", según lo caracteri-
zara el propio autor antes de concluirlo. [131] Otra

[129] Así piensa Pablo Gil Casado: p. 96 de *La novela social
española (1942-1965).* (Barcelona, Seix Barral, 1968).
[130] Fue un premio cantado, a la vista de los nombres que
concursaban, semanas antes de que el jurado emitiese su fallo;
en semejante circunstancia cobra especial interés la respuesta
del interesado a la pregunta "¿Por qué se ha presentado
Grosso al "Alfaguara"?", formulada por "Cleofás" ("Pueblo",
Madrid, 5-XII-1972), de la que destaco los puntos 5.º y 6.º:
"5) Mi determinación [de presentarme como concursante] significa también que no me encuentro atado editorialmente ni
por nada ni por nadie; 6) Mi experiencia de doce años publicando ininterrumpidamente me demuestra que es sano cambiar de tarde en tarde de editor [...]" Grosso había sido
publicado hasta entonces de modo casi exclusivo (un total
de cinco títulos) por Seix Barral, literariamente orientada por
Carlos Barral y José María Castellet.
[131] Entrevista con Grosso que firma Octavio Martí: ABC,
Madrid, 20-X-1972, p. 66.

larga vicisitud familiar (varias generaciones implica-
das), cuyo relato, que cambia con alguna frecuencia de narrador y modo de narrar —la tercera o la
primera persona, páginas de un diario, el monólogo
interior de Delia que remata la novela—, de tiempo
y de escenario, se dispone en tres partes: "Espejis-
mos", "Ensoñaciones", "Oratorio", a través de las
cuales resaltan, vgr., la facundia imaginativa de
Grosso, la deliberada y hermosa confusión que produce un clima de misterio y duda, la primacía del
color, las lujosas y frecuentes menciones enumera-
tivas —"[...] la penumbra del atardecer de julio, olo-
roso de dondiego, tembloroso de surtidores, caden-
cioso de mecedoras y de albahaca, sofocado de
tedio y aromado de magnolias y de jazmines" (página 24)—; la fluencia narrativa o descriptiva como
cortada por la abundante intercalación, que a veces
fatiga y dificulta, de guiones y paréntesis, lo cual se
relaciona a veces con el sobrecargado circunstancia-
lismo del autor, deseoso de informar al lector, en una
especie de privativo azorinismo, cumplidamente. Así
es el Grosso de su segunda etapa, "el primer barroco de nuestra narrativa [pues] ninguno mejor dispuesto que él [...] para rizar el rizo de la imagen,
desbordarla en una catarata a la manera de los
fuegos de artificio y dejarla extinguir en un chispo-
rroteo casi imperceptible para empezar de nuevo el
bizarro ejercicio casi a renglón seguido [...]" [132]

Aunque JUAN MARSÉ confiesa [133] que, en cuanto
narrador, no le guía "ningún deseo de *destruir* el

---

[132] José Domingo, n.º 320-321: VII-VIII 1973, de "Ínsula",
p. 20.
[133] Entrevista con Juan Marsé que firma Paloma Avilés:
"Arriba", Madrid, 26-I-1978, pp. 24-25.

lenguaje, o de *experimentar* con las formas, o de *explorar* nuevas parcelas del pensamiento" y procura huir de la retórica y "de los vanguardismos latinoamericanos a la moda", también reconoce que "[...] he evolucionado (mayor seguridad en el manejo del instrumental, más recursos, más resonancias)", evolución que comenzó a advertirse en *Últimas tardes con Teresa* (premio "Biblioteca Breve" en 1965) y prosiguió en *La oscura historia de la prima Montse* (1970); creo se trata más bien de evolución técnica que de cambios de contenido, arraigado hasta monótonamente en la denuncia de la burguesía catalana. Muestra de ello es *Si te dicen que caí* (1973), novela premiada [134] y publicada en Méjico, prohibida durante años en España [135] y, con el advenimiento de la democracia, convertida en un best-seller de éxito comparable a los coetáneos libros novelescos de Fernando Vizcaíno Casas. Sobre algunas vivencias personales, infantiles y adolescentes (Juan Marsé nació el año 1933, Barcelona), el autor construye un so-

[134] Un jurado constituido por Ángel María de Lera, el venezolano Miguel Otero Silva, el mejicano José Revueltas y el peruano Mario Vargas Llosa, concedió a esta novela (agosto 1973) el premio internacional "México" (10.000 dólares) en su primera convocatoria; concursaron más de trescientos originales. La editorial Novaro, patrocinadora del certamen, publicó al poco tiempo la novela de Marsé.

[135] Sobrada razón tiene Marsé cuando en la entrevista citada indica uno de los factores del éxito actual de *Si te dicen que caí*: "Las circunstancias políticas que determinaron su prohibición por espacio de casi tres años y el consiguiente provecho indirecto que de ello se deriva [...] quiero desde aquí expresar mi agradecimiento —condicionado— a los imbéciles censores del franquismo [...] por esta misma razón de fatal servidumbre política, la novela habrá defraudado a más de un lector, que esperaba tal vez otra cosa. Porque al cabo se ha visto que no es una novela específicamente política, ni sobre la guerra civil, ni contra la Falange. La propia censura sacó las cosas de quicio".

ñado mundo de alucinante pesadilla, discutible réplica del mundo real de entonces —década de los
cuarenta, post-guerra española en una gran ciudad—
por lo que, a mi ver, queda en entredicho la validez
testimonial de este relato, más bien catálogo de anor-
malidades: situaciones y personajes repugnantes,
negrura moral excluyente, claro maniqueísmo político. Con semejante material excrementicio Marsé
escribe páginas y capítulos de, a veces, exasperada y
sombría belleza e implacable perfección, deleite para
algunos críticos. [136]

El coruñés RAMÓN NIETO cuenta entre los más
jóvenes narradores afectos al social-realismo y, como
no pocos de sus correligionarios, muestra en su obra
análoga evolución, que le lleva desde una escritura
atada y seca a otra más libre y jugosa donde las intenciones y preocupaciones de antaño, que persisten
temáticamente, son enaltecidas en lo estético por una
cierta impregnación barroquizante pasada a través
de algunos hispano-americanos recientes, sin olvidar
la confesada huella del Nouveau Roman que "ha
servido para conseguir una enorme depuración de
estilo y de enfoque. Posiblemente me han influido, [137]
más que los objetivistas a ultranza [...], los objetivistas sentimentales, como Marguerite Duras o Jean
Cayrol". En *La señorita* (1974) encontramos cumplida ejemplificación de lo apuntado, con una historia

---

[136] Desde el jurado Vargas Llosa —"una novela explosiva en
lo político, lo sicológico y erótico"— hasta, por ejemplo, Joan
Egea (p. 22, n.º 14: XI-1974, de "Camp de l'arpa", Barcelona):
"La novela de Marsé me ha parecido digna de ser mencionada
junto a aquellas tres o cuatro obras que todos tenemos en nuestra mente al hablar de la novelística española a partir de la
posguerra".

[137] *Encuentro con Ramón Nieto*, por Antonio Núñez ("Ínsula", Madrid, n.º 221: IV-1965, p. 4).

alusiva y metafórica —la señorita, ¿igual a España?—, en buena parte de índole política, y una realidad ahondada más allá de lo periférico.

La aparición en 1958 del narrador LUIS GOYTI-SOLO-GAY no pasó desapercibida, contando para ello razones diversas: familiares —hermano del novelista Juan y del poeta José Agustín, por entonces ya ventajosamente conocidos—, biográficas —jovencísimo autor: poco más de veinte años— y literarias —premio "Biblioteca Breve" a su primera novela, *Las afueras*— pero también la excepcionalidad genérica del libro publicado: ¿una novela, otra cosa? Excepcionalidad que ha vuelto a plantearse más recientemente con motivo de *Recuento* (1973), primera entrega de la tetralogía titulada *Antagonía*: extenso retablo que diríase autobiográfico —Barcelona; y guerra civil, difícil post-guerra, años en la Universidad, incipiente vida profesional, lucha política arriesgada, tiempo de cárcel— y, asimismo, general o nacional. Dicha tetralogía es creación muy pensada y ordenada estructuralmente: nueve capítulos o círculos en cada entrega y un total de treinta y seis, configurando externamente un orbe proteico, misterioso y abundante de claves, que pide lector atento, paciente y no vulgar. Separado del conjunto, *Recuento* —"la mejor novela escrita en España, casi iba a decir en español, en mucho tiempo", como desorbitó Guillermo Cabrera Infante— es una narración de tono lírico hecha con el desorden y la sinceridad propios de un niño. [138]

---

[138] Alessandra Riccio (artículo *De las ruinas al taller en la obra de Luis Goytisolo*, pp. 31-41, n.º 2, 1977, de "Anales de la novela de posguerra") estudia las dos primeras novelas —*Recuento* y *Los verdes de mayo hasta el mar* (1976)— de la tetra-

La trilogía constituida por *Señas de identidad*
(1966), *Reivindicación del conde don Julián* (1970) y
Juan sin tierra (1975), cuyas primeras ediciones vieron la luz fuera de España, representa un relativo
cambio en la obra novelística de JUAN GOYTISOLO
quien, después de unos años y unos títulos de social-
realismo a la letra, sintió "la necesidad de hacer una
obra de ruptura válida no sólo para mí, sino para
los novelistas de mi generación". [139] Es su período
destructor de la España sagrada, cuando (como leemos en *Reivindicación...*) se hace "almoneda de
todo: historia, creencias, lenguaje: infancia, paisajes, familia: rehusar la identidad, comenzar a cero".
Álvaro, don Julián, Juan (los respectivos protagonistas) no son más que uno, el mismo autor, que
revuelve, resentidamente, vivencias personales —más
en *Señas...*— e historia nacional —más en sus compañeras—, con apoyo en las controvertidas tesis de
Américo Castro. La imprecación, como procedimiento expresivo, y el delirio, como recurso técnico,
son rasgos formales que peculiarizan este período
mitoclástico. Nuestra lengua española, con la que
Goytisolo siempre anduvo mal avenido —¿por ignorancia, descuido o desinterés?—, queda adscrita
por el novelista a la España sagrada, metida en
oprobioso fardel, motivo de denostación (que alcan-

---

logía ("no sólo novela, sino ensayo y relato, a la vez, "un
largo discurso en el que dialogan las conciencias individuales
y sociales, en el intento de conocer y darse a conocer").

[139] P. 53, n.º 12: VI-1967, de "Mundo Nuevo", París. Robert
Saladrigas acepta esta afirmación de Juan Goytisolo, a quien
reputa (p. 23 B, n.º 48-49: III-1978, de Camp de l'arpa", Barcelona) "mago que abre la cerradura de la fortaleza que, aprisionaba, aislándola, a la novela española", apertura de la que
van a beneficiarse los "renovados" Luis Goytisolo-Gay y Juan
Marsé.

zará a muy ilustres cultivadores de ella) y objeto de ruptura (*Juan sin tierra* concluye con una página en árabe, tributo sin duda a la hermandad hispano-musulmana, tan proclamada entre nosotros durante los años de post-guerra). Goytisolo es tenido más allá de nuestras fronteras por uno de los nombres máximos de la novela española reciente,[140] consagración a la que ayudaron no poco circunstancias ajenas a lo estético.[141]

El repaso hecho al cambio sufrido desde los últimos años sesenta a los más recientes por buena parte de los narradores antaño afectos al social-realismo,[142] creo habrá demostrado entre otras cosas cómo los integrantes de la llamada "generación de la berza" poseían capacidad y talento suficientes para, llegado el caso, desarrollarse en libertad.

D) *Coda*

Hago este añadido en el apartado quinto del presente capítulo porque lo estimo necesario para inte-

---

[140] Baste con decir que la bibliografía "sobre" —reseñas, entrevistas, artículos, tesis universitarias, libros, ediciones escolares— es abundantísima y aumenta incesantemente.

[141] En ello se ha fijado Horts Rogmann (*El contradictorio Juan Goytisolo*, p. 12, n.º 359: X-1976, de "Ínsula", Madrid) al escribir que "no se trata de negar la sinceridad del exilio y tampoco el sufrimiento que se deriva de él, mas parece que la fama y el éxito de su explotación literaria sugieren la posibilidad de que una fuga inicial resulte un viaje turístico y que del destierro forzado [resulte] una especie de bohemia dorada [...]".

[142] A los seis nombres destacadamente convocados en el texto deben añadirse los de: Jesús López Pacheco —profesor en Western Ontario (Canadá) y autor de *La hoja de parra* (Méjico, 1973)—, Antonio Ferres —profesor en varias universidades USA. y autor de *En el segundo hemisferio* (Barcelona, 1970)— e Isaac Montero —mucho tiempo pendiente de un proceso a *Alrededor de un día de abril*, novela secuestrada y aún inédita, y autor de *Los días de amor, guerra y omnipotencia de David el Callado* (1972) y *Documentos secretos* (I) (1972)—.

grar a tres narradores —Jesús Fernández Santos,
social-realista, y Pedro de Lorenzo y Elena Quiroga,
experimentalistas ambos— que no tendrían cabida
pertinente en tales rúbricas. El comienzo del primero
le colocó en el social-realismo pero obras y actitudes
posteriores le sacaron y alejaron de esa tendencia
para convertirle en un autor más libre y vario. Elena
Quiroga, luego de sus tanteos realista-naturalistas
cambió de rumbo; desde *Algo pasa en la calle* (1954)
hasta *Presente profundo* (1973) hay otros títulos que
la muestran como una virtuosa de la técnica, explo-
rando personalmente modos y recursos. Pedro de
Lorenzo fue desde un principio —década de los cuarenta—, y pese a resonancias azorinianas y mironia-
nas, distinto a lo que se llevaba entre los jóvenes colegas (el tremendismo, por ejemplo) y, a lo largo de
los años, se ha mantenido fiel a esa distintividad,
experimentando siempre y muy por su cuenta y
riesgo.

Con *El hombre de los santos,* que fue premio de
la Crítica 1970, una segunda etapa comienza en la
obra novelística de JESÚS FERNÁNDEZ SANTOS: "se
hace evidente una mayor complejidad y una más
enriquecida densidad. Donde antes había escueta
narración, desnuda sintaxis lineal [...], ahora se intenta una profundización, tanto en lo que se refiere
a la intencionalidad del relato como en la búsqueda
de una más notable flexibilidad expresiva". [143] Don
Antonio, el protagonista de la melancólica historia,
que iba para artista y terminó ganándose la vida
como restaurador-anticuario, es víctima del paso del

---

[143] Jorge Rodríguez Padrón, *Jesús Fernández Santos o la fidelidad* ("Papeles de Son Armadáns", Palma de Mallorca, n.º
195: VI-1972, p. 343, t. LXV).

tiempo —vicisitudes familiares diversas: muerte de
la esposa, matrimonio de la hija, soledad— y de las
concretas circunstancias españolas, lo que explica
suficientemente su actitud desencantada (que no resentida); Fernández Santos acierta a beneficiar en
esta acción sin peripecias sonadas el encanto que
posee lo cotidiano más trivial. *Libro de la memoria
de las cosas* ("Nadal" 1970) es el resultado de muchos años de trabajo [144] y también, pese a posibles
reparos, [145] la mejor novela de Fernández Santos;
no una novela católica sino de tema religioso —la
vida de una comunidad protestante española en
nuestra época—, expuesto objetivamente. Por sus
páginas se mueve, en ocasiones con retardataria morosidad, un cúmulo de personajes distintos y hasta
contradictorios a los que la creencia anima de muy
diverso modo; la habitual paleta gris de nuestro novelista describe, ahonda, se manifiesta en suma como
llegada a una envidiable madurez. Queda lejano en
el tiempo, y en la intención y la escritura, el pretendido social-realismo, denuncia implícita mas no
politizada, de *Los bravos* (1954); por otra parte, el
concepto de "social" por él profesado resultó siempre menos rígido que el privativo de algunos colegas, [146] de los que también se distancia en esta se-

---

[144] "Algo así como trece años. No escribiendo de forma asidua, sino llevándola en la cabeza y escribiendo de cuando en
cuando un capítulo, que se distanciaba meses o años del siguiente", declara Fernández Santos a Fernando Vizcaíno Casas
(entrevista en "La Nueva España", Oviedo, 1-VI-1971, p. 21).

[145] Como que, a juicio de Rafael Gómez Egea (p. 104, n.º 305:
V-1971, de "Arbor", Madrid), "no ha logrado [...] conjugar de
modo equilibrado los complejos elementos humanos e ideológicos que intervienen en el relato".

[146] "Para mí [Fernández Santos a Juan Pedro Quiñonero:
"Informaciones", Madrid, 7-I-1971] tan social son *Los bravos*,
que se ha incluido dentro de esa línea novelesca [el social-rea-

gunda etapa porque sus contenidos resultan de mayor amplitud humana y carecen de la áspera violencia que ostentan un Marsé o un Juan Goytisolo.

ELENA QUIROGA es en la historia de la novela española de post-guerra el caso de una desconocida revelada por la obtención de un premio —el "Nadal" 1950, *Viento del Norte*— (caso no infrecuente por aquellas calendas), que ha continuado en el género mejorando casi título a título (lo cual ya no ha sido tan frecuente), en una callada y sostenida tarea, al margen de modas y lanzamientos; y, sin embargo, no muy atendida por la crítica, [147] hecho a todas luces injusto dados los positivos valores de su obra. Tras el pardo-bazanismo que algunos quisieron advertir en sus comienzos mostró a partir de 1954, año de publicación de *Algo pasa en la calle,* faz distinta: otros pequeños (no por su interés) orbes narrativos, lugares urbanos para la acción, personajes de ordinario más refinados y complicados que sus anteriores compañeros, tratamiento de asuntos más actuales e hirientes —así: un ejemplo de fracaso-ruptura matrimonial y una relación externamente adulterina en *Algo...*, un conflicto entre generaciones en *La careta* (1955), la educación femenina en *Escribo tu nombre* (1965)—, aspecto formal más novedoso y difícil —reducción de espacio y tiempo, superposiciones pasado-presente, monólogo interior y escritura diarística, varios y enfrentados por no coincidentes puntos de vista, etc.— *Presente profundo* (1973) es otro relato

---

lismo], como este último libro [el "Nadal" 1970]. Lo que yo hice en otro tiempo [...] no fue paternalismo [...], sino ponerme en el lugar de personajes marginados [...]".

[147] Cabe señalar como excepción el premio de la Crítica 1961 a su novela *Tristura*.

memorativo de Elena Quiroga que ahora, suicidadas Daría y Blanca, dos bien distintas mujeres que en vida no llegaron a encontrarse, echa mano del médico Rubén, que conoció a ambas, para que recuerde y cuente; la panadera Daría era víctima de un sórdido medio rural en tanto que Blanca fue hundiéndose sin remedio entre la estrambótica fauna de drogadictos e hippies que la rodea y asfixia; el paisaje gallego enmarca este par de agonías pero con presencia menos ostensible y avasalladora que en sus libros primerizos. La novelista de almas (o de adentros) que es, en definitiva, Elena Quiroga consigue en *Presente...*, por hoy su última novela, "una obra de constantes y calibrados matices [...] de buceos en profundidades abisales y de complicadas exploraciones expresivas". [148]

"La serie "Los descontentos" constituye una de las creaciones importantes de la narrativa de posguerra [...] Años atrás lo dije y fui víctima de ataques furibundos por parte de críticos en agraz. No habían leído "Los descontentos" [...]", afirma con verdad, y con justa irritación, Antonio Iglesias Laguna. [149] Desde *La quinta soledad* (1943) y *La sal perdida* (1947) hasta el inicio de esa serie —su primera entrega, *Una conciencia de alquiler* apareció en 1952— [150] pasaron bastantes años de silencio y maduración, maduración y silencio que prosiguieron hasta 1974, *Gran Café*, que cierra la tetralogía, de la que muy espaciadamente habían visto la luz *Cuatro de familia* (1956) y *Los álamos de Alonso Mora*

---

[148] José María Alfaro: ABC, Madrid, 19-VII-1973, p. 63.
[149] ABC, Madrid, 9-VII-1970.
[150] Obtuvo el premio "Álvarez Quintero" 1957, discernido por la Real Academia Española de la Lengua.

(1970). [151] Durante esos más de veinte años nuestro
autor, para quien "Novela es acción" (pero no sólo
peripecia externa y trepidante), que tanto gusta de
contar intelectualizada y estilizadamente, ha ido
acendrando título a título su relato. *Los álamos...*,
si tercero en aparición constituye biológicamente el
primer volumen de la serie [152] ya que trata de Alonso
Mora niño y adolescente en el Centenera natal; hijo
único, ser tímido e introvertido, a vueltas con sus
sueños y sus observaciones, creciendo al par, y distante sin embargo, de otros niños convecinos y entre
personas mayores que no siempre aciertan a entenderle. Idealmente, y también como protagonista de
la novela, Alonso los domina a todos —don Pedro,
el padre bondadoso y duro; Isabel, la madre tan
querida—; el novelista penetra lúcidamente en su
sicología [153] y trasmite los hallazgos en bella y cuidada prosa, lírica, detalladora, más despojada la
expresión que en anteriores entregas. *Gran Café* resulta a mi ver la más novelesca entre sus compañeras, quiero decir que el autor se muestra en ella
colmado de cosas para contar y abarcando su relato
espacio de tiempo no poco dilatado, con vueltas y
revueltas hacia el pretérito más o menos reciente.

[151] La serie completa ha sido ofrecida por Editora Nacional
(Madrid, 1974) como tomo II de las Obras Completas de Pedro
de Lorenzo; lleva un extenso prólogo del crítico Florencio Martínez Ruiz.
[152] El ordenamiento natural o biológico de las piezas que integran la serie "Los descontentos" es distinto al de publicación,
a saber: 1.ª), *Los álamos de Alonso Mora*; 2.ª), *Cuatro de
familia* —Alonso Mora, joven—; 3.ª), *Gran Café* —Alonso
Mora, ya abogado, viene a Madrid—; 4.ª), *Una conciencia de
alquiler* —Alonso Mora, hombre—.
[153] "Habría que pensar [estima el citado Iglesias Laguna] en
el Luisito del *Miau* galdosiano, en el Pedrito de Andía, de
Rafael Sánchez Mazas; en el Tadsio de *Der Tod in Veredig*,
de Thomas Mann, para encontrar algo parecido".

Alonso Mora, el protagonista-narrador, refiere en un café madrileño, escasas fechas antes de julio de 1936 (rodeado por una hirviente realidad española de la que dan cuenta los periódicos, utilizados como elemento acompañante del relato), a un anónimo desconocido, en forma de extenso monólogo apenas interrumpido y que dura desde después de la cena hasta el cierre del local a la madrugada, sucesos de su vida —profesión, matrimonio, amigos— y otros acaecidos en el lugar llamado de La Mota; lo hace siguiendo un orden desordenado pero no caótico, que entremezcla tiempos y espacios, hechos y gentes. Acaso la libre fluencia del recuerdo quite rigidez o envaramiento a la expresión del autor quien, por otra parte, prosigue aquí su labor de ascético despojamiento. Hay en la novela situaciones y páginas que se me antojan concesión a la moda erótica que actualmente priva, concesión que reforzaría el deseo de Pedro de Lorenzo de escribir "en esta ocasión para los más" pero sin desentenderse de la minoría lectora siempre afecta. [154] ¿Cesará alguna vez su condición de relegado a las minorías, de experimentador [155] sin reclamo editorial, de tenido en menos de lo que su obra merece? [156]

[154] A *Gran Café*, que en los días precedentes al fallo del jurado se cantaba por algunos informadores literarios como el premio "Planeta" 1974, se le concedió en atención a sus méritos un accésit de quinientas mil pesetas. (El premio fue para *Icaria, Icaria...*, de Xavier Benguerel).

[155] Para Rafael Conte, que también se hace cargo de la injusticia crítica cometida con Pedro de Lorenzo, "[...] los experimentos que más atraen al escritor son aquéllos que buscan un orden, una nueva estructura, nuevas normas; no los desordenados y caóticos. Estará siempre más cerca de los movimientos formalistas que de los surrealistas" (artículo en "Ínsula", Madrid, n.° 352: III-1976, p. 5).

[156] En la colección "Grandes Escritores Contemporáneos" (Madrid, Epesa) hay (n.° 73, 1973) un *Pedro de Lorenzo*, debido

VI.   PREMIOS Y EDITORIALES. EL PESO DE LA CENSURA

En el lanzamiento de nuestra novela de postguerra los premios fueron de gran utilidad pero, andando los años, la excesiva proliferación y los intereses personales, comerciales e ideológicos determinaron su baja aunque en medio de repulsas, escándalos y algunos casos de acierto continuaran convocándose e, incluso, creándose. Esto sucedía en la década de los sesenta y continuó sucediendo en el tiempo que va de 1970 a 1975; informadores (como Juan Pedro Quiñonero), críticos (como Rafael Conte), autores (como Alfonso Grosso) y editores (como Carlos Barral), testigos activos de la indeseable situación, cuentan entre sus abundantes denunciadores. [157]

---

a Santiago Castelo —relato biográfico y análisis de la obra de nuestro autor tal como él la clasifica: a), Libros de la vocación; b), Novelas del descontento; c), Memoria de la tierra y de los muertos; d), Los adioses. Siguen: un apartado relativo al estilo y una exhaustiva lista bibliográfica "SOBRE" (sesenta y ocho pp.)—.

[157] He aquí el repertorio de pareceres: Quiñonero ("INFORMACIONES de las Artes y las Letras", Madrid, n.º 128: 17-XII-1970). —"De nuevo se ha puesto de manifiesto que los premios literarios no son inútiles cuando se trata de consagrar o fomentar vías de conocimiento tradicionales, pero un tanto ineficaces —quizá incluso sean obstáculos abiertos— cuando se intenta investigar formas inéditas de interpretar la realidad"—; Conte ("INFORMACIONES de las Artes y las Letras", Madrid, n.º 179: 9-XII-1971, p. 2) —"El sistema de premios está ya absolutamente caduco y no añade nada nuevo a la literatura. Se ha convertido en un elemento más del mercado editorial [...]"—; Grosso ("Ídem.", ídem., p. 5) —"[...] la contumaz insistencia de los premios literarios comerciales en ofrecer al público español las muestras más representativas del aldeanismo ibérico, como si fuera posible sacarse de la manga cada año un novelista"; Barral ("Ídem.",

Premios académicos, estatales, de editoriales, de ayuntamientos, diputaciones y otras entidades, de los críticos, de los habitantes de una localidad, [158] de un ocasional mecenas [159] integran el nutrido conjunto. Premios que revelaron nombres inéditos, [160] que se atrevieron algo menos al destacar un autor entre casi-novel y casi-conocido, [161] que prefirieron la seguridad del novelista consagrado, [162] o que se fueron calculadamente tras la moda hispano-americana [163] y política. [164] En ocasiones se fallaron en paz

---

ídem., p. 6) "La abundancia de premios literarios que se ven obligados, en la mayoría de los casos, a practicar una política de consagración de lo mediocre, lo cual en alguna medida debe contribuir a degradar el nivel de ambición de muchas vocaciones literarias"—.

[158] Caso de la localidad murciana de Águilas, cuyo importe "lo ha sufragado un pueblo por suscripción —sus pescadores, sus empleados, sus comerciantes, sus obreros, sus gentes del campo— en la medida de las fuerzas de cada uno", según noticia de Miguel Pérez Calderón, que figura entre los organizadores del premio.

[159] Caso de Rafael Onieva, a quien se debió la fundación, 1973, del "Villa de Madrid".

[160] Fue hecho frecuente en décadas pasadas pero, posteriormente, cada año más raro. "¿Qué hacer con un año [1971] en el que los premios han *descubierto* a Jesús Fernández Santos y a José María Gironella?", se preguntaba Conte ("INFORMACIONES de las Artes y las Letras", Madrid, n.º 179: 9-XII-1971, p. 2).

[161] Pudiera ser ejemplificado este caso por Javier del Amo —premio "Café Colón", de Almería, 1973— o por Ramón Hernández —Premio "Águilas", 1970—.

[162] Abundantes ejemplos como: el "Nadal" 1970 a Jesús Fernández Santos; el "Planeta" 1971 —a José María Gironella— y el 1975 —a Mercedes Salisachs—.

[163] Véanse los títulos aducidos en la nota 6 del presente capítulo.

[164] Política que unas veces reside en el asunto —el personaje político contemporáneo, muerto ya, atractivo y controvertido: caso de *Azaña,* novela de Carlos Rojas, premio "Planeta" 1973— y, otras, en la biografía del galardonado —Xavier Benguerel, escritor en catalán, exiliado político que fue, cuya novela *Icaria, Icaria...* obtuvo el premio "Planeta" 1974—.

y normalidad pero a veces el escándalo dejó sentir su bullanguera presencia. [165] Premios hubo que se mantuvieron con no pequeña fidelidad a sí mismos; [166] desaparecieron otros, con y sin gloria en su existencia; [167] nacieron algunos. [168] Premios de signo marcadamente innovador, experimental casi, alternando con los más bien aferrados a la tradición; unos y otros, casi siempre premios editoriales de acuerdo, por tanto, con la idiosincrasia de las patrocinadoras. [169] Premios con jurados fijos y variables que suelen ser los editores, críticos, novelistas, cate-

[165] He aquí un muestrario reducido sólo a dos premios:
En el primer "Barral", 1971, obtuvo 6 votos la novela de María Luz Melcón y otros tantos la de Haroldo Conti pero "tras una deliberación excepcional del jurado" —y aquí estuvo el escándalo— ganó el varón e hispano-americano. ∥ Para el "Ateneo de Sevilla" 1974 se había corrido que la novela premiada —con tres votos: los de los narradores sevillanos Manuel Ferrand, Manuel Barrios y José María Requena— iba a ser *El precursor,* de José María Vaz de Soto y lo fue, sin embargo, *Todavía...,* de Rodrigo Royo, lo cual produjo sus dimes y diretes y, por último, la dimisión de Ferrand como miembro del jurado para futuras convocatorias.
[166] Creo es notoriamente el caso del "Nadal" y del "Planeta".
[167] Registro: 1973 —"Águilas"—; 1974 —"Alfaguara" y "Biblioteca Breve"—; 1975 —"Barral" y "Ciudad de Oviedo".
[168] Registro: 1971 —"Barral"—; 1972 —de la "Nueva Crítica", "Novelas y Cuentos", "Puente colgante" (Portugalete), "Ciudad de Marbella"—; 1973 —"Canarias", "Café Colón", "Villa de Madrid"—; y 1975 —"Eulalio Ferrer" (Ateneo de Santander)—.
[169] Caso que no suele admitir excepción en dicha correspondencia y que ejemplificaré, sirviéndome de palabras caracterizadoras ajenas, con el "Nadal" —"[...] su tradición de equilibrada mesura, si abierta a las nuevas experiencias no dejándose tampoco arrastrar por el experimentalismo en boga, en un discreto justo medio [...]" (José Domingo, p. 7, n.º 318: V-1973, de "Ínsula")— y el "Planeta" —"[...] posee cierta vocación de comercialidad; esto no es una crítica, sino una definición. De todas formas, alguien tenía que llenar el hueco, y Planeta lo hace de manera inmejorable [...]" (Rafael Conte, p. 5, n.º 353: IV-1976, de "Ínsula").

dráticos, académicos y hasta alguna persona-fuerza viva;[170] para originales inéditos o para obras ya publicadas,[171] presentadas o no[172] por sus autores. Premios con pingües dotaciones, que aumentan como consecuencia de la creciente carestía de la vida o según capricho del generoso patrocinador;[173] con dotaciones discretas e inaumentadas;[174] con dotaciones punto menos que simbólicas,[175] o sin más dotación que el honor del triunfo.[176] Premios de concesión obligatoria,[177] a veces con accésit de consuelo para el finalista estricto[178] o que pueden dejarse desiertos, como ha sucedido más de una vez durante los años setenta.[179] ¿Quedará sin apuntar algún otro

---

[170] Como alcaldes o concejales-delegados de Cultura en los premios que financian los ayuntamientos y que acostumbran designarse "Ciudad de..."

[171] Como los de la Real Academia Española de la Lengua: "Álvarez Quintero" y "Fastenrath", o el estatal "Miguel de Cervantes", o los de la Crítica y la "Nueva Crítica", todos ellos para novelas ya publicadas.

[172] No presentadas las obras por sus autores, sino elegidas por los jurados entre las publicadas, es lo que ocurre en el premio de la Crítica y en el de la "Nueva Crítica".

[173] El caso más conocido es el de José Manuel Lara, empeñado siempre en que su premio "Planeta" excediese económicamente con mucho a sus colegas; cuatro millones de pesetas es la dotación actual.

[174] Es el caso del "Nadal", inmovilizado en doscientas mil pesetas.

[175] Como las seis mil pesetas del "Fastenrath".

[176] Como el "Biblioteca Breve" a partir de la convocatoria de 1968, el de la Crítica y el de la "Nueva Crítica".

[177] Así ocurre, entre otros, con el "Nadal" y el "Planeta".

[178] Lo tuvo en algunas convocatorias el "Alfaguara"; lo tiene desde 1974 (medio millón de pesetas), el "Planeta".

[179] Registro: 1970 —"Biblioteca Breve"—; 1971 —"Águilas"—; 1972 —"Barral"—; 1973 —"Biblioteca Breve", "Canarias", "Alfaguara", "Ciudad de Lérida"—; 1974 —"Ciudad de Oviedo", "Blasco Ibáñez", "Novelas y Cuentos", "Ciudad de Marbella"— y 1975 —"Ciudad de Marbella", "Ciudad de Palma", "Gabriel Miró", "Benito Pérez Armas"—.

pormenor constitutivo del variopinto conjunto? Pasemos ahora a examinarlo más de cerca y menudamente. [180]

Cabe hablar del imperio Lara en nuestra novela de post-guerra que, relativo a premios, se centra en el "Planeta" —desde 1952— y se amplía al "Ateneo de Sevilla" —desde 1969: *La sombra de las banderas,* de Manuel Pombo Angulo— y al "Café Colón" (de Almería) —desde 1973—, ampliación consecuente con el deseo de José Manuel Lara de conseguir nuevos lectores; deseo al que se une (en el caso del galardón sevillano) un motivo sentimental: la naturaleza del patrocinador, [181] que rinde así homenaje a su madre y a su ciudad. Si nos atenemos al fallo de los jurados convocatoria tras convocatoria puede afirmarse que este premio se parece bastante a su hermano mayor, reiterando incluso nombres de autores galardonados [182] y finalistas.

Se debió la decisión, según los jurados, a la insuficiente calidad de las novelas presentadas y al deseo de no contribuir, premiando indebidamente, al confusionismo reinante.

[180] Ni me ocupo de ni siquiera menciono los premios para novela corta.

Quien desee una lista más completa de premios novelísticos puede consultar el correspondiente apéndice del volumen *El año literario español* —1975 y 1976— de editorial Castalia.

De algunos premios de novela ha dado noticia José López Martínez: véanse los números 86 a 90 de la "Bibliografía Crítica que sigue al presente capítulo.

[181] Este premio fue dotado por Lara con medio millón de pesetas y puesto en manos del Ateneo de Sevilla como entidad cultural responsable; la editorial "Planeta" publica las novelas galardonada y finalista.

[182] Así: Torcuato Luca de Tena —premio "Ateneo de Sevilla" 1970, *Pepa Niebla,* que había obtenido el "Planeta" 1961—; Ángel María de Lera —ídem. 1973, *Se vende un hombre* y "Planeta" 1967—; o, más recientemente, Carlos Rojas —ídem. 1977, *Memorias inéditas de José Antonio Primo de Rivera* y "Planeta" 1973—.

Otra cosa es el premio "Café Colón" [183] cuyo jurado, de acuerdo con una de las bases anunciadas, "prestará atención preferente a aquellas novelas que por su estructura y elaboración artística participen de las coordenadas estéticas de su tiempo". ¿Es el premio experimentalista de la cadena Lara? [184] (Su fallo fue un acontecimiento singular en la rutina de la vida provinciana: "El café se ha llenado de luz y de público [escribe una cronista del acto] [185] [...] está integrado por lo más selecto y representativo de la intelectualidad y la sociedad almeriense. Hay expectación fundada. Las autoridades ocupan lugares de distinción. Almería va a estrenar un premio de novela [...]"). *El canto de las sirenas de Gaspar Hauser*, novela premiada de Javier del Amo, resulta para el lector habitual más asequible que sus anteriores narraciones publicadas [186] pero esta historia de dos amigos empeñados en la empresa de componer una novela destinada a no ver la luz posee también dificultades, junto a prometedoras excelencias. *Homenaje a F.[ranz] K.[afka]*, la novela de Miguel Sáenz galardonada en 1974, no es producto estricto de laboratorio pero sí un relato complejo en técnica —lúcido distanciamiento del narrador, lecturas simultá-

---

[183] Dotado con cien mil pesetas donadas por el almeriense Antonio Torres González; al que acudió una cincuentena de originales en cada una de sus dos primeras convocatorias (1973 y 1974); de cuyo jurado fueron miembros fijos Antonio Prieto, Francisco Umbral y Florencio Martínez Ruiz.

[184] La editorial Planeta estuvo presente en el jurado y se hizo cargo de una primera edición (quince mil ejemplares) de la novela galardonada.

[185] J. Vallés Primo, corresponsal de ABC en Almería; n.º del 27-II-1973.

[186] Javier del Amo (nacido 1944) había ganado en 1970 el premio "Ateneo Jovellanos" (Gijón) de novela corta y fue uno de los autores incluidos por Carlos Barral en el lanzamiento de 1972.

neas y diversas de una misma y única situación— y
contenido —una proyectada tesis doctoral, que ha de
realizarse en Praga, sirve de pretexto para refinadas
indagaciones ambientales, intelectuales y sentimentales—.

El premio "Planeta", que tiene su espacio bien
concreto y determinado dentro del conjunto que estamos repasando, continuó entre 1970 y 1975 fiel a
la comercialidad y al sensacionalismo pues premió
—1970 y 1972— a dos hispano-americanos (a título
póstumo, uno de ellos), a un catalán y exiliado político —1974—, a dos obras de asunto histórico-polí-
tico español reciente —1971 y 1973— y, finalmente,
a quien como Mercedes Salisachs —1975— había
rondado varias veces el galardón [187] y entraba de
lleno en la órbita argumental y técnica más propia
del mismo. [188] // *Azaña*, de Carlos Rojas (1973), me
parece un noble intento de biografiar novelísticamente al conocido y denostado político republicano,
partiendo de sus agónicas postrimerías y volviendo
con frecuencia hacia atrás en el decurso tempóreo
para abarcar así lo más posible de la existencia del
protagonista. Pero sucede que Rojas se ha servido
de los escritos autobiográficos de Manuel Azaña y
no como base documental imprescindible sino como
texto que se intercala una y otra vez, extensamente
y sin el oportuno entrecomillado, en lo que es obra
de su propia minerva, de tal modo que la novela
viene a ser, en buena parte, intencionada antología
de aquellos escritos —127 págs. en un volumen de

[187] En 1955, con *Carretera intermedia* y en 1973, con *Adagio
confidencial*.
[188] Cuyo sólido asentamiento entre público y escritores celebró José Manuel Lara con una brillante fiesta social en los
salones del Ritz madrileño (véase la crónica del acto firmada
por Pilar Trenas en ABC del 30-III-1974).

330—. [189] Ello produjo un cierto escándalo, favorable desde luego para la venta del libro y puede que no tanto para el prestigio del autor, [190] escándalo que llegó a su punto máximo por obra y gracia de una carta de doña Dolores Rivas Cheriff, viuda de Azaña, en la que se lee: "Considero que la utilización que hace Carlos Rojas de las Obras Completas de Manuel Azaña es un abuso éticamente reprobable, no sólo porque recurre a numerosísimas transcripciones literales de sus obras sin haber pedido permiso legal ni mencionar su preciso origen, sino, incluso, porque manipulándolas a su antojo, las tergiversa en varios pasajes, prestando su figura a interpretaciones distorsionadas o equívocas". // *La gangrena*, de Mercedes Salisachs, uno de los grandes éxitos comerciales "planetarios", [191] es un vasto fresco histórico contemporáneo (desde la Dictadura de Primo de Rivera a la época actual), localizado en Barcelona y ofrecido a través de la existencia de Carlos Hondero, personaje luchador y sin mayores escrúpulos, y de la de otras gentes menos relevantes pero con su particular historia a cuestas; clara muestra de la reconocida habilidad narrativa de su autora.

La ruptura comercial y familiar del clan Seix y Barral trajo, casi de inmediato, las consecuencias si-

---

[189] Según el recuento efectuado por Manuel Aragón: *Manuel Azaña, premio "Planeta" 1973* (artículo en "Triunfo", Madrid, n.º 584: 8-XII-1973, pp. 53-55).

[190] Adscrito al grupo llamado "Metafísico"; premio "Ciudad de Barcelona" 1958, "Selecciones de Lengua Española (Plaza-Janés) 1963 y "Miguel de Cervantes" 1968 por *Auto de fe*, su novela más difícil e importante. Carlos Rojas, profesor e historiador, se ha complacido frecuentemente en recreaciones-reconstrucciones históricas nacionales y extranjeras.

[191] Doce ediciones entre noviembre de 1975 y marzo de 1976, con un total de cuatrocientos mil ejemplares.

guientes: 1.ª), el jurado del premio "Biblioteca Breve" acordó dejarlo desierto, como muestra de adhesión a Carlos Barral, en su convocatoria de 1970;
2.ª), Carlos Barral creó su propia casa (Barral editores) y el consiguiente premio novelístico, [192] concedido por primera vez en 1971; 3.ª), se produjo un
trasvase de escritores de la vieja a la nueva editorial
y 4.ª), Carlos Barral, así independizado, persistió en
su tendencia innovadora con iniciativas y series semejantes a las de tiempo atrás, casi una duplicación
de ellas. [193] // Acaso el panorama ofrecido por quienes acudieron al premio "Barral" —que resume Mercedes Sáenz Alonso: [194] "Originales presentados 102,
de los cuales exactamente la mitad son hispano-
americanos [...] Fueron seleccionadas 29 obras y,
entre ellas, 14 de autores españoles. Temas: uno
imaginativo, tres referentes a las diferentes culturas
indias y mestizas en su adaptación y evolución; seis
novelas relacionadas con el "activismo" político, cinco en estudio de la desadaptación de los individuos
y, por último, doce en crítica de la sociedad. Ninguno, de los 29 libros seleccionados, aportando un
mensaje de aliento al hombre, de confianza en el ser
humano, de alegría de vivir"— resulte sintomático,
al menos en cuanto a contenidos, lo mismo que el
número de hispano-americanos concursantes y seleccionados y el fallo a favor del argentino Haroldo
Conti es (como sabemos) ilustración de una moda
por entonces aún vigente. // Un jurado de nueve
miembros —editores: el propio Carlos Barral, Jaime

---

[192] Sin dotación económica alguna; sólo medalla honorífica
y doscientas mil pesetas de anticipo como derechos de autor.
[193] Tal la serie narrativa "Hispanica Nova", frente a las de
Seix Barral: "Biblioteca Breve" y "Biblioteca Formentor".
[194] P. 18 de su *Breve estudio de la novela española (1939-1979)*
[sic]. (San Sebastián, 1972).

Salinas y Jesús Aguirre; críticos: Salvador Clotas
y José María Castellet; novelistas: Benet, García
Hortelano, Félix de Azúa y Vargas Llosa— otorgó
el premio "Barral" (1974) a *Ágata ojo de gato*, novela de José Manuel Caballero Bonald; de los nueve
votos sólo tres fueron para el vencedor, "y aunque
las bases obligan en tal caso a declararlo desierto,
se ha concedido por ser este año el último" (según
noticia de Cifra).[195] Se trata de una poderosa historia
localizada en el coto de Doñana, entre el Guadal-
quivir y los montes de Huelva, protagonizada por
personajes tan vigorosos como Manuela y con muy
destacada función de la naturaleza y de la tierra,
que acabarán venciendo a sus denodados opositores:
la extraña familia a cuya ascensión y ruina, no poco
enigmáticas, asistimos durante el tiempo vital de tres
generaciones; Caballero Bonald, lingüísticamente
tan parco en su anterior *Dos días de setiembre*,
muestra ahora una excelente y opulenta riqueza
expresiva.[196]

Poco dio de sí, especialmente si comparamos con
su anterior trayectoria, el premio "Biblioteca Breve"
a partir de 1970. Siguió en la convocatoria de 1971
la aún vigente moda hispano-americana que él mismo iniciara tiempo atrás, para llamar la atención en

---

[195] Caballero Bonald renunció en vista de ello a la condición
de premiado y el volumen que contenía *Ágata...* iba rodeado de
una faja con este texto: "Un premio polémico/Una votación
reñida/Un galardón rechazado/Una novela excepcional". Al año
siguiente obtuvo el premio de la Crítica.
[196] En su artículo *Nuevos rumbos en la novelística española
de posguerra: "Ágata ojo de gato" de Caballero Bonald* (pp. 19-
29, n.º 2, 1977, de "Anales de la novela de posguerra"), José
Ortega destaca la fuerza imaginativa y la retórica barroca que
caracterizan esta novela.

1972 sobre el experimentalista José Leyva, ser declarado desierto en 1973 [197] y desaparecer en 1974.

Tampoco anduvo muy sobresaliente el estatal "Miguel de Cervantes", concedido en 1973, luego de la descalificación de su primer ganador, a un libro de cuentos [198] y cambiado de epónimo en 1974. [199]

El premio de la Crítica, con cambio de alguno de los jueces y el traslado de Vallensana a Sitges (precisamente en 1970) como lugar de reunión, continuó siendo discernido abril tras abril y con honestidad y acierto que redundan positivamente en su prestigio; por eso, "cuando se quiere valorar un novelista [...] se pone en su biografía: *es premio de la Crítica*". [200] Jesús Fernández Santos —1970, *El hombre de los santos*—, Alfonso Grosso —1971, *Guarnición de silla*—, Francisco Ayala —1972, *El jardín de las delicias*—, Gonzalo Torrente Ballester —1973, *La saga/fuga de JB.*—, Corpus Barga —1974, *Los galgos verdugos*— [201] y José Manuel Caballero Bo-

[197] Llegaron a las últimas votaciones cuatro novelas: *Niña Huanca* (Fernando González Aller), *El círculo geside* (Carlos M. Clerici), *De la sabiduría de la noche y de cierta frivolidad del alba* (Ramón Zulaica) y *Fases de la luna* (Augusto Martínez Torres).

[198] *El viento se acuesta al atardecer*, de José Luis Martín Abril.

[199] Denominado ahora, como en los años cuarenta, "José Antonio Primo de Rivera" y concedido a *El mono azul*, de Aquilino Duque.

[200] Responde así Domingo Pérez Minik en la encuesta "¿Para qué sirven los premios de la Crítica?" ("Pueblo", Madrid, 9-IV-1975).

[201] Libro delicioso, entre de memorias y de invención, obra singular de un viejo —Andrés García de la Barga y Gómez de la Serna—, más de ochenta años, pero no envejecido escritor. Corpus Barga murió en Lima, cuando preparaba su vuelta a España tras muchos años de exilio, en agosto de 1975.

nald —1975, *Ágata ojo de gata*— fueron los autores
y títulos distinguidos; un equilibrado reparto de generaciones y tendencias aparece en esta muy representativa relación.

¿Por qué enfadarse si otro grupo de practicantes
de la crítica, más jóvenes en edad y más avanzados
(a lo que dijeron) en gusto literario, decide crear y
otorgar, de acuerdo con características distintivas
por ellos fijadas, [202] otros premios, denominados de
la "Nueva Crítica"? Creo no ha de verse afán con-
testatario o reaccionario sino deseo de complemen-
tariedad. En 1972, primera convocatoria, *Un viaje
de invierno,* de Juan Benet, fue la novela señalada
(en competencia con *La saga/fuga...*); en junio de
1975 fueron proclamados por segunda vez (y última)
tales galardones, a lo que parece un tanto tumultuo-
samente, [203] y Mariano Antolín Rato, *Cuando 900
mil mach aprox,* el novelista favorecido. (La postrera
salida al ruedo ibérico de los supervivientes de la
"Nueva Crítica" fue la petición de amnistía y del
reconocimiento de las libertades de expresión, reunión y asociación elevada a S. M. Juan Carlos I en
diciembre de 1975.)

El "Nadal", adelantado de los premios novelísticos
de post-guerra, continuó en los años que van de 1970

[202] Como: "Los criterios de los componentes del jurado no
serán nunca valorativos, sino señalizadores" (2.ª); "especial
atención a obras de carácter *experimental* [...]" (6.ª) y rigurosa
independencia (7.ª y última).

[203] Utilizo el testimonio de uno de los críticos asistentes, Luis
Antonio de Villena, quien escribió ("Ya", Madrid, 12-VI-1975):
"Se habló de *reaccionarismo* y de otras soledades, y hasta se
acercaron —miembros del jurado— a la no tan velada ofensa.
Dos (¿o tres?) de ellos dimitieron. Repito: allí sólo quedó mal-
parado —por parte de quienes despreciaron el análisis para
caer en los casilleros— el papel y el valor de la inteligencia".

358 JOSÉ MARÍA MARTÍNEZ CACHERO

a 1975 su equilibrada trayectoria, al margen de sensacionalismos de cualquier tipo. Dos autores ya conocidos —García Pavón y Fernández Santos— lo alcanzaron, respaldando así su propio prestigio; hubo, en 1971 y 1972, las revelaciones de José María Requena y José María Carrascal, ambos periodistas de profesión y con obra ya publicada; [204] en 1973 aireó el nombre de José Antonio García Blázquez, [205] autor de *El rito*, libro de ambiciosa complejidad y relativa novedad de ambiente (al menos, en nuestros lares por entonces), con fuerte carga de revuelto erotismo; siguió en 1974 el casi extinto apogeo hispano-americano, premiando al argentino Luis Gasulla, *Culminación de Montoya*, y colocando en segundo lugar a su compatriota Guillermo A. R. Carrizo, *Crónica sin héroes*; y en 1975 fue a parar a manos del prolífico y leidísimo Francisco Umbral quien, en *Las ninfas*, remata un ciclo —*Balada de gamberros* (1965, novela corta), *Memorias de un niño de derechas* (1972) y *Los males sagrados* (1973) —de infancia y adolescencia.

El "Novelas y Cuentos", que patrocina la editorial Magisterio Español (Madrid) es uno de los premios surgidos en el fecundo y brillante año novelístico 1972 y atiende, como su mismo nombre indica, [206] a la literatura narrativa de mayor y menor extensión lo que, a veces, ha supuesto una dificultad

[204] Requena como lírico —*Gracia pensativa* (n.º 258 de la colección "Adonais", 1969)— y Carrascal como novelista —*El capitán que nunca mandó un barco*, relato de las peripecias de un grupo de marineros a bordo de un barco español—.
[205] García Blázquez había sido finalista estricto en el "Alfaguara" 1967 con *No encontré rosas para mi madre* y tenía publicada otra novela, *Fiesta en el polvo* (por Plaza-Janés).
[206] Toma el nombre de una colección, cuyas entregas aparecían semanalmente, fundada en 1929 por José N. de Urgoiti.

para el jurado. [207] Rompió marcha Antonio Prieto, cuyo *Secretum* consiguió beneplácito unánime; [208] siguió en 1973 Vicente Soto, autor de los excelentes e inhabituales *Casicuentos de Londres*; hubo declaración de no-ha-lugar a conceder el premio en 1974; y, a principios de diciembre de 1975, Rodrigo Rubio se alzó, por mayoría de votos, [209] con el cuarto "Novelas y Cuentos". *Cuarteto de sombras*, la novela galardonada, supone un cambio [210] en el modo narrativo —se atenúa la anterior linealidad del discurso y una imprecisa pero estudiada confusión la reemplaza— y en el tratamiento del contenido —mágico y no realista, aunque se mantenga la fidelidad a Monsalve (el Montalvos natal). [211]

Con el "Villa de Madrid" (placa de oro, un millón de pesetas y derechos de autor aparte), patrocinado por Rafael Onieva, editor de la revista "Madrid Industrial", se pone fin a nuestro repaso. Su presenta-

[207] Los integrantes del mismo en la primera convocatoria pidieron a la editorial que crease otro premio para libros de cuentos, petición no atendida.

[208] El "Novelas y Cuentos" (cuya dotación es de doscientas mil pesetas) posee, en cuanto a técnica del fallo, la novedad de que los miembros del jurado (que lo son críticos literarios en activo presididos por Manuel G. Cerezales, en nombre de la editorial) emiten su opinión razonada por escrito y del cotejo de las mismas se desprende la decisión última.

[209] Con Cerezales formaban el jurado: Dámaso Santos, Antonio Prieto, María Rosa Garrido, José Luis Vázquez Dodero y Ramón Pedrós; los escritos razonadores de su voto pueden leerse en ABC, Madrid, 7-XII-1975, p. 50.

[210] La opinión de Rodrigo Rubio al respecto es la siguiente ("Informaciones", Madrid, 1-IV-1976): "Mis obras anteriores son realistas, con trasfondo social, motivadas por una preocupación social, política y religiosa. He cambiado sólo en los recursos y vivencias".

[211] Me he ocupado de la narrativa de Rodrigo Rubio en el prólogo a su novela *El gramófono* (Madrid, n.º 148 de "Novelas y Cuentos", 1974).

ción pública —un martes y trece, noviembre de
1973— no fue muy acertada —salones del hotel Vi-
llamagna, cocktail, cena de gala, discursos, desfile
de modelos, rifa y una actuación estelar como fin de
fiesta: todo un "show" nada literario para un premio literario—.[212] Un jurado de nueve miembros
—españoles e hispano-americanos, novelistas y críticos— lo falló durante una fiesta de sociedad en los
salones de la llamada Casa Grande (Torrejón de
Ardoz); hubo sus más y sus menos previos: aplaza-
miento del fallo, telegramas denunciando que el premio estaba dado y más que dado, desmentidos
rotundos. Ramón Hernández, el autor que se rumo-
reaba preconizado,[213] se alzó vencedor con *Eterna
memoria* (que publicaría Planeta), novela que ofrece
la aventura de un pintor joven que rompe con tradiciones familiares y convenciones del oficio para seguir sus propias e intransferibles voces interiores
hasta llegar a la muerte; la complejidad y riqueza
del argumento se corresponde con una muy estudiada estructura, lo que señala esta obra como la
máxima cima obtenida hasta entonces por su autor,
que ocupó ocho años[214] componiéndola.

[212] Para más detalles regocijantes vea el curioso lector la
crónica que firma Pilar Trenas: ABC, Madrid, 16-XI-1973.
[213] Ramón Hernández comenzó a publicar en 1967, *El buey
en el matadero*, novela tras de la cual vendrían: *Palabras en
el muro* (1969) y *El tirano inmóvil* (1970). En este mismo año
obtuvo el premio "Águilas" con *La ira de la noche*, que uno
de los miembros del jurado (Ángel María de Lera en ABC
del 13-VIII-1970) caracterizó así: "Resulta como un acciden-
tado proceso de desintegración, en el que se emplean deliberadamente la reiteración, los diálogos dislocados y las situaciones interferidas y se deja finalmente el rompecabezas sin
componer". *Invitado a morir*, otra novela de Hernández, fue
incluida por Planeta en el lanzamiento de 1972.
[214] Aprovecho esta mención para destacar la profesionalidad
de bastantes de nuestros novelistas ocupados seriamente tiempo

¿A qué conclusión llegar respecto de nuestros premios novelísticos luego de tantas y tan diversas noticias e impresiones críticas? Acaso, por encima de dimes y diretes que los mismos promovieron, a ésta: que los premios no pueden ser la única muestra de vitalidad creadora atendida por el público lector, también a veces por los críticos; que la historia del género quedaría radicalmente dañada si se hiciera teniendo como protagonistas exclusivos o muy preferentes a premios y premiados; que, por último, la normalidad literaria sólo se manifiesta cumplidamente cuando existen varios y eficaces caminos de salida y atención para el escritor. Lo que en los difíciles años 40 fue posibilidad conveniente para estímulo de novelistas y lectores se ha convertido desde hace algún tiempo en peligroso riesgo de confusión o de parálisis.

Entre 1970 y 1975 la censura de libros, política ante todo, continuó existiendo y haciendo a veces, desatentadamente, de las suyas;[215] siguieron produ-

---

y tiempo en la composición de su obra, enemigos de la escritura velocísima e irresponsable que más de una vez bulló con éxito efímero en décadas anteriores. Es el caso, entre otros, de: Torcuato Luca de Tena —seis años para *Pepa Niebla*—; Ramiro Pinilla —tres años y seis redacciones para *Seno*—; Jesús Fernández Santos —trece años para *Libro de la memoria de las cosas*—; Rodrigo Rubio —doce años para *Cuarteto de máscaras*—; Alfonso Grosso —tres años para *Florido mayo*—; Juan García Hortelano —ocho años para *El gran momento de Mary Tribune*—.

[215] Pueden consultarse a título de ilustración los casos examinados por Manuel L. Abellán —ficha 1 de la "Bibliografía Crítica" que sigue al presente capítulo— y las entrevistas recogidas por Antonio Beneyto —ficha 168 de "Idem."—. Más reciente en fecha de publicación (1977) es el trabajo de Georgina Cisquella, José Luis Erviti y José A. Sorolla, *Diez años de represión cultural. La censura de libros durante la Ley de Prensa (1966-1976)*.

ciéndose muchas opiniones en contra y, también, alguna prudentemente matizadora, como estas palabras de Miguel Delibes:

> [...] una disculpa muy socorrida pero excesivamente simplista. Las novelas que ha dado España al margen de la censura no superan a otras de los mismos autores publicadas dentro del país. Achacar a la censura, con todo lo enojosa que sea, nuestra incapacidad o nuestra indolencia, no deja de ser un pueril expediente. [216]

Fuera de España vieron la luz durante esos años unos cuantos títulos cuyos autores se habían autoexiliado —caso de Juan Goytisolo y su trilogía de la España sagrada—, o trabajaban como profesores de español en el extranjero —Jesús López Pacheco, *La hoja de parra* y Antonio Ferres, *Al regreso del Boiras*—, o habían concursado a premios foráneos —como Juan Marsé, con *Si te dicen que caí*, al premio "México" 1973—. [217]

En cuanto a las novelas publicadas en España cuyos autores y editores hubieron de forcejear con la censura recuerdo que la aparición de *Walter, ¿por qué te fuiste?* (1973), de Ana María Moix, no ocurrió simultáneamente a la de sus compañeras de lanzamiento barraliano pues a algún censor debió de asustarle la crueldad alusiva de ciertos personajes y situaciones; o que *Diálogos del anochecer*, de José María Vaz de Soto, salió en su primera edición (1972) sin buena parte de lo dicho por el personaje Fabián a su amigo Sabas. Más difícil resultó el caso de la novela de Gabriel García Badell, *De las Armas*

---

[216] Valladolid, 1970; pp. 133-134 del libro *Los españoles y el boom*. (Caracas, 1971).
[217] Sobre el caso de *Si te dicen que caí* y la censura remito a la nota 135.

a Montemolín; se publicó, fue secuestrada, hubo un proceso, [218] resultó absuelta y se vendió por lo mismo más rápida y fácilmente.

Las linotipias del miedo no es el título de otra víctima sino una novela de Alfonso S. Palomares, presentada a bombo y platillo (Madrid, febrero de 1977), que tiene a la censura como asunto; novela de circunstancias que testimonia lo que fue la lucha por la libertad de expresión en el orbe periodístico durante el último año de la vida y mandato de Franco, con personajes históricos de nombre sobradamente conocido y periodistas fácilmente identificables en la realidad profesional.

VII. La novela española de post-guerra, tema doctoral

Valga mucho, poco o nada nuestra novela de post-guerra (que no todas las opiniones resultan coincidentes) cierto es que, andando los años, ha llegado a convertirse, entre nosotros y en el ámbito del hispanismo, en tema doctoral, apto para especulaciones críticas e investigaciones históricas y la "Bibliografía Crítica" que sigue páginas adelante es buena muestra de ello. Desde muy temprano —1944— hasta los días actuales existió, en escala creciente, un interés que se refleja en libros, folletos y artículos, entrevistas y reseñas, conferencias y reu-

[218] "Los cargos que figuraban en el auto de procesamiento eran, entre otros, los de posibles delitos contra la religión católica, contra la ciudad de Zaragoza [Las Armas y Montemolín son dos barrios de la misma], contra el recato y la decencia, contra la autoridad judicial [...], ataques inexistentes porque la narración va más lejos" (entrevista a García Badell que firma Miguel Flores: ABC, Madrid, 3-II-1973).

niones, ediciones, homenajes, traducciones, tesis universitarias, una revista dedicada al tema; profesores y alumnos, periodistas, críticos, lectores varios, los propios novelistas, algunos editores participaron a su modo y alcance de semejante interés.

La CRÍTICA militante o inmediata, ésa que se hace hora a hora y libro tras libro en las columnas de la prensa periódica, ha sido excelente animadora para nuestra novelística más reciente, respaldando a los autores y estimulando a los lectores. Dámaso Santos —en el vespertino madrileño "Pueblo", especialmente, pero también en prólogos y jurados— y Rafael Conte —en el semanal "INFORMACIONES de las Artes y las Letras" y, mensualmente, en "Ínsula"— cuentan entre los miembros destacados de esa esforzada grey, como antaño lo hicieran Antonio Iglesias Laguna (fallecido en Madrid el 9-XI-1972) —crítico de ABC y de "La Estafeta literaria", jurado del primer "Novelas y Cuentos" y del "Planeta" 1972, cuyo libro póstumo *Literatura de España día a día (1970-1971)* continúa el recuento crítico iniciado en *Treinta años de novela española 1938-1968*— y José Domingo (fallecido en Barcelona el 31-I-1975) —crítico de "Ínsula" y autor del libro *La novela española del siglo XX*, cuyo segundo volumen, *De la postguerra a nuestros días* acredita su capacidad enjuiciadora y una muy extensa lectura—. Cabe destacar la incorporación —en ABC y como sucesor de Iglesias Laguna— de José María Alfaro, sutil y culto, imparcial y medido así en el reparo como en el elogio; y la sostenida dedicación de los catedráticos y académicos Guillermo Díaz-Plaja (ABC) y Antonio Tovar (semanario "Gaceta ilustrada"), y la del profesor universitario Joaquín Marco (semanario "Destino"), salvada de la efimereidad del periódico en volúmenes recopiladores de su tarea.

Muchas lecciones dadas y muchas conferencias pronunciadas sobre el tema, amén de algunas REUNIONES para dilucidar entre varios ponentes aspectos del mismo. Señalaré tres celebradas durante el verano de 1971 y en las Universidades de Salamanca —"La novela española e hispanoamericana y sus circunstancias históricas, sociales y políticas", abierta por Miguel Ángel Asturias y cerrada por Ángel María de Lera, con intervención de novelistas, críticos y profesores—, [219] Oviedo —reunión preceptiva de la A. (sociación) E. (uropea) P. (de profesores) E. (de español), dedicada especialmente a Ignacio Aldecoa y a Francisco Ayala (presente en las sesiones y disertante)— y Santander (Internacional "Menéndez Pelayo") —"La novela española de posguerra": conferencias, lecturas y coloquios—. [220] Añadiré la titulada "Novela española actual", que celebró (2 a 7 de junio de 1975) la Fundación "Juan March"; tomaron parte cinco novelistas —Francisco Ayala, Gonzalo Torrente Ballester, Juan Benet, Vicente Soto y Camilo José Cela— enfrentados a otros tantos críticos —Andrés Amorós, Joaquín Marco, Darío Villanueva, Dámaso Santos y Alonso Zamora Vicente, respectivamente—; se había procurado seleccionar narradores de diferente generación y diver-

---

[219] Informa de esta reunión Ángel María de Lera: *La novela española en Salamanca* (ABC, Madrid, 9-IX-1971).

[220] "Mediante el testimonio de los propios protagonistas y la exégesis de los críticos de promociones distintas, este cursillo pretendió presentar un balance de las conquistas conseguidas por la novela española de los últimos años. Direcciones estéticas, obras individuales o condiciones socio-políticas fueron tenidas en cuenta para ofrecer una imagen viva de la creación narrativa", se lee en la correspondiente memoria.

sa estética al objeto de conseguir un panorama variado e ilustrador y otro tanto cabe afirmar respecto de los críticos convocados, mayores y más jóvenes, académicos, universitarios y periodistas. Fueron todas cuatro reuniones muy asistidas de público interesado y mayoritariamente juvenil; alguna con no pequeño eco en la prensa y recogida tiempo más tarde en libro. [221]

Bastantes autores, de una parte, y ciertos títulos, de otra, han suscitado alguna bibliografía en torno suyo; Cela, Delibes y Juan Goytisolo cuentan destacadamente entre los primeros y *El Jarama* y *Tiempo de silencio,* entre los segundos. ESTUDIOS casi siempre de raíz universitaria (tesis de licenciatura y doctorales), o debidos a profesores, críticos y periodistas que, en ocasiones, se integran como volúmenes de una colección; [222] la biografía del escritor elegido, el contexto histórico y narrativo en el que está inserta su obra, aspectos formales y argumentales de ésta son el asunto de tales estudios, cuya lista pormenorizada no entra en mi intención de ahora. En semejante conjunto bibliográfico forman grupo aparte los HOMENAJES a un solo autor, debidos a una revista —números monográficos—, [223] un departa-

[221] Es el caso de la reunión organizada por la Fundación "Juan March" (véase ficha 180 de la "Bibliografía Crítica") como, años antes, de otras análogas (núms. 176 a 179 de "Ídem.").

[222] Como la española "Grandes Escritores Contemporáneos" (Madrid, Epesa) —que ha dedicado volúmenes a Ignacio Aldecoa, Cela, Delibes, Ángel María de Lera, Pedro de Lorenzo, Ana María Matute y Ramón Solís— y la norteamericana TWAS. (Spain) —con volúmenes dedicados, entre otros, a Cela, Delibes y Juan Goytisolo—.

[223] Como, vgr., y ordenados cronológicamente, los siguientes: 1) *Camilo José Cela. Vida y Obra. Bibliografía. Antología.* ("Revista Hispánica Moderna", New York, XXVIII, 1962, números 2-4). —Cuatro trabajos críticos, uno de ellos sobre los

mento universitario, [224] una editorial, [225] o un grupo de amigos del interesado, [226] aprovechándose para rendirlo cualquier circunstancia propicia al recuerdo fervoroso.

El capítulo de EDICIONES constituye igualmente conjunto abundante, y no voy a referirme sino a

---

versos de C.; una autobiografía, abundante y curiosamente ilustrada; una bibliografía (a cargo de Fernando Huarte), dividida en: I, Ediciones. II, Estudios; y una significativa antología de la obra celiana preparada por Susana Redondo, integran este homenaje—. 2) *Miguel Delibes*. (N.º 2: IX-1962, de "Libros y Discos", Madrid). —Varias colaboraciones relativas a la obra de M. D., debidas a: José Luis Martín Descalzo *(Mundo y estilo de M.D.)*, J. M. Vivanco *(Las novelas de M.D.)*, etc.—. 3) *Juan Goytisolo*. ("Norte", Amsterdam, XIII, 1972, n.º 4-6). —Siete artículos críticos, sobre las últimas novelas de G. preferentemente, y una extensa bibliografía "DE" y "SOBRE" (preparada por Francisco Carenas)—. 4) *Juan Benet*. ("Norte", Amsterdam, XV, 1974, n.º 5-6). —Cuatro artículos críticos, una bibliografía ("provisional") "DE" y "SOBRE" B.; sus respuestas a "un cuestionario mínimo" de asunto literario; más un fragmento narrativo inédito.

[224] Como el de Lenguas Clásicas y Modernas de la Universidad norteamericana de Wyoming con un volumen-homenaje (1977; 142 pp.) a Ignacio Aldecoa, formado por trece colaboraciones —recuerdos de amigos del escritor o análisis de su obra novelística y cuentística, más una bibliografía "DE" y "SOBRE"— que "encierra el propósito de ofrecer a los estudiantes y profesores interesados en la obra del escritor alavés un conjunto de estudios críticos que esperamos contribuyan a delinear con mayor vigor su perfil literario".

[225] Como la madrileña Fundamentos que en 1975 sacó el volumen *Juan Goytisolo* —textos del novelista homenajeado (cronología biográfica, declaraciones, etc.), acompañan a nueve trabajos acerca de su obra; cierra una bibliografía "DE" y "SOBRE" (recopilada por Francisco Carenas), donde faltan no pocas veces las necesarias indicaciones concretas—.

[226] Como los autores del *Homenaje a Núñez Alonso* (Oviedo, 1958) —en el programa de homenaje al novelista Alejandro N. A. en su tierra natal de Asturias (abril de 1958; conferencias, firma de libros, tertulias literarias, etc.) se incluyó este folleto de 24 pp., conteniendo breves artículos críticos, biográficos y bibliográficos—.

aquéllas que ofrecen alguna característica distintiva.
Debo contar así: a) la inclusión de ciertos títulos,
con o sin prólogo, en colecciones populares ampliamente difundidas como "Biblioteca Básica Salvat
Libro RTV" [227] y "Austral"; [228] b) las ediciones para
universitarios españoles o extranjeros, provistas de
algún aparato crítico; [229] c) ediciones realizadas por
los mismos autores y motivadas por alguna circunstancia que, aunque muy personal, excede este ámbito; [230] d) ediciones en conjuntos textuales de intención histórico-crítica y bibliográfica; [231] e) ediciones
de obras completas o escogidas, [232] en tomos de cui-

---

[227] Que ofreció, aparte volúmenes de cuentos de Aldecoa,
Cela, Cunqueiro, Ana María Matute y Sánchez Silva: n.º 17,
Delibes, *La hoja roja* (prólogo de Francisco Umbral); n.º 73,
Ferlosio, *Industrias y andanzas de Alfanhuí* (prólogo de Juan
Benet); y n.º 96, Fernández Santos, *Los bravos* (prólogo de
Carmen Martín Gaite).

[228] Que exhumó (n.º 1563) *Los surcos*, novela primera y primeriza de Ignacio Agustí (Barcelona, ediciones de La Gacela,
1942) e incluyó (n.º 1557), *La ventana daba al río*, de Rafael
García Serrano.

[229] Ejemplificaré con sólo una obra de Cela, *La familia de
Pascual Duarte*, editada por Harold L. Boudreau y John W.
Kronik (New York, Appleton, 1961) y Jorge Urrutia (Barcelona,
"Hispánicos PLANETA, 1977).

[230] Es el caso de Rafael García Serrano con su edición (1973)
de *La fiel infantería*: véase nota 103, cap. II de este libro; o
el de Pedro de Lorenzo con su edición (segunda, 1973, Organización Sala Editorial) de *La quinta soledad*, que incluye: otra
ordenación textual, unas "notas para la versión definitiva" y
documentos acerca de la perseguida edición de 1943.

[231] Como los tomos IX (1935-1939), X (1940-1944), XI (1945-
1949) y XII (1950-1954) de *Las mejores novelas* [españolas]
contemporáneas, seleccionadas y prologadas por Joaquín de
Entrambasaguas.

[232] Obras Completas como las ofrecidas por: Editora Nacional —las de Pedro de Lorenzo, cuyo tomo I (prologado por
Dámaso Santos) recoge *La quinta soledad* y *La sal perdida*
y el II (prologado por Florencio Martínez Ruiz) los cuatro
títulos de la serie "Los descontentos"—; Prensa Española
—las de Manuel Halcón, dos tomos, prologado el primero

dada presentación, vigilados de cerca por el autor y prologados a veces por mano ajena, lo que supone algo así como la consagración in vita. Aparte de estas cinco especies quedan las ediciones comerciales de uso normal, vía la más frecuente para el conocimiento lector.

"Anales de la novela [española] de posguerra" se llama la REVISTA dedicada exclusivamente a nuestro tema y cuyo número uno vio la luz con fecha 1976. "Anales...", en cuya dirección (desde Kansas, primero y desde Nebraska, actualmente) y consejo editorial figuran los más reconocidos estudiosos extranjeros y españoles de nuestra novela de postguerra; aspira a recoger en sus entregas anuales el movimiento actual y la historia pasada —artículos, notas, panoramas, entrevistas, reseñas de libros— de ese género en un tiempo que, si comienza en 1936-1939, aún no se ha cerrado.

---

por Paulina Crusat; y las escogidas de Ramón Solís, con prólogo de Pedro Laín Entralgo—; Noguer —que prosigue las obras completas de Juan Antonio de Zunzunegui—; Destino —que trae entre manos la obra completa de Cela (10 tomos), Delibes (5 tomos), Ana María Matute (5 tomos) y Torrente Ballester (1 tomo)—; o Aguilar —obras completas de Juan Goytisolo—.

6

Epílogo

H E M O S llegado en nuestro recorrido al término cronológico propuesto: 1975. Páginas atrás quedó referida la historia novelística de casi cinco décadas —parte de los años 30 y 70, totalmente los años 40, 50 y 60—, historia que es la de una desigual aventura con bastantes tropiezos y caídas pero, asimismo, con sucesos felices.

La llamada "operación retorno", iniciada hacia 1969, fue, a mi ver, un comienzo para que, como en tiempos de normal convivencia, hubiera en adelante una sola novela española y no dos porciones de ella, separadas más que geográficamente. Tornaron a los lares patrios Manuel Andújar, [1] Francisco Ayala [2] y Rosa Chacel [3] y está a punto de hacerlo Virgilio Botella Pastor; pasaron por España —curiosos observadores de ella, muy traídos y llevados por sus incondicionales— Max Aub (en 1969 y 1972, poco

---

[1] En 1967; trabaja en Madrid en una importante editorial.
[2] Alterna temporadas de estancia en Madrid con sus ocupaciones docentes en USA.
[3] Reside en Madrid, muy celebrada por algunos círculos literarios españoles; a comienzos de 1978 estuvo propuesta para un sillón de la Academia de la Lengua.

antes de su muerte) y Sender (en mayo de 1974); [4]
se publicaron libros suyos, nuevos algunos [5] y también reediciones; obtuvieron premios. [6] Pero, aunque el periodista José María Armero piense en 1978 [7] cosa harto distinta, algunos jóvenes novelistas de 1971 —concretamente Caballero Bonald, Marsé y Fernández Santos— manifestaron explícitamente a Tola de Habich el escaso interés que para ellos

[4] En 1971 Max Aub sacó *La gallina ciega,* a manera de diario de su primer visita a España tras tantos años de exilio, con recuerdos de tiempo más antiguo y opiniones no siempre justas y templadas.

Llegó Sender a Barcelona, procedente de EE.UU., para conferenciar en un ciclo organizado por la Fundación General Mediterránea, acerca de "Cataluña vista desde fuera. Mi reencuentro con Barcelona". Estuvo después en Madrid, y en Zaragoza, y en sus tierras de Huesca; en todas partes conferenció y concedió entrevistas televisivas, radiofónicas y periodísticas, y en todas partes fue recibido clamorosamente. Digamos, a fuer de cronistas veraces, que, asimismo, hubo gentes decepcionadas ante la generosidad con que Sender se prestó a la manipulación del simple hecho de su viaje y, todavía más, por la falta de comprometida agresividad de muchas de sus respuestas. (¿Tenía razón Sáinz de Robles cuando en 1967 aconsejaba a Sender: "Si desea recibir entusiastas elogios de las juventudes ardientes y de la crítica exquisita y minoritaria de hoy, no regrese a su patria en definitiva. El exilio político le sienta bien a su fama española"?) ¿Es que —concluyo por mi cuenta— la obra y el renombre del escritor no han de importarnos más que ocasionales anécdotas de un hombre apasionado y tal vez envejecido?

[5] Como, entre otros: *El jardín de las delicias,* Francisco Ayala, 1971; *Los galgos verdugos,* Corpus Barga, 1973; *Historias de una historia,* Manuel Andújar, 1973; *Barrio de Maravillas,* Rosa Chacel, 1976; o *Tiempo de sombras,* Virgilio Botella Pastor, 1978.

[6] Como el de la Crítica 1972 —Francisco Ayala, *El jardín de las delicias*—, 1974 —Corpus Barga, *Los galgos verdugos*— y 1977 —Rosa Chacel, *Barrio de Maravillas*—.

[7] "Los hombres del exilio, incontaminados de totalitarismo, pueden ayudarnos mucho a engarzar con nuestro pasado [...] No vivieron la larga noche de la cultura española y componen el puente ideal para comunicarnos con la España de siempre" (artículo *La larga noche. ABC,* Madrid, 17-I-1978, p. 40).

ofrecía la obra de los colegas exiliados en cuanto a magisterio y respaldo eficaz.

Determinados influjos foráneos —neo-realismo italiano, objetivismo francés y, sobre todo y más recientemente, el llamado "boom" de la narrativa hispanoamericana— constituyeron en su momento riego conveniente y fecundo. Existe ahora, en casa y en el extranjero, un decidido interés por la actividad de nuestros novelistas que, pese a todas las impurezas que pueda contener, para sí lo hubieran querido aquéllos que, trabajosamente, abrieron marcha. Otros nombres apuntaron después y por obra y gracia de varias generaciones —¿tres, cuatro ya?— el cultivo del género logró en ese lapso de tiempo una intensidad antaño desconocida.

Ojalá —cara al futuro— que ni los premios —torpemente discernidos a veces—, ni los editores —antes que nada, hombres de negocio—, ni los críticos —parciales o frívolos, como es notorio que existen—, ni la politización que estamos padeciendo —indeseable a todas luces, y que también acusa su presencia en nuestro predio— [8] aparten de su tarea a nuestros novelistas o les conduzcan por camino equivocado.

[8] En forma de novela política de la actualidad. He aquí algunos ejemplos del año 1976: *En el día de hoy,* Jesús Torbado, premio "Planeta" 1976, que coincide con *El desfile de la Victoria,* Fernando Díaz-Plaja, en la hipótesis de la España que hubiera podido ser con el triunfo de los republicanos en la guerra civil; *Señor ex-ministro,* Torcuato Luca de Tena, mezcla de realidad y fantasía en las vicisitudes que ofrece como sucedidas durante el régimen franquista; *De camisa vieja a chaqueta nueva,* Fernando Vizcaíno Casas, la historia del trepador y arribista Manolo Vivar de Alda. O el anuncio hecho por el editor José Vergés de que entre los ciento veintiocho originales presentados al "Nadal" de 1976, "privan temas de la historia española más inmediata y la figura de Francisco Franco se repite con insistencia".

BIBLIOGRAFÍA CRÍTICA "SOBRE" LA NOVELA
ESPAÑOLA ENTRE 1936 y 1975

L A S 235 fichas incluidas en la presente bibliografía son
una muestra extensa y variada del interés que el tema —la
novela española de postguerra— suscitó entre nosotros y
en el ámbito del hispanismo; tengo noticia de algunos otros
libros y artículos cuyo conocimiento directo no me ha sido
posible.

Se trata de piezas de carácter general, relativas a premios,
tendencias, panoramas, etc.; fueron excluidas aquellas otras
de carácter individual atañentes a sólo un autor —Cela,
Delibes, vgr.—, o sólo una novela —*El Jarama, Tiempo de
silencio,* por ejemplo—.

Piezas de considerable extensión alternan con folletos,
artículos de revista y breves trabajos periodísticos que
convenía recordar habida cuenta de su valor absoluto
—novedad en las opiniones mantenidas, pormenores documentales aportados— o de méritos circunstanciales y
significativos —prestigio y actitud del firmante, lugar y
fecha de publicación—. Algunos críticos comparecen reiteradamente lo que evidencia sostenido interés por el tema,
así como dentro de éste, de su desarrollo histórico y estético, hay parcelas tratadas insistentemente junto a zonas en
oscuridad o, todo lo más, penumbrosas. Existe, asimismo,
entre los trabajos relacionados enorme variedad en cuanto
a la información y al rigor poseídos por sus autores, acerca
de lo cual algo se apunta en las líneas críticas que acompañan la mera constatación bibliográfica. Parece que, como
es habitual, los llamados son muchos y pocos los esco-
gidos...

Ofrecidas las 235 fichas por orden alfabético de autores
decidí completar la utilidad de mi recuento con un índice

cronológico que permitiera advertir —desde 1944 hasta lo
que va de 1978— el crecimiento bibliográfico del tema,
bastante frecuentado a partir de 1967 y ya más en los años
setenta. Pese a las voluntarias limitaciones señaladas el
cómputo obtenido resulta significativo en medida no des-
preciable:

1944 — 166 // 167 = 2.
1945 — ... // 205 = 1.
1946 — 98 // ... = 1.
1947 — 108 // ... = 1.
1948 — 58, 144 // 189 = 3.
1949 — 59 // ... = 1.
1950 — 57, 136, 153 // ... = 3.
1951 — 110, 137 // ... = 2.
1952 — 12, 93, 161 // ... = 3.
1953 — 64, 80, 138 // ... = 3.
1954 — ... // 196, 199, 224 = 3.
1955 — 13, 29, 30, 66 // 225, 227 = 6.
1956 — 61, 77, 94, 138, 145, 151 // ... = 6.
1957 — 23, 28, 35, 60, 65 // 175, 216, 226 = 8.
1958 — 38, 134, 157 // 163 = 4.
1959 — 54, 115, 140 // 197 = 4.
1960 — 2, 14, 20, 116, 152 // ... = 5.
1961 — 3, 19, 50, 62, 78, 82, 83, 106, 113, 123 // ...
        = 10.
1962 — 15, 48, 49, 119, 154, 155 // 164, 211, 228 = 9.
1963 — 31, 109, 150 // 188, 206 = 4.
1964 — 36, 126, 148 // 212, 215 = 5.
1965 — 44, 95, 97, 124, 146, 149 // ... = 6.
1966 — 72, 133, 160 // 176, 183, 188 = 5.
1967 — 22, 67, 74, 79, 84, 85, 92, 141, 158 // 192 = 10.
1968 — 4, 7, 32, 39, 68, 76, 112, 122, 127 // 171, 177,
        185, 195, 232 = 14.
1969 — 16, 24, 34, 37, 103, 128, 133, 147 // 178, 188,
        200, 203 = 11.
1970 — 70, 73, 104, 117 // 181, 190, 207, 221, 230 = 9.

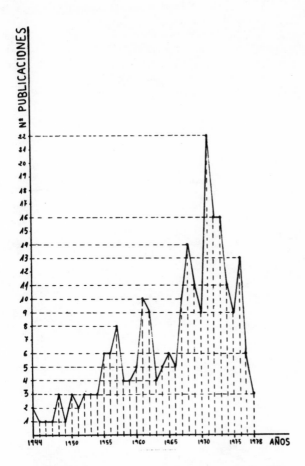

Gráfico estadístico de la bibliografía general sobre
la novela española de post-guerra (1944 a 1978,
primer semestre)

1971 — 25, 40, 53, 81, 118, 129, 135 // 170, 174, 182,
    186, 188, 193, 198, 202, 208, 209, 217, 218, 219,
    231, 233 = 22.
1972 — 10, 17, 69, 75, 105, 107, 111, 114, 120, 130 //
    166, 201, 204, 214, 223, 229 = 16.
1973 — 5, 6, 33, 41, 46, 51, 52, 56, 121, 142 // 169, 179,
    184, 187, 191, 220 = 16.
1974 — 11, 26, 27, 42, 47, 91, 99, 131 // 162, 210, 213
    = 11.
1975 — 8, 21, 43, 71, 100, 101 // 165, 168, 194 = 9.
1976 — 1, 9, 18, 55, 86, 87, 88, 96, 132, 159 // 173, 180,
    222 = 13.
1977 — 63, 89, 90, 102 // 234, 235 = 6.
1978 — 45, 125 // 172 = 3. [1]

Al orden alfabético y al cronológico añado una agrupación temática de las piezas acopiadas cuyos apartados proceden del contenido de las mismas. Entre algunos de tales
apartados resulta difícil a veces conseguir un deslinde claro
—caso, por ejemplo, de "Grupos y Tendencias" respecto
de "Panoramas y Situación"— pero, con todo, creo que la
agrupación resulta útil y es muestra, también, del gusto
muy compartido por determinadas cuestiones (o sub-temas)
y de la menor dedicación a otras tenidas por menos relevantes o consideradas de mayor dificultad.

I. *Bibliografía y Cronología* — 126, 151 // 194, 215 = 4.

II. *General* — 132, 144 // 163, 164, 170, 172, 182, 183,
    184, 187, 190, 192, 193, 197, 199, 200, 205, 206, 208,
    209, 210, 211, 213, 216, 221, 223, 226, 227, 229, 230
    = 30.

[1] Las cifras que preceden a // corresponden a trabajos periodísticos y artículos de revista; las que siguen a tal signo, corresponden a folletos y libros.
    La ficha 188 se repite hasta cuatro veces (aunque solamente
se contabiliza una vez: año 1971) porque se trata de tomos
distintos de la misma serie antológica.

III. *Grupos y Tendencias* (como Tremendismo, Realismo social, Experimentalismo, Grupo Metafísico, etc.) — 2, 11, 14, 16, 19, 22, 32, 34, 35, 48, 50, 52, 54, 60, 61, 62, 63, 67, 68, 72, 79, 92, 94, 97, 104, 106, 111, 113, 116, 119, 123, 135, 136, 146, 148, 150, 160 ǁ 169, 175, 195, 218, 219 = 42.

IV. *Influjos y Relaciones* (el llamado "boom" hispano-americano, vgr.) — 5, 8 ǁ 231 = 3.

V. *Libros colectivos, Libros misceláneos, Antologías* — ... ǁ 167, 173, 176, 177, 178, 179, 180, 181, 185, 186, 188, 189, 191, 201, 202, 203, 204, 212, 224, 225, 228, 232, 233 = 23.

VI. *Lugares geográficos* (novelistas afincados de algún modo en determinadas regiones españolas: Andalucía, Canarias, etc.) — 27, 51, 107, 118, 120, 121, 124, 127, 128, 129, 149 ǁ 214, 222 = 13.

VII. *Motivos temáticos* (la guerra civil española, etc.) — 12, 20, 21, 45, 59, 66, 85, 93, 140 ǁ 174, 196, 207, 217, 220 = 14.

VIII. *Panoramas y Situación* (de un año, de un período menos breve; estado del género en ciertos momentos y circunstancias) — 3, 7, 9, 10, 13, 15, 17, 18, 23, 25, 26, 28, 29, 30, 31, 33, 37, 38, 39, 40, 41, 42, 43, 44, 46, 47, 49, 55, 56, 57, 58, 64, 65, 69, 71, 75, 76, 78, 80, 81, 82, 83, 84, 95, 96, 98, 99, 100, 101, 105, 108, 110, 112, 115, 117, 125, 131, 133, 134, 137, 138, 141, 142, 143, 145, 147, 152, 153, 154, 156, 157, 158, 159, 161 ǁ 198 = 75.

IX. *Premios y Sociología literaria* (incluyo en "Sociología" cuestiones como la censura, movimiento editorial, etc.) — 1, 24, 70, 74, 77, 86, 87, 88, 89, 90, 102, 103, 109, 114, 155 ǁ 162, 165, 166, 168 = 19.

X. *Técnicas* — 4, 6, 36, 53, 73, 91, 122, 130, 139 ǁ 171, 234, 235 = 12. [2]

---

[2] Véase nota 1.

A. ARTÍCULOS

1. ABELLÁN, Manuel L.
   Censura y producción literaria inédita. ("Ínsula",
   Madrid, n.° 359: X-1976, pág. 3).

   A los casos ya conocidos por medio de la pieza 168
   de esta bibliografía y del presente libro en varios de
   sus capítulos, se añaden los ocurridos a libros de
   Ana M.ª Matute, Dolores Medio, Jorge Ferrer-Vidal,
   etc. (A. sostiene que la censura ha sido más dura-
   mente sancionadora en el teatro y la poesía que en
   la novela).

2. AGUSTÍ, Ignacio.
   Rebelión y continuidad en la novelística española.
   ("Nuestro tiempo", Madrid, n.° 71. ∥ Reproducido en
   "La Estafeta literaria", Madrid, n.° 198: 1-VIII-1960,
   págs. 8-10 y 23).

   A. —que advierte: "Yo no quisiera que cuanto haya
   en mis palabras de referencia personal pudiera confundirse con una actitud de hostilidad individual y
   episódica"— se manifiesta contrario al objetivismo
   excluyente postulado por Castellet en *La hora del
   lector* (1957) y por J. Goytisolo en *Problemas de la
   novela* (1959); rompe A. una lanza por la llamada,
   a veces despectivamente, novela burguesa y, también,
   por el uso de realidades de orden síquico cuya existencia e importancia novelística proclama.

3. ALBÉRÈS, R. M.
   La renaissance du roman espagnol. ("La Révue de
   Paris", París, n.° 68: X-1961, págs. 81-91).

   Tal renacimiento comienza a partir de la publicación (Buenos Aires, 1951) de *La colmena,* novela que

servirá de modelo a una generación de jóvenes narradores —Ferlosio, J. Goytisolo, C. Martín Gaite,
Lauro Olmo, Ana M.ª Matute entre otros—, quienes
descubren así una materia ("la vie à l'état brut des
non-privilégiés") y una técnica ("l'objectivité totale
du récit") de las que van a hacer uso abundantemente.
Mas esa especie de neo-realismo cuenta con algunos
nombres precursores como el de Sebastián Juan Arbó,
autor de *Caminos de noche* y *Sobre las piedras grises,*
que acaso "a écrit trop tôt pour que les siens le
reconnaissent".

4. ALVAR, Manuel.
    *Técnica cinematográfica en la novela española de
    hoy.* (Págs. 291-311 del volumen "Estudios y ensayos
    de literatura contemporánea". Madrid, Gredos, 1971.
    ‖ Se había publicado con anterioridad en "Arbor",
    Madrid, n.º de diciembre de 1968, y en "Prosa novelesca actual" II, 1969).

    "Novela y cine no son una misma cosa —advierte
    A.—, aunque se acerquen en sus realizaciones de
    hoy"; una y otro, "dan la vida de una colectividad
    en un momento determinado, [...]" El examen de
    unos cuantos títulos —*La noria* (Luis Romero), *Cuerda de presos* (Tomás Salvador), *El fulgor y la sangre*
    (Aldecoa), *La catira* (Cela), etc.— muestra diversos
    aspectos del cinematografismo existente en la novela
    española de postguerra.

5. ALVAR, Manuel.
    Noventayochismo y novela de posguerra. (Págs. 169-
    205 del volumen "De Galdós a Miguel Ángel Asturias". Madrid, Cátedra, 1976. ‖ Se había publicado
    con anterioridad en "Novela y novelistas. (Reunión
    de Málaga 1972)", 1973 y en el volumen-homenaje
    a Margot Arce, Puerto Rico, 1973).

    De entrada declara A.: "Quisiera ver —sencillamente— qué pasado actuó sobre los novelistas que
    advinieron en los años inmediatos a nuestra guerra
    [y hasta 1955 aproximadamente] y cómo se denun-

cian esas presencias. Por eso pienso en los hombres del 98 [...]" Unamuno y Baroja (acaso más visiblemente éste) son los noventayochistas estimados y tenidos en cuenta por bastantes de sus jóvenes colegas: Gironella, Cela, Zunzunegui, Bartolomé Soler, etc.; un apasionado interés por el hombre y una serie de realidades de varia índole acercaban a unos y otros por encima del paso del tiempo.

6. ALVAR, Manuel.

Dos temas sin acompañamiento en la novela de posguerra. (Págs. 209-225 del volumen "De Galdós a Miguel Ángel Asturias". Madrid, Cátedra, 1976. // Se había publicado con anterioridad en "Novela y novelistas. (Reunión de Málaga 1972)", 1973, como "Proemio" del volumen).

A. sostiene que tanto la guerra civil española —"su motivación y sus hechos nos tocaron demasiado de cerca" y "por eso quedaron fuera del interés literario"—, como la segunda guerra mundial —alejamiento, "no por falta de interés nuestro, sino por demasiado interés en lo nuestro"— encontraron escaso y poco relevante eco en nuestros novelistas, hasta 195⁵ aproximadamente. En otro apartado de su estudio señala A. la relativa abundancia (dentro de la novela española de postguerra) de narraciones en primera persona, parcial consecuencia de un resurgir de la novela picaresca.

7. AMORÓS, Andrés.

Notas para el estudio de la novela española actual (1939-1968). ("The New Vida Hispánica", XVI, n.º 1: spring 1968, págs. 7-13).

Sucinto y completo repaso de un conjunto largo en el tiempo y no poco nutrido; concluye A. que "la novela española contemporánea ha recorrido un importante camino desde 1939 hasta hoy. Sin embargo, su calidad general dista mucho de ser satisfactoria" pues "todavía hay muy pocos novelistas españoles [...] que posean dimensión universal, que sepan estar a la altura de los tiempos [...]".

8. AMORÓS, Andrés.

Novela española e hispanoamericana. ("El Urogallo", Madrid, n.º 35-36: IX-XII de 1975, págs. 71-75).

Información noticiosa y bibliográfica acerca del eco obtenido entre nosotros por el llamado "boom" de la novelística hispanoamericana; A. concluye que, pese a esnobismos, copias superficiales, etc., "la influencia del "boom" hispanoamericano en España me parece positiva".

9. ARANGUREN, José Luis.

El curso de la novela española contemporánea. (Páginas 212-310 del volumen "Estudios literarios". Madrid, Gredos, 1976).

A. no pretende hacer "la historia de la novela española contemporánea, a partir de la guerra civil", sino tratar de algunas "muestras" (a veces, "hitos") de esa novela, excluida la escrita por los autores del exilio. A Cela, Laforet, Ferlosio, Sánchez Mazas, Martín Santos, Marsé, Juan y Luis Goytisolo, Torrente Ballester y Benet corresponde la paternidad de tales muestras-hitos. Repasa el crítico las obras que por su cuenta y riesgo ha elegido, atendiendo aspectos técnicos, formales y de contenido, a más de considerar la situación cronológica de algunas de ellas en el curso que traza. Apreciaciones ya tópicas, por lo insistidas, alternan con otras más originales y enriquecedoras.

10. AZANCOT, Leopoldo.

Situación de la novela española. ("La Estafeta literaria", Madrid, n.º 500: 15-IX-1972, págs. 17-20).

Acaso lo más interesante de este breve artículo situacional sea la consideración de lo que su autor denomina factores negativos a la hora de estimular "el proceso de *aggiornamiento* de la narrativa española", negativos algunos de ellos no en sí mismos sino por la torpe manera de utilizarlos; son los cuatro factores siguientes: 1.º), la reincorporación de los exi-

liados; 2.º), el "boom" de la novelística hispano-
americana; 3.º), el partidismo, subjetivismo y falta
de información de bastantes críticos; y 4.º), el mundo anárquico y confuso de la edición española.

11. AZANCOT, Leopoldo.
La novela del realismo crítico. (Págs. 9-15, prólogo
al volumen "Relatos", de José M.ª de Quinto. Madrid, Ediciones del Centro, 1974).

Los miembros de la "Generación del cincuentaicuatro", los narradores, aspiraron a dejar testimonio del
hic et nunc español merced a un tipo de novela social
cuyos medios formales "no fueron acertados" pues
"confundieron el naturalismo con el realismo" y "ab-
dicaron de toda preocupación estilista, de toda complejidad técnica, incurriendo con ello en una despoe-
tización de lo real que aproximó peligrosamente sus
obras al ámbito del periodismo"; posteriormente, y
a favor de circunstancias varias, se produjo "en los
miembros más brillantes" una beneficiosa ruptura. (A.
no indica nombres de autores, ni títulos de obras).

12. BAQUERO GOYANES, Mariano.
La guerra española en nuestra novela. ("Ateneo",
Madrid, n.º 3: 1-III-1952, págs. 12-13).

Repertorio bastante completo, a la altura de 1951,
de nombres y títulos con exclusión, "por desconocimiento", de las novelas escritas en la zona republicana o, posteriormente, en el exilio; buena parte
de las obras aquí reunidas "suelen ser reportajes,
memorias de combatiente o de peresguido, en las que
se ha disuelto una mínima dosis de imaginación novelesca".

13. BAQUERO GOYANES, Mariano.
La novela española de 1939 a 1953. ("Cuadernos Hispanoamericanos", Madrid, n.º 67: VII-1955, páginas 81-95).

Recuento y panorama de unos doce años de novela
española, con omisiones forzadas por la breve exten-

sión del artículo, en cuyos apartados comparecen autores, títulos y tendencias para concluir con optimismo cara al futuro del género entre nosotros pues hay escritores, público lector y ambiente propicio.

14. BAQUERO GOYANES, Mariano.

Realismo y fantasía en la novela española actual. ("La Estafeta literaria", Madrid, n.º 185: 15-I-1960).

Documentado artículo acerca de la novela española de nuestros días en el que su autor hace una serie de muy necesarias precisiones, como las siguientes: "No siempre la novela española actual, por realista, áspera y cruda que se presente a los ojos del lector, constituye una segura fuente de información acerca del vivir y de las costumbres contemporáneas. La causa no es otra que la tendencia [...] a la exageración, al recargo de los tonos sombríos, a la desorbitación de gestos y actitudes"; "Escasa, como es, la presencia de la fantasía en la novela actual española, ofrece un interés no inferior a la de la amplia zona realista de la misma" (representantes destacados de esa línea de fantasía son algunos de los títulos de Elena Quiroga y Antonio Prieto, o *La puerta de paja* de Vicente Risco, o el *Alfanhuí* de Ferlosio).

15. BAQUERO GOYANES, Mariano.

Viejo y nuevo realismo novelesco. ("Arriba", Madrid, n.º del 27-V-1962).

Insistiendo en lo señalado dos años atrás (véase ficha 14) y puesto que la situación denunciada permanece, B. reitera su creencia respecto a la urgente necesidad de que se abra "en tal enrarecido recinto [el de nuestra novelística], una ventana que dé a otros horizontes llenos de posibilidades y de bellezas apenas entrevistas".

16. BARRAL, Carlos.

Reflexiones acerca de las aventuras del estilo en la penúltima literatura española. (Págs. 39-42 de "30 años de literatura. Narrativa y poesía española 1939-

1969", extraordinario XIV de "Cuadernos para el diálogo". Madrid, mayo de 1969).

B. trata casi exclusivamente de la poética y de la estilística de la narrativa llamada social, cuyas ideas "eran de una simplicidad geométrica" e "implicaban el desprecio, a menudo confeso, de cualquier planteamiento estético". "Incongruente e híbrido" el lenguaje; en lo que al estilo concierne la situación fue asimismo deleznable y por ello "uno —piensa B.— no puede menos que alegrarse de lo de prisa que cambian las modas".

17. BARRAL, Carlos.

¿Existe o no una nueva novela española? Puntualización de motivos. ("Triunfo", Madrid, n.º del 30-IX-1972).

Este artículo, recogido posteriormente en un folleto de 24 páginas publicado por Barral Editores, sirvió para arropar el lanzamiento llevado a cabo por dicha editorial y Planeta en el otoño de 1972. El "boom" hispano-americano quizá había llegado a su culminación y cabía otear nuevas posibilidades: "una literatura [...] menos anecdótica, más preocupada por el material lingüístico y por las significaciones generales y aleatorias"; B. se declara decidido a ayudar editorialmente tales posibilidades.

18. BENET, Juan.

Una época troyana. (Págs. 85-102 del volumen "En ciernes". Madrid, Taurus, 1976).

"Después de la guerra civil, casi todas las novelas españolas fueron caballos de Troya", esto es: obras presuntamente literarias con una intención que "no tenía nada de literaria"; de ahí su indigencia estética o, afirmado con palabras de B., "su poca veracidad" y "su escasa estatura dramática". Resulta muy deseable, concluye B., que en el futuro (sus palabras datan de febrero de 1975) el escritor español de novelas se dedique, "con pleno convencimiento, a la perfección del arte literario".

19. BENÍTEZ CLAROS, Rafael.
Nuestra pobre novela realista. ("La Estafeta literaria", Madrid, n.º 219: 15-VI-1961, págs. 1 y 8-11. // Incluido este artículo con el título *Carácter de la novela nueva* en el volumen "Visión de la literatura española". Madrid, Rialp, 1963).

Repaso a la obra de algunos autores —Cela, por ejemplo—, y a ciertos grupos —las novelistas— y títulos —*El Jarama* o la "novela-magnetofón"—, para concluir, muy pesimistamente, que "esta novela española de hoy pretende decirnos lo que nos rodea, y ser antena eficacísima de cuanto vibra en la inquietud nacional. Tan ambicioso propósito se reduce después a un simple planeo sobre nuestra epidermis material o histórica, sin la menor debelación de los ocultos sentidos, de las esencias oscuras que laten bajo esa superficie".

20. BERTRAND DE MUÑOZ, Maryse.
Bibliografía de la novela de la guerra civil española. ("La Torre", Universidad de Puerto Rico, 1968, n.º 61, págs. 215-242).

Lista muy nutrida de novelas de vario tipo y condición estética diversa relativas a la guerra civil española; el repertorio, que incluye novelistas extranjeros, se ordena en tres apartados: a) novelas de la pre-guerra; b) novelas de la guerra; c) novelas de la post-guerra.

21. BERTRAND DE MUÑOZ, Maryse.
Reflejo de los cambios políticos, sociales, históricos y lingüísticos en las novelas españolas recientes de la guerra civil. ("Camp de l'arpa", Barcelona, n.º 19: IV-1975, págs. 16-20).

Es un recuento, bastante abundante en títulos, de esta clase de novelas a partir de *Las últimas banderas,* de Lera (1967), en las cuales se encuentran peculiaridades relativas a los aspectos enunciados en el título del artículo, impensables e imposibles algunos años atrás entre nosotros.

22. Bosch, Andrés.

La nueva novela. ("Índice", Madrid, n.º 225: XI-1967).

Por "Nueva Novela" entiende B. la que trasciende o supera el realismo de superficie, tan puesto en práctica por los narradores sociales de los años 50 y 60, para llegar "a aquella esencia que constituye su naturaleza íntima, a aquello que las informa [a "las apariencias primarias"] y les da su valor universal". (El novelista A. B., integrante del llamado grupo "Metafísico", trata de lograrlo en sus obras).

23. Bousoño, Carlos.

Novela española en la postguerra. ("Revista Nacional de Cultura", Caracas, 1957, págs. 157-167).

Para B. "es incuestionable que la novela española atraviesa, desde la segunda postguerra [mundial], un instante de gran reviviscencia" que, comparativamente, parece todavía mayor pues "desde los tiempos de Baroja la narración hispana había caído en un peligroso mutismo". Pero cantidad no supone sin más calidad y ocurre que ese mutismo en el cultivo del género, o falta de una tradición nacional inmediata y puesta al día, ha desorientado a no pocos de nuestros narradores actuales entre los que hubo quienes optaron "por el camino fácil y brillante de la extranjerización" o por la fidelidad a un pasado vernáculo más bien anacrónico.

24. Bozal, Valeriano.

La edición en España. Notas para su historia. (Páginas 85-93 de "30 años de literatura. Narrativa y poesía española 1939-1969", extraordinario XIV de "Cuadernos para el diálogo". Madrid, mayo de 1969).

Unos datos y unas sugerencias, relativo todo ello al período 1939-1949, el menos conocido y el de más difícil conocimiento, acerca de la situación editorial española. Se advierte, por ejemplo, la importancia de algunas editoriales barcelonesas o el volumen de traducciones novelísticas en esa década.

25. BUCKLEY, Ramón.

1950, año de encrucijada. ("The New Vida Hispánica", XIX, n.º 1: spring 1971, págs. 20-23).

B. tiene interés en destacar la importancia "decisiva" de tres novelas: *Las últimas horas* (José Suárez Carreño), *La colmena* (Cela) y *La noria* (Luis Romero), aparecidas entre 1950 y 1952 y muestra de "una renovación estilística" y, también, de una nueva temática.

26. BUCKLEY, Ramón.

Del realismo social al realismo dialéctico. ("Ínsula", Madrid, n.º 326: I-1974, págs. 1 y 4).

B. ordena el desarrollo de la novela española de postguerra en tres etapas y dedica a la última de ellas atención preferente dentro de su breve artículo. Hubo una etapa "existencialista y tremendista", que concluye hacia 1950-1951 con la publicación de *La colmena* (Cela), *La noria* (Luis Romero) y *Las últimas horas* (José Suárez Carreño); vino después el neorealismo o realismo social, "que mucho tiene que ver con la novela y el cine italianos de la época, que algo tiene que ver con experiencias americanas anteriores"; en 1962, con *Tiempo de silencio* (Luis Martín Santos), se iniciará la etapa del realismo dialéctico del que participan a su modo, según B.: Delibes, Cela, J. Goytisolo, Marsé, Benet, Grosso y Jesús Fernández Santos.

27. BURGOS, Antonio.

Cuando el "boom" andaluz va de retirada. (ABC, Madrid, 24-I-1974, pág. 45).

El periodista B., también narrador e integrado en el supuesto "boom" de los llamados narraluces, constata, una vez remitida la fiebre del mismo, que de él "va a quedar lo que tenía que quedar: la obra de unos cuantos autores a quienes son más las cosas que separan que las que les unen".

28. CANO, José Luis.

La novela española actual. ("Revista Nacional de Cultura", Caracas, 1957, n.º 125, págs. 18-22).

> A C. le parece una evidencia innegable el renacimiento de la novela española una vez concluida la guerra civil, "aunque se haya negado por algunos, quizá por un prejuicio extraliterario", pues hay autores, libros, premios, editoriales y público. Cela y C. Laforet "constituyen las dos grandes revelaciones de la joven novela española en los primeros años de nuestra post-guerra" y sus novelas, como las de otros colegas, no suponen ruptura con la tradición narrativa nacional representada por un Galdós o un Baroja. De entre los más jóvenes y recién llegados destaca el crítico los nombres y la obra de Aldecoa, J. Goytisolo, Ferlosio, J. L. Castillo Puche y Ana M.ª Matute.

CANSEY, James Y.

Vid. ORNSTEIN, Jacob.

29. CASTELLET, José María.

Los novelistas, los premios y la crítica. (Págs. 35-42 del volumen "Notas sobre literatura española contemporánea". Barcelona, ediciones "Laye", 1955).

> Breves y valientes notas denunciatorias de *Los escritores irresponsables* (I) —como algunos novelistas recientemente galardonados cuyas "faltas sintácticas" y "disparates en que incurren" son demasiado abundantes—; de los premios —*En vez de letras, números* (II)—, esto es: "el espejismo de los miles de pesetas que anualmente se reparten entre los aspirantes a novelista"; y de los críticos —*Los alguaciles, alguacilados* (III)— que, con excepciones radicadas en el ámbito universitario, tantas veces ofrecen muestra cumplida de "ausencia de vocación" y "falta de preparación profesional".

30. CASTELLET, José María.

La novela. (Págs. 87-90 del volumen "Notas sobre
literatura española contemporánea". Barcelona, ediciones "Laye", 1955).

(Forman parte estas páginas de un trabajo más extenso titulado "Tres notas sobre los jóvenes"). En
la novela, estos jóvenes se llamaban, a la altura
aproximadamente de 1954: Ana M.ª Matute, J. Goytisolo, Mario Lacruz, Jesús Fernández Santos, Ignacio
Aldecoa y Sánchez Ferlosio. En los tres primeros
"domina la inquietud técnica y una preocupación
poética", mientras que en sus colegas de grupo preva-
lecen las "preocupaciones estilísticas y sociales".

31. CASTELLET, José María.

Veinte años de novela española (1942-1962). ("Cuadernos Americanos", Méjico, n.º CXXVI: I-II de
1963, págs. 290-295).

Sienta de entrada C. la rotunda negación siguiente:
"al término de la guerra civil [...] la novela se caracteriza por una pobreza absoluta no sólo de calidad,
sino también de títulos. No creo que sea posible
destacar, entre 1939 y 1945, ni media docena de obras
que merezcan una simple mención, veinte años después". La historia de la novela española en la post-
guerra comienza con *La familia de Pascual Duarte*
(1942), y en su desarrollo hasta 1962 trabajan dos
generaciones: la del realismo *crítico* (integrada por
escritores nacidos entre 1910 y 1920, "con edad suficiente para haber participado directamente en la guerra") y la del realismo *histórico* (cuyos miembros
nacieron a partir de 1924 y para quienes la guerra
civil es cosa de sus mayores), más atendida esta última por el politizado crítico.

32. CASTELLET, José María.

Tiempo de destrucción para la literatura española.
("Imagen", Caracas, n.º 27: 15-VII-1968. // ¿Es el
mismo trabajo que, titulado ahora *La littérature es-*

pagnole et le temps de la destruction, aparece en "Les lettres nouvelles", París, n.º de 3-IV-1968, páginas 113-131?).

A la hora de la condena y abandono del llamado realismo crítico o social, C., antaño uno de sus máximos animadores, advierte de las consecuencias nocivas de su práctica ya que "este tipo de literatura testimonial ha desviado la atención de los escritores de su finalidad estricta".

33. CASTELLET, José María.

Panorama literario (1972). (Págs. 127-145 del volumen "España, perspectiva 1973". Madrid, Guadiana, 1973).

No desea C. limitarse al comentario de las novelas publicadas en 1972 y por eso se remonta años atrás, cuando se cerraba con *Tiempo de silencio* una época y se abría otra harto distinta y bastante más rica; dentro de ésta sitúa C. títulos recientes de J. Goytisolo y Juan Benet, para concluir refiriéndose a *La saga/fuga de J.B.*, de Torrente Ballester y a *El gran momento de Mary Tribune*, de García Hortelano y también a algunas obras de la llamada "nueva novela", mejor avenidas con lo que el crítico denomina "el camino del discurso" (imaginativo y experimental) que con "el camino de la historia".

34. CELA, C. J.

Dos tendencias de la nueva literatura española. (Páginas 21-35 del volumen "Al servicio de algo". Madrid, Alfaguara, 1969).

Fue la primera cronológicamente el llamado Tremendismo ("la sanguinaria caricatura de la realidad") y después, hacia 1951, nuestra novela "empezó a marchar por la senda [...] del relato objetivo [...]" En ambas tendencias pesó de manera decisiva Cela con *La familia...* y *La colmena*, respectivamente.

35. CEREZALES, Manuel G.

La otra realidad. (ABC, Madrid, n.º del 12-II-1957, pág. 3).

La novela española más reciente y notoria se inclina decididamente por el realismo en cuanto pretende ser reflejo fiel de la realidad pero, de ordinario, nuestros actuales narradores realistas "se quedan en la apariencia de los seres y de las cosas, sin preocuparse de la verdad de las almas". Sería muy conveniente, piensa C., que tal preocupación fuera sentida y utilizada para que esa novelística, que hoy, "vista en su conjunto, es materialista, opaca [e] ignora que la lucha por la vida, el drama del hombre se desarrolla en dos frentes, uno social y otro espiritual", se enriqueciera y ampliara.

36. CIRRE, José Francisco.

El protagonista múltiple y su papel en la reciente novela española. ("Papeles de Son Armadáns", Palma de Mallorca, XXXIII, n.º 98: V-1964, págs. 159-170).

Analiza la presencia y función del protagonista múltiple o colectivo en *La colmena* (1951), *La noria* (1952), *El Jarama* (1956) y *Tormenta de verano* (1962).

37. CLOTAS, Salvador.

Meditación precipitada y no premeditada sobre la novela en lengua castellana. (Págs. 7-18 de "30 años de literatura. Narrativa y poesía españolas 1939-1969", extraordinario XIV de "Cuadernos para el diálogo". Madrid, mayo de 1969).

C. distingue tres períodos en el desarrollo de la novela española reciente, a saber: 1) desde 1939 hasta los primeros años cincuenta —"algunas de las obras de este período constituyen piezas de gran calidad"; Cela es el hombre más relevante de tal período—; 2) a partir de 1953 y hasta 1962 —cabe destacar en este período *El Jarama* y *Juegos de manos,* de J. Goytisolo; pertenece al mismo "un movimiento narrativo", el "realismo objetivo", que "se desarrolla alrededor sobre todo de la editorial Seix Barral"—; 3) *Tiempo de silencio* cierra el período y movimiento precedentes. A partir de entonces se inicia el tercer período, uno de los "más grises y desolados que ha conocido la novela española". // A estos períodos añade C. un cuarto, al que corresponden autores como José M.ª Guelbenzu, Pedro Antonio Urbina, Manuel Vázquez Montalbán, Ana M.ª Moix o Vicente Molina Foix, equivalentes en narrativa a los "novísimos" en poesía. (Tal añadimiento se contiene en las páginas 56-64 del vol. *30 años de literatura en España (narrativa y poesía)*. Barcelona, Kairós, 1971).

38. COINDREAU, Maurice Edgard.

Homenaje a los jóvenes novelistas españoles. ("Cuadernos", París, n.º 33, XI-XII de 1958, págs. 44-47).

Es un saludo fervoroso a la más reciente novelística española, algunos de cuyos representantes acababan de ser incluidos en el catálogo de las ediciones de Gallimard. Se trata de autores apegados al terruño natal pero "sin caer en un regionalismo fácil", obsesionados por el mundo de la infancia y no indiferentes ante cuestiones de técnica narrativa por lo que, piensa C., es dado "contemplar el porvenir con la mayor confianza".

39. CONTE, Rafael.

Última hora de la narrativa española. ("La Estafeta literaria", Madrid, n.º 395: 4-V-1968, págs. 8-10).

Constituyen esa última hora los años que van desde la publicación de *Cinco variaciones,* de Antonio Martínez Menchén (1963), hasta el presente; cinco años globalmente distinguidos por "la floración múltiple e irresistible de nuevos narradores". Entre los recién llegados y los llegados antes hay quienes "han decidido cultivar el jardín acostumbrado", como los hay más inclinados al experimentalismo. Y son utilizadas temáticas muy varias: política, bélica, la juventud, la ciencia-ficción.

40. CONTE, Rafael.

La difícil supervivencia de la novela. ("INFORMACIO-
NES de las Artes y las Letras", Madrid, n.º 179:
9-XII-1971, págs. 1-2).

El balance narrativo del año 1971 es francamente des-
consolador ya que nos encontramos, según C., ante
"uno de los peores de la historia de la novela española de los últimos lustros"; nada nuevo ni renovador, nada que constituya un asomo, siquiera débil, de
esperanza pues, vgr., "¿qué hacer con un año en el
que los premios han *descubierto* a Jesús Fernández
Santos y a José M.ª Gironella?"

41. CONTE, Rafael.

Un balance narrativo. De Cela a Corpus Barga. ("IN-
FORMACIONES de las Artes y las Letras", Madrid,
n.º 285: 27-XII-1973, págs. 1-2).

En 1973 "ha habido libros excelentes [*Oficio de tinieblas 5,* de Cela y *La casa de Mazón,* de Juan Benet],
apariciones y reapariciones necesarias [*Historias de
una historia,* Manuel Andújar; *Florido mayo,* Alfonso Grosso; *Paraíso encerrado,* Jesús Fernández Santos; *Presente profundo,* Elena Quiroga. // *Los galgos
verdugos,* Corpus Barga; *Historia e invenciones de
Félix Muriel,* Rafael Diestre], y se ha sostenido un
tono al que ya estábamos desacostumbrados".

42. CONTE, Rafael.

Novela española 1974. Un compás de espera más.
("INFORMACIONES de las Artes y las Letras", Madrid,
n.º 336: 19-XII-1974, págs. 1-2).

En comparación con 1972 —"un año excepcional"—
y 1973 —"un año de transición"—, 1974 ha sido
solamente un tiempo de "compás de espera", durante
cuyos doce meses se publicaron muchos libros narrativos entre los que destaca relevantemente *El príncipe
destronado,* de Miguel Delibes. Ha habido más bien
poca vanguardia y es Juan Marsé el que "encabeza
el grupo, por esta vez, de los narradores que se han

empeñado en renovar el realismo". Admirable obra
de arte es *Valentín*, de Juan Gil-Albert, escritor que
comienza a ser recuperado.

43. CONTE, Rafael.

Entre la tradición y la vanguardia. ("INFORMACIONES
de las Artes y las Letras", Madrid, n.º del 26-XII-
1975).

En su habitual balance del año narrativo español
señala C., por lo que se refiere a 1975, la pervivencia
de la llamada novela "tradicional", representada por
buen número de autores y obras diversos entre sí, y
la existencia de una vanguardia que podría denomi-
narse "formalista" en nombres como Félix de Azúa
o Javier Marías, Antolín Rato y José Manuel Álvarez Flórez. El crítico expresa dudas acerca de la
calidad literaria y valor de futuro que posean tales
libros experimentalistas.

44. CORRALES EGEA, José.

*¿Crisis de la nueva literatura? Reflexiones sobre una
apuesta*. ("Ínsula", Madrid, n.º 223: VI-1965, páginas 3 y 10).

La llamada generación del medio siglo llena con
su actividad creadora unos cuantos años de las décadas 50 y 60; fueron "años fértiles, de aparición
de nuevos nombres —y de nuevas esperanzas con
ellos—, de abundante cosecha de obras, de euforia
en suma [...]" Pero a la altura de 1965, ya desde
tiempo antes, parece percibirse como un cansancio
de aquella actividad; C. pide una superación del
acaso necesario realismo, "abrirse a nuevos horizontes", que "los autores de 1965 [...], consecuentes consigo mismos, no sigan siendo los autores de 1950".

45. CORRALES EGEA, José.

*Presencia de la guerra en la novela española contem-
poránea (1939-1969)*. ("Camp de l'arpa", Barcelona,
n.º 48-49: III-1978, págs. 8-21).

Adoptando un criterio "restrictivo y selectivo" [referencia sólo "a aquellas obras en las que la presencia de la guerra ocupa un espacio suficiente [...]; o a las que por su situación *estratégica* no se debía pasar por alto"], C. E. hace historia y comentario —con alguna afirmación más bien deficiente: ¿es novela el libro histórico de Luis Romero, *Tres días de julio?*, ¿trata Foxá, en la tercera y última parte de su famosa novela, de modo específico el tema de la cheka, como posteriormente haría Tomás Borrás en *Chekas de Madrid?*, ¿resulta *San Camilo 1936* una novela "parcial y maniquea"?— de tal presencia desde *La novela contemporánea de la guerra* —en uno y otro bando beligerante, esto es: Barea y Sender frente a Concha Espina, Foxá y C. Benítez de Castro—, pasando por *La primera década de la posguerra* —en el interior y en el exilio: García Serrano (*La fiel infantería*) y José María Alfaro (*Leoncio Pancorbo*) frente a Barea (*La forja de un rebelde*) o algunos "Campos" de Max Aub—, hasta *La guerra y las nuevas promociones literarias* —a cargo solamente de novelistas del interior, como: Gironella, Fernández de la Reguera, Lera, Cela, etc.—.

46. CORREA, Pedro.

Narrativa española actual. ("Nuestro tiempo", Pamplona, n.º 225: III-1973, págs. 38-64).

Ofrece un panorama a partir de *Tiempo de silencio,* cuyo "acierto" (el de Luis Martín Santos) "más que la creación fue la oportunidad", si bien cabe destacar en esta novela: "un intento de renovación temática, una decantada asimilación de técnicas y un nuevo lenguaje más expresivo y dinámico". Desde 1962 hasta el otoño de 1972 —lanzamiento Barral-Planeta: ¿existe o no una nueva novela española?—, C. examina la década de los 60: "un renacer de la novela, en verdad, desconocido hasta entonces"; se ocupa de los llamados metafísicos: "la intención es muy laudable [...] los resultados no son brillantes aunque sí estimables"; y pasa revista a buen número de obras y autores, señalando, por ejemplo, los valores de Zunzunegui, nombre ya muy olvidado pese a

que "es asombrosa su capacidad narrativa, la ducti-
bilidad de los diálogos y la densidad de muchas de
sus páginas".

47. CORREA, Pedro.

Veinte años de narrativa. ("Nuestro tiempo", Pamplona, n.º 246: XII-1974, págs. 95-107).

(Artículo inserto en un número monográfico de la
revista mensual "Nuestro tiempo" dedicado a la vida
y cultura españolas entre 1951 y 1974 aproximadamente). C. estima que "los años finales de la década
del cincuenta y los primeros de la del sesenta contemplan en toda su pujanza la llamada narrativa del
realismo social" y que "a mediados de la década del
sesenta entran como panacea salvadora nuevas técnicas y formas vinculadas a corrientes francesas y
americanas". Destaca como innovadores más audaces
y significativos a Luis Martín Santos, J. Goytisolo
(desde *Señas de identidad*) y Juan Benet. Considera,
finalmente, que a partir de 1965 van a darse bastante
unidas calidad y cantidad novelística y dentro de
esta última se permite señalar varias líneas o tendencias: experimental —Guelbenzu—, ética —Torbado—, realismo mágico y fantástico —Cunqueiro es
su representante más completo—, humor —Umbral—.

48. COUFFON, Claude.

Las tendencias de la novela española actual. ("Revista
Nacional de Cultura", Caracas, 1962, n.º 154, páginas 14-27. Versión de Alejandro Lasser).

Tras la ruptura que supuso la guerra civil es a Cela
—"novelista destacado del régimen"— "a quien corresponde el mérito de haber elevado de nuevo la
novela a la categoría de obra de arte". Habrá después autores que en sus libros denuncien la realidad
coetánea como Luis Romero, *La noria* y J. Corrales
Egea, *El haz y el envés.* Se trata de miembros de la
primera promoción novelística de post-guerra y a
ella ha de agregarse la del medio siglo, integrada por
quienes "tuvieron su infancia marcada por los días

sangrientos de la guerra", motivo tal vez de que
"los niños y los adolescentes jueguen un papel esencial" en algunas de las novelas de J. Goytisolo, Ana
M.ª Matute, Ferlosio y otros.

COURAGE, Argyslas.
Vid. FIGUERAS, Juana.

49. DELIBES, Miguel.
Notas sobre la novela española contemporánea.
("Cuadernos", París, n.º 63: VIII de 1962, págs. 34-
38).

Juzgo como lo más útil de estas notas el señalamiento de la existencia de dos grupos generacionales
en la novelística española de post-guerra: el surgido
inmediatamente después de concluida la contienda,
marcado por el autodidactismo —el novelista perteneciente a esta generación (como el propio Delibes)
"podrá ser o no ser hábil constructor de novelas, un
buen o mal estilista, un escritor correcto pero, salvo
raras excepciones, es un ser con algo que decir, con
una personal manera de interpretar el mundo que le
rodea"—, y otro más joven, cuyos integrantes se distinguen por una actitud propicia a la experimentación
y a la socialización de la novela. Mas entre ambos
grupos parece irse operando un acercamiento o recí-
proca impregnación.

50. DOMENECH, Ricardo.
Una reflexión sobre el objetivismo. ("Ínsula", Madrid, n.º 180: XI-1961, pág. 6).

En la breve y tímida polémica española en torno al
objetivismo narrativo, D. adopta una postura comprensiva y serena que le permite considerar aportaciones positivas —rechazo del sicologismo, fidelidad
del novelista para con la realidad, participación más
viva del lector— y advertir de los peligros que encierra la debatida tendencia: "la receta, el formalismo
limitador, la monotonía".

51. DOMINGO, José.

La hora canaria. ("Ínsula", Madrid, n.º 322: IX-1973, págs. 6-7).

Constatación y explicación del hecho —auge actual del género entre los escritores canarios—, y comentario de algunos libros de autores jóvenes, distinguidos por su tendencia al experimentalismo.

52. DOMINGO, José.

"Novísimos", "nuevos" y "renovados". ("Ínsula", Madrid, n.º 316: III-1973, pág. 6).

Así agrupa D. a los autores de las novelas publicadas por Barral y Planeta dentro de su lanzamiento editorial del otoño de 1972. "Novísimos" —muy recién llegados o inéditos hasta ahora como novelistas: Félix de Azúa, vgr.—; "Nuevos" —conocidos con anterioridad y ya con algún nombre: caso de Manuel Vázquez Montalbán—; veteranos "Renovados" —como Ramón Carnicer, Concha Alós o Juan García Hortelano—. La estimación de semejante lanzamiento en su conjunto no es muy favorable: "un alud de más que difícil digestión [...]"

53. ELIZALDE, Ignacio.

Clases y técnicas en la novela actual de España. ("Letras de Deusto", Universidad de Deusto, n.º 1: I-VI de 1971, págs. 159-170).

Artículo breve pero amplísimo de contenido por lo que a veces resulta meramente enumeratorio; he aquí algunos de sus apartados: el "boom" de la novela hispanoamericana, la "operación retorno", el tema de la guerra, el personaje "especie" y el proceso de cosificación, la novela de técnicas novísimas (estudia brevemente *San Camilo 1936, Parábola del náufrago* y *Señas de identidad*).

54. ENTRAMBASAGUAS, Joaquín.

Las novelistas actuales. ("El libro español", Madrid, II, n.º 17: V-1959, págs. 286-294).

Según E., "cuando hay en España un nuevo renacimiento novelístico y en él la mujer tiene parte importantísima, [...], es a raíz de triunfar el Movimiento Nacional en 1939". Desde C. Laforet hasta Mercedes Salisachs hay un nutrido y estimable conjunto de mujeres novelistas, que han publicado con beneplácito de crítica y público y obtenido éxito en los premios de novela.

55. ESCAPA, Ernesto.

A pesar del franquismo. ("Reseña", Madrid, n.º 100: XII-1976, págs. 8-10).

A pesar de que su título puede hacernos pensar en otro asunto lo que ofrece este artículo es un balance de cuarenta años de novela en España y en lengua española o (dicho con palabras de E.) de "la etapa literaria apellidada posguerra", durante la cual "la novela ha sabido estar a la altura de las circunstancias". Pobres frutos estéticos los obtenidos por los "Novelistas con el imperio" o novelistas de los años 40, donde ha de incluirse *La familia de Pascual Duarte,* estimada como "propaganda oficial encubierta". Sigue la novela social de los años 50, valorada en cuanto "contestación al sistema [político vigente]", motivo acaso de que ni siquiera sean mencionados Ignacio Aldecoa o Jesús Fernández Santos, narradores de las mismas época y generación, realistas y también sociales. Casi otro tanto sucede respecto de Torrente Ballester, cuyo primerizo *Javier Mariño* no es una novela de peripecia bélica (como parece afirmar el articulista) y cuya *Saga/fuga...* le merece nada más que la simple mención del título. (Una fotografía de la fachada de la casa n.º 44 de la madrileña calle de Alcalá ilustra significativamente acerca del matiz partidista del artículo de E., inserto en un conjunto titulado "La cultura española durante el franquismo").

56. ESTEBAN SOLER, Hipólito.

Narradores españoles del medio siglo. ("Miscellanea di studi ispanici", Università di Pisa, 1971-1973, páginas 217-370).

"Generación del medio siglo", o "Generación herida" (que dijo Ana M.ª Matute, miembro de ella), o "Generación de los niños asombrados" (ídem.), o "Generación de la revista Juventud" (Dámaso Santos) mas ¿puede hablarse efectivamente de una generación o, por el contrario, de "producciones más o menos coincidentes en sus resultados pero sin cohesión interna alguna entre sus autores"? Según E. hubo generación ya que los presuntos integrantes de la misma cumplen los tres requisitos siguientes: 1), convivencia en un espacio acotado; 2), convivencia en un tiempo acotado; 3), talante unitario, requisito éste que no excluye una cierta diversidad de tendencias como fueron: el neo-realismo, el realismo social, la novela metafísica y el realismo crítico. Trabajo bien documentado (profusión de notas: 111 en total) y penetrante (destaco las páginas dedicadas a "la benéfica aportación cultural del cine italiano"); con uso que reputo inconveniente de los términos políticos "derechas/izquierdas" y, a mi ver, con escasa comprensión para la actividad cultural de "la inmediata posguerra" (apartado I) o década de los 40.

57. FERNÁNDEZ ALMAGRO, Melchor.

Esquema de la novela española contemporánea. ("Clavileño", Madrid, n.º 5: IX-X de 1950, páginas 15-28).

La generación realista de Galdós (I), la del 98 (II), los novelistas del novecentismo y de la generación del 27 (III), los de la década de los cuarenta (IV), comparecen en el esquema. Ya en este último apartado, repara A. en algunas novelas de asunto bélico (nuestra guerra civil); en las influencias que más relevantemente se acusan en los jóvenes novelistas (Baroja, sobre todo); y en que el realismo, dentro de un sentido bastante clásico o tradicional, "sirve para caracterizar gran parte de la novela española de hoy", a algunos de cuyos cultivadores menciona.

58. FERNÁNDEZ-CAÑEDO, Jesús A.

La joven novela española (1936-1947). ("Revista de la Universidad de Oviedo", fascículo de la Facultad de Filosofía y Letras, enero-abril 1948, núms. XLIX y L, págs. 45-79).

Se trata de "una síntesis del estado de la joven novela española", partiendo de las primeras novelas sobre la guerra civil pero, sobre todo, de 1942 como año en el que "se abren nuevos horizontes a la novelística española". Es posible, desde entonces, encontrar novelistas como Zunzunegui —proclive "hacia el XIX" y deseoso de "recoger las más nuevas tendencias"—; o como Pedro Álvarez Gómez —que apunta en sus obras "hacia la eliminación absoluta de los elementos no esencialmente estéticos"—; o como Cela —quien "se aleja hasta el XVII", al tiempo que "esboza un tímido acercamiento a Baroja"—; cada uno de estos tres autores supone con su actitud una presunta solución al problema de la técnica narrativa. La consideración de algunos motivos temáticos junto con una breve referencia al uso del lenguaje y a la novela de humor —Miguel Villalonga, Álvaro de Laiglesia, Noel Clarasó—, completan el artículo, a cuyo final se afirma que la novela española está no en un período de renacimiento, sino en "un estado de recuperación".

59. FERNÁNDEZ-CAÑEDO, Jesús A.

La guerra en la novela española (1936-1947). ("Arbor", Madrid, XII, 1949, págs. 60-68).

En el conjunto novelístico debido a autores afectos a la ideología vencedora en nuestra guerra civil pueden hacerse, según F.-C., varios grupos: novelas que tratan de la peripecia bélica vista desde el campo de batalla —los nombres más notorios a la sazón, y los aquí atendidos: García Serrano, Benítez de Castro, Pedro García Suárez y Pedro Álvarez Gómez—; novelas de perseguidos o cautivos por el bando enemigo —caso de *Una isla en el mar rojo,* de W. Fernández Flórez—; y novelas que se ocupan de las causas o procesos que condujeron a tan violenta ruptura —*Ma-*

drid de corte a cheka (Agustín de Foxá), El puente
(José Antonio Giménez Arnau), vgr.—. Destaca en
tales obras "el esfuerzo de los autores por infundirle
trémulo vital [a la vicisitud narrada] y la interpretación de los acaeceres en su doble dimensión espiritual
y material".

60. FERNÁNDEZ-CAÑEDO, Jesús A.

Tres formas de la novela actual. ("Archivum", Universidad de Oviedo", VII, 1957, págs. 147-169).

Si por actual ha de entenderse, como quiere F.-C., el
tiempo coincidente con el fin de la segunda gran
guerra (1939-1945), las tres formas aludidas serían: la
novela "existencialista", la novela "testimonial" y la
novela "comprometida", cuyas características internas
y externas son examinadas para llegar a las siguientes
consecuencias relativas a la novelística española de entonces: a), "cabe afirmar sin ambages ni dudas que en
nuestra literatura no existen ejemplos de novela existencialista"; b), la guerra y la post-guerra españolas
ofrecen motivo sobrado para componer narraciones
testimoniales —Chekas de Madrid (Tomás Borrás), El
puente (José Antonio Giménez Arnau), La noria (Luis
Romero), etc.—; c), en cuanto a novela comprometida, portavoz de una ideología política o religiosa
a la que se apunta el autor, aparecen mencionados
títulos como: Se ha ocupado el kilómetro 6 (Cecilio
Benítez de Castro), Eugenio... (Rafael García Serrano), La mujer nueva (C. Laforet) o El canto del gallo
(José Antonio Giménez Arnau).

61. FERRER, Olga P.

La literatura española tremendista y su nexo con el
existencialismo. ("Revista Hispánica Moderna", Nueva York, XXII, 1956, págs. 297-303).

Puede que exista una influencia del existencialismo
francés en la novela española de post-guerra entre
1940 y 1955 afecta al llamado "Tremendismo" pero
"los ingredientes que entran en ambas manifestaciones
literarias son tan sólo parcialmente iguales" pues, por

ejemplo, la angustia sartriana poco tiene que ver con
la truculenta angustia tremendista. Brevemente son
examinadas novelas como *La familia de Pascual
Duarte* (1942), *La sombra del ciprés es alargada* (Delibes, 1948), *Las últimas horas* (Suárez Carreño, 1950)
o *Cuando voy a morir* (Fernández de la Reguera,
1951) para llegar, entre otras varias, a la siguiente
conclusión: "El tremendismo parece efecto de las
condiciones actuales de vida. La circunstancia que
provoca la inquietud existencial, la angustia española
es la desoladora realidad cotidiana".

62. FERRER, Olga P.

Las novelistas españolas de hoy. ("Cuadernos Americanos", México, CXVIII, 1961, págs. 211-223).

Se destaca el hecho de la abundante incorporación
femenina al cultivo del género en la post-guerra española, con algunos nombres y títulos importantes y
con el éxito de varios premios obtenidos, de todo lo
cual se ofrece la oportuna noticia crítica.

63. FIGUERAS, Juana. (Y Argyslas Courage).

*La "nova expressión" narrativa española. (Las últimas
tendencias narrativas en lengua castellana).* ("Papeles
de Son Armadáns", Palma de Mallorca, n.º 250:
I-1977, págs. 23-46).

"Estamos asistiendo a la irrupción y afianzamiento
de una serie de escritores auténticamente originales
que llevan a cabo una obra de creación intensa y actual, además de interesante." Son ellos, entre otros:
J. Leyva, Antolín Rato, J. M. Álvarez Flórez, Eduardo Haro Ibars, Juan Alcover, Asís Calonje y Alfonso Español, cuya obra examinan brevemente los
autores de este artículo para quienes puede hablarse
de un grupo —"Nova expressión", "Grupo de "Papeles de Son Armadáns"—, cuyas características externas —edad, revistas y colecciones donde publican—
e internas —influjo de W. Burroughs, voluntad liber-
taria contracultural, etc.— son, asimismo, objeto de
análisis. Tal grupo "va a producir, como ya ha pro-

ducido [...] algunos de los libros más interesantes de
la narrativa española", concluyen entre tajantes y
proféticos F. y C.

64. FILIPPO, Luigi de.

Il romanzo spagnuolo contemporaneo. ("Nuova anto-
logia", Roma, n.º 88: XI-1953).

Menciona o trata brevemente de autores como: Arbó,
Zunzunegui, Agustí, L. Romero, J. A. de la Loma
(autor de *Sin la sonrisa de Dios*), Cela, Delibes, Sánchez Mazas, Martínez Barbeito, Fernández de la
Reguera, Octavio Aparicio, Ledesma Miranda, Mur
Oti, Giménez Arnau, C. Laforet y Elena Quiroga.
Afirma que la novela española más reciente cronológicamente se desarrolla todavía de acuerdo con viejos
modelos ya que resulta considerable el peso de la tradición realista.

65. FRAILE, Medardo.

Novela y Cuento 1957. ("La Estafeta literaria", Madrid, n.º 110-111: especial fin de año 1957, págs. 7-8).

Apretadísima noticia del año narrativo español 1957,
que en novela ofrece una "cosecha francamente halagüeña, si atendemos, por lo menos, a la cantidad" y
en el cuento, género cada vez con más cultivadores,
"se ha enriquecido con nuevos volúmenes".

66. GARCÍA SERRANO, Rafael.

*Las "novelas del 36". El tema de la guerra en nues-
tra literatura.* ("La Nueva España", Oviedo, n.º del
3-IV-1955, pág. 9).

Escritores en España y escritores en el exilio han utilizado para tema de sus novelas nuestra guerra civil,
y G.ª S. ofrece un repertorio de títulos y nombres.

67. GARCÍA VIÑÓ, Manuel.

Notas sobre la novela católica en España. ("Reseña",
Madrid, n.º 19: X-1967, págs. 257-266).

Según G.ª V. "es evidente que no hay [en España]
una novela católica al estilo de la de Bernanos, Graham Greene, Julien Green, Carlo Coccioli, Gertrude
von le Fort", autores que pasan por representantes
máximos y canónicos de la modalidad. Entre nosotros
se ha escrito muy poco que se aproxime en intención
a sus obras; dentro de ese reducido conjunto elige
G.ª V. cuatro títulos —*Cristo en Torremolinos* (J. M.ª
Souviron), *La frontera de Dios* (J. L. Martín Descalzo), *La reducción* (José Tomás Cabot) y *Cuando
amanece* (José Vidal Cadelláns)—, de los que se ocupa
separadamente con alguna extensión.

68. GARCÍA VIÑÓ, Manuel.

*La nueva novela española entre el documento y la
metafísica.* (Págs. 47-48 del volumen "La nueva novela europea". Madrid. Guadarrama, 1968).

El documento, más bien fotográfico o magnetofónico,
suele ser con bastante frecuencia lo ofrecido por el
realismo social, frente a cuyos postulados y consiguiente práctica rompe G.ª V. una lanza por otro
tipo de narración más imaginativa y con mayor densidad conceptual que, entre nosotros, representan los
miembros del llamado grupo "Metafísico", entre quienes se incluye el propio articulista.

69. GARCÍA VIÑÓ, Manuel.

Etapas de la novela española de posguerra. ("Nuestro
tiempo", Madrid, n.º 222: XII-1972, págs. 574-593).

Las etapas anunciadas en el título aluden a unas generaciones, tres en total, presentes y activas en la
historia de nuestra reciente novela, y son: "primera
generación de posguerra" —a partir de 1942, *La familia de Pascual Duarte*, 1943, *Javier Mariño*, de
Torrente Ballester, 1944, *Mariona Rebull*, Agustí y
1945, *Nada*, más autores como Delibes y Gironella—;
"una generación intermedia" —la integrada por Aldecoa, Ferlosio, J. Fernández Santos y Ana M.ª Matute principalmente, quienes "se inscriben en la línea
tradicional española de un realismo literario, es decir
artístico [...]"—; y la "generación de 1960" —como

escindida en dos grupos: los novelistas cultivadores
del llamado realismo crítico o social y aquellos otros
más atentos en sus obras "a lo intrahistórico que a
lo histórico", los cuales consideran "como real no
sólo lo que se ve, sino tambin lo que no se ve";
entre éstos se incluye el propio G.ª V.—.

70. GODOY GALLARDO, Eduardo.
    *Índice crítico-bibliográfico del Premio Nadal, 1944-
    1968.* ("Mapocho", Santiago de Chile, n.º 22, 1970,
    págs. 109-136).

    Repaso a un tiempo noticioso y valorativo del premio
    "Eugenio Nadal" desde su primera convocatoria y
    fallo (1944 y 1945) hasta 1968, año en que fue dis-
    tinguida la novela de Álvaro Cunqueiro, *Un hombre
    que se parecía a Orestes.*

71. GÓMEZ LÓPEZ-EGEA, Rafael.
    La novela española en la encrucijada. ("Arbor", Ma-
    drid, XC, 1975, n.º 350, págs. 217-227).

    La encrucijada aludida viene señalada por la existen-
    cia de una novelística de vanguardia a cuyos cultiva-
    dores no satisfacen ya el existencialismo y el realismo
    social narrativos. La búsqueda de un lenguaje nuevo,
    capaz de transmitir adecuadamente las ideas que exi-
    ge[n] la sociedad y el hombre de nuestro tiempo"
    parece ser el objetivo primordial de los innovadores
    pero ese lenguaje, a menudo distorsionado y hasta
    disparatado, no cumple "con la necesidad de comuni-
    cación inseparable de la tarea literaria". (L.-E. no in-
    dica autores y títulos que representen entre nosotros
    semejante experimentación).

72. GÓMEZ MARÍN, José Antonio.
    *Literatura y Política. Del tremendismo a la nueva
    narrativa.* ("Cuadernos Hispanoamericanos", Madrid,
    n.º 193: I-1966, págs. 109-116).

    Señala un cambio y un muy positivo avance de nues-
    tra novela desde el llamado Tremendismo —que fue

cosa de Cela pues en él comenzó y se consumó, y consumió— hasta novelistas más recientes, como el poco ha fallecido Martín Santos, con su *Tiempo de silencio*, Antonio Martínez Manchén, con *Cinco variaciones*. Joyce y Kafka puede sean los "dü maiores" de este intento de nueva narrativa.

73. GÓMEZ PARRA, Sergio.

El conductismo en la novela española contemporánea. ("Reseña", Madrid, n.° 36: VI-1970, págs. 323-333).

G. P. trata del llamado conductismo como temática y procedimiento literarios en la novela española de nuestros días a partir de *La colmena* (1951); repasa las cuatro características siguientes, que reputa relevantes y que ejemplifica convenientemente: la conducta de la colectividad vulgar, la ausencia de autor, el tratamiento del tiempo, el proceso verbal.

74. GOYTISOLO, Juan.

Los escritores españoles frente al toro de la censura. (Págs. 30-36 del volumen "El furgón de cola". París, ediciones "Ruedo Ibérico", 1967).

La censura es un hecho evidente e indeseable que, en el caso de cierta novelística española de post-guerra, ha condicionado temática y técnicamente su desarrollo pues: a), "[...] los novelistas españoles —por el hecho de que su público no dispone de medios de información veraces respecto a los problemas con que se enfrenta el país— responden a esta carencia de sus lectores trazando un cuadro lo más justo y equitativo posible de la realidad que contemplan", y b), sin la existencia de la censura, "el objetivismo, behaviorismo y otros procedimientos narrativos de despersonalización del autor no hubieran obtenido la aceptación que han tenido —y tienen aún—, en los últimos años".

75. GOYTISOLO, Juan.

La novela española contemporánea. ("Libre", París, n.° 2, 1971-1972, págs. 33-40).

Es obligado, para una mejor comprensión de sus obras, conocer el contexto histórico vivido por los novelistas españoles que, entre 1950 y 1965 aproximadamente, cultivaron la llamada novela social; dentro del mismo figuran por ejemplo: "el establecimiento en las cátedras y tribunas públicas del país de esa fauna peculiar de españoles que amargó la breve vida de Larra y que podíamos llamar "mecanógrafos" puesto que escriben al dictado de quien los alimenta, les viste y les paga el piso". Pero los novelistas sociales fracasaron en su empeño de cambiar la sociedad y tampoco fueron especialmente afortunados en el ámbito de la estética literaria; a partir de *Tiempo de silencio* (1962) quedaba trazado un camino para el indispensable cambio. Acogido a éste y metido en aquél, J. G., partidario de dinamitar el lenguaje, compone sus "primeras novelas adultas", a saber: *Señas de identidad* y *Reivindicación del conde don Julián.*

76. GRANDE, Félix.

Tres fichas para una aproximación a la actual narrativa española. (Págs. 71-93 del volumen "Occidente, ficciones, yo". Madrid, Edicusa, 1968).

Análisis de: *Cinco variaciones* (Antonio Martínez Menchén), *Dos días de setiembre* (José Manuel Caballero Bonald) y *Tiempo de silencio* (L. Martín Santos), tres libros narrativos justamente destacados porque "pertenecen al escaso grupo de aquéllos que, dentro de la perspectiva de la más preocupada [testimonialmente hablando] narrativa actual española, han unido a aquella voluntad socio-cultural un bagaje técnico y lingüístico notablemente adecuado, e incluso rico en posibilidades para nuestro porvenir literario".

77. GRUPP, W. J.

The Influence of the Premio "Nadal" in Spanish Letters. ("Kentucky Foreign Languages Quarterly", Lexington, III, 1956, págs. 162-168).

Repaso de la ejecutoria del "Nadal" a la altura de sus diez primeras convocatorias, constatando su importancia e influencia en la suerte de la novela española de post-guerra.

78. GULLÓN, Ricardo.

The Modern Spanish Novel. (Págs. 79-96 del volumen "Image of Spain", número especial: Spring, 1961, de "The Texas Quarterly", IV).

G. hace un breve e inteligente recorrido por la novela española moderna, señalando tendencias y modos de novelar, destacando algunos autores y títulos —*Nada, La colmena, Gran Sol* (de Ignacio Aldecoa), la evolución de la obra de Francisco Ayala, vgr.—, y concluyendo con optimismo acerca del futuro de nuestra novela, en el cual resultaría deseable que se integraran armónicamente fuerzas todavía un tanto dispersas y hasta contradictorias.

79. HORIA, Vintila.

La nueva ola de la novela española. ("Punta Europa", Madrid, n.º 117: I-1967).

Es uno de los primeros avisos respecto a la existencia en los años 60 de un grupo de narradores españoles cuya obra nada tiene que ver con los postulados, intenciones y limitaciones del llamado realismo social; representan tales autores un tipo de realismo "surgido de una tentativa de apreciación integral y no parcial, del mundo y de la vida". ‖ (Se ocupa H. de: Carlos Rojas, Andrés Bosch y Manuel García Viñó).

80. IGLESIAS, Ignacio.

La actual novelística española. ("Cuadernos", París, n.º 1: IX-XII de 1953, págs. 105-106).

Visión harto pesimista de la actual novelística española (de quince años a esta parte), pues aunque se escriban muchas novelas y se publiquen bastantes, "apenas media docena de ellas pueden ser recordadas". Cuatro títulos —*Nada, La familia de Pascual*

Duarte, Pabellón de reposo y *La colmena*— recuerda
I. "en esa triste paramera", de la cual sólo es posible
salir lanzándose los novelistas "a la aventura de lo
real, a investigar y bucear en el alma humana siguiendo el ejemplo de C. J. Cela".

81. IGLESIAS LAGUNA, Antonio.
La narrativa española en 1970. ("La Estafeta literaria", Madrid, n.º 459: 1-I-1971, págs. 18-21).

Tras distribuir en varios apartados —las mujeres novelistas, los narradores en el exilio, nombres recién
incorporados y más veteranos, realismo e influjo hispano-americano—, I. L. resume y concluye así: "No
ha sido 1970 año de grandes sorpresas novelísticas [...]
hemos de consignar la aparición de nuevos autores,
el reflujo de la moda hispanoamericana y el enriquecimiento del realismo tradicional, injertando en él
técnicas modernas". (En la página 19 se ofrece una
selección de títulos publicados en 1970).

82. IZCARAY, Jesús.
Reflexiones sobre la novela española actual. ("Nuestras ideas", Bruselas, 1961, n.º 11, págs. 44-61).

El novelista exiliado J. I. reflexiona sobre la novela
española a la altura cronológica de 1960 y sus apreciaciones, con fuerte carga marxista, respecto del objetivismo y de la llamada novela "social" no están
desprovistas de un cierto interés.

83. LEDESMA MIRANDA, Ramón.
Nuestra novela entre ayer y hoy (1925-1960). ("La
Estafeta literaria", Madrid, n.º 209: 15-I-1961).

Situado el propio L. M. en cuanto novelista entre el
ayer (gran parte de su producción) y el hoy (dos
obras muy conocidas y celebradas: *Almudena...*,
1944, y *La casa de la fama,* 1951), acaso lo más importante del recuento que efectúa sea la constatación siguiente: "Nueva vez en nuestros días puede
hablarse de un renacimiento de la novela, porque
después de la última guerra civil surge un extenso
grupo de novelistas".

84. LERA, Ángel María de.

Situación de nuestra novela. Su enfrentamiento con una crisis temática. (ABC, Madrid, n.º del 23-II-1967).

L. recoge y glosa brevemente una afirmación harto repetida por aquellos días: las obras de nuestros novelistas más recientes interesan poco en el extranjero porque "no abordan temas de interés universal".

85. LERA, Ángel María de.

Los toros en la narrativa. El miedo al vértigo del tópico. (ABC, Madrid, n.º del 4-V-1967).

Con motivo de haber aparecido algunas narraciones de tema taurino —*La última corrida,* Elena Quiroga; *Los clarines del miedo,* Lera; *Blanquito, peón de brega,* Jorge C. Trulock—, se pregunta L. acerca del abandono que ha sufrido tal posibilidad temática entre nosotros durante buen número de años, "inexplicablemente, cuando tan en boga ha estado *lo social* y se ha insistido en forma tan obsesiva en la búsqueda de síntomas delatores de la conciencia colectiva [...]" La causa de ese abandono puede que no sea otra sino el miedo de los narradores a caer en los consabidos tópicos de la "novela taurina".

86. LÓPEZ MARTÍNEZ, José.

El "Novelas y Cuentos". ("La Estafeta literaria", Madrid, n.º 580: 15-I-1976, págs. 34-35).

Noticia (en forma de entrevista con Manuel Cerezales, miembro del jurado) de este premio narrativo, creado en 1972 por la editorial Magisterio Español que publica el original galardonado. En 1974 quedó desierto. A este certamen concurren indistintamente novelas extensas y libros de cuentos, lo que a veces plantea problemas ya que "es difícil juzgar entre una novela y un libro de cuentos, equiparar su valía total de cara a decidir cuál de los dos merece el galardón".

87. LÓPEZ MARTÍNEZ, José.

El "Eulalio Ferrer", de novela. ("La Estafeta literaria", Madrid, n.º 597: 1-X-1976, págs. 17-18).

Noticia (en forma de entrevista con Matilde Camús, del Ateneo de Santander, entidad organizadora) de este premio novelístico, creado por Eulalio Ferrer, hombre de empresa, en 1975 y declarado desierto en su primera convocatoria. Ediciones Grijalbo se hace cargo de la obra galardonada.

88. LÓPEZ MARTÍNEZ, JOSÉ.

El "Vicente Blasco Ibáñez", de Valencia. ("La Estafeta literaria", Madrid, n.° 600: 15-XI-1976, págs. 8-9).

Noticia (en forma de entrevista con Vicente Blasco-Ibáñez Tortosa, propietario de la editorial Prometeo, fundadora y patrocinadora) de este premio novelístico, fallado por primera vez en 1966 y en tres ocasiones declarado desierto.

89. LÓPEZ MARTÍNEZ, JOSÉ.

El "Gabriel Miró", de novela. ("La Estafeta literaria", Madrid, n.° 603: 1-I-1977, págs. 17-18).

Noticia (en forma de entrevista con Salvador Pérez Valiente, miembro del jurado) de este premio novelístico, creado en 1955 y concedido por primera vez en 1956 (a *En la hoguera,* de Jesús Fernández Santos). Patrocina el Ayuntamiento de Alicante, que publica el original galardonado en primera edición de quinientos ejemplares. En tres convocatorias ha sido declarado desierto.

90. LÓPEZ MARTÍNEZ, JOSÉ.

El "Ateneo de Sevilla", de novela. ("La Estafeta literaria", Madrid, n.° 604: 15-I-1977, págs. 17-18).

Noticia (en forma de entrevista con José Manuel Lara) de este premio novelístico, creado en 1969, convocado por el Ateneo sevillano y patrocinado por la editorial Planeta, quien se hace cargo de la publicación de los originales ganador y finalista.

91. LÓPEZ MARTÍNEZ, Luis.

Una variante de técnica evocativa en la novela española actual. (Págs. 223-231 del volumen "Estudios dedicados al profesor M. Baquero Goyanes". Murcia, 1974).

Delibes (en *Cinco horas con Mario*), Elena Quiroga (en *Algo pasa en la calle*), Luis Romero (en *El cacique*) y Rodrigo Rubio (en *Equipaje de amor para la tierra*) parten de "un mismo marco de acción —el velatorio de un cadáver— y de una misma intención argumental —recomponer la vida pasada de un personaje muerto, a través de recuerdos retrospectivos—", y llegan a resultados no poco diferentes pero perfectamente válidos.

92. LÓPEZ MOLINA, Luis.

El tremendismo en la literatura española actual. ("Revista de Occidente", Madrid, n.º 54: IX-1967, págs. 372-378).

Breve e inteligente consideración del fenómeno tremendista, cuya base podría estar en "el tradicional realismo castellano, con lo que implica de pobreza imaginativa" y cuya gama de características podría estar integrada por: relaciones con el buen gusto ("esa noción de delicadeza y elegancia espiritual que aún conserva, por fortuna, la humanidad culta"); escabrosidad del vocabulario; agresividad en la formulación de un contenido no siempre avanzado ideológicamente y huida de la abstracción; aliviadero para las tensiones reprimidas por el ejercicio de la censura.

93. LORENZO, Pedro de.

El 18 de Julio en la novela española. ("Ateneo", Madrid, n.º 13: 19-VII-1952, pág. 13).

Muy breves apuntaciones en torno a cuatro novelas españolas que hablan de la guerra civil: *Madrid de corte a cheka*, Agustín de Foxá; *La fiel infantería*, Rafael García Serrano; *Los cipreses creen en Dios*, José M.ª Gironella y *Los canes andan sueltos*, Ángel Oliver; cuatro novelas que "interpretan fervorosas una constante [la heroica] del alma de España".

94. MALLO, Jerónimo.

*Caracterización y valor del tremendismo en la novela
española contemporánea.* ("Hispania", Wallingford,
XXXIX, 1956, págs. 49-55).

Repaso sucinto, ofreciendo alguna ejemplificación
corroboradora, de la doble cuestión —rasgos distinti-
vos, méritos y deméritos— apuntada en el título del
trabajo.

95. MANCINI, Guido.

Sul romanzo contemporaneo. ("Miscellanea di studi
ispanici", Università di Pisa, 1965, págs. 246-329).

Es un muy estimable estudio que se refiere, ordena-
damente, a unos cuantos autores y títulos —desde
Cela, C. Laforet, Agustí y las novelas que tienen
como tema la guerra civil española hasta Aldecoa,
Antonio Prieto o *La sal viste luto* (1957), de J. M.ª
Castillo Navarro—, valorándolos de modo oportuno
e imparcial para concluir que el crítico se halla frente
a "documenti di vita, più eloquenti di ogni documento d'archivio" ya que "questi romanzi offrono una
storia calda e appassionata come una discussione".

96. MARFANY, Joan-Lluís.

Notes sobre la novel-la espanyola de postguerra. ("Els
Marges", Barcelona, n.º 6: II-1976, págs. 29-57).

(Es la versión corregida y aumentada de una comunicación a un congreso de hispanistas ingleses, 1974).
Repasa M. la abundante bibliografía sobre el tema y
maltrata a algunos colegas —el "treball pretensiós i
pseudo-científic, com el del prolífic Ferreras", el
"pampflet autopublicitari de García-Viñó", "la diarrea
mental de Bosch", "les divertides divagacions del
senyor Iglesias Laguna" (pág. 30)—; intenta aclarar,
situar debidamente, echar por tierra prejuiciosas valoraciones —dicho con palabras suyas (pág. 57):
"[...] precisar una mica la realitat de la literatura
espanyola dels 40, situar autors i obres en un con-
text ideológic i social massa sovint negligit o ig-

norat, prevenir contra certes tendencioses interpretacions [...]"—. Trata de conseguirlo por sus pasos contados —tremendismo, existencialismo, avance del realismo—, manejando amplia documentación que en ocasiones (págs. 51 a 56, "El paper del falangisme") le lleva a considerar tal vez con demasía aspectos un tanto marginales al asunto estricto de su trabajo.

97.   MARRA LÓPEZ, José Ramón.
Los novelistas de la promoción de 1936. ("Ínsula", Madrid, n.° 224-225: VII-VIII de 1965, pág. 13).

La "radical ruptura de la continuidad cultural española" que se produjo como consecuencia de la guerra civil comienza a paliarse en el género novela con la actividad de autores como: Cela, C. Laforet, Agustí, Dolores Medio, J. Suárez Carreño, Gironella, Delibes, Torrente Ballester, Ángel M.ª de Lera y otros, que publican en los años 40 y 50 y con los cuales forma M. L. la promoción de 1936. No ilustra con los obligados ejemplos probatorios las dos afirmaciones siguientes que, por mi parte, estimo harto infundadas: 1.ª), "[...] la tendencia a la abstracción y al mundo de los ideales [...] abasteció al país [¿en la década de los 40?] de novelas *intelectualistas y estetizantes* [...]" (el subrayado es mío); 2.ª), la aparición en 1942 de *La familia de Pascual Duarte* "significó, en una palabra, la posibilidad de que existiera, por lo menos, "otra" clase de novela de la que *uniforme y mostrencamente* (el subrayado es mío) había surgido después de la guerra".

98.   MARTÍN GIL, Tomás.
La novelística de hoy. ("El Español", Madrid, n.° 169: 19-I-1946, pág. 10).

M. G. representa al lector español interesado por la novela que, fruto de su experiencia como tal, llega a las cinco conclusiones siguientes: 1.ª), "Se traduce demasiado. [...] mucho de lo traducido es mediocre y está mal traducido"; 2.ª), "Continúa el público lector de novelas pidiendo obras del que yo llamo siglo de oro de nuestra novelística: Pereda, Alarcón,

Valera, Galdós, Palacio Valdés, Valle-Inclán, Baroja y otros de su época cuentan aún con el favor de los aficionados"; 3.ª), Es innegable la actual preponderancia de la novela "rosa"; 4.ª), Éxito de la novela policíaca en cuanto a número de lectores y 5.ª), "Los novelistas españoles de la actual generación no acaban de entrar en caja. Sus obras andan lejos de ser perfectas. Por mi cuenta, y salvo honrosas excepciones que no es del caso señalar, echo de menos en casi todos ciertos matices y claroscuros que juzgo necesarios e imprescindibles en toda narración. Algunos abusan, venga o no a cuento, del análisis subjetivo, hablan demasiado en primera persona. La prosa, en general, es barroca, casi culterana, hasta el punto de que a muchos cuesta gran trabajo seguirles el hilo".

99. MARTÍNEZ CACHERO, José María.

La Novela. (Págs. 11-22 del volumen "El año literario español 1974". Madrid, Castalia, 1974).

Mi noticioso recuento comienza en octubre de 1973, concesión del "Planeta" a la novela *Azaña,* de Carlos Rojas, y termina con las últimas novedades del verano de 1974. Premios, autores fallecidos, nombres recuperados, novelas experimentalistas y novelas tradicionales, rezagos del "boom" hispano-americano, Cela y Delibes dominando el panorama: he aquí un índice no completo de las cuestiones abordadas.

100. MARTÍNEZ CACHERO, José María.

La Novela. (Págs. 9-30 del volumen "El año literario español 1975". Madrid, Castalia, 1975).

Mi noticioso recuento comienza en octubre de 1974, concesión del "Planeta" a la novela *Icaria, Icaria...,* de Xavier Benguerel, y termina con las últimas novedades del verano de 1975. Premios, autores fallecidos, libros y nombres recobrados, novelas y novelistas varios, publicaciones y conferencias sobre la reciente novela española: he aquí un no completo índice de asuntos abordados.

101. MARTÍNEZ CACHERO, José María.

La novela actual en España. (Págs. 151-160 del volumen "La novela actual I" de "Revista de la Universidad Complutense". Madrid, n.º 99: IX-X de 1975).

Sucinto panorama de más de treinta años de cultivo del género en España, ordenado en los epígrafes siguientes: I, "En la difícil post-guerra española" —década de los 40—; II, "Una nueva generación" —década de los 50, bastante prolongada dentro de la de los 60;— III, "La irrupción hispano-americana y el experimentalismo narrativo" —desde entonces hasta 1973-74—.

102. MARTÍNEZ CACHERO, José María.

Novelistas jóvenes y panorama editorial en la década de los 40. ("Arriba", Madrid, 19-V-1977, págs. 23-24).

Son aludidas algunas de las dificultades que en ese tiempo encontraba el novelista español joven e inédito o casi para salir con su obra a la luz pública; se examina documentadamente la posibilidad editorial madrileña y barcelonesa, así como el premio "Nadal", "cada día más concurrido [entonces] por más serio y respetado".

103. MONTERO, Isaac.

Los premios literarios, o treinta años de falsa fecundidad. (Págs. 73-84 de "30 años de literatura. Narrativa y poesía españolas 1939-1969", extraordinario XIV de "Cuadernos para el diálogo". Madrid, mayo de 1969).

M., aunque poseedor de algún galardón literario, se presenta como muy poco partidario de los premios ya que "han servido como instrumento importante a una política cultural segregadora". Producen la confusión de los lectores, la discriminación de ciertos autores y la corrupción de otros; promocionan falsos valores y dan de lado a algunas corrientes estéticas; finalmente, "sirven y han servido a la alienación del hombre por la vía de un consumo mixtificador y por la totalitaria de la amputación de la realidad". (Unas listas de premios convocados para 1969 y otras relativas a los "Planeta", "Nadal", "Biblioteca Breve" y "Alfaguara" ya fallados, constituyen erudita ilustración.)

104. MONTERO, Isaac.

Mesa redonda sobre Novela. (Págs. 45-52 de "Literatura española a treinta años del siglo XXI", extraordinario XXIII de "Cuadernos para el diálogo". Madrid, diciembre de 1970).

Dirige la mesa M. —quien anuncia así su objeto: "suscitar una reflexión colectiva en torno a las necesidades, y los consiguientes perfiles, de una novelística nacional en nuestros días [...]"—, y conversan: Juan Benet, José Manuel Caballero Bonald, José M.ª Guelbenzu, Carmen Martín Gaite y Antonio Martínez Menchén. La transcripción de lo dicho se ordena en los apartados siguientes: Novelística e individualidad, Novela y sociedad, Literatura y función social, El lenguaje de la novela, Individuo, sociedad, literatura e invención. La literatura, ¿intento lúdido? (Sigue, págs. 65 a 76, una especie de polémica entre los señores M. y Benet; alude el primero al "artificio de salón montado por B.", que dice mucho de "su capacidad para animar una reunión de sociedad", y destaca el segundo "la recia personalidad política" y la mucha fe del mismo tipo "que sin duda constituye el más recio pilar de su recia personalidad literaria [la de I. M.]".

105. MONTERO, Isaac.

La novela española de 1955 hasta hoy. Una crisis entre dos exaltaciones antagónicas. ("Triunfo", Madrid, n.º 507: 17-VI-1972, págs. 86-95 del Extra II dedicado a "La cultura en la España del siglo XX").

M. arranca de 1955 (o década de los 50) como si en los años de post-guerra precedentes no se hubiera hecho nada valioso por nuestros narradores. Buena parte del espacio temporal acotado parece representarlo exclusivamente la novela social y realista, cuyo objetivo es "volverse hacia la realidad circundante y apresarla al nivel de las tensiones colectivas" pero el fracaso entre el público lector —"una clientela parapetada en resabios fascistas", afirma M.— y el mediocre logro estético alcanzado conducen a un abandono y, consiguientemente, a un deseo de cambio, posibilitado este último por hechos tan decisivos como la oportuna irrupción de la novelística hispanoamericana.

106. MORALES, Rafael.

Objetivismo. ("El Alcázar", Madrid, n.º del 2-XII-1961, pág. 12).

M. se enfrenta bastante comprensivamente a la novedosa tendencia narrativa, de la que admite la atención concedida a los objetos en cuanto tales, la supresión de consideraciones o reflexiones a cargo del autor y la prohibición de que el talante de un personaje sea "explicado" por su creador pero concluye preguntándose: "¿Podemos renunciar a que se [...] pierda todo aliento de grandeza espiritual y objetos, personajes y autor sólo reflejen un inmenso vacío y una ausencia absoluta de idealidad?"

107. MUÑIZ-ROMERO, Carlos.

Narrativa andaluza: ¿bombo o bomba? ("Reseña", Madrid, n.º 55: V-1972, págs. 3-12).

M.-R., uno de los autores implicados en el supuesto "boom", hace un examen del mismo si bien advierte que "lo de si existe una narrativa [andaluza] o no me parece un problema secundario" ya que "me basta con saber que hay magníficas individualidades entre los actuales narradores andaluces". Pretende avisar a sus colegas y coterráneos respecto de dos posibles peligros o tentaciones: la tentación de narcisismo porque "todo lo que sea mirarse en el propio río [...], con olvido de otras aguas manantiales, nos llevará [...] a un estancamiento", y el apetito de los editores, que deseando aprovecharse de la favorable circunstancia exaltadora harían caer a tales narradores "en la propia trampa, cediendo a su congénita tendencia a la improvisación y a la facilitonería".

108. MUÑOZ CORTÉS, Manuel.

La novela española en la actualidad. (Págs. 313-378 del volumen "El rostro de España", tomo II. Madrid, Editora Nacional, 1947).

Extenso y madrugador examen de la novela española de post-guerra, compuesto hacia 1943-1944 pues ni siquiera se menciona el premio "Nadal". Desde los noventayochistas supervivientes —Baroja y Azorín— hasta los autores más recientemente incorporados, comparece en este recuento una veintena de nombres (los que por entonces sonaban, aunque extraña el olvido de Pedro de Lorenzo, Claudio de la Torre o Jacinto Miquelarena). Concluye M. C. que el llamado neo-realismo era a la sazón "tendencia fundamental", más dada "a la acción que a la meditación" y caracterizada por "un apartamiento de toda idea lúdica".

109. OLMOS GARCÍA, Francisco.

La novela y los novelistas españoles de hoy. Una encuesta. ("Cuadernos Americanos", Méjico, XXII, 1963, n.º 4, págs. 211-237).

Miembros de la llamada generación del "medio siglo" o del "cincuentaicuatro", que son la mayoría entre los encuestados (caso de Grosso, Marsé, García Hortelano, Ferres o Caballero Bonald), ofrecen su opinión, harto politizada en ocasiones, acerca de la Novela y respecto de su obra narrativa.

110. ORNSTEIN, Jacob (y James Y. Cansey).

Una década de la novela española contemporánea. ("Revista Hispánica Moderna", New York, XVII, 1951, págs. 128-135).

Ligero repaso a la novela española de post-guerra desde 1939, año de publicación de *Se ha ocupado el km. 6,* de Cecilio Benítez de Castro, hasta 1950;

comparecen brevemente Cela (en alguna ocasión se
le llama "D. Camilo"), C. Laforet, Zunzunegui, Delibes, Gironella, otros "Nadal". (Hay algún error de
detalle: Eulalia Galvarriato no ganó el "Nadal" ni,
tampoco Zunzunegui con *La úlcera*).

111. ORTEGA, José.

*Nuevas direcciones en los novelistas españoles de la
"Generación de medio siglo"*. ("Norte", Amsterdam,
XIII, 1972, n.º 4-6, págs. 87-90).

En la generación de medio siglo (o de 1950) distingue O. una primera promoción —Aldecoa, Matute—,
"caracterizada por un deseo de perfección formal", y
una segunda cuyos integrantes —J. Goytisolo, Ferres,
López Pacheco— "intentan realizar una novela que
socialmente diga algo".

A la altura de los años 70 las nuevas direcciones
seguidas por algunos de esos novelistas son: "tendencia de introspección sicológica para expresar el
vacío, el laberinto interior del ser humano"; "fenómeno de resurrección del lenguaje", considerado
como "única realidad plena y específica".

112. PALOMO, M.ª del Pilar.

La novela española en lengua castellana (1939-1965).
(Págs. 697-733 del volumen VI de "Historia general
de las literaturas hispánicas". Barcelona, Vergara,
1968).

Examen de la novelística española de post-guerra
desde los "antecedentes realistas" que marcan Bartolomé Soler, Sebastián Juan Arbó, Ramón Ledesma
Miranda y Juan Antonio de Zunzunegui hasta los
novelistas de "la realidad trascendida" —Carlos Rojas, Antonio Prieto, J. M.ª Castillo Navarro— y
del "testimonio social" —Ferlosio en *El Jarama*, Juan
Marsé o Caballero Bonald—. Entremedias quedan
realistas de otras denominaciones y procedimientos ya
que a través del realismo, hilo conductor y en cierto
modo aglutinador, explica la profesora P. esta época
de nuestra novela.

113. PALLEY, J.

Existentialist Trends in the Modern Spanish Novel.
("Hispania", Wallingford, n.º 44, 1961, págs. 21-26).

> Breve repaso (desde Unamuno a J. Suárez Carreño)
> a la cuestión enunciada en el título del artículo, indi-
> cando presuntas conexiones en la obra de tales nove-
> listas con aspectos o motivos muy típicamente exis-
> tencialistas.

114. PÉREZ CALDERÓN, Miguel.

*El premio de novela "Águilas". Apuntes para su pe-
queña historia.* ("INFORMACIONES de las Artes y las
Letras", Madrid, n.º 203: 25-V-1972, pág. 3).

> Noticioso relato de las vicisitudes del premio "Águi-
> las" (localidad de la costa murciana, muy concurrida
> por los veraneantes) a lo largo de sus cinco y únicas
> convocatorias: 1968-1972.

115. PERLADO, José Julio.

*Veinte años en las letras y las artes de España: la
novela.* ("La Estafeta literaria", Madrid, n.º 162:
1-II-1959, págs. 12-16).

> Pertenece a un conjunto de colaboraciones panorá-
> micas relativas a la literatura española entre 1939 y
> 1959; se trata de un recuento de nombres y títulos,
> noticia y caracterización forzosamente breve, que va
> desde Miguel Villalonga hasta Ana M.ª Matute.

116. PERLADO, José Julio.

Notas a una moda literaria. ("La Estafeta literaria",
Madrid, n.º 201: 15-IX-1960, pág. 7).

> Con este artículo, que forma parte de la serie "Cartas
> sobre la claridad española", entra P. en la breve y
> tímida polémica sobre el objetivismo narrativo. Nues-
> tro comentarista no discrepa de la práctica novelística
> de un Robbe-Grillet o un Michel Butor aunque cree
> que, tal vez entre nosotros, "las novelas del "realismo
> objetivo" no pasan de ser una moda"; rechaza sí

aseveraciones contenidas en los libros de Castellet
(*La hora del lector*) y de J. Goytisolo (*Problemas de
la novela*) cuando, por ejemplo, aluden al "tratamiento [en la novela] de los problemas del espíritu"
como a "algo caduco, rechazable [e] intrascendente".

117. QUIÑONERO, Juan Pedro.

La novela española, 1970. ("INFORMACIONES de las Artes y las Letras", Madrid, n.º 128: 17-XII-1970, págs.
1-2).

De entrada afirma Q. que nuestra novela en 1970
"ha transitado cauces sensatos, sin sobresaltos ni precipicios, plácida y austera en su discurrir monocorde".
Trata en su recuento de: premios y obras premiadas,
de autores del exilio, de literatura catalana y gallega, de vanguardia narrativa —"[...] en la mayoría de
estos casos no existe tanta rebeldía formal como experimento en ciernes"—.

118. RÍOS RUIZ, Manuel.

Novelistas andaluces de hoy. ("La Estafeta literaria",
Madrid, n.º 465: 1-IV-1971, págs. 10-17).

Recuento de obras y autores —desde Francisco Ayala,
Manuel Andújar y Manuel Halcón, prestigiados maestros, hasta algunos recién llegados, pasando por: Ramón Solís, Manuel García Viñó, Antonio Prieto, Alfonso Grosso, Domingo Manfredi Cano, los hermanos
Cuevas, Manuel Barrios y José Manuel Caballero
Bonald—, más algunas someras impresiones críticas,
más la correspondiente bibliografía "de".

119. RODRÍGUEZ ALCALDE, Leopoldo.

Las novelistas españolas en los últimos veinte años.
("La Estafeta literaria", Madrid, n.º 251: X-1962,
pág. 6).

Abundancia y calidad de las cultivadoras españolas
de la novela entre 1945 y 1960, que "no se pierden
en dulzonerías" pues "su creación es amarga y apasionada, recia, sin que este vigor proceda de una mas-

culinidad postiza, capaz de anular la consistencia de
su obra". Muy brevemente se considera la producción de una docena de autoras.

120. RODRÍGUEZ PADRÓN, Jorge.

Novelar en España, novelar en Canarias. (ABC, Madrid, n.º del 19-X-1972).

R. P. desea salir al paso de cualquier sensacionalismo
o apresuramiento respecto de los escritores actuales
que cultivan la novela en Canarias; breve recuento
de nombres, títulos y hechos para concluir afirmando
que "en Canarias no ha estallado ningún "boom". Se
está recogiendo el fruto de una paciente e inteligente
dedicación y de una labor más que importante, aunque silenciosamente desarrollada".

121. RODRÍGUEZ PADRÓN, Jorge.

*Informe objetivo (dentro de lo que cabe) sobre la
nueva narrativa canaria*. ("Camp de l'arpa", Barcelona, n.º 7: VII-VIII de 1973, págs. 19-24).

Trabajo menos breve y, por tanto, con más completa
noticia que el artículo periodístico precedente pero
con la misma intención frente a un supuesto "boom"
reciente de *narraguanches*.

122. ROJAS, Carlos.

Problemas de la nueva novela española. (Págs. 121-
135 del volumen "La nueva novela europea". Madrid, Guadarrama, 1968).

Los problemas de nuestra novelística más reciente
pueden reducirse a uno, grave desde luego: la parálisis impuesta a aquélla por la práctica abusiva de la
llamada novela social y del realismo objetivo pues
"desaparecido el *por qué* y el *para qué* humano, raíz
y sentido de la novela contemporánea para Cortázar,
quedan condenados los personajes a un determinismo
tan ciego como irremediable" y, por otra parte, "un
arte de protesta [como el que quieren los cultivadores de ambas tendencias] implica una renuncia a múltiples complacencias literarias".

123. ROSSI, Aldo.

I giovani di Spagna: verso un realismo ma quale?
("Paragone", Firenze, n.º 136: IV-1961, págs. 147-
164).

En la primera parte del artículo se ofrece una visión
panorámica del ambiente literario en los años iniciales de la post-guerra española, con alguna breve
referencia a novelistas como Cela, Delibes o C. Laforet; en la segunda, más ajustada al título del artículo, trata R. de autores de los años 50: Fernández
Santos, García Hortelano y, sobre todo, J. Goytisolo,
unificados por la práctica del realismo.

124. SÁINZ DE ROBLES, Federico Carlos.

Y más narradores [gallegos] *vivos.* ("La Estafeta literaria", Madrid, n.º 320-321: VI-VII de 1965, pág. 54).

(Este artículo se incluye en una serie dedicada a novelistas gallegos de los siglos XIX y XX y dice especial
relación al reseñado en la ficha 149). Documentada
relación de novelistas gallegos, escritores bilingües
algunos, que empieza con Rafael Dieste (nacido 1899)
y termina con Ramón Nieto (nacido 1934).

125. SALADRIGAS, Robert.

La novela castellana de los años setenta. ("Camp de
l'arpa", Barcelona, n.º 48-49: III-1978, págs. 22-25).

Se trata "de un *recuento* aproximado que señale las
líneas maestras", recuento a veces palabrero y bastante parcial o banderizo. En 1966, con *Señas de
identidad,* está el arranque del período estudiado; esa
novela es "un factor-clave para entender la posterior
evolución" y Juan Goytisolo "se erige [con ella y con
sus dos siguientes] en mago que [...] abre la cerradura
de la fortaleza que aprisionaba, aislándola, a la novela
española" (pág. 23 B). Luis Goytisolo-Gay y Juan
Marsé, "prototipos de la novela de los años setenta",
se mueven ahora en la órbita creada por semejante
mago. En otros planos quedan: Lera y Umbral, o
Benet y los tenidos como experimentalistas. La nove-

lística que de una u otra forma "parece haber renunciado a toda vinculación articulada con la realidad del pasado inmediato" —caso de Torrente Ballester, *La saga/fuga de J.B.*— no merece la atención del recontador pues "[...] da la sensación de tocar fondo sin haber resuelto sus propias contradicciones de base, o suplido de alguna manera la ausencia de una tradición ininterrumpida que la redimiera de cuarenta años de vacío cultural y de la consiguiente dimisión creadora" (pág. 25 B).

126. SANTOS, Dámaso.
Para una cronología de la novela española actual. ("Arriba", Madrid, n.º del 26-IV-1964).

Una lista, a sabiendas no exhaustiva, de novelas publicadas, lo mismo en el exilio que en España, desde 1938 hasta 1963.

127. SANTOS, Dámaso.
Los novelistas asturianos de hoy. ("La Estafeta literaria", Madrid, n.º 402-403-404: 15-IX-1968, págs. 84-88).

Repaso a los cultivadores asturianos del género, desde el "Nova novorum" Valentín Andrés Álvarez hasta los entonces más recientes como Vázquez Azpiri, Mauro Muñiz y Juan José Plans; noticia bio-bibliográfico-crítica de todos y cada uno de ellos.

128. SANTOS, Dámaso.
Novelística balear en castellano. ("La Estafeta literaria", Madrid, n.º 426-427-428: 15-IX-1969, págs. 32-33).

Breve recuento de obras y autores, entre los cuales destaca el articulista a los hermanos Miguel —cuya *Miss Giacomini* es "una pequeña obra maestra"— y Lorenzo Villalonga, y a Juan Bonet.

129. SANTOS, Dámaso.

El impulso narrativo andaluz. ("Pueblo", Madrid, n.º
del 14-VII-1971).

Este artículo fue la presentación-justificación —"No
se trata de buscarle tres pies al gato. Los escritores
andaluces viven o no en Andalucía. Pero si a ellos
les da por corporeizarse más o menos agrupada-
mente algo tendrá dentro del fenómeno. [...]"— de
una encuesta llevada por el periodista Miguel Fernández Braso —"¿Se puede hablar de una narrativa
actual específicamente andaluza?"— y dirigida a buen
número de escritores nacidos en esta región, cuyas
respuestas, muy diversas y hasta encontradas, aparecieron en el mismo diario madrileño.

130. SANZ VILLANUEVA, Santos.

El "Conductismo" en la novela española reciente.
("Cuadernos Hispanoamericanos", Madrid, n.º 263-
264: V-VI de 1972, págs. 593-603).

Parte S. V. de dos afirmaciones: 1.ª) "estrictamente
sólo tres novelas [españolas recientes] adquieren una
realización plena de este procedimiento [el conduc-
tista]: *El Jarama, Nuevas amistades* y *Tormenta de
verano*"; 2.ª) las características conductistas más estimadas por el crítico son: a) "objetividad del autor",
b) "dominio del diálogo", c) "condensación y pre-
sentualización del tiempo". Sigue un pormenorizado
análisis de la novela de Ferlosio y de las de García
Hortelano en cuanto conductistas o behavioristas.

131. SANZ VILLANUEVA, Santos.

La prosa narrativa desde 1936. (Págs. 389-435 del volumen III: siglos XIX y XX de "Historia de la Literatura Española". Madrid, Guadiana, 1974).

Para S. V., que adopta un crítico histórico-crítico en
su colaboración, "la verdadera historia de la novela
española de posguerra empieza en los alrededores
de los años cincuenta, fecha a partir de la cual, con
dudas y tanteos, se va forjando lo más valioso de

esa historia". No obstante, trata de la década de los 40 y, también, de aquellos novelistas (Cela o Delibes, vgr.) que, surgidos durante ella, la desbordan ampliamente; objetivismo, novela "social", el cambio operado a partir de *Tiempo de silencio,* la novela escrita por los exiliados políticos ocupan, asimismo, la atención de S. V. que en ocasiones (págs. 417-418, 424-426 y 434-435) se abandona a la mera lista de autores, títulos y años.

132. Sanz Villanueva, Santos.

La narrativa del exilio. (Colaboración en el volumen colectivo "Cultura y Literatura", IV de la serie "El exilio español de 1939". Madrid, Taurus, 1976).

Panorama "más informativo que crítico", añadido importante al libro de Marra-López (ficha 206), mientras llega la hora de una "historia completa", acaso imposible por "la dispersión de los escritores del exilio" y porque no hay "homogeneidad alguna en su producción". S. V. clasifica así el conjunto estudiado: 1), Narradores anteriores a 1939 —a), Narradores sin obra después de 1939: Pérez de Ayala, vgr.; b), Escritores de tendencia realista y social: Sender, vgr.; c), Escritores de las corrientes deshumanizadas e intelectuales: Francisco Ayala, vgr.; d), Otros narradores con obra anterior a 1936: Rafael Dieste o Corpus Barga, vgr.—. 2), Novelistas posteriores a 1936 (ordenados alfabéticamente). 3), Las mujeres novelistas (ordenados alfabéticamente). Difícil tarea la de allegar noticias y conseguir los libros del exilio (S. V. declara honestamente sus ignorancias). Algunas informaciones deficientes —el exilio de Antonio Espina (pág. 121 y nota 11); la novela de Luis Santullano, *Bartolo o la vocación* (pág. 130 nota 33), publicada por Espasa-Calpe, Madrid, 1936—; algunas inclusiones no muy justificadas estéticamente —*Las sacas* (pág. 161), *Pedro Osuna* (pág. 170) o *Los muertos no hacen ruido* (pág. 172)—; algunas comprensibles omisiones —la de los narradores asturianos Alicio Garcitoral, Antonio Ortega y Rafael Suárez Solís, por ejemplo—.

133. SCHRAIBMAN, José.

Notas sobre la novela española contemporánea. ("Revista Hispánica Moderna", New York, XXXV, 1969, págs. 113-121).

Artículo escrito en un castellano bastante deficiente y dedicado a comentar con brevedad: *Primera memoria* (Ana María Matute), *Las ratas* y *Cinco horas con Mario* (Delibes) —"una novela de valor [esta última], que se lee con interés, pero no [...] una obra cuya importancia rebase el presente momento histórico o literario español"— y, con mayor extensión, *Tiempo de silencio.*

134. SENABRE, Ricardo.

La narrativa spagnola attuale. ("Il Verri", Milán, II, n.º 3: X-1958, págs. 155-161. ‖ Traducción de Roberto Paoli).

Lista bastante nutrida de novelistas españoles de post-guerra a partir de 1942 (Cela, *La familia...*), cuyas obras son comentadas brevemente. La conclusión última es, a la altura cronológica de 1958, confiada y optimista: "La rinascita del romanzo spagnolo è lenta e difficile, ma il panorama, visto da oggi, è abbastanza promettente [...]"

135. SENABRE, Ricardo.

La novela del "Realismo crítico". ("Eidos", Madrid, n.º 34, 1971, págs. 3-18).

En la década de los 50 comienzan a darse a conocer los novelistas Ignacio Aldecoa, Jesús Fernández Santos, Ana M.ª Matute, Rafael Sánchez Ferlosio y Juan Goytisolo; pocos años después ocurrirá lo mismo con Juan García Hortelano, Antonio Ferres, Armando López Salinas y Jesús López Pacheco. Uno y otro grupo constituyen lo que ha dado en llamarse el "realismo crítico" en la novela española de post-guerra pero S. advierte que se trata de "dos promociones de signo diverso, entre las cuales se ha cumplido la transición de lo social a lo político, o, si se prefiere, de un realismo lírico a un realismo crítico y de denuncia".

136. SERRANO, Eugenia.
Bajos fondos literarios. ("Correo literario", Madrid, n.º 7: 1-IX-1950, pág. 5).

Breve comentario a *Las últimas horas,* de José Suárez Carreño y *Lola, espejo oscuro,* de Darío Fernández Flórez, novelas recientemente aparecidas, para concluir con este sencillo deseo (o diatriba contra la manía tremendista): "Me gustaría poder leer una buena novela española donde los personajes no estuvieran tarados en alguna manera. Donde la heroína no fuera prostituta ni el protagonista loco o amoral. Temo que este deseo resulte anticuado".

137. SERRANO, Eugenia.
Hacia un renacimiento de la novela española. ("Correo literario", Madrid, n.º 23: 1-V-1951, pág. 5).

E. S. expresa su satisfacción (como tiempo antes —ficha 136— expresara su enojo) ante tres novelas aparecidas en 1951: *La casa de la fama,* Ramón Ledesma Miranda, *Industrias y andanzas de Alfanhuí,* Rafael Sánchez Ferlosio, y *La vida nueva de Pedrito de Andía,* Rafael Sánchez Mazas, elegantes y delicadas, empapadas por "un suave neorromanticismo".

138. SERRANO PONCELA, Segundo.
La novela española contemporánea. ("La Torre", Universidad de Puerto Rico, 1953, n.º 2, págs. 105-128).

Partiendo de esta afirmación: "[...] la novela española cerró en 1936 uno de sus períodos más grises y entecos: el comprendido entre ambas guerras mundiales", S. P., narrador y exiliado, pasa revista a lo hecho en el género, tanto dentro como fuera de España, desde aproximadamente 1940. Piensa, por ejemplo, que la novela sobre la guerra civil española, la novela de veras importante, "no podrá venir de España, [...], sino de los escasos novelistas, patentes o latentes, que produjo el destierro o del escritor que voluntariamente acceda a comprometerse con el tema y salga de España [...]"; compadece a sus colegas residentes en la patria por lo "pequeño y canijo [de] su actual horizonte, formado aún por retazos de Baroja viajero, Galdós narrador y Unamuno agonista, amén de la preceptiva tradicional desde Cervantes para acá".

139. SOBEJANO, Gonzalo.

Notas sobre lenguaje y novela actual. ("Papeles de Son Armadáns", Palma de Mallorca, n.º 119: II-1966, págs. 125-140).

Señala el hecho evidente de la "despreocupación del escritor respecto del lenguaje", manifiesta en su torpe y limitado empleo; para bastantes parece importar más *lo que se dice* que *el cómo decirlo*. "Es preciso combatir —concluye S.— los riesgos de trivialidad y barbarie que se ocultan tras esa sojuzgación del cómo al qué".

140. SOLDEVILA, Ignacio.

Les romanciers devant la Guerre civile espagnole. ("La Revue de l'Université Laval", Quebec, n.º 4: XII-1959, págs. 326-338 y n.º 5: I-1960, págs. 428-441).

Información y crítica acerca de algunas novelas que tienen como tema la peripecia bélica española.

141. SOLDEVILA, Ignacio.

La novela española actual. (Tentativa de entendimiento). ("Revista Hispánica Moderna", New York, XXXIII, 1967, págs. 89-108).

Aparte señalar el hecho de una abundante presencia femenina en la novela española de post-guerra, S. atiende al conjunto narrativo que denomina *neorealismo*, amplio y variado pues en el mismo cabe

considerar hasta seis formas o manifestaciones, a
saber: 1.ª) "la novela de ambiente pequeño-burgués
y ciudadano" —*Nada*—; 2.ª) "la novela de tema
—no de ambiente— rural [...]" —*El camino* o *Las
ratas* (Delibes)—; 3.ª) "la novela de retroceso analí-
tico en el pasado, buscando explicaciones al devenir
contemporáneo" —Agustí con la serie "La ceniza fue
árbol"—; 4.ª) novelas que representan "el camino
de la retrospección y el ahondamiento en el ser y
en su tiempo interno [...]" —*La careta* o *Tristura*
(Elena Quiroga)—; 5.ª) "la persistencia de la memoria infantil" —*Los Abel* (Ana M.ª Matute)—;
6.ª) la llamada novela social, "forma más usual del
neo-realismo actual" —proletaria: *Central eléctrica*
(López Pacheco) o anti-burguesa: *Nuevas amistades*
(García Hortelano)—.

S. concluye con una valoración más bien favorable
de la novela española de post-guerra ya que se está
viviendo "un tiempo de notable nivel medio", con
una "excelente calidad del conjunto" aunque "rara
vez podemos permitirnos celebrar la aparición de
obras maestras".

142. SORDO, Enrique.

La novela española en 1972. ("La Estafeta literaria",
Madrid, n.º 510: 15-II-1973, págs. 21-22).

Breve repaso a la actividad desarrollada durante el
año 1972, la cual pudiera agruparse del modo siguiente: 1.º) "novelas inmersas de lleno en la tendencia
experimentalista", como *La saga/fuga de J.B.* (Torrente Ballester); 2.º) "novelas que, sin partir defi-
nidamente de los modos y modas más vigentes del
cerebralismo experimental, tampoco se han quedado
enquistadas en las convenciones tradicionales del narrar literario", así *Leña verde* (Luis Berenguer); 3.º)
"novelas fundamentadas en una temática éticorreli-
giosa", vgr.: *El sambenito* (José Jiménez Lozano);
y 4.º) "obras profundamente enraizadas en las convenciones y en la normativa clásicas, decimonónicas,
digamos galdosianas", tal *Guerra civil* (Ignacio
Agustí).

143.   TORRE, Guillermo de.

Afirmación y negación de la novela española contemporánea. ("Ficción", Buenos Aires, n.º 2: VII-VIII de 1956, págs. 122-141).

> Tras un repaso al panorama que ofrece la novela española anterior a 1936, T. se enfrenta en los apartados VII y VIII con la llamada novela de postguerra en España y en el exilio, respectivamente. Cela y C. Laforet suelen ser hasta ahora los nombres más mencionados pero el crítico recuerda a otros novelistas galardonados con el "Nadal", así como a aquellos que constituyen excepción respecto del tan generalizado ambiente realista. Realismo y humanidad son, desde luego, elementos necesarios pero sin arte y sin estilo no hay novela: tal es la advertencia cara al futuro con la que se cierra el artículo.

144.   TORRENTE BALLESTER, Gonzalo.

Los problemas de la novela española contemporánea. ("Arbor", Madrid, n.º 27: III-1948, págs. 395-400).

> Admitido el hecho de la falta de una tradición novelística española trabada y coherente, T. B. advierte acerca de la situación harto desfavorable en que se encontraba la generación a la cual él mismo pertenece: "llega a las letras en un momento de aislamiento nacional, contemporáneo de un recrudecimiento del *casticismo*. En un principio, ignoramos lo que pasa en el mundo. Luego se abren las fronteras, pero el momento universal no es tampoco muy favorable". ¿Qué solución cabe? No lo son, desde luego, ni la práctica del iberismo —acudir a la novela picaresca o a la galdosiana—, ni el refugiarse en el estilismo a lo Pérez de Ayala y Miró.

145.   TORRENTE BALLESTER, Gonzalo.

Las promociones de la postguerra. La novela. (Págs. 439-465 de "Panorama de la literatura española contemporánea". Madrid, Guadarrama, 1956).

Interesan estas páginas, escritas a la altura de 1956 por un narrador, crítico y catedrático de Literatura española para quien 1946 es fecha importante en la historia de nuestra novelística porque entonces ocurren "el reanudado contacto con Europa, la mejor selección de las traducciones, el conocimiento directo de las literaturas extranjeras y también la fatiga del público lector, que empieza a preferir o desear novelas españolas". Cela encabeza destacadamente la nómina de autores atendidos por T., quien llega hasta "los juniores" —Castresana, Fernández Santos, Aldecoa y Ferlosio— pasando por los premiados con el "Nadal" y algunos nombres femeninos, a más de un amplio y variado conjunto aparte.

146. TORRES RIOSECO, Arturo.

Tres novelistas españolas de hoy. ("Revista Hispánica Moderna", New York, XXXI, 1965, págs. 418-424).

Breves apuntaciones acerca de C. Laforet, Ana M.ª Matute y Elena Quiroga. Destaco un par de cosas: 1.ª) "Es mi opinión que el nombre de C. Laforet no quedará por mucho tiempo en los anales de la literatura española"; 2.ª) "Yo estoy seguro de que si la autora [E. Quiroga] no luchara tan intensamente por ser "moderna" podría llegar a ser una gran novelista".

147. VALBUENA BRIONES, Ángel.

Perspectiva de la novela española contemporánea. ("Arbor", Madrid, LXXIII, 1969, págs. 173-179).

Hasta 1960 la novela española contemporánea "ha presentado una crónica testimonial de la sociedad de la postguerra", valiéndose sus cultivadores de una técnica realista, "en parte bajo el amparo tutelar de la obra de Pío Baroja". Siguen por este camino desde 1942 (publicación de *La familia de Pascual Duarte*), autores como Cela, C. Laforet y Luis Romero; también, otros más jóvenes —Aldecoa, Ferlosio, García Hortelano—, incursos éstos (los dos últimos, especialmente) en el llamado objetivismo. Tal planteamiento cambia en la década de los 60, que "ha traído otros experimentos narrativos".

148. VALENCIA, Antonio.

Los tres rumbos de la novela. ("Arriba", Madrid, n.º
del 26-IV-1964).

> Al tremendismo, del que se usó abusiva y torpemente
> llegando a convertirlo en "una variedad extrema de
> la pandereta", sucedió el realismo, estimulado en su
> puesta al día por el conocimiento del naturalismo
> norteamericano, el existencialismo y la aparición del
> "nouveau roman" francés. Muy atendido este realis-
> mo por nuestros narradores del momento, en cuyas
> actitudes y obras adquirió variadas y hasta contra-
> puestas matizaciones.

149. VALENCIA, Antonio.

Otros cuatro narradores [gallegos] *en cabeza.* ("La
Estafeta literaria", Madrid, n.º 320-321: VI-VII de
1965, págs. 52-53).

> (Este artículo se incluye en una serie dedicada a no-
> velistas gallegos de los siglos XIX y XX). Dos mágicos
> (siguiendo la divisoria formulada por Maurois):
> José María Castroviejo y Álvaro Cunqueiro; y dos
> lógicos: Salvador de Madariaga y Gonzalo Torrente
> Ballester. Pero en todos ellos existe una muy apre-
> ciable dosis de "fantasía, lirismo e ironía que son
> como las Tres Gracias de la literatura que podríamos
> llamar céltica".

150. VAN PRAAG CHANTRAINE, Jacqueline.

El pícaro en la novela española moderna. ("Revista
Hispánica Moderna", New York, XXIX, 1963, págs.
23-31).

> Se atiende a la estructura y contenido picarescos con-
> temporáneos de las siguientes novelas: *La familia de
> Pascual Duarte, El nuevo Lazarillo* y *La colmena*
> (Cela), *La vida como es* y *El barco de la muerte*
> (Zunzunegui) y *Lola, espejo oscuro* (Darío Fernández
> Flórez).

151. VÁZQUEZ DODERO, José Luis.
Novelistas españoles de hoy. (Datos para un padrón).
("Nuestro tiempo", Madrid, n.º 19 -I-1956, págs. 40-
54, n.º 21 -III-1956, págs. 55-76 y n.º 28 -X-1956,
págs. 34-49).

Tras haber acudido a los interesados y a base también de sus propios datos, V. D., atento seguidor de
la marcha del género entre nosotros, ofrece una
cuarentena de muy pormenorizadas fichas bio-biblio-
gráficas relativas a novelistas de varia edad, generación y tendencia.

152. VÁZQUEZ DODERO, José Luis.
Introducción au roman espagnol d'aujourd'hui. ("La
Table ronde", París, 1960, n.º 145; págs. 72-85).

Panorama que sirve de adecuada presentación a un
conjunto de textos narrativos (obra de Cela, Manuel
Halcón, Agustí, Ledesma Miranda, C. Laforet, Ana
M.ª Matute, Antonio Prieto, Delibes, Sebastián Juan
Arbó y Zunzunegui) vertidos al francés. Para V. D.
estamos frente a un nuevo o segundo renacimiento
de la novela española, cuyos elementos fundamen-
tales serían: el costumbrismo, el contenido social, el
contenido religioso y moral, el cuidado del estilo.

153. VÁZQUEZ-ZAMORA, Rafael.
La Novela. (Págs. 23-26 del volumen "Almanaque de
literatura 1951". Madrid, Resúmenes de información
mundial, 1950).

Recuento de lo acaecido a lo largo del año novelístico español 1950, anticipando que "el conjunto
ha sido alentador, aunque demasiado reducido en
cantidad. No podemos citar ni siquiera veinte novelas que alcancen un nivel aceptable [...]" Comparecen en el recuento: Baroja y Concha Espina o dos
nombres de antes", Zunzunegui y Bartolomé Soler
que forman parte de "la generación intermedia" y
bastantes más nombres, desde Miguel Delibes hasta
Manuel Pombo Angulo, representantes de "la nueva
generación".

154. VÁZQUEZ-ZAMORA, Rafael.

Nuestra novela se está haciendo. ("España", Tánger, n.º del 30-IX-1962).

Visión optimista del panorama ofrecido por el género en España a la altura de 1962 pues, para el crítico inmediato y jurado del "Nadal", existen actualmente: algunos autores consagrados con justicia por sus méritos, un nutrido conjunto de noveles relevantes, un nivel medio más que estimable y un aumento cuantitativo de lectores.

155. VÁZQUEZ-ZAMORA, Rafael.

El "Eugenio Nadal", pionero de los premios novelísticos en la posguerra. ("La Estafeta literaria", Madrid, n.º 251: X-1962, pág. 5).

Repaso a la historia externa del premio "Nadal" hecho por uno de sus fundadores y jurados, quien llega a la conclusión siguiente: "[...] entre los premios "Nadal" están, como mínimo, *ocho de los grandes valores de la novela española actual,* ninguno de los cuales era conocido antes de que "Destino" publicase su primera novela".

156. VELA JIMÉNEZ, Manuel.

San Casiano, sí; Manolete, no. ("La Estafeta literaria", Madrid, n.º 9: 15-VII-1944, pág. 5).

En este artículo situacional de 1944, debido a un periodista y narrador miembro del grupo barcelonés que dirigía Luis Santamarina, destaco los dos extremos siguientes: Novela y juventud literaria del momento —"La juventud literaria actual tiene grandes recursos para dar buenos novelistas. Tres años de guerra despellejan y emocionan el alma más que treinta años de paz, son capaces de hinchar las venas de experiencia jugosa. La gracia está en aprovecharlos. [...]"—; algunos nombres y títulos —"Es fácil contar los novelistas y sus obras. Pedro Álvarez, Cela, Villalonga (Miguel), García Serrano, García Rodríguez (José María), Zunzunegui. *Nasa, Los cha-*

chos; La familia de Pascual Duarte, Pabellón de re-
poso; Miss Giacomini, El tonto discreto; La fiel
infantería; No éramos así, Como el amor loco, Huyen
las raposas; El Chiplichandle, ¡Ay... estos hijos!, y
algunos nombres y títulos más, muy pocos más". (El
señalamiento de autores y obras y la exaltación de
la guerra como tema y estímulo corresponden a lo
habitual en aquel momento).

157. VILANOVA, Antonio.

La Novela. (Págs. 321-330 del volumen "Los cuatro
ángeles de San Silvestre", almanaque de "Papeles de
Son Armadáns" para el año 1958. Palma de Mallorca).

Luego del recuento de la actividad novelística española a lo largo de 1957, remata V.: "[...] dentro de
un estimable tono medio y pese a unas cuantas creaciones totalmente logradas [como: *Desiderio,* Agustí
o *La sal viste luto* y *Con la lengua fuera,* J. M.ª
Castillo Navarro], no presenta ninguna obra cuyo
valor y calidad literaria destaquen de una manera
absoluta por encima de las demás [...]"

158. VILANOVA, Antonio.

Realismo y humanización en la novela española de
la postguerra. (Págs. 21-71 del volumen "Las literaturas contemporáneas en el mundo". Barcelona, Vi-
céns-Vives, 1967).

Repaso y caracterización de nuestra novelística de
post-guerra, tanto de la escrita en España como de la
compuesta en el exilio (Sender, Barea, Max Aub,
Francisco Ayala, Esteban Salazar Chapela). V. habla
de "la promoción del 45" (o "primera generación
española de la postguerra": C. Laforet, Delibes,
Ana M.ª Matute, por ejemplo); de una segunda
promoción ("alcanzan su mayoría de edad hacia
1954"; Ferlosio, Fernández Santos, Aldecoa, vgr.);
y de "la última oleada" (donde cabe incluir, entre
otros, a Ramón Nieto, Alfonso Grosso, Juan García
Hortelano y, sobre todo, al autor de *Tiempo de*
silencio).

159. VILLANUEVA, Darío.

La Novela. (Págs. 9-29 del volumen "El año literario español 1976". Madrid, Castalia, 1976).

Como es habitual en los libros de esta serie el recuento, preferentemente noticioso, comienza en octubre de 1975 y termina con las últimas novedades del verano de 1976. Premios, reediciones y recuperaciones de vario interés, novelistas "consagrados" y novelistas más bien tradicionales junto a jóvenes narradores de vanguardia, estudios críticos y un apartado para el género "Cuento" pues "curiosamente este año ha sido muy fértil en volúmenes de relatos".

160. WERRIE, Paul.

La "nouvelle vague" espagnole. ("La Table ronde", París, n.º 225: X-1966).

A juicio de W. son tres las obras clave en la marcha evolutiva de la novela española de post-guerra: *La familia de Pascual Duarte* (1942), *El Jarama* (1956) y *Tiempo de silencio* (1962); esta última arrastra tras sí a unos cuantos autores —Antonio Martínez Menchén, Manuel García Viñó, Andrés Bosch, Álvaro Cunqueiro—, la "nouvelle vague", quienes constituyen algo así como la escuela o herencia de Luis Martín Santos.

161. YNDURÁIN, Francisco.

Novelas y novelistas españoles, 1936-1952. ("Rivista de Letterature Moderne", Firenze, enero-marzo 1952, págs. 279-284).

Información y crítica sobre un nutrido conjunto de novelas y novelistas españoles (sólo dos nombres del exilio: Pedro Salinas y Sender), aparecidos a partir de 1938 (*Madrid, de corte a cheka,* Agustín de Foxá), para llegar a esta consecuencia: "[...] la movida variedad de intentos en nuestra novela, buscando nuevas fórmulas fuera y ahondando en los caminos trillados de nuestra propia tradición, los positivos logros de algunos autores [...], son tanto

una realidad de renacimiento novelesco, como ba-
rrunto cierto de un futuro inmediato de mejores
frutos aún".

B. FOLLETOS Y LIBROS

162. AGUSTÍ, Ignacio.
Ganas de hablar. (Barcelona, Planeta, 1974).

En el capítulo octavo de estas memorias, libro póstumo de I. A., encuentra el lector interesantes noticias
de primera mano relativas a la novela española de
los años 40: boga de las traducciones, éxito de *Ma-*
riona Rebull (1944) y de *Nada* (1945), justificación
del premio "Nadal" —"probablemente habría en España muchos escritores que no sabían que lo eran
y que tenían ya su novela en trance de aflorar. ¿Podríamos despertar docenas de novelistas dormidos en
los rincones anónimos del país?" (p. 168)—; y balance del mismo, un balance muy positivo, desde
1945, primera convocatoria, hasta 1956, año en que
A. dejó de pertenecer al jurado.

163. ALBORG, Juan Luis.
Hora actual de la novela española (I). (Madrid, Taurus, 1958).

Esta primera entrega recoge los estudios dedicados a
los novelistas siguiente: Cela, Agustí, C. Laforet,
Gironella, Delibes, Pedro de Lorenzo, Ana M.ª Matute, Elena Quiroga, Ricardo Fernández de la Reguera, Tomás Salvador, Núñez Alonso, Aldecoa, Castillo Puche, Ferlosio y Antonio Prieto. De ella escribí
("Archivum", Oviedo, VIII, 1958) a su aparición:
"Posee [Alborg] sus personales puntos de vista sobre
el género Novela y de ellos se sirve, aunque sin caer
nunca en cerrados, incomprensivos exclusivismos. Es
exigente en sus estimaciones pero se le adivina lleno
de interés por la materia que trata, deseoso de que
se acendre su calidad, confiando en el porvenir de
nuestra novela por obra y gracia de sus cultivadores [...]"

164. ALBORG, Juan Luis.

Hora actual de la novela española (II). (Madrid, Taurus, 1962. // Hay 2.ª edición, 1968).

Esta segunda entrega recoge los estudios dedicados a los siguientes novelistas: Sender, Max Aub, Zunzunegui, Manuel Halcón, Barea, Torrente Ballester, Arbó, Darío Fernández Flórez, Luis Romero, Dolores Medio, Elena Soriano, Jesús Fernández Santos, Mercedes Salisachs y José María Castillo Navarro. Véase la opinión expresada en la ficha 163.

165. ÁLVAREZ PALACIOS, Fernando.

Novela y cultura española de postguerra. (Madrid, Edicusa, 1975).

Este libro es cumplida muestra de lo que pueden dar de sí cuando coinciden en una misma persona la ignorancia atrevida y la malevolencia politizada, y ello tanto en los nueve capítulos como en el anexo I (*Intelectuales exiliados*), donde por figurar figura hasta el madrugador Juan López Miralles, que "se exilia en 1935" (sic).

166. ARCE, Carlos de.

Grandeza y servidumbre de 20 premios "Planeta". (Barcelona, ediciones Picazo, 1972).

Historia, entre periodística y apologética y profusamente ilustrada, de este galardón desde 1952 (Juan José Mira, *En la noche no hay caminos*) hasta 1971 (José M.ª Gironella, *Condenados a vivir*).

167. "ARCO, Juan del" (seud. de Francisco Mota).

Novelistas españoles contemporáneos. (Madrid, Aldecoa, 1944).

Léase lo dicho acerca de esta antología en la p. 73 y nota 49 del presente libro (capítulo II).

168. BENEYTO, Antonio.

Censura y política en los escritores españoles. (Barcelona, Euros, 1975).

Conjunto de 43 entrevistas con otros tantos escritores españoles actuales, de los que 19 cultivan la narración. Menudas, curiosas, graves o lamentables noticias acerca de la acción censorial en su actividad literaria.

169. BOSCH, Andrés (y M. García Viñó).

El realismo y la novela actual. (Sevilla, Publicaciones de la Universidad de Sevilla, 1973).

Fruto de conversaciones y correspondencia cruzada entre B. y G.ª V. surgió este libro, en el que se reúnen un ensayo del primero *(El realismo y los realismos)* y dos del segundo *(Expresión de la realidad en la novela actual* y *La novela y nuestra novela).* Tanto uno como otro novelista coinciden en su rechazamiento del realismo literal, atento a recoger solamente determinada parte de la realidad; postulan un realismo menos limitado y más total, con densidad de ideas y vigilante atención a los modos técnicos de narrar; consideran lamentable y empobrecedor el que la novela española se pierda "por los fáciles cauces de un realismo superficial, fotográfico y magnetofónico".

170. BOSCH, Rafael.

La novela española del siglo XX. II: De la República a la postguerra. (Las generaciones novelísticas del 30 y del 60). (Madrid, Las Américas, 1971).

De este farragoso libro a retazos importa el espacio concedido a la que su autor denomina generación "sesentista": desde Cela a Ángel M.ª de Lera pasando por Ferres, López Salinas y López Pacheco. B., empecinado en criterios realistas a ultranza, arremete contra el objetivismo y sus "vicios" (contra quienes lo practicaron, vgr.: Ferlosio en *El Jarama,* García Hortelano en *Tormenta de verano* y Caballero Bonald en *Dos días de setiembre* o lo exaltaron críticamente: Castellet en *La hora del lector*), así como contra el influjo de la "antinovela" hispanoamericana en algunos de nuestros narradores. Dedica particular atención a varias novelas sesentistas y considera como novela-reportaje libros que son simplemente obras de literatura viajera: *Viaje a la Alcarria* o *Campos de Níjar*. En un "Panorama cronológico" que va desde 1927 hasta 1968 (*Las últimas banderas,* de Lera) repasa brevemente buen número de títulos, complaciéndose en señalar presuntas influencias españolas y extranjeras (generación perdida USA, neorrealismo italiano, etc.); sus valoraciones críticas resultan con alguna frecuencia harto incomprensivas (así cuando escribe en la p. 141 de *Duelo en el paraíso,* J. Goytisolo, que "es un completo fracaso desde cualquier otro punto de vista que el de su intención").

171. BUCKLEY, Ramón.

Problemas formales en la novela española contemporánea. (Barcelona, ediciones Península, 1968). (Hay 2.ª edición: ídem., ídem., 1973).

En el desarrollo de la novela española contemporánea acota B. un período de ocho años —el que va desde *El Jarama,* 1956, a *Tiempo de silencio,* 1962—, pues durante el mismo se produjo "una intensa experimentación y renovación estilística" merced al empleo de las técnicas del objetivismo, selectivismo y subjetivismo, minuciosa y sagazmente consideradas por el autor, quien ofrece análisis ejemplificadores de algunas novelas (aparte las dos mencionadas: *Cinco horas con Mario,* Delibes; *Las ciegas hormigas,* Ramiro Pinilla; *Señas de identidad,* J. Goytisolo).

172. CABRERA, Vicente (y Luis González del Valle).

Novela española contemporánea. Cela, Delibes, Romero y Hernández (Ramón). (Madrid, S.G.E.L., n.º 13 colección "Temas", 1978).

Una veintena de estudios breves sobre muy concretos aspectos temáticos y técnicos de novelas escritas por Cela (tres estudios), Delibes (seis), Luis Romero (tres) y Ramón Hernández (nueve); estudios donde prima lo estético, y atenidos a los textos en cuestión.

173. CARDONA, Rodolfo.

Novelistas españoles de postguerra. Edición de...
(Madrid, Taurus, 1976).

Se trata, de acuerdo con las normas que presiden la serie "El escritor y la crítica" al que este volumen pertenece, de una antología (diez y siete piezas en total) de artículos publicados en revistas: tres de carácter más general y el resto dedicado a obras y autores en particular —desde Cela y *La familia...* hasta Torrente Ballester y *La saga/fuga...*, 1972—. Cierra el volumen una bibliografía con dos apartados: A, "libros y artículos sobre la novela española de postguerra" y B, "libros y artículos sobre los novelistas incluidos en esta colección"; el primero de ellos —85 títulos— cumple deficientemente el deseo de exhaustividad apuntado en la advertencia previa: "[...] hemos procurado ser exhaustivos al enumerar los trabajos críticos que se han dedicado a la novelística del período en cuestión [...]"

174. CARENAS, Francisco (y José Ferrando).

La sociedad española en la novela de la postguerra.
(Nueva York, Eliseo Torres, 1971).

Conjunto de siete trabajos, ni muy claros ni convincentes, acerca de otras tantas novelas: *El Jarama, La colmena, Tiempo de silencio, Señas de identidad, Volverás a Región, Mosén Millán* y *Campo cerrado.* La conclusión última (contenida en la p. 200) es causa, a lo que pienso, de alguna perplejidad en el lector porque los críticos aluden a un predominio de la expresión sobre el contenido en la literatura hispánica (¿es que ha de incluirse la hispano-americana?) actual (incluso apoyo exclusivo de los novelistas en la expresión), tendencia que "sólo podría ser explicada por una exigencia del mercado cada vez más pendiente de novedades-viejas *cuanto más inofensivas mejor*".

175. CASTELLET, José María.

La hora del lector. (Notas para una iniciación a la literatura narrativa de nuestros días). (Barcelona, Seix Barral, 1957).

Fue sin duda (tal como queda advertido en páginas anteriores) uno de los más importantes apoyos de la práctica de nuestros narradores objetivistas; suscitó adhesiones, motivó reparos y negativas, dio aire en España a un modo de hacer nuevo y vigente en otras latitudes. (Respecto de alguna aseveración contenida en este libro cabría preguntarse —con Claudio Guillén, p. 5, n.º 167: X-1960, de "Insula"—: "¿Debemos, por apasionados y "comprometidos" y responsables ante la historia de hoy, renunciar a ser inteligentes, y responsables también, ante el último siglo de cultura europea?")

COLECTIVOS, Libros (los cinco que siguen: fichas 176 a 180).

176. *El autor enjuicia su obra.* (Madrid, Editora Nacional, 1966).

Recoge este volumen el texto leído por sus autores en el ciclo que bajo el mismo título organizó el Ateneo de Madrid durante el curso 1965-66; de los catorce nombres ofrecidos, once son de novelistas españoles, los cuales —Agustí, Castillo Puche, Gironella, Halcón, Carmen Kurtz, Torcuato Luca de Tena, Ana M.ª Matute, Dolores Medio, Elisabeth Mulder, Núñez Alonso y Mercedes Salisachs— suelen hacer auto-confesión y auto-crítica de algún interés.

177. *Prosa novelesca actual (I).* (Madrid, Universidad Internacional "Menéndez Pelayo", 1968).

Incluye el texto de las intervenciones habidas en la reunión acerca de la novela española actual cele-

brada en la Universidad "Menéndez Pelayo", de Santander, durante la segunda quincena de agosto de
1967. Varios novelistas —Agustí, Manuel Arce, Cela,
Jorge Cela Trulock, Ildefonso Manuel Gil, Jesús
Torbado y Francisco Umbral— trataron de su propia
obra; tres profesores —Gregorio Salvador, Antonio
Vilanova, Francisco Ynduráin— se ocuparon, respectivamente, de las siguientes cuestiones teóricas: *La
novela, entre el arte y el testimonio, De la objetividad al subjetivismo en la novela española actual* y
*La novela desde la segunda persona. (Análisis es-
tructural)*.

178. *Prosa novelesca actual (II)*. (Madrid, Universidad Internacional "Menéndez Pelayo", 1969).

Reunión (segunda quincena de agosto de 1968) y
volumen de características análogas a las ofrecidas
en la ficha 177. Los narradores (novelistas y cuen-
tistas) fueron ahora: Manuel Arce (que trató de su
novela *Testamento en la montaña*), Francisco Ayala,
Francisco Candel, Cela (que hizo su *Examen de conciencia de un escritor*), Francisco García Pavón, Tomás Salvador, Daniel Sueiro, Jesús Torbado (acerca
de sus títulos más recientes: *El general, La construcción del odio* e *Historias de amor*), Jorge Cela Trulock
(*Autocrítica de "Inventario base"*), Francisco Umbral
(*Teoría larga para escribir relatos cortos*), Eduardo
Valdivia, Héctor Vázquez Azpiri y Alonso Zamora
Vicente; con ellos, tres profesores: Manuel Alvar
(*Técnica cinematográfica en la novela española de
hoy*), Gregorio Salvador (*Reflexiones sobre la crítica
de novela*) y Francisco Ynduráin (*De Valle-Inclán a
Galdós. Variaciones sobre técnica novelesca*).

179. *Novela y novelistas. (Reunión de Málaga, 1972)*. (Málaga, Instituto de Cultura de la Diputación Provincial, 1973).

Agrupadas en trabajos teóricos y trabajos históricos
reúne este volumen las comunicaciones presentadas
a la reunión malagueña de agosto de 1972 (dentro
del Curso Superior de Filología Española), honrada

con la presencia del premio Nobel de Literatura Miguel Ángel Asturias. Del variado conjunto, obra de profesores y narradores, importan para nuestro caso y tema las tres siguientes: *98 y novela de posguerra* (Manuel Alvar), *Algunos aspectos de mi obra narrativa* (Francisco García Pavón) y *El simbolismo como desmitificación narrativa de la realidad: en torno a Sánchez Ferlosio* (M.ª del Pilar Palomo).

180. *Novela española actual.* (Madrid, Fundación Juan March, 1976).

Recoge este volumen las conferencias y coloquios del ciclo "Novela española actual" celebrado en la sede madrileña de la Fundación "Juan March" del 2 al 7 de junio de 1975. Intervinieron en el mismo: Francisco Ayala/Andrés Amorós, Gonzalo Torrente Ballester/Joaquín Marco, Juan Benet/Darío Villanueva, Vicente Soto/Dámaso Santos y C. J. Cela/Alonso Zamora Vicente; dirigió y moderó, José María Martínez Cachero, quien ha caracterizado así la peculiar estructura de sus sesiones: "Cabe pensar que la novedad más destacable del ciclo y, acaso también, la más interesante sea el emparejamiento en una misma sesión del creador y de un comentador de su obra, lo cual deja abierta la posibilidad de que, tras su individual intervención, entablen ambos, bajo la guía del moderador, un diálogo que puede adivinarse rico y fructífero acerca de cuestiones literarias de muy variada índole, suscitadas por ambas intervenciones y teniendo siempre como punto de partida y de llegada la obra del escritor en cuestión. Nunca, que sepamos, se ha intentado entre nosotros semejante experiencia".

181. CONTE, Rafael.

Narraciones de la España desterrada. (Barcelona, Edhasa, 1970).

Aprovechando la existencia en los últimos años 60 de la por algunos llamada "operación retorno" y con el loable deseo de contribuir al mejor conocimiento de la novelística española compuesta fuera de España, C. ofrece esta antología de narraciones breves ·debidas a catorce autores de muy diversas estética y temática, desde Francisco Ayala hasta Arturo Barea. La selección es acertada y representativa y en el prólogo que la precede se previene contra "el peligro de la desmesura, de la mitificación" pues ni esa literatura "es algo absolutamente genial en bloque" ni, tampoco, "va a resultar la panacea de los males de nuestra literatura del interior".

182. CORRALES EGEA, José.

   La novela española actual. (Ensayo de ordenación). (Madrid, Edicusa, 1971).

   Es libro con abundancia de menudos errores así en el texto (vgr.: Angel M.ª de Lera no obtuvo el premio "Nadal" con *Los clarines del miedo* ni con ninguna otra de sus obras, p. 166) como en la cronología española del apéndice (fechas equivocadas de Azorín, García Pavón, Gironella, etc.). En cuanto a cuestiones de fondo la defectuosidad también existe, por ejemplo: C. trata de una "nueva oleada" (o de "la irrupción juvenil del medio siglo", cap. IV) en cuya nómina se advierte, y no se entiende en un pretendido "ensayo de ordenación", la ausencia del joven y realista Ignacio Aldecoa, colocado caprichosamente dentro de un capítulo —el VII— de "Novela tradicional y novelas independientes" y torpemente comentado en cuanto a los guardias civiles de su novela *El fulgor y la sangre*. ‖ (Al curioso lector le resultará muy útil conocer la polémica mantenida a propósito de este libro por su autor y el crítico Rafael Conte en las pp. de "INFORMACIONES de las Artes y las Letras", Madrid: núms. 167 (Conte), 180 (Corrales) y 183 (Conte).

183. CURUTCHET, Juan Carlos.

   Introducción a la novela española de la postguerra. (Montevideo, Alfa, 1966).

   Breve libro, politizado y, a veces, erróneo, en el que, aparte algún capítulo general o panorámico, se trata, individualmente, de los novelistas J. Goytisolo y

J. Fernández Santos y, en bloque, de Carmen Martín Gaite, Antonio Ferres, Jesús López Pacheco y Armando López Salinas, todos ellos pertenecientes a la generación del medio siglo y más o menos incursos en el objetivismo y en el realismo social.

184. CURUTCHET, Juan Carlos.

Cuatro ensayos sobre la nueva novela española. (Montevideo, Alfa, 1973).

Los representantes para C. de la "nueva" novela española no son los autores embarcados en el lanzamiento Barral-Planeta de 1972 sino cuatro nombres ya conocidos antes —Caballero Bonald, Martín Santos, Marsé y Juan Goytisolo (este último, tratado por C. en su librito de 1966)—, cuya obra, falta en 1973 de algunos títulos importantes —*Ágata ojo de gato, Tiempo de destrucción* o *Juan sin tierra*—, examina fervorosamente el crítico uruguayo.

185. DÍAZ-PLAJA, Guillermo.

La creación literaria en España. Primera bienal de crítica 1966-1967. (Madrid, Aguilar, 1968).

D.-P. sustituyó a Melchor Fernández Almagro como crítico semanal de ABC en abril de 1966; este volumen reúne sus reseñas del bienio 66-67, dedicadas a poesía, novela y ensayo literario. Por lo que a novela atañe, una treintena larga de títulos y autores son objeto de atención.

186. DÍAZ-PLAJA, Guillermo.

Cien libros españoles. Poesía y novela, 1968-1970. (Salamanca, Anaya, 1971).

D.-P., crítico de creación literaria (poesía y novela) una vez por semana en las páginas del diario madrileño ABC, recoge en este volumen sus reseñas correspondientes al trienio 1968-70, en las cuales "intenta —a través de una serie de asedios parciales— establecer los términos de relación entre el mundo del creador y aquél que es privativo de la masa lectora".

Cincuenta novelistas y otras tantas novelas (agrupados así: "La invención", "La realidad", "Lo vivencial", "Novela histórica" y "Tres novelistas catalanes" —Lorenzo Villalonga, Juan Sales, Mercedes Rodoreda—) comparecen en el seleccionado recuento.

187. DOMINGO, José.

La novela española del siglo XX. 2.—De la postguerra a nuestros días. (Barcelona, Labor, 1973).

El fallecido J. D., crítico de novela española en la revista "Ínsula" y jurado de varios premios novelísticos, consiguió meter y clasificar en menos de doscientas páginas el vasto conjunto narrativo fruto de más de treinta años de actividad literaria, resultando acertados casi siempre sus valoraciones y comentarios. (El cap. 13 trata de algunos autores que principalmente han cultivado el cuento y la novela corta).

188. ENTRAMBASAGUAS, Joaquín de.

Las mejores novelas contemporáneas. (Selección y estudios de..., con la colaboración de María del Pilar Palomo. Barcelona, Planeta).

Interesan para nuestro caso los tomos IX (1935-1939), X (1940-1944), XI (1945-1949) y XII (1950-1954), último de la serie. Las novelas seleccionadas son las siguientes: *Los vivos y los muertos* (Samuel Ros); *Madrid de corte a cheka* (Agustín de Foxá); *Tierras del Ebro* (S. J. Arbó); *Miss Giacomini* (M. Villalonga); *La familia de Pascual Duarte* (C. J. Cela); *El bosque animado* (W. Fernández Flórez); *Mariona Rebull* (I. Agustí); *La encrucijada antigua* (Carlos de Santiago); *Nada* (C. Laforet); *Alba Grey* (Elisabeth Mulder); *Las palmeras de cartón* (Antonio Mingote); *Los hijos muertos* (Ana M.ª Matute); *El camino* (M. Delibes); *La vida nueva de Pedrito de Andía* (Rafael Sánchez Mazas); *Esta oscura desbandada* (J. A. Zunzunegui); *Carta de ayer* (Luis Romero); y *Algo pasa en la calle* (Elena Quiroga). Un extenso estudio biográfico-crítico y un completísimo repertorio bibliográfico "sobre" el autor en cuestión preceden a cada uno de esos textos narrativos; cierta carga política aparece mezclada de modo no oportuno con lo propiamente literario.

189. FERNÁNDEZ-FLÓREZ, Darío.

Crítica al viento. (Madrid, 1948).

Reúne este volumen las breves impresiones críticas difundidas por su autor semanalmente a partir de 1943 desde los micrófonos de Radio Nacional de España, junto a alguna muestra de crítica impresa. Novelas y autores de la década de los 40 —Azorín, Zunzunegui, Ledesma Miranda, Bartolomé Soler, Agustí, Cela, Pedro de Lorenzo, *Javier Mariño, Nada,* etc.— son objeto de comentario.

FERRANDO, José.

Vid. CARENAS, Francisco.

190. FERRERAS, Juan Ignacio.

Tendencias de la novela española actual, 1931-1969, seguidas de un catálogo de urgencia de novelas y novelistas de la posguerra española. (París, Ediciones Hispanoamericanas, 1970).

La base de este libro fueron los apuntes para un curso dado en la Sorbona (1965-66 y 1966-67), corregidos y completados posteriormente; con su trabajo aspira F. a ofrecer "en lo posible una visión clara y total de la novelística española de la postguerra", época que divide en tres períodos: 1940 a 1950 (o del "realismo restaurador"), 1950 a 1957 (o del "realismo renovador") y 1957 a 1969 (o del "realismo novador"). Introducciones metodológica e histórica; complementos histórico-políticos no siempre ecuánimes acerca de la España de postguerra; resúmenes y comentarios, a menudo harto escolares, de algunas novelas; una actitud crítica hostil a cualquier modalidad, autor (Azorín, Unamuno, Pedro de Lorenzo o Álvaro Cunqueiro, vgr.) u obra (*Don Juan,* de Torrente Ballester, por ejemplo) que no se ajusten estrictamente al realismo canónico, son aspectos de este farragoso libro que se cierra con un útil proyecto de catálogo de narradores españoles de post-guerra.

FLECNIAKOSKA, J. L.

Vid. NOUGUÉ, A.

191. FRANQUELO, Rafael.

Aislada órbita. (Las Palmas, Inventarios provisionales, 1973).

Once jóvenes escritores canarios, representantes de lo que ha sido llamado el "boom" narrativo de las islas, elegidos por F. y presentados y antologizados por sí mismos. Entre ellos, tan distintos, tan dados a lo experimental, sólo un doble nexo: "los estudios universitarios y su vocación de profesionalizar su vocación de escritores".

192. GARCÍA VIÑÓ, Manuel.

Novela española actual. (Madrid, Guadarrama, 1967. // 2.ª edición aumentada: Madrid, Prensa española, 1975).

Más que los trabajos sobre determinados novelistas —Delibes, Castillo Puche, C. Laforet, Ferlosio, Cunqueiro, Torrente Ballester, J. Fernández Santos o Ana M.ª Matute; Aldecoa y Martín Santos, añadidos en la segunda edición—, creo importan la actitud crítica anti-tópica de G. V., la postulación de una "nueva novela española" y la ejemplificación de su posible existencia en la obra de autores como Antonio Prieto, Manuel San Martín, Andrés Bosch y Carlos Rojas, los cuales (y algún otro nombre), "aislados en medio de la corriente general, han levantado una obra en la que la realidad es mirada como algo más que un cuadro de costumbres; [...] en la que se toma por realidad no sólo lo que se ve, sino también lo que no se ve: los problemas del mundo interior, los sentimientos, los sueños".

193. GARCÍA VIÑÓ, Manuel.

Novela española de posguerra. (Madrid, Publicaciones españolas, 1971).

(Se trata de un folleto de 76 pp., n.º 521 de la serie "Temas españoles", con ilustraciones, "destinado a informar sobre la novela española de nuestros días a lectores no especializados" en el tema). Parte G. V. de 1942, año en que se publica *La familia de Pascual Duarte,* y llega hasta la llamada por él "generación de 1960"; dedica un capítulo a la obra de los narradores exiliados. Breves comentarios críticos sobre novelistas y novelas que, para los escritores del 60, se reducen a la simple mención ordenada alfabéticamente.

GARCÍA VIÑÓ, Manuel.
Vid. BOSCH, Andrés.

194. GARCÍA VIÑÓ, Manuel.

Papeles sobre la "Nueva Novela Española". (Madrid, Eunsa, 1975).

G. V., al que podríamos llamar creador y sostenedor del grupo "Metafísico" o de la "Nueva Novela Española", actúa en este libro como historiador de sus vicisitudes, ofreciendo la documentación pertinente: artículos, reseñas, polémicas, entrevistas.

195. GIL CASADO, Pablo.

La novela social española. (Barcelona, Seix Barral, 1968. ∥ Hay 2.ª edición: ídem., ídem., 1973, corregida y aumentada pues estudia el tema desde 1920 hasta 1971).

La evolución de esta especie narrativa, cuyo concepto-contenido es fijado en el cap. I, se sigue a través de varias generaciones literarias españolas de las que para nuestro caso interesan dos: la del 40 (Cela, Zunzunegui, Delibes, etc.) y la del 54 (García Hortelano, Caballero Bonald, Ferres, entre otros). El análisis de las obras afectadas por lo social se hace agrupándolas temáticamente, así tenemos: la abulia (esto es: pasividad, conformismo), el campo, el obrero y el empleado, la vivienda, los vencidos ("relatos que tratan el asunto de la vida en los presidios, de las injusticias perpetradas en el hombre en nombre de la justicia, de los individuos alienados por la sóciedad y, finalmente, de los que dejándose llevar por la desesperación recurren a soluciones violentas para luego sufrir las consecuencias"), libros de viaje (¿pueden estudiarse como si de novelas canónicas se tratara?) y la desmitificación de España (de la que son muestra *Tiempo de silencio* y *Reivindicación del conde don Julián*). Un útil catálogo bio-bibliográfico de narradores sociales, desde el asturiano Isidoro Acevedo hasta el bilbaíno Julián Zugazagoitia, cierra el volumen.

196. GÓMEZ DE LA SERNA, Gaspar.

España en sus Episodios Nacionales. (Madrid, Ediciones del Movimiento, 1954).

Como novelas incluidas dentro de esa modalidad narrativo-histórica se ocupa G. de la S. (pp. 132 a 236) de: *Madrid, de corte a cheka* ("El episodio neogaldosiano del conde de Foxá", aun cuando estilísticamente Valle-Inclán, "por la ironía, por el rigor lírico", está muy presente); *Eugenio...*, *La fiel infantería* y *Plaza del Castillo* ("El episodio revolucionario de Rafael García Serrano", cuyas citadas obras, cumplida muestra de las ambiciones e inquietudes de la "Quinta del SEU", tanto estética como técnicamente "distan ya mucho del originario *episodio* galdosiano"); *Los cipreses creen en Dios* ("El nuevo episodio de José M.ª Gironella" que, con criterio a un tiempo generoso y justiciero, desea "explorar en la explicación de esas causas psicológicas que movieron a la masa, desde dentro de la masa misma").

GONZÁLEZ DEL VALLE, Luis.

Vid. CABRERA, Vicente.

197. GOYTISOLO, Juan.

Problemas de la novela. (Barcelona, Seix Barral, 1959).

Este libro es una recopilación de trabajos, muchos de ellos publicados en el semanario barcelonés "Destino" y compuestos "al azar de discusiones y lecturas, con una intención crítica o polémica"; al mismo me he referido ya en las pp. 169-172.

GRIEVE, Patricia.

Vid. TOLA DE HABICH, Fernando.

198. GUILLERMO, Edenia (y Juana Amelia Hernández).

Novelística española de los sesenta. (Nueva York, Eliseo Torres, 1971).

Hacia 1960 se produce un cambio en la vida española, externo a la novela pero de algún modo influyente en sus cultivadores; a favor del mismo sucede que "en 1960, al abrir los ojos, los novelistas se dan cuenta de que la situación que pintan en sus obras, a veces, con un pretendido realismo fotográfico, no existe en España". Seis novelas publicadas durante la década y estudiadas por los autores del libro —*Tiempo de silencio* (1962), *Últimas tardes con Teresa* (1966), *Cinco horas con Mario* (1966), *Señas de identidad* (1966), *Volverás a Región* (1967) y *La trampa* (1969)— son, cada una a su modo, testimonio de renovación.

HERNÁNDEZ, Juana Amelia.

Vid. GUILLERMO, Edenia.

199. HOYOS, Antonio de.

Ocho escritores actuales. (Murcia, 1954).

Tales escritores son: C. Laforet, Elena Quiroga, Ana M.ª Matute, Dolores Medio, Cela, Gironella, Delibes y el exquisito narrador murciano Francisco Alemán Sáinz, de los cuales H. traza una semblanza biográfico-crítica a base de la lectura de sus obras y la conversación (salvo en los casos de Cela y Delibes) con los autores.

200. IGLESIAS LAGUNA, Antonio.

Treinta años de novela española 1938-1968. (Madrid, Prensa española, 1969). ∥ Este libro fue premio "Emilia Pardo Bazán" 1969, de crítica literaria.

El fallecido I. L., crítico de novela española en el diario madrileño ABC y jurado de algunos premios novelísticos, ofrece en este libro el primer tomo de una vasta empresa estructurada acaso con excesiva rigidez generacional —cinco generaciones en juego—; a veces, con escasa jerarquización valorativa dentro de un muy nutrido conjunto pues diríase existe en I. L. el deseo de incluir a todos los que *están* aunque no *sean;* y en el uso de etiquetas clasificadoras que creo más confunden que precisan. Pero es también libro asentado en un copioso caudal de lecturas, al que afean algunas muestras de politización banderiza.

201. IGLESIAS LAGUNA, Antonio.

Literatura de España día a día (1970-1971). (Madrid, Editora Nacional, 1972).

Libro póstumo en el que se han recogido las reseñas críticas inmediatas compuestas por I. L. a lo largo de los años 1970 y 1971, publicadas en el diario ABC y en "La Estafeta literaria". "Novela tradicional" (veinte en 1970 y veintitrés en 1971), "Novela innovadora" (ocho en 1970 y siete en 1971) y "Novela de humor" (dos en 1970 y cuatro en 1971); a tal agrupamiento entran autores muy diversos en cuanto a edad, formación e ideología.

202. MAINER, José-Carlos.

Falange y literatura. (Edición, selección, prólogo y notas de... Barcelona, Labor, 1971).

Tanto en el prólogo como en las notas y en alguno de los textos seleccionados para componer la antología se encuentran noticias y referencias útiles. Deseo, asimismo, destacar la siguiente afirmación en la p. 50: "La novela tuvo [al final de la guerra civil] un auge insospechado tras una década —la de los treinta— particularmente infecunda".

203. MARCO, Joaquín.
Ejercicios literarios. (Barcelona, Táber, 1969).

Recoge J. M. en este volumen sus artículos de crítica literaria inmediata publicados en el semanario barcelonés "Destino" entre 1965 y 1969; un grupo de ellos trata de novelas y novelistas españoles contemporáneos, ya en el exilio (Max Aub y Sender), ya viviendo y escribiendo en España (Delibes, Dolores Medio, Aldecoa).

204. MARCO, Joaquín.
La nueva literatura en España y América. (Barcelona, Lumen, 1972).

De esta otra miscelánea crítica de J. M. importa destacar, además del apartado III del índice ("La novela": escritores exiliados y otros como Ana M.ª Matute, Juan Marsé o Juan Benet, con libros de aparición reciente), los sucintos panoramas literarios de 1970 —recuperación de la narrativa española del exilio, influencia del llamado "boom" hispano-americano, primera obra de algunos muy jóvenes autores— y 1971 —año anodino y desorientado en el género—.

205. MARTÍNEZ CACHERO, José María.
Novelistas españoles de hoy. (Oviedo, 1945).

Primer trabajo publicado acerca de la novela española de post-guerra, que abarca hasta 1944 inclusive. Amplio y documentado repertorio de autores y títulos, con especial mención de cinco nombres: Miguel Villalonga, Zunzunegui, Pedro Álvarez Gómez, Rafael García Serrano y C. J. Cela, a la sazón tal vez los más notables y repetidos.

206. MARRA-LÓPEZ, José Ramón.

Narrativa española fuera de España (1939-1961). (Madrid, Guadarrama, 1963).

Primer recuento de narradores exiliados como consecuencia de la guerra civil y que, fuera de España, continuaron escribiendo o se revelaron como tales. Nutrida nómina que M.-L. ordena por generaciones (de la de 1925: Rosa Chacel, Max Aub, Francisco Ayala, Esteban Salazar Chapela; de la del 36: Segundo Serrano Poncela, Manuel Andújar) y por merecimientos (referencias más y menos extensas o simples menciones, según los casos). Las dificultades vencidas por el autor no fueron pocas y su libro resulta una aproximación noticioso-crítica muy útil.

207. MONTES, María José.

La guerra española en la creación literaria (ensayo bibliográfico). (Madrid, anejo 2.º de "Cuadernos Bibliográficos de la Guerra de España (1936-1939)", Universidad de Madrid, 1970).

Es un completo repertorio del eco obtenido por el hecho bélico en la literatura española de dentro y del exilio, desde los mismos días de la guerra hasta recientemente. El apartado de "Novela" incluye: novelas extensas, narraciones, cuentos y novelas cortas.

208. MORÁN, Fernando.

Novela y semidesarrollo. (Una interpretación de la novela hispanoamericana y española). (Madrid, Taurus, 1971).

Este sugerente volumen, no poco insólito entre nosotros, constituye una muestra de crítica sociológica donde lo político y lo económico pesan más que lo estético. Sólo una parte del mismo, la titulada "Dilemas y perspectivas de la novela española actual" (espacio concedido a novelas y tendencias de Cela, Ferlosio, García Hortelano, J. Goytisolo, L. Martín Santos y Delibes, autores relevantes, sí, pero no exclusivos), importa estrictamente para nuestro caso pues el resto (unas trescientas páginas) trata de: conceptos teóricos, novelística norteamericana, novela francesa y novela hispano-americana.

209. MORÁN, Fernando.

Explicación de una limitación: la novela realista de los años cincuenta en España. (Madrid, Taurus, 1971).

Este ensayo, cuya difusión prohibió incomprensiblemente la censura, no es ni una apología ni una condena del realismo social en la novela española durante los años cincuenta y posteriores; M. pretende mostrar la servidumbre y la grandeza de éste, tendencia deseosa de cumplir funciones más propias del periodismo y el reportaje,y por sus auto-carencias de vario signo, cada día más incapacitada "para transmitir la complejidad de la sociedad española". (Convendría hacer algunas correcciones y adiciones en la útil cronología que cierra el volumen, por ejemplo: a) *La colmena* no se escribió en 1950 pues había sido presentada a la censura mucho antes, exactamente el 7 de enero de 1946; b) la primera edición de *La colmena* se acabó de imprimir en Buenos Aires, por Emecé, el 2-I-1951; c) *Tiempo de silencio* data de 1962 (no de 1961); d) debiera consignarse la aparición en 1957 del libro de Castellet, *La hora del lector*; e) ídem. en 1959 de *Problemas de la novela,* J. Goytisolo; f) también sería conveniente registrar la celebración en Formentor (días 26, 27 y 28 de mayo de 1959) del Primer Coloquio Internacional de Novela).

210. NAVALES, Ana María.

Cuatro novelistas españoles. Miguel Delibes, Ignacio Aldecoa, Daniel Sueiro, Francisco Umbral. (Madrid, Fundamentos, 1974).

Dichos cuatro novelistas fueron seleccionados de acuerdo con un criterio que llamaríamos generacional-representativo: Delibes cae dentro de la primera generación de post-guerra y Aldecoa, de la segunda; Sueiro pertenece al realismo social y Umbral "nos pareció [...] ser representativo del actual grupo de escritores". Repaso de su biografía y de su obra, con frecuencia harto elemental y demasiado repleto de citaciones textuales.

211. NORA, Eugenio G. de.
La novela española contemporánea (III). (Madrid, Gredos, 1962).

El tomo tercero de este libro en sus capítulos II a VI (o X a XIV, según las ediciones) se ocupa de nuestra novela de post-guerra (tanto la compuesta en España como la escrita en el exilio), cerrándose, a la altura cronológica aproximada de 1960, con autores recientemente conocidos, tal los de la generación del medio siglo. Pese a agrupaciones capitulares un tanto forzadas y a la falta de unas aclaradoras introducciones histórico-literarias el libro de N., bien informado y riguroso, cuenta entre los más importantes acerca del tema.

212. NOUGUÉ, A. (y J. L. Flecniakoska).
Romanciers espagnols d'aujourd'hui. (Toulouse, Privat, 1964).

Incluida en la serie "Textes espagnols" esta antología, de finalidad escolar, ofrece una selección anotada de novelistas como Zunzunegui y S. J. Arbó (entre los mayores en edad), Cela, Delibes o Luis Romero, y Ferlosio, J. Goytisolo y Martín Descalzo (entre los más jóvenes). Sigue una bibliografía de los autores elegidos, y abre el volumen un prólogo en el que se afirma que "los narradores españoles actuales merecen estimación e interés" puesto que poseen "una maestría y una altura cualitativa que les igualan a los mayores escritores de otras naciones".

213. ORTEGA, José.
Ensayos de la novela española moderna. (Madrid, Porrúa Turanzas, 1974).

En este libro recoge O. algunas muestras de la atención que ha prestado a la novela española reciente, relativas a cinco autores —Cela, Ferlosio, Ferres, Martínez Menchén y Benet—, cuyo arte narrativo es valorado por el crítico "basándose en aquella obra u obras que mejor ejemplifican la contribución de cada [uno] al enriquecimiento de la novelística española de posguerra".

214. ORTIZ DE LANZAGORTA, José Luis.

Narrativa andaluza: 12 diálogos de urgencia. (Sevilla, Publicaciones de la Universidad de Sevilla, 1972).

De entrada advierte O. de L. que en este libro "no se propone aún ninguna clase de estudio sistemático del fenómeno narrativo andaluz, ni de los autores mencionados o por mencionar". Son doce conversaciones o entrevistas, a menudo pobres de interés, con otros tantos narradores andaluces de varia edad, formación y obra, a saber: Manuel Halcón, Ramón Solís, Luis Berenguer, Manuel Barrios, José M.ª Requena, Alfonso Grosso, José Manuel Laffón, Manuel García Viñó, José Asenjo Sedano, Carlos Muñiz-Romero, Julio M. de la Rosa y Federico López-Pereira.

215. PALOMO, María del Pilar.

La novela española en 1961 y 1962. (Madrid, Consejo Superior de Investigaciones Científicas, 1964).

En este "Cuaderno bibliográfico", número XIII de la serie, se brinda muy completo recuento de la actividad narrativa (se incluye también el cuento) española durante los años 1961 y 1962, ordenado en: a), Monografías, Antologías; b), Autores (agrupados alfabéticamente), con señalamiento de reseñas "sobre" los libros publicados.

216. PÉREZ MINIK, Domingo.

Novelistas españoles de los siglos XIX y XX. (Madrid, Guadarrama, 1957).

Importan para nuestro caso los dos últimos capítulos, dedicados a novelas —*La familia de Pascual Duarte, Nada, Las últimas horas* (J. Suárez Carreño), *Lola, espejo oscuro* (Darío Fernández Flórez), *Los cipreses creen en Dios*—; a tres novelistas en el exilio —Max Aub, Sender, Barea—; y a otros cuantos narradores, de diversa edad y mérito desigual pero bastante conocidos a la sazón. En algún momento (pág. 313) utiliza P. M. el término "renacimiento" referido a ese conjunto y lo hace porque "efectivamente, tenemos que considerarlo como tal, si nos atenemos al número de escritores surgidos, a la cantidad de obras y a los valores excepcionales de algunos artistas. Hay que reconocer que todo esto se ha producido dentro de unas ciertas restricciones y de unas especiales condiciones de vida".

217. PONCE DE LEÓN, José Luis S.

La novela española de la guerra civil (1936-1939). (Madrid, Ínsula, 1971).

De novelas malas (y muy malas), discretas (bastantes en número) y valiosas (sólo algunas), escritas por autores españoles y referentes a nuestra guerra civil, se ocupa P. de L., quien pretende "ver cómo los novelistas españoles han hecho pasar el tema a la literatura, cómo han intentado captar lo que fue para ellos una experiencia personal, si vivieron la guerra, o cómo han buscado un cierto alejamiento del tema [...], dejando así de ser protagonistas para convertirse en testigos o narradores de las vidas de otros personajes [...]". La ordenación del nutrido conjunto se hace ya con criterio histórico-argumental (como en el cap. IV), ya con apoyo en la técnica narrativa (el autor protagonista, el autor testigo, el personaje narrador, uso del simbolismo). Un repertorio de novelas sobre el tema, con algunos olvidos y errores de fechas, cierra el libro.

218. RICO, Eduardo G.

Literatura y política. (En torno al realismo español). (Madrid, Edicusa, 1971).

"El propósito de este trabajo [se lee en su introducción] no es otro que el de aportar información y aventurar hipótesis acerca de una escuela literaria que en la década del cincuenta encarnó, bajo formas específicas, el "compromiso" [...]; que alcanzó una boga fugacísima, agotándose con rapidez: la tendencia *convencionalmente denominada* "social". Aporta, sí, información valiosa (como la encuesta a editores y escritores que algo tuvieron que ver con dicha tendencia); creo acierta menos en algunas hipótesis interpretativas: véanse págs. 241-242 de este libro.

219. Río, Emilio del.

Novela intelectual. (Madrid, Prensa española, 1971).

Análisis de algunas obras de tres novelistas españoles: Andrés Bosch, Manuel García Viñó y Carlos Rojas, integrantes con algún otro del llamado grupo Metafísico", superador del realismo social y fotográfico. Al término de su análisis, más bien impresionista, afirma R. que esos escritores "representan una literatura humana y proyectada firmemente hacia el futuro de la cultura y del hombre".

220. Roberts, Gemma.

Temas existenciales en la novela española de postguerra. (Madrid, Gredos, 1973).

Los temas considerados son: la enajenación (ejemplificada en *La gota de mercurio,* Alejandro Núñez Alonso), la decisión (en *Con el viento solano,* Aldecoa), el fracaso (en *Tiempo de silencio,* L. Martín Santos) y la muerte (en *La sombra del ciprés es alargada,* Delibes y en *Con la muerte al hombro,* J. L. Castillo Puche). Tras un análisis suficiente de tales novelas a la luz del existencialismo, R. llega a la conclusión siguiente (entre otras conclusiones): "La temática existencial en las novelas de postguerra se encuentra, generalmente, ligada a una crítica de la sociedad y política españolas. El realismo existencial español [...] acaba por desembocar en el [...] compromiso político que apremia la conciencia de tantos escritores en el momento actual".

221. RUBIO, Rodrigo.

Narrativa española, 1940-1970. (Madrid, Epesa, 1970).

R. advierte que su "librito" no es, ni mucho menos, "un estudio crítico". Se trata de un trabajo más bien informativo, siguiendo el orden cronológico, con profusión acaso excesiva de nombres, títulos y fechas. Llama la atención por lo insólito en la bibliografía al uso el capítulo "Variaciones sobre un mismo tema", donde brevemente se ofrece noticia de: la novela corta, el cuento, la narrativa en lengua catalana y en lengua gallega.

222. RUIZ COPETE, Juan de Dios.

Introducción y proceso a la nueva narrativa andaluza. (Sevilla, Publicaciones de la Diputación Provincial, 1976).

R. C., que un año antes ingresó en la Real Academia Sevillana de Buenas Letras leyendo un discurso acerca de *Andalucía y la nueva novela,* vuelve sobre el tema en un extenso (más de 300 págs.) y documentado volumen donde se dilucida la verdad y la mentira del llamado "boom" de los narraluces (años 1968 a 1972, especialmente) y son examinados, agrupándolos por décadas y tendencias, autores y obras de tal conjunto geoliterario que van desde los mayores en edad —Halcón, Ayala, Souvirón, por ejemplo— hasta nombres recientemente incorporados. Un apéndice cronológico —novelas publicadas entre 1940 y 1976—, y otro bio-bibliográfico —que relaciona, por orden alfabético, hasta 61 narradores— completan este trabajo, que fue premio "Archivo Hispalense" 1975.

223. SÁENZ ALONSO, Mercedes.

Breve estudio de la novela española (1939-1979) [sic]. (San Sebastián, Caja de Ahorros Provincial de Guipúzcoa, 1972).

En la parte tercera y última ("Dentro de España, 1939-1971") se ofrece un repaso del género durante ese período, que atiende tanto a direcciones y grupos

—tremendismo, objetivismo, novelistas sociales— como a temas —la guerra civil, que "tuvo, dentro de España, menor insistencia literaria que la mantenida por los exiliados"; el niño, con Sánchez Mazas, Ana M.ª Matute y Luis de Castresana, por ejemplo; el amor, que "no es tema central, sino especie de música de fondo"; los pueblos y las ciudades: Arbó y las tierras del Ebro, la Barcelona de Agustí o el Bilbao de Zunzunegui, etc.—.

224. SÁINZ DE ROBLES, Federico Carlos.

Panorama literario. (Al margen de los libros: notas y comentarios). (Madrid, colección "El Grifón", 1954).

Conjunto selectivo del año literario español 1953 visto por S. de R., crítico del diario "Madrid", ordenado en cuatro epígrafes de los cuales para nuestro objeto importa el titulado "Novelas, Cuentos, Memorias", donde brevemente se reseñan una veintena de títulos narrativos harto diversos entre sí.

225. SÁINZ DE ROBLES, Federico Carlos.

Panorama literario. (Al margen de los libros: notas y comentarios). (Es el volumen II de la serie. Madrid, 1955).

Tras un prólogo de carácter general acerca del año literario español 1954, donde se abordan cuestiones como: premios concedidos, libros más relevantes, revistas literarias y culturales, vienen las reseñas críticas inmediatas publicadas por S. de R. en el diario "Madrid", reunidas ahora en varios apartados de los que para nuestro objeto importa el titulado "Novelas, Cuentos, Memorias", con noticia y comentario relativos a más de veinte libros recientes.

226. SÁINZ DE ROBLES, Federico Carlos.

La novela española en el siglo XX. (Madrid, Pegaso, 1957).

Importa para nuestro caso el capítulo quinto y último (págs. 221-268). Sus primeras páginas están dedicadas a cuestiones generales —promociones y grupos, "clima literario y ambiente cultural" español desde 1939, tradición o renovación, premios, etc.—; a su final, S. de R. afirma: "los actuales novelistas españoles [...] ni han inventado nada, ni nada han renovado. Algunos aciertos formales, algunas imitaciones —de lo extranjero— afortunadas y paremos de contar". Siguen noticias biográfico-críticas o brevísimas menciones (según los casos) de buen número de autores, clasificados en: "maduros" —como Agustí, Cela o Núñez Alonso—, "aún jóvenes" —tal Delibes, Aldecoa o Ferlosio—, y el conjunto de las novelistas.

227. SALVADOR, Tomás.

La novela española en la postguerra. (N.º 189 de la serie "Temas españoles". Madrid, Publicaciones Españolas, 1955).

Es un folleto bastante deficiente en cuanto a contenido y orientación. Se afirma de entrada (y se reitera) que "la novelística española es actualmente la mejor que ha tenido España en su historia" (pág. 3). Un repaso a Premios y a Modos literarios como: novela costumbrista, de humor, histórica, rosa, radiofónica, etc. Una lista bio-bibliográfica de novelistas desde la A —Martín Abizanda— hasta la Z —Juan Antonio de Zunzunegui—.

228. SANTOS, Dámaso.

Generaciones juntas. (Madrid, Bullón, 1962).

El muy activo y generoso crítico inmediato que es D. S. recogió en este volumen "semblanzas, etopeyas, retratos o como quiera llamárseles de un número considerable de escritores españoles", conjunto que constituye a manera de "introducción a la literatura española de posguerra". En lo que a narradores atañe encontramos más de una veintena de semblanzas, de Agustí a Zunzunegui, con datos y apreciaciones útiles.

229. SANZ VILLANUEVA, Santos.

Tendencias de la novela española actual (1950-1970). (Madrid, Edicusa, 1972).

Va dirigido, primordialmente, al estudio de las técnicas renovadoras de la novela en España durante los años enunciados en el título; los capítulos más interesantes y logrados a este respecto son el III, "Contra la novela tradicional" y el IV y último, "Aspectos de la renovación formal". El extenso cap. II, "Direcciones en la última novela española", es un repaso crítico de unos cuantos autores y obras que aparecen clasificados de acuerdo con unas etiquetas no siempre convincentes (tal las varias clases de realismo: "de grupos", "simbólico", "mágico", "irónico" y "superación del realismo social"), dando paso finalmente a un mezclado conjunto de "Otros autores". El cap. I, "Introducción", es un comentario a la bibliografía sobre el tema.

El sociologismo de primer grado que practica S. V. hace desmerecer algún tanto su trabajo en el que, consiguientemente, se advierte una cierta politización —represiones, censura, mucha burguesía, derechas/izquierdas—. Por lo mismo, las alusiones acá y allá a la novelística de la década de los 40 son más bien negativas y no siempre ecuánimes. Quedan en el olvido nombres nada irrelevantes como los de Zunzunegui y Torrente Ballester.

230. Sobejano, Gonzalo.

Novela española de nuestro tiempo. (En busca del pueblo perdido). (Madrid, Prensa española, 1970. Hay 2.ª edición, corregida y ampliada: ídem., ídem., 1975. // Este libro fue premio "Emilia Pardo Bazán" 1971, de crítica literaria.)

S. clasifica (y su clasificación no tiene "otro valor que el de orientación didáctica") la novela española de nuestro tiempo en tres grandes apartados: novela Existencial —la que trata de "la existencia del hombre contemporáneo en aquellas situaciones extremas que ponen a prueba la condición humana", como *La familia de Pascual Duarte*—; novela Social —aquella que se ocupa de "el vivir de la colectividad en estados y conflictos que revelan la presencia de una crisis y la urgencia de su solución", como *El Jarama*—; y novela Estructural —atiende al "conocimiento de la persona humana mediante la exploración de la estructura de su conciencia y de la estructura de todo su contexto social", como *Tiempo de silencio*—. Buen número de títulos y de autores entra en cada uno de tales apartados, a cuyo término S. ofrece lo que podría ser el común denominador de aquéllos en temas, personajes, ambientes, etc. Un esbozo de cronología novelística (que va desde 1939 hasta 1974) y un repertorio alfabético de estudios (libros, folletos y artículos) sobre la novela española reciente cierran este importante volumen.

231. Tola de Habich, Fernando (y Patricia Grieve).

Los españoles y el boom. (Caracas, Tiempo Nuevo, 1971).

Libro hecho con los resultados de una encuesta dirigida a escritores españoles acerca del llamado "boom" de la narrativa hispano-americana y a su repercusión entre nosotros; se formulan también opiniones respecto de la denominada "operación retorno" de nuestros narradores exiliados. Amplio, vario y, en ocasiones, poco atinado conjunto de respuestas.

232. Tovar, Antonio.

Tendido de sol. Crónica literaria de 1963-1964. (Santa Cruz de Tenerife, Romerman editores, 1968).

T. volvió a ejercer como crítico literario inmediato en las páginas del semanario barcelonés "Gaceta ilustrada"; en este volumen recoge las reseñas aparecidas entre diciembre de 1962 y diciembre de 1964. Unos cuarenta títulos narrativos españoles fueron objeto de su atención y comentario durante ese bienio.

233. Tovar, Antonio.

El telar de Penélope (1967-1968). (Madrid, Alfaguara, 1971).

Volumen de características análogas al reseñado en la ficha 232. La impresión global y última de T. acerca de la novela española del bienio 67-68 aparece expre-

sada en el siguiente párrafo del prólogo: "En la novela los defectos son el realismo terrero y el intimismo
de lo infraconsciente. Las novelas puramente realistas, de las que aparecen tantas, parecen fáciles, y tien-
tan al hombre sencillo [...], las novelas que están sa-
cadas de los ocultos senos del alma individual, muchas
veces proceden de cavernas poco profundas, rellenas
simplemente de materiales de desecho o de lecturas
confusas".

234. VILLANUEVA, Darío.

Estructura y tiempo reducido en la novela. (Valencia,
editorial Bello, 1977).

Importante y muy documentado estudio de técnica
narrativa (el aspecto de la reducción temporal) en la
novela española de post-guerra: 1949 a 1974. Tras
una a modo de introducción teórico-histórica (primera
parte, tres capítulos), sigue en la segunda un pormenorizado examen de cuarenta y dos obras narrativas
españolas de entonces que cumplen la reducción
lineal —*La noria,* Luis Romero o *El príncipe destronado,* Delibes—, o la simultaneística —*Las últimas
horas,* José Suárez Carreño, *El Jarama*—, o la retros-
pectiva —*Cinco horas con Mario,* Delibes o *La gota
de mercurio,* Alejandro Núñez Alonso—. Otros dos
objetivos puede servir el presente estudio: "[...] convertirse en una historia crítica de la evolución formal
y técnica, además de temática, de nuestra novelística
más reciente" y "[...] entroncar nuestra producción
narrativa de las tres últimas décadas en el curso de
la renovación estilística general del siglo XX [...]".

235. YERRO VILLANUEVA, Tomás.

*Aspectos técnicos y estructurales de la novela espa-
ñola actual.* (Madrid, Eunsa, 1977).

Dentro de la abundante bibliografía acerca de la novelística española posterior a la guerra civil encuentra
Y. que, salvo contadas excepciones, "el estudio de
las técnicas y estructuras formales [...] ha sido preterido". A suplir en parte semejante deficiencia atiende
su libro, dedicado, tras un capítulo de introducción

o panorama histórico, al análisis, que resulta minucioso y acertado, de las cinco novelas siguientes: *Experimento en Génesis* (Germán Sánchez Espeso), *Volverás a Región* (Juan Benet), *El mercurio* (José M.ª Guelbenzu), *Corte de corteza* (Daniel Sueiro) y *Reivindicación del conde don Julián* (J. Goytisolo), las cuales ejemplifican la utilización del monólogo interior, el tempo lento, el contrapunto, el laberinto y el perspectivismo.

ÍNDICE ONOMÁSTICO Y DE TÍTULOS

A orillas del Ebro, 88
Abad Ojuel, Antonio, 62
Abel (Los), 112, 113 y 154
Abellán, Manuel L., 361 n. 215
Abuelo, el nieto y Belcebú (El), 30
Acerca del novelista y de su arte (discurso ingreso Torrente Ballester en la R.A.E. de la Lengua), 329
Acero de Madrid, 19
Acquaroni, José Luis, 33
Adagio confidencial, 352 n. 187
Afueras (Las), 181, 337
Ágata ojo de gato, 270 n. 15, 292 n. 59, 355 y ns. 195 y 196, 357
Aguado, Emiliano, 50, 62, 84
Aguinis, Marcos, 263 n. 6
Aguirre, Jesús, 335
Agustí, Ignacio, 32, 73, 82, 85, 86, 94, 124, 125, 126, 132, 149, 178, 207, 248, 293 n. 60, 328 n., 368 n. 228
Águilas (Las), 109
Ainsa, Fernando, 256 n.
Aislada órbita, 273
Ajena crece la hierba, 324 y n. 113
Al borde de la laguna, 54
Al paso alegre de la paz, 270 n. 15
Al regreso del Boiras, 362
Al servicio de algo, 151, 152
Álamos de Alonso Mora (Los), 343, 344 y n. 152
Alarcos Llorach, E., 325 n. 117
Alas invencibles (Las), 22
Alba no llega (El), 54
Albalá, Alfonso, 161, 243

Albañiles (Los), 249
Albareda, Ginés de, 84
Alborg, Juan Luis, 258
Albornoz y Salas, Álvaro de, 13
Albuquerque, María, 32
Alcaraz, Felipe, 311
Aldecoa, Ignacio, 33, 130, 154, 155, 156, 158, 159, 160, 161, 162, 163, 175, 190, 191, 228, 365, 366 n. 222, 367 n. 224, 368 n. 227
Aleixandre, Vicente, 115, 159
Alemán Sáinz, Francisco, 33
Alemany, Luis, 273
Alfaro, José María, 23, 49, 70, 94, 136, 137, 138, 139, 292 n. 59, 308, 315, 320 n. 103, 343 n. 148, 364
Alfaro, María, 173
Algo flota sobre el agua, 76
Algo pasa en la calle, 340, 342
Alicia al pie de los laureles, 40, 272 n. 17
Alijo (El), 324 n. 115
Alimento del salto, 279, 280 n. 33, 281 n.
Almanaque de literatura 1935, 15, 70
Almanaque de literatura 1951, 131
Alondra de verdad, 93
Alonso, Dámaso, 69, 93, 109, 111, 159, 203
Alonso del Real, Guillermo, 183
Alós, Concha, 280 n. 33, 284, 285, 286 n.
Alrededor de un día de abril, 339 n. 142
Alta costura, 230
Álvarez, Carlos Luis, 207

Álvarez, Consuelo, 234
Álvarez, Federico, 229
Álvarez Blázquez, José María, 86
Álvarez Fernández, Pedro, 141, 230
Álvarez Flórez, José Manuel, 312
Álvarez Gómez, Pedro, 23, 24, 30, 45, 50, 52, 53, 57, 59, 60, 73, 84, 92, 132, 137, 138, 139, 140, 141, 142
Amadís, 117
Amazonas (*Las*), 204
Ambía, Isabel de, 84
Amo, Javier del, 279, 280 n. 33, 284 n. 41, 286 n., 347 n. 161, 351 y n. 186
Amor a Cataluña, 61
Amorós, Andrés, 109, 121, 154, 226, 267, 273 n., 303 n., 327 n. 122, 365
Andreo, Lorenzo, 247
Andrés Álvarez, Valentín, 16
Andújar, Manuel, 28, 259, 268, 370, 371 n. 5
Angostura, 179
Ánimas vivas, 23, 140
Antagonía, 337
Antifaz, 311
Antiquijote (*El*), 23
Antolín Rato, Mariano, 311, 312 n. 89, 357
Anzoátegui, Ignacio, 50
Año tras año, 56, 331 n. 126
Años de la ira (*Los*), 321
Años sin excusa (*Los*), 277 n. 29
Aparicio, Juan, 20, 44, 51, 52, 57, 58, 59, 85, 99, 102
Apasionante mundo del libro (*El*), 80, 110
Aquel mocito barbero, 21
Aragón, Manuel, 353 n. 189
Aramburu, Luisa María de, 62
Aramburu, Rosa, 21
Aranguren, José Luis L., 201, 238
Araujo Costa, Luis, 67

Arbó, Sebastián Juan, 40, 82, 87, 119, 149, 178, 296 n. 67, 318 n., 322 n. 107
Árboles de oro (*Los*), 286
Arce, Carlos de, 180
Arce, Manuel, 156, 162, 233, 253
"Arco, Juan del" (seud. de Francisco Mota), 73
Arco iris, 16
Arconada, César, 19, 28, 107, 165
Arderíus, Joaquín, 16, 17, 28
Argonautas (*Los*), 280 n. 33
Arias Salgado, Gabriel, 51, 102
"Ariel" (seud. de Juan Van-Halen), 229
Armas, Alfonso de, 273 n.
Armas Marcelo, J. J., 272, 273 n.
Armero, José María, 371
Armiño, Mauro, 281 n., 311
Arozarena, Rafael, 273
Arpa fiel, 61, 93
Arroita Jáuregui, Marcelo, 199
Asedio de Madrid (*El*), 19
Asesinato de Lola espejo oscuro, 319
Asesino de César (*El*), 243
Astrana Marín, Luis, 67
Asturias, Miguel Ángel, 365
Asunción, Francis de la, 117
Atentado (*El*), 180
Aub, Max, 16, 28, 258, 259, 370, 371 n. 4
Aún es tiempo, 31
Auto de fe, 248, 353 n. 190
Autobiografía (de Miguel Villalonga), 44, 82
Autor enjuicia su obra (*El*), 129
Ávalos, Fernando, 222
Aventura equinoccial de Lope de Aguirre (*La*), 258
Avilés, Paloma, 334 n. 133
¡Ay estos hijos!, 88, 133, 134
Ayala, Francisco, 16, 28, 133, 169, 257, 258, 259, 268, 270

n. 15, 293 n. 62, 356, 365, 370, 371 ns. 5 y 6
Ayer 27 de octubre, 191
Ayesta, Julián, 57
Azancot, Leopoldo, 281 n.
Azaña, 347 n. 164, 352
Azcoaga, Enrique, 76, 83, 121, 127, 159
Aznar, Manuel, 193
"Azor" (Grupo), 50, 78
Azorín, 17, 26, 45, 49, 53, 57, 66, 69, 83, 94, 99, 116, 118, 124, 126, 127, 128, 129, 130, 131, 136, 159, 161
Azúa, Félix de, 273, 279, 280 n. 33, 284 n. 41, 286 n., 287 n. 49, 288, 355
Azuar, Rafael, 33, 179
Azuela, Mariano, 83

Baidal, José, 263 n. 6
Bajo la Cruz del Sur, 30
Balada de gamberros, 358
Balandra (La), 163, 204
Ballester, José, 118
Ballesteros, Mercedes, 35
Ballet para una infanta difunta, 243
Bandido adolescente (El), 258
Barco de la muerte (El), 94
Barea, Arturo, 28, 257, 258
Baring, Maurice, 76, 77
Baroja, Pío, 12, 16, 17, 22, 26, 29, 31, 33, 45, 48, 49, 66, 71, 73, 84, 119, 122, 128, 129, 130, 131, 135, 149, 164, 171, 188, 190, 289, 290
Barral, Carlos, 181, 232, 237, 263, 275, 276 n. 29, 277, 278, 279, 281 n., 284 n. 42, 292 n. 59, 333 n. 130, 346 y n. 157, 351 n. 186, 354
Barreto, Luis León, 273, 311
Barrio de Argüelles, 163, 204
Barrio de Maravillas, 371 ns. 5 y 6
Barrios, Manuel, 269 n. 14, 270 n. 15, 348 n. 165

Batlló, José, 234, 236
Bécquer, G. A., 15
Bejarano, Benigno, 19
Bella sirena (La), 323
Benavides, Manuel D., 16, 17
Benet, Juan, 161, 227, 249, 292 n. 58, 293, 294 n. 63, 295 y n. 66, 296, 311, 313 n. 92, 92, 314, 355, 357, 365, 367 n. 223, 368 n. 227
Beneyto, Antonio, 361 n. 215
Beneyto, Juan, 20 n. 19
Benguerel, Xavier, 345 n. 154, 347 n. 164
Benítez de Castro, Cecilio, 26, 31, 35, 36, 37, 39, 40, 45, 50, 132, 146
Berenguer, Luis, 248, 270 n. 15, 293 n. 60
Bergamín, José, 239
Berlanga, Andrés, 293 n. 60
Bermejo, José María, 281 n.
Bermejo de la Rica, Antonio, 22
Bermúdez-Cañete, Federico, 130
Bermúdez de Castro, Fernando, 33, 179, 180
Bernanos, Georges, 197, 200
Bienaventurados los que aman. 188
Blanca mano de Don Tímido (La), 31
Blas y su mecanógrafa, 30
Boda (La), 320, 321
Boda y jaleo de Titín Aracena, 32
Boixadós, Dolores, 86
Bomba increíble (La), 27
Bonmatí de Codecido, Francisco, 35
Bonilla, Fermina, 85
Borrás, Tomás, 23, 29, 31, 35, 51, 52, 57, 84, 111, 112, 141, 248
Borrador (El), 242, 243
Bosch, Andrés, 156, 179, 180, 242, 243, 245
Bosch, Rafael, 109

Bosque de Ancines (El), 112
Botella Pastor, Virgilio, 370, 371 n. 5
Boudreau, Harold L., 368 n. 229
Bravo, Francisco, 34
Bravos (Los), 162, 341, n. 146, 368 n. 227
Breve estudio de la novela española..., 354 n. 194
Bromfield, Luis, 76
Brönte, Hermanas, 110
Bryce Echenique, Alfredo, 265
Buck, Pearl S., 76
Buen salvaje (El), 248
Buenas noches, Argüelles, 297
Bueno, Manuel, 14
Bueno, Pedro, 44, 122
Buey en el matadero (El), 360 n. 213
Buñuel, Luis, 258
Buñuel, Miguel 181
Burgos, Antonio, 268 y n. 12, 270 n. 15, 277, 278, 291 n. 58
Burroughs, William, 311
Busto, 317 n. 98
Byron, Lord, 62

Cabal, Juan, 79
Caballero Bonald, José Manuel, 156, 158, 181, 222, 269, 270 n. 15, 292 n. 59, 355 y ns. 195, 196, 356, 371
Caballero Calderón, Eduardo, 247
Caballero de Erláiz (El), 84
Cabezas, Juan Antonio, 33
Cabot, José Tomás, 244
Cabrera Infante, Guillermo, 249, 313, 337
Cada cien ratas un permiso, 23, 24
Cadáver en el comedor (Un), 17
Cádiz de las Cortes (El), 324 n. 115
Caínes (Los), 322 n. 106

Cajade, Ramón, 129, 290
Cajal, Rosa María, 112
Calvo Sotelo, Joaquín, 92
Calvo Sotelo, Luis Emilio, 198
Calle de los árboles dormidos (La), 312, 314
Calle mayor (La), 42
Camaleón sobre la alfombra (El), 272
Camba, Francisco, 35
Cambio de piel, 249
Caminos de noche, 82
Campo abierto, 28
Campo cerrado, 28
Campo del Moro, 259
Campos, Jorge, 112, 161
Canción del morrocoyo (La), 273
Candel, Francisco, 156, 246, 253
Cano, José Luis, 53, 112, 127, 173, 174, 189, 200, 218, 273 n.
Canto de la gallina (El), 324
Canto de las sirenas de Gaspar Hauser (El), 351
Cantor vagabundo (El), 129
Capeas (Las), 110
Capirote (El), 157, 333
Capital de tercer orden, 117
Capitán Amorrortu (El), 328 n.
Capitán que nunca mandó un barco (El), 358 n. 204
Capote, Truman, 161
Capricho, 129
Caravia, Pedro, 111
Carbonell, Delfín, 319 n. 101
Cárcel (La), 263 n. 6
Cardenal de Iracheta, Manuel, 94
Careta (La), 342
Caridad la negra, 243
Carnicer, Ramón, 280 n. 33, 284, 285 y ns. 43 y 44, 266 y n.
Carpeta gris (La), 21
Carranque de Ríos, Andrés, 11, 16, 17, 28, 83, 165

Carrascal, José María, 291 n. 58, 358 y n. 204

Carrere, Emilio, 21, 23, 29

Carretera intermedia, 352 n. 187

Carrizo, Guillermo A. R., 264 n. 358

Carta de ayer, 200

Cartas de Cosmosia, 117

Casa de la fama (La), 153, 177, 192

Casa con goteras (Una), 180

Casa verde (La), 254

Casamiento engañoso (El), 50

Casanova, Félix Francisco, 272

Casares, Francisco, 23

Casariego, Jesús Evaristo, 35

Casicuentos de Londres, 359

Casona, Alejandro, 57

Castán Palomar, Fernando, 127

Castelo, Santiago, 346 n. 156

Castellet, José María, 114, 162, 164, 166, 167, 169, 172, 174, 181, 206, 232, 237, 239, 244, 256, 257, 277 n. 30, 333 n. 130, 355

Castiella, Miguel Ángel, 159, 161

Castillo Navarro, José Manuel, 179, 243

Castillo Puche, José Luis, 33, 113, 129, 130, 161, 166, 177, 191, 202, 250

Castresana, Luis de, 33, 113, 161, 248, 319 n. 101

Castro, Cristóbal de, 21, 29, 79

Castro, Fernando Guillermo de, 128, 151

Castro Villacañas, Antonio, 122

Castro Villacañas, Demetrio, 281 n.

Catilina, 117

Catira (La), 175

Cayrol, Jean, 166

Ceguera al azul, 246

Cela, Camilo José, 8, 32, 33, 35, 50, 54, 55, 57, 59, 70, 71, 73, 80, 83, 84, 85, 86, 88, 95, 97, 99, 100, 102, 105, 106, 109, 110, 111, 112, 118, 120, 121, 122, 125, 130, 133, 139, 149, 151, 152, 153, 159, 163, 164, 166, 175, 189, 190, 192, 194, 204, 205, 224, 225, 226, 293 n. 62, 299, 311, 314, 315 y ns. 96 y 97, 316, 365, 366 y ns. 222 y 223, 368 ns. 227 y 229, 369 n. 232

Celaya, Gabriel, 166, 239

Celia muerde la manzana, 280 n. 33

Ceniza fue árbol (La), 329 n. 124

Central eléctrica, 163, 233

Centro de la pista (El), 258

Cerca de Oviedo, 325 n. 116

Cervantes, Miguel de, 239

Ciegas hormigas (Las), 175, 296

Cielo difícilmente azul (Un), 163, 333

Cien años de soledad, 254, 262, 264, 297, 303

Ciges Aparicio, Manuel, 109

Cinco narraciones y dos fábulas, 294

Cinco sombras, 115, 119, 128

Cinematógrafo, 11, 12

Cintas rojas, 109

Cipreses creen en Dios (Los), 177, 197, 198, 199, 322, 323 n. 111

Circe, 13

Circo (El), 213, 215, 217, 218

Círculo geside (El), 356 n. 197

Circuncisión del señor solo (La), 270 n. 15, 291 n. 58, 293 n. 60, 312, 313

Cirre, José Francisco, 204

Cisneros, 78

Cisquella, Georgina, 361 n. 215

Ciudad (La), 34

Ciudad amarilla (La), 179

Ciudad de los muertos (La), 234

Ciudad y los perros (La), 181, 223, 254, 263

Ciudad sin horizontes (La), 199

Ciudad sitiada (La), 35

Ciudades en España, 85
Clarines del miedo (Los), 191, 320, 321
Claudel, Paul, 60
Claver, José María, 93
Clarasó, Noel, 82
"Clarín" (seud. de Leopoldo Alas), 50, 89, 90, 164, 173
"Cleofás", 333 n. 130
Clerici, Carlos M., 356 n. 197
Climats, 76
Clotas, Salvador, 155, 355
Coccioli, Carlo, 200
Coddou, Marcelo, 281 n., 288 n. 51

Colecciones:
    "Adonais", 87, 358 n. 204
    "Ancora y Delfín", 75, 110, 163, 258, 299, 327 n. 123, 332
    "Austral", 27, 368
    "Autores españoles contemporáneos", 184
    "Biblioteca Básica Salvat Libro RTV", 368
    "Biblioteca Breve", 164, 166, 169, 354 n. 193
    "Biblioteca Formentor", 164, 181, 222, 354 n. 193
    "Biblioteca Universal Planeta", 278 n. 31
    "Breviarios de la vida española", 60, 140
    "Cuatro Vientos, Los" (editorial Afrodisio Aguado), 83, 118
    "Cuatro Vientos, Los" (editorial Signo), 15
    "Escritores españoles contemporáneos", 141
    "España imperial, La", 78
    "Grandes biografías", 78
    "Grandes escritores contemporáneos", 366 n. 222
    "Hispánica Nova", 263, 278 n. 31, 311, 354 n. 193
    "Leda", 81
    "Manifiesto", 311

"Mari Car", 41 n. 42
"Narrativa contemporánea", 311
"Nova navis", 185
"Nova novorum", 16, 17, 27
"Nueva España", 18, 21
"O crece o muere", 182
"Publicaciones antifascistas de Cataluña", 28
"Selecciones Lengua Española", 185, 353 n. 190
"Taller Uno", 312
"Taller Siete", 312
"TWAS" (Spain), 366 n. 222
"Vidas", 79
"Vidas españolas e hispanoamericanas del siglo XIX", 78

Colegiales de San Marcos (Los), 84, 140
Cólera azul (El), 27
Colina, José Luis, 62
Colmena (La), 8, 105, 106, 114, 130, 150, 151, 152, 164, 189, 192, 194, 199, 200, 203, 204, 253, 314
Comentarios a "La vida nueva de Pedrito de Andía", 193
Como las algas muertas, 22
Comunistas, judíos y demás ralea, 130 n. 167
Con el viento solano, 130 n. 166, 228
Con la misma esperanza, 159
Con la muerte al hombro, 113
Con la noche a cuestas, 248, 270 n. 15
Conciencia de alquiler (Una), 343, 344 n. 152
Conde, Carmen, 113, 118
Condenados, 87
Condenados a vivir, 322 y n. 107, 323
Contactos furtivos (Los), 82
Contando los cuarenta, 46
Conte, Rafael, 198, 227, 229, 251, 254, 259, 261 y n. 2, 264 n. 7, 275 n. 25, 281 n., 282

n. 37, 285, 287 n. 48, 289 n. 52, 290, 291 ns. 56 y 57, 292 n. 59, 296, 308, 310 n., 315, 322, 328 n., 331, 345 n. 155, 346 y n. 157, 347 n. 160, 348 n. 169

Conti, Haroldo, 263 n. 6, 280 n. 33, 348 n. 165

Contra aquello y esto, 65, 81, 107

Contraataque, 18

Contrabandista de pájaros (El), 270 n. 15, 291 n. 58

Conversaciones en La Catedral, 274

Corbalán, Pablo, 281 n.

Córdoba, Santiago, 180, 318 n.

"Corpus Barga" (seud. de Andrés García de la Barga y Gómez de la Serna), 356 y n. 201, 371 ns. 5 y 6

Corrales Egea, José, 15, 116, 120, 149, 155, 169, 236

Corrupciones (Las), 246

Cortázar, Julio, 256, 262, 265, 267, 274, 283 n. 40

Corte de corteza, 240

Corts Grau, José, 173

Cossío, Francisco de, 18, 33

Cossío, José María de, 33, 126

Courage Argyslas, 317 n. 99

Cousines Muller (Les), 82

Creador (El), 36

Crémer, Victoriano, 57

Crescioni Neggers, Gladys, 302 n. 80

Criba (La), 181

Crimen (novela de J. Arderiús), 16

Crimen (novela de A. Espinosa), 271 n. 17

Crítica al viento, 127

Crítica y glosa de "Un millón de muertos", 198

Cristina Guzmán, profesora de idiomas, 41

Cristo en los infiernos, 41

Crónica de la nada hecha pedazos, 272, 274, 293 n. 60

Crónica de los pobres amantes, 216

Crónica del alba, 258

Crónica sin héroes, 358

Crónicas del sochantre (Las), 175

Crusat, Paulina, 369 n. 232

Cruz invertida (La), 263 n. 6

Cruz Ruiz, Juan, 272, 274, 281 n., 293 n. 70

"Cuadernos de La Romana, Los", 316

Cuajarón (El), 270 n. 15

Cuando amanece, 243

Cuando 900 mil max aproch, 312 n. 89, 357

Cuarteto de sombras, 359, 361 n. 214

Cuarto galeón, 36

Cuarto menguante, 181

Cuatro ángeles de San Silvestre (Los), 192

Cuatro de familia, 343, 344 n. 152

Cuento de un ciego que profetiza, 140

Cuentos de fin de año, 27

Cuerda de presos, 177

Cuerpo a tierra, 196

Cuevas, José de las, 76

Culminación de Montoya, 264 n., 358

Cumbres borrascosas, 110, 112

Cunqueiro, Álvaro, 23, 50, 57, 117, 118, 175, 227, 228, 247, 368 n. 227

Cura de Monleón (El), 12, 129

Curandero de su honra (El), 17

Curso (El), 173, 178

Curutchet, Juan Carlos, 229

Chabás, Juan, 16

Chacel, Rosa, 16, 27, 257, 370, 371 ns. 5 y 6

Chacha Josefica, 29

Chachos (Los), 53, 139, 140

Chekas de Madrid, 35, 111, 112
Chiaramonte, Nicola, 239
Chiplichandle (El), 40, 133
Chiripi, 17

Dama del alba (La), 57
Dane, Clemence, 76
De camisa vieja a chaqueta nueva, 372 n. 8
De cuerpo presente, 310
De la sabiduría de la noche y de cierta frivolidad del alba, 356 n. 197
De las Armas a Montemolín, 362
De pantalón largo, 177
De vulgari Zyklon B manifestante. Elementos de psicocartografía literaria, 312 n. 89
Del laberinto al treinta, 293 n. 60
Delgado, F., 248 n. 54, 272
Delibes, Miguel, 33, 86, 87, 112, 130, 132, 143, 153, 166, 175, 177, 189, 190, 200, 226, 231, 239, 249, 292 n. 59, 293 n. 62, 311, 326, 327 y ns. 121, 122 y 123, 328, 362, 366 y n. 222, 367 n. 223, 368 n. 227, 369 n. 232
Desconocido (El), 180
Descontentos (Los), 343, 368 n. 232
Desfile de la Victoria (El), 372 n. 8
Desnudo impecable y otras narraciones (El), 27
Desnudo en Picadilly, 28
Deshumanización del campo (La), 169
Desierto rubio (El), 23
Después de la bomba, 28
Día señalado (El), 247
Diálogos (de Pero Mexía), 50
Diálogos del anochecer, 280 n. 23, 281 n., 288, 362
Diario de una Bandera, 29

Diario de un cazador, 177, 326 n. 119
Diario íntimo (de Eugenio Noel), 110
Días de amor, guerra y omnipotencia de David el Callado, 293 n. 60, 339 n. 142
Díaz Fernández, José, 28, 165
Díaz-Plaja, Fernando, 181, 372 n. 8
Díaz-Plaja, Guillermo, 61, 117, 227, 232, 325 n. 117, 364
Diego, Fernando de, 22
Diego, Gerardo, 57, 84, 93
Díez, Vicente, 80
Díez del Corral, Luis, 61
Díez de Ibarrondo, Mirén, 202
Diecinueve de julio, 248
Documentos secretos/1, 293 n. 60, 339 n. 142
Domenchina, Juan José, 16
Domenech, Ricardo, 207, 221, 222, 251
Domingo, José, 226, 241, 246, 269 n. 13, 281 n., 284 n. 41, 285 n. 44, 286 n. 46, 287 n. 48, 289, 313 n. 92, 315, 326, 330, 334 n., 132, 348 n. 169, 364
Don Adolfo el libertino, 40
Don Juan, 234, 300 y n. 76, 304
Don Pedro Hambre, 42
Don de Vorace (El), 272
Donde da la vuelta el aire, 300
Donoso, José, 254, 264, 265, 266 n., 267
Doña Inés, 129
Dos caminos, 140, 141
Dos días de setiembre, 181, 222, 269, 355
Dos hombres y dos mujeres en medio, 134
Dos Passos, John, 165
Droguett, Carlos, 263 n. 6, 265
Duelo en el Paraíso, 162, 209, 210, 211, 212
Dueño del miedo (El), 324
Dupuich da Silva, M., 51

Duque, Aquilino, 270 n. 15, 356 n. 199
Duras, Marguerite, 166

Eclipse de tierra, 33
Edad de hombre, 87
Edad prohibida, 179
Editoriales :
 Adán, 83
 Afrodisio Aguado, 41, 51, 83, 110, 118
 Aguilar, 185, 369 n. 232
 Akal, 311
 Aldecoa, 20, 73
 Alfaguara, 151, 311
 Andorra, 259
 Apolo, 82, 94
 Araluce, 14
 Atlas, 79
 Azanca, 311, 312
 Barral, 277, ns. 29 y 30, 278, 280 n. 33, 282, 283, 284 n. 42, 311, 354
 Bergua, 14
 Biblioteca Nueva, 13, 78, 79, 110, 131, 272 n. 17
 B.I.M.S.A., 22
 Bullón, 132, 159, 196
 Caralt, Luis de, 51, 78, 82
 Caro Raggio, 290
 Castalia, 160, 292 n. 59, 311 n. 87, 350 n. 180
 Cid, 257
 Cigüeña, 85
 Clan (Librería), 27
 Clydoc, 27 n. 29
 Colenda, 176
 Delos-Aymá, 258
 Destino, 75, 82, 85, 106, 112, 115, 125, 134, 154, 163, 178, 244, 258, 276, 299, 327 n. 123, 332, 369 n. 232
 Edhasa, 28, 259
 Ediciones del Movimiento, 64
 Edicusa, 155, 237
 Editora Nacional, 20, 50, 59, 60, 65, 82, 85, 100, 101,
  102, 107, 111, 116, 117, 129, 134, 136, 139, 140, 233, 344 n. 151, 368 n. 232
 Emecé, 27, 105, 151
 Emporion, 44
 Escelicer, 202
 Escorial (Ediciones), 50, 100
 Española, 19
 Españolas, 29, 34, 35
 Espasa-Calpe, 14, 15, 42, 78, 83
 Gallimard, 189
 Garcilaso (Ediciones), 97
 Gredos, 97, 109
 Grifón (El), 227 n. 10
 Guadarrama, 28, 93, 160, 244
 Hora de España (Ediciones), 19
 Internacional (Librería, San Sebastián), 20, 21
 Inventarios provisionales, 273, 274
 Jerarquía (Ediciones), 21, 60, 100
 Joaquín Mortiz, 157, 259
 Juventud, 13, 36, 37, 41, 68, 79, 82
 Kayrós, 155
 La Gacela, 82, 368 n. 228
 La Nave, 83, 110, 290
 Losada, 28, 36, 161, 163
 Magisterio Español, 358
 Mi Revista (Ediciones), 19
 Noguer, 135, 253, 369 n. 232
 Nuestro Pueblo, 19
 Olimpo, 78, 82
 Patria, 88
 Pegaso, 90
 Perseo, 27
 Picazo, 180, 246
 Planeta, 15, 78, 110, 112, 176, 188, 199, 244, 278, 296 n. 67, 323 n. 110, 351 n. 184
 Plaza-Janés, 185, 244, 272 n. 19, 385 n. 205
 Plutarco, 15, 70

Poseidón, 27
Prensa Española, 27, 368 n. 232
Progreso, 19
Pueyo, 13
Revista de Occidente, 80, 83
Rollán, 32, 323
Ruedo ibérico, 156, 168, 253
Sagitario, 83
Sala (Organización), 104 n., 368 n. 230.
Seix Barral, 164, 166, 169, 176, 181, 222, 223 n., 234, 236, 237, 249, 254, 258, 311, 313, 324 n. 113, 333 ns. 129 y 130, 353, 354 n. 193
SGEL., 14
Signo, 15
Solidaridad obrera (ediciones), 19
Sudamericana, 27, 28
Sur (Ediciones), 27
Taller Ediciones J.B., 271 n. 17, 272 n. 20, 274 n. 312
Tartessos, 82
Tecnos, 32
Yunque, 82, 85

Edwards, Jorge, 265
Egea, Joan, 336 n. 136
Elegía del prieto Trinidad, 258
Elegía por una esperanza, 297
Eliminatoria (La), 270 n. 15, 324 y n. 112
Embeita, María, 169
Empleado (El), 83
En el día de hoy, 372 n. 8
En el pueblo hay caras nuevas, 86
En el segundo hemisferio, 339 n. 142
En el tiempo de los tallos verdes, 296
En la hoguera, 162
En la noche no hay caminos, 179
En la vida de Ignacio Morel, 225, 248
En la vida del señor alegre, 272 n. 17
En plazo, 222
En vida, 263 n. 6, 280 n. 33
Encrucijada de Carabanchel (La), 248
Encuentro con Ilitia, 297
Enfermo (El), 83
Ensayos sobre literatura social, 160
Entrambasaguas, Joaquín de, 15, 22, 35, 40, 44, 79, 84, 94, 110, 134, 368 n. 231
Entre dos fuegos, 19
Entre el cielo y la tierra, 23
Entre visillos, 163, 191, 325
Enviado especial, 19
Epitafio para un señorito, 270 n. 15
Equipaje de amor para la tierra, 248
Ercilla, Jesús, 20
Erviti, José Luis, 361 n. 215
Es la vida, 130
Esas nubes que pasan, 83
Esclavitud y libertad, 22
Escobar, Julio, 292 n. 58
Escobar, Luis, 49
Escohotado, Ramón, 70
Escribo tu nombre, 342
Escritor (El), 129, 130
Escritos antitaurinos (de Eugenio Noel), 110
Escuela de mandarines, 292 n. 59
España a dos voces..., 198
España fibra a fibra, 110
España en sus episodios nacionales, 64
Españoles con clave, 51
Españoles y el "boom" (Los), 261, 262 n. 3, 276 n. 29, 362 n. 216
Espina, Antonio, 16, 79
Espina, Concha, 16, 18, 21, 22, 23, 27, 29, 41, 79, 83, 88, 186
Espinás, José María, 178

Espinosa, Agustín, 271 y n. 17
Espinosa, Juan Antonio, 82, 328 n.
Espinosa, Miguel, 292 n. 59
Espinosa, Pedro, 204
Espiral (La), 280 n. 33, 281 n.
Espoir (L'), 197
Esta oscura desbandada, 135, 230
Estado de coma, 272 n. 19
Estos son tus hermanos, 157
Estrada, Rafael, 190
Eterna memoria, 360
Eufrosina o la gracia, 28
Eugenio o proclamación de la primavera, 21, 60, 102, 103

F.A.I., 42, 43
Falange y literatura, 56, 148
Familia de Pascual Duarte (La), 8, 80, 85, 88, 93, 94, 95, 97, 99, 102, 109, 115, 118, 120, 121, 122, 123, 124, 125, 126, 130, 139, 151, 229, 279, 300, 314, 368 n. 229
Faraldo, Ramón D., 127
Farsa docente, 57
Fases de la luna, 356 n. 197.
Fastenrath, Juan, 88
Fau, Ramón, 31
Faulkner, William, 165, 274
Felicidad, ja, ja (La), 265
Félix Vargas, 99
Feria Nacional del Libro, 80
Fernández Almagro, Melchor, 41, 53, 67, 70, 76, 113, 122, 125, 127, 173, 193, 233, 252
Fernández Ardavín, Luis, 57
Fernández Braso, Miguel, 241, 268 n. 11, 278 n. 32
Fernández de Castro, Javier, 279, 280 n. 33, 284 n. 41, 286 n., 287 n. 49.
Fernández de Castro, José, 181
Fernández de Córdoba, Fernando, 34
Fernández Cuenca, Carlos, 96
Fernández Cuesta, Manuel, 23

Fernández Figueroa, Juan, 193
Fernández Flórez, Darío, 32, 57, 83, 113, 127, 132, 230, 319 y n. 102
Fernández Flórez, Wenceslao, 17, 34, 35, 36, 67, 179, 180
Fernández de la Mora, Gonzalo, 252
Fernández Molina, Antonio, 310, 311
Fernández Nicolás, Severiano, 199
Fernández de la Reguera, Ricardo, 57, 188, 196
Fernández Santos, Francisco, 208
Fernández Santos, Jesús, 154, 156, 158, 161, 162, 163, 164, 166, 189, 190, 224, 225, 236, 276, 340 y n., 341 y ns. 144 y 146, 347 ns. 160 y 162, 356, 358, 361 n. 214, 368 n. 227, 371
Fernández Suárez, Álvaro, 162
Ferrand, Manuel, 248, 269 n. 15, 348 n. 165
Ferraté, Juan, 313, n. 91
Ferrer, Olga P., 108
Ferres, Antonio, 155, 156, 163, 164, 165, 168, 204, 233, 252, 253, 256, 280 n. 33, 284, 285, 286 y n., 339 n. 142, 362
Fiel Infantería (La), 39, 60, 61, 95, 97, 101, 102, 103, 104, 107, 144, 146, 194, 206, 368 n. 230
Fieras rojas (Las), 18
Fiesta en el polvo, 358 n. 205
Fiestas, 212, 213, 214, 215, 217
Figueras, Juana, 317 n. 99
Figuerola, Rosa, 181
Fin de fiesta, 170, 208, 210, 218, 219, 220
Fin de semana, 16
Fin de Semana en Etruria, 270 n. 15

"Florentina del Mar" (seud. de Carmen Conde), 118

Flor de ayer (*La*), 16

Flores del año mil y pico de ave, 118

Flores, Miguel, 363 n.

Florido mayo, 270 n. 15, 271, 291 n. 58, 333, 361 n. 214

Flush, 75

Fórmica, Mercedes, 32, 33, 50

Fondo de estrellas, 25, 26

Fonseca, Rodolfo, 82

"Formentor" (Grupo), 164

Forrellad, Luisa, 162, 178

Foxá, Agustín de, 21, 22, 45, 60, 149

Foyaca, Carlos, 186, 187

Fraguas Saavedra, A., 62

Fraile, Medardo, 156, 161

Francés, José, 21, 27

Franco, Francisco, 29, 260

Franquelo, Rafael, 273

Frente de Madrid, 42, 43

Frente de los suspiros (*El*), 34

Frontera, 230

Frontera de Dios (*La*), 163, 201

Fuente (*La*), 82

Fuentes, Carlos, 249, 262, 267

Fuentes, Víctor, 109, 234

Fuera de juego, 163

Fuertes, Julio, 144

Fulgor y la sangre (*El*), 162, 228

Fundación, hermandad y destino, 194

Furgón de cola (*El*), 168, 253

Fuster, Juan, 166, 167

Gabriel y Galán, José Antonio, 279, 280 n. 33, 283, 284, 287 ns. 49 y 50

Galdós, Benito Pérez, 12, 149, 164, 239

Galgos verdugos (*Los*), 356, 371 ns. 5 y 6

Galvarriato, Eulalia, 115, 119, 128

Gallego, Gregorio, 321 n.

Gallina ciega (*La*), 259 n. 78, 371 n. 4

Gamallo Fierros, Dionisio, 69

Gangrena (*La*), 353

Ganivet, Ángel, 85, 90

Garay, José Luis de, 19

Garazábal, B., 299 n. 72

Garcés, Jesús Juan, 97

García, P. Félix, 67

García, Narciso, 20

García Badell, Gabriel, 362, 363 n.

García Blázquez, José Antonio, 358 y n. 205

García Hortelano, Juan, 154, 156, 157, 163, 164, 181, 204, 205, 206, 208, 222, 233, 239, 256, 279, 280 n. 33, 282, 283, 284, 285, 286 y n., 287 n. 48, 293 n. 61, 331, 355, 361 n. 214

García López, José María, 293 n. 60

García Luengo, Eusebio, 54, 57, 162, 174, 175, 193

García Márquez, Gabriel, 254, 256, 264, 265, 267, 297, 303

García Mercadal, José, 79, 110

García Nieto, José, 57, 97, 159, 316

García Pavón, Francisco, 33, 257, 325 y n. 117, 358

García de Pruneda, Salvador, 248, 250

García-Ramos, Alfonso, 272, 274 n. 22

García Rodríguez, José María, 50, 54, 57, 59, 78

García Sanchiz, Federico, 250

García Serrano, Rafael, 21, 26, 33, 35, 39, 60, 62, 63, 65, 66, 95, 97, 101, 103, 104, 106, 112, 126, 131, 132, 144, 146, 192, 194, 195, 206, 368 ns. 228 y 230

García Suárez, Pedro, 26, 35, 54, 59, 64, 83, 112, 132, 144, 146, 147

García Viñó, Manuel, 156, 242, 243 y n., 244, 245, 281 n.
Garmendía, Salvador, 265
Garrido, María Rosa, 359 n. 209
Garrigues, Antonio, 33
Gasulla, Luis, 264 n., 358
Generación de 1898 (La) (libro de Laín Entralgo), 67
Generaciones juntas, 132, 159, 192
Genio y figura de España, 50 n. 5
Gennari, Genoveva, 82
Gich, Juan, 33, 120
Gil, Ildefonso Manuel, 82, 172
Gil-Albert, Juan, 292 n. 59
Gil Casado, Pablo, 324 n. 113, 333 n. 129
Giménez Arnau, José Antonio, 20, 34, 40, 42, 45, 132, 177, 206
Giménez Caballero, Ernesto, 29, 61, 63, 130
Gimferrer, Pedro, 313 n. 91
Gironella, José María, 86, 115, 130, 177, 179, 180, 182, 190, 197, 198, 290, 322, 323 n. 111, 347 ns. 160 y 162
Gómez de la Serna, Gaspar, 64, 144, 159, 160
Gómez de la Serna, Ramón, 17, 27, 42, 52, 70, 82, 110, 133, 138
Gómez Egea, Rafael, 341 n. 145
Gómez Martín, Fernando, 29
Gómez Ortiz, Manuel, 281 n., 285 n. 44
Gómez Parra, Sergio, 227
Gómez Tello, José Luis, 31, 144
Gomis, Lorenzo, 174
González, Manuel Pedro, 255
González Aller, Fernando, 356 n. 197
González Anaya, Salvador, 13
González y/de Canales, Patricio, 20, 96, 98
González Cerezales, Manuel, 174, 258, 359 ns. 208 y 209

González Cerezales, Ricardo, 123, 140
González León, Adriano, 249
González López, Emilio, 150
González Ruano, César, 14, 28, 86, 179, 203
González Ruiz, Nicolás, 29, 90
González de la Torre, M., 91
Goñi, Joaquín, 32
Gota de mercurio (La), 178
Goytisolo, José Agustín, 164
Goytisolo, Juan, 77, 82, 153, 154, 155, 156, 157, 162, 163, 164, 165, 166, 167, 168, 170, 171, 189, 190, 206, 208, 209, 210, 211, 212, 213, 214, 215, 216, 217, 218, 219, 221, 222, 229, 233, 240, 253, 338 y n. 139, 339 y n. 141, 342, 362, 366 y n. 222, 367 ns. 223 y 225, 369 n. 232
Goytisolo-Gay, Luis, 156, 157, 164, 165, 166, 181, 190, 191, 230, 313, 337 y n. 139, 338 n.
Gozos y las sombras (Los), 300, 304, 306
Gracia pensativa, 358 n. 204
Graciella, 127 n. 157
Gramberg, Edward J., 198
Gramófono (El), 359 n. 211
Gran Café, 343, 344 y n. 152, 345 n. 154
Gran momento de Mary Tribune (El), 279, 280 n. 33, 281 n., 283, 286, 287 n. 48, 293 n. 61, 331, 361, n. 214
Gran Sol, 175, 228
Grands cimitières sous la lune (Les), 197
Green, Julien, 200
Greene, Graham, 200
Grieve, Patricia, 262
Groovy, 291 n. 58
Grosso, Alfonso, 156, 157, 163, 241, 256, 270 n. 15, 271, 279, 291 n. 58, 330, 332, 333 ns. 130 y 131, 334, 346 y n. 157, 356, 361 n. 214

Grupo del 75-27, IV, 53
Grupp, W. J., 88
Guad, 272, 274 ns. 22 y 23
Guarnición de silla, 241, 270 n. 15, 330, 332 n., 333, 356
Guelbenzu, José María, 238, 239, 310
Guerra civil, 293 n. 60
Guerra española en la creación literaria... (La), 19
Guerras de nuestros antepasados (Las), 327, 328
Guerrero Zamora, Juan, 193
Gutiérrez Solana, José, 109, 110

Ha estallado la paz, 323 n. 111
Hablando de España en voz alta, 89
Hachazo (El), 321 n.
Halcón, Manuel, 22, 33, 149, 177, 255, 368 n. 232
Hambre de tierra, 14
Hamsum, Knut, 76, 82
Haragán (El), 183
Heautontimoroumenos, 313, 314 n. 94
"Héctor del Valle" (seud. de Fernando Vela), 79
"Hely Zagher" (seud.), 181
Hemingway, Ernest, 197
Heras, Antonio, 14
Heras, Antonio R. de las, 255, 320 n. 105
Heras, Esteban P. de las, 86
Hermanas coloradas (Las), 325
Hermes en la vía pública, 16
Hernández, Gabriel, 20
Hernández, Orlando, 273
Hernández, Ramón, 279, 280 n. 33, 281 n., 284, 285, 347 n. 161, 360 y n. 213
Hernández Gil, Antonio, 25
Herrera Petere, José, 19
Herreras, Domiciano, 67
Hicieron partes, 177, 202
Hickey, Leo, 226, 327
Hierro, José, 158
Hija malograda (La), 319

Hijo de Saturno (El), 148
Hijo hecho a contrata (El), 230
Hijos de la ira, 83, 111, 159
Hijos de Máximo Judas (Los), 113
Hijos muertos (Los), 175, 177
Historia del caballero Rafael (La), 23
Historia de un perro hinchado, 51
Historia personal del "boom", 266
Historias de Coral y Jade, 248
Historias de una historia, 371 n. 5
Hoja de parra (La), 339 n. 142, 362
Hoja roja (La), 231, 368 n. 227
Hombre (Un), 86, 115, 130, 290
Hombre a la deriva (Un), 86
Hombre de los santos (El), 225, 340, 356
Hombre perdido (El), 27
Hombre que iba para estatua (El), 60, 134
Hombre que se parecía a Orestes (Un), 227
Hombre que trasladaba ciudades (El), 265
Hombres de acero, 15
Hombres varados, 233, 234
Homenaje a F. K., 351
Homenaje privado, 242
Hora actual de la novela en el mundo, 201
Hora actual de la novela española, 258
Hora del lector (La), 169, 206
Horas (Las), 163
Horas y figuras de la guerra en España, 34
Horia, Vintila, 244, 245
Horno Liria, Luis, 174
Hoyos, Antonio de, 109
Huarte, Fernando, 122, 367 n. 223
Huelga (La), 155
Huertas, Ricardo, 281 n.

Humano abismo, 86
Huyen las raposas, 50, 54

Icaria, Icaria..., 345 n. 154, 347 n. 164
Icaza, Carmen de, 41
Ifigenia, 304
Iglesias, Ignacio, 217, 226, 255
Iglesias Laguna, Antonio, 225, 226, 229, 251, 261 y n. 1, 291 n. 55, 332 n., 343, 344 n. 153
Iluminada (La), 36
Importantes (Los), 246
Increíble y triste historia de la cándida Eréndira y de su desalmada abuela (La), 264
Industrias y andanzas de Alfanhuí, 119, 152, 162, 192, 368 n. 227
Inés Just Coming, 241, 253, 332
Inquietudes de Shanti Andía (Las), 290
Insolación (La), 124
Insolente (El), 243
Inspiración y el estilo (La), 293
Insúa, Alberto, 27
Intelectual y su carcoma (Un), 16
Introducción y proceso a la nueva narrativa andaluza, 267 n. 10
Inventario base, 227, 310
Inventor de la vida (El), 31
Invitado a morir, 280 n. 33, 281 n.
Ira de la noche (La), 360 n. 213
Iribarren, Manuel, 29, 34, 89, 124, 133
Isla (La), 170, 210, 218, 219, 220
Isla sin aurora (La), 116, 129
Isla en el Mar Rojo (Una), 34, 35
Italia mi ventura..., 78
Izquierdo Luque, Federico, 48

"J. Miró" (seud. de José María Gironella), 322 n. 107
Janés, José, 28, 44, 81, 82, 162, 328 n.
Jarama (El), 162, 175, 177, 178, 188, 203, 204, 205, 206, 227, 276, 279, 366
Jardiel Poncela, Enrique, 21, 57
Jardín de las delicias (El), 270 n. 15, 356, 371 ns. 5 y 6.
Jarnés, Benjamín, 15, 16, 28, 82, 83, 133, 138, 218
Jato Miranda, David, 63, 96
Javier Mariño, 60, 95, 97, 100, 299 y n. 73, 300 ns. 74 y 75, 301
Jiménez, Juan Ramón, 110, 196
Jiménez, Salvador, 225
Jiménez Lozano, José, 293 n. 60
José Antonio, el hombre, el jefe, el camarada, 34
"José Carol" (seud. de Andrés Bosch), 179
Joyce, J., 274
"Juan de Loaisa" (seud.), 182
Juan de la luna, 13
Juan Risco, 112, 113
Juan sin tierra, 338, 339
Juego de la vida (El), 82
Juego del lagarto (El), 280 n. 33, 281
Juegos de bobos, 324 n. 114
Juegos de manos, 162, 189, 208, 209, 210, 211
"Juliano de Gades" (seud. de Adolfo Lizón), 71
"Julio Romano" (seud. de Hipólito Rodríguez de la Peña), 14
Junceda, Luis, 246
Junyer Pardillo, Carlos, 188, 189
"Juventud creadora" (Grupo), 58, 97
Juventud no vuelve (La), 83

Kafka, F., 274
Karlas, Uuno, 63
Koestler, Arthur, 197

Kronik, John W., 368 n. 229
Kurtz, Carmen, 180

Laberinto levítico, 280 n. 33, 281 n., 288
Laberinto mágico (*El*), 28
Laberintos, 225, 236
Lacruz, Mario, 156, 162
Ladrón de bicicletas, 161
Laforet, Carmen, 32, 33, 86, 89, 94, 96, 125, 126, 130, 132, 149, 176, 177, 190, 191, 201, 224, 249, 258, 290
Laiglesia, Álvaro de la, 32, 179
Laín Entralgo, Pedro, 20, 49, 50, 60, 67, 126, 369 n. 232
Lancelot 28.º 7.º, 271 n. 17
Landínez, Luis, 113
Lara, José Manuel, 180, 185, 278, 279, 280 n. 33, 283, 318, y n., 349 n. 173, 350, 352 n. 188
Lara (junior), José Manuel, 277, 278, 281 n.
Larra, Mariano José de, 165
Larreta, Enrique, 88
Lazo de púrpura (*El*), 177
Lecciones de Jena (*Las*), 280 n. 33, 281 n., 288
Lecciones suspendidas (*Las*), 273
Ledesma Miranda, Ramón, 11, 12, 16, 28, 41, 70, 71, 83, 128, 132, 149, 153, 177, 192, 289, 360 n. 213
Legión 1936, 54, 64, 83, 146, 147
Leiv-motiv, 293 n. 60, 312, 313 n. 92
Leña verde, 270 n. 15, 293 n. 60
León, Leonilda J., 256
León, Ricardo, 16, 41
Leoncio Pancorbo, 94, 136
Leñero, Vicente, 249
Lera, Ángel María de, 229, 248, 250, 257, 320 y n. 105, 321 y n., 335 n. 134, 350 n. 182, 365 y n. 219, 366 n. 222

Lesfargues, Bernardo, 190
Levi, Carlo, 165
Leyva, José, 270 n. 15, 281 n., 291 n. 58, 293 ns. 60 y 61, 312 y n. 90, 313 y n. 93, 314 y n. 95, 356
Lezama Lima, J., 262, 267
Libro de Cristóbal Colón (*El*), 60
Libro de la memoria de las cosas, 341, 361 n. 214
Libro de Zubeldía (*El*), 82, 328 n.
Linares, María Luisa, 41
Linares Becerra, Concha, 41
Línea Siegfried, 40
Linotipias del miedo (*Las*), 363
Literatura de España día a día, (1970-1971), 364
Literatura española contemporánea, 93
Literatura española del siglo XX (*La*), 90
Literatura y política. (En torno al realismo español), 237, 238, 241, 242, 256
Lizón, Adolfo, 57, 72
Lola espejo oscuro, 113, 114, 120, 127, 128, 230
Lope de Aguirre, el peregrino, 23, 50
López Cid, José Luis, 199
López de Haro, Rafael, 27, 29
López Martínez, José, 350 n. 180
López Molina, Luis, 108
López Pacheco, Jesús, 156, 163, 164, 166, 167, 178, 181, 190, 191, 233, 239, 339 n. 142, 362
López Pereira, Federico, 279, 280 n. 33, 286 n., 287 n. 49
López Pinillos, José, 109
López Salinas, Armando, 155, 156, 163, 164, 168, 178, 233, 239, 331 n. 126
López y Fuentes, Gregorio, 83
Lora Risco, Alejandro, 256 n.

Lorén, Santiago, 179, 180
Lorenzo, Pedro de, 30, 59, 60, 66, 72, 97, 98, 117, 129, 132, 179, 340, 344 n. 151, 345 y ns. 155 y 156, 366 n. 222, 368 ns. 230 y 232
Lorenzo Ovellano, Enrique, 181
Los de ayer, 19
Los que no descienden de Eva, 40, 88
Los que no tienen paz, 323
Los que perdimos, 321
Luca de Tena, Juan Ignacio, 21
Luca de Tena, Torcuato, 162, 179, 180, 350 n. 182, 361 n. 214, 372 n. 8
Lucas Casla, P. Andrés de, 115
Luis, Leopoldo de, 316
Luis Álvarez Petreña, 16
"Luis León" (seud.), 14
Luján, Néstor, 87, 115, 178
Luna ha entrado en casa (*La*), 86, 119
Lundkvist, Arthur, 273 n.
Luz pesa (*La*), 243

Llaga (*La*) (novela de Luis Junceda), 246
Llaga (*La*) (novela de Marcial Suárez), 112
Llardént, José Antonio, 281 n.
Llaves del infierno (*Las*), 242
Llosént Marañón, Eduardo, 20, 45

Machado, Antonio, 213, 217
Madrid de corte a cheka, 21, 60
Madrid-grado, 35
Madrinas de guerra, 21
Maese Miserias, 161
Maeztu, Ramiro de, 62, 130
Magny, Claude-Edmonde, 205
Mainer, José Carlos, 23, 50, 56, 148, 223 n.
Maleni, 36
Males sagrados (*Los*), 358
Malogrado (*El*), 54
Malraux, André, 197

Mallo, Jerónimo, 108
Mallorca, 61 n. 23
Manegat, Julio, 174, 179, 181
Manfredi Cano, Domingo, 30, 57
Mann, Thomas, 344 n. 153
Manolo, 18
Manos cruzadas sobre el halda, 179 n. 63
Manteiga, Luis, 86
Manzanares, Alfredo, 32
Manzano, Rafael, 205
Mar está solo (*El*), 119
Maravall, José Antonio, 79, 98, 113
Marco, Joaquín, 302 n. 79, 364, 365
Marcos, P. Balbino, 246
Marcos Villarí, 329 n. 124
Marea escorada, 248, 270 n. 15
Maremagnum, 291 n. 58, 293 n. 60
María Fontán, 129
María de la Hoz, 30
Marías, Javier, 293 n. 60
Marías, Julián, 198
Mariona Rebull, 94, 120, 124, 125, 126
Marqués de Lozoya, 79
March, Susana, 112
Marquerie, Alfredo, 30, 92, 127
Marra-López, José Ramón, 19, 28, 173, 224, 225, 231, 232, 234, 251, 258, 300 n. 76
Marsé, Juan, 156, 164 n. 29, 240, 330, 334 y n. 133, 335 y ns. 134 y 135, 336 y n. 136, 338 n. 139, 342, 362, 371
Martí, Octavio, 295 n. 66, 333 n. 131
Martín Abril, José Luis, 356 n. 198
Martín Descalzo, José Luis, 156, 163, 166, 202, 367 n. 223
Martín Gaite, Carmen, 155, 161, 163, 178, 190, 191, 225, 308, 325, 368 n. 227
Martín Guzmán, Luis, 83

Martín Santos, Luis, 153, 155, 221, 222, 223 n.
Martín Vigil, José Luis, 250
Martínez, Carmelo, 204
Martínez Barbeito, Carlos, 57, 86, 112
Martínez de Bedoya, Javier, 20
Martínez Kleiser, Luis, 250
Martínez Olmedilla, Augusto, 31
Martínez Ruiz, Florencio, 99, 245, 344 n. 151, 351 n. 183, 368 n. 232
Martínez Torres, Augusto, 356 n. 197
Mascarada trágica (La), 40
Máscaras y tierra, 273
Masoliver, Juan Ramón, 86, 174, 178
Masoliver, Liberata, 181
Massip, Paulino, 28
Mata, Pedro, 13, 16, 29
Mateos, Andrés María, 20
Matute, Ana María, 31, 33, 112, 154, 156, 157, 158, 162, 163, 175, 177, 178, 180, 189, 190, 250, 366 n. 222, 368 n. 227, 369 n. 232
Maugham, Somerset, 75, 76
Mauriac, François, 200
Maurois, André, 75, 76
Max, 161
Mayorazgo de Labraz (El), 290
Media hora jugando a los dados, 271 n. 17
Medio, Dolores, 33, 179, 182, 199
Meditación (Una), 227, 249, 294, 295
Mejía Vallejo, Manuel, 247
Melcón, María Luz, 280 n. 33, 284, 287 n. 49, 348 n. 165
Memorias de Altagracia, 265
Memorias de Leticia Valle, 27
Memorias de un niño de derechas, 358
Memorias de un señorito, 230
Memorias de un soldado locutor, 34

Memorias inéditas de José Antonio Primo de Rivera, 350 n. 182
Menéndez Pelayo, Marcelino, 90
Menéndez Pidal, Ramón, 49
Mephiboset en Onou, 273 n.
Mercería Ruiloba, paquetería, 162
Mercurio (El), 310, 238
Mergelina, Manuel de, 45
Meses de esperanza y lentejas, 30
"Metafísico" (Grupo), 242, 297, 353 n. 190
Miau, 344 n. 153
Mi idolatrado hijo Sisí, 200
Míguez, Alberto, 229
Mihura, Miguel, 30
Milagro en Milán, 170
Millón de muertos (Un), 198, 323 n. 111
Mina (La), 163, 233
Miquelarena, Jacinto, 30, 40
Mira, Juan José, 179, 180
Miró, Gabriel, 17, 69, 71, 72, 98, 99, 118, 119
Miscelánea (de Luis Zapata), 50
Miss Giacomini, 44
Mister Witt en el Cantón, 11, 61
Moix, Ana María, 277, 280 n. 33, 283 n. 40, 287 n. 49, 288, 292 n. 60, 362
Molina Campos, Enrique, 175
Molina Foix, Vicente, 317 n. 98
Molist, Esteban, 174
Momia de Rebeque (La), 23
Moneda en el suelo (La), 82
Mono azul (El) (novela de Aquilino Duque), 270 n. 15, 356 n. 199
Monólogo de una mujer fría, 187
Montero, Isaac, 293 n. 60, 294, 331 n. 127, 339 n. 142
Montero Galvache, Francisco, 119
Montes, Eugenio, 68, 72, 126

Montes, María José, 19
Moragas Roger, Valentín, 111
Morales, Rafael, 57, 207
Morán, Fernando, 120, 156, 163
Morgan, Carlos, 82
Mostaza, Bartolomé, 174
Mota, Eugenio R. de la, 292 n. 59
Mourlane Michelena, Pedro, 50
Moya Huertas, Miguel, 70
Mrs. Caldwell habla con su hijo, 314
Muchachas de Brunete (Las), 43
Muertes de perro, 28, 257
Muertos no se cuentan (Los), 177
Mujer a la medida (Una), 16
Mujer de otro (La), 180
Mujer del tío Garrota (La), 31
Mujer en la calle (Una), 34, 39
Mujer fea (Una), 176
Mujer nueva (La), 176, 177, 201
Mujeres del Imperio, 79
Mújica Láinez, Manuel, 266
Mundo de Juan Lobón (El), 270 n. 15
Mundo de los espejos (El), 82, 162
Mundo para Julius (Un), 265
Mundo sigue (El), 230
Muñiz, Mauro, 155, 156, 205
Muñiz-Romero, Carlos, 270 n. 16
Muñoz Cortés, Manuel, 67, 92, 94, 101, 115, 116, 125, 134
Muñoz San Román, José, 18
Murciano, Carlos, 281 n.

Nada, 86, 89, 94, 95, 107, 112, 113, 119, 120, 125, 126, 127, 130, 149, 300
Nadal, Eugenio, 85
Naranja, 272 n. 20
Naranjos de la Mezquita (Los), 13
Narraciones de la España desterrada, 259

Narrativa española fuera de España (1939-1961), 28, 258
Nasa, 60, 92, 139, 140
Naufragio del Mistinguett (El), 21
Naval, Eduardo, 229
Navales, Ana María, 225
Neville, Edgard, 42, 127
Nervios de la raza, 110
Nieto, Ramón, 156, 164, 165, 166, 252, 253, 292 n. 59, 336 y n. 137
Nina, 112
Ninfas (Las), 358
Niña Huanca, 356 n. 197
No encontré rosas para mi madre, 358 n. 205
No era de los nuestros, 163, 243
No queremos resucitar, 96
Noche (La), 180
Noche de las cien cabezas (La), 16
Noche de San Juan, 86
Noche sin riberas (La), 321
Noches del Buen Retiro (Las), 16
Noel, Eugenio, 109
Noguera, Enrique, 40
Nora, Eugenio de, 17, 57, 115, 149, 191, 252
Noria (La), 200, 203, 204
Nos matarán jugando, 242
Nosotros los leprosos, 113
Nosotros los muertos, 112
Nosotros los Rivero, 179, 199
Notas sobre literatura española contemporánea, 114, 165, 173
Novela española actual (ciclo de la Fundación "Juan March"), 294 ns. 63 y 64, 299 n. 73, 301 n. 77
Novela española actual (libro de García Viñó), 243 ns. 41 y 42, 244 n. 45
Novela española actual (La) (libro de Corrales Egea), 120 n. 138, 155 n. 9, 169 n. 43

Novela española contemporánea, 191
Novela española de la guerra civil (1936-1939) (La), 197
Novela española del siglo XX (La) (II), 364
Novela intelectual, 245
Novela social española (La), 324 n. 113, 333 n. 129
Novela y semidesarrollo, 120
Novelas de Azorín (Las), 116, 129
Novelas [españolas] contemporáneas, Las mejores, 15 n. 7, 35 n. 38, 40 n. 41, 44 n. 49, 110 n. 111, 368 n. 231
Novelistas españoles contemporáneos, 73
Novia del viento (La), 28
Novillo del alba (El), 292 n. 58
Nuevas amistades, 181, 206, 208, 233, 286
Nueve millones, 83
Nueve puñales (Los), 15
Nuevo Lazarillo (El), 84, 159
Nuevos lances y picardías de Lola espejo oscuro, 319
Nunca llegarás a nada, 293
Núñez, Antonio, 165, 225, 235, 252, 336 n. 137, 367 n. 226
Núñez Alonso, Alejandro, 177, 178, 179, 186, 187, 202, 250

Obregón, Antonio de, 16
Obsceno pájaro de la noche (El), 264
Obsesión del misterio (La), 31
Octaedro, 266
Ocho, siete, seis, 280 n. 33, 281 n.
Off-side, 300
Oficio de muchachos, 233, 234
Oficio de tinieblas 5, 314, 315 y ns. 96 y 97, 316
Ojea, Jorge Arturo, 229
Olmo, Lauro, 191
Olor a crisantemo (Un), 258
Omar, Alberto, 273

Onetti, Juan Carlos, 266
Onieva, Rafael, 347 n. 159, 359
Opinión de los demás (La), 21
Oro de los galeones (El), 33
Orozco, Manuel, 110
Ors, Eugenio D', 20, 34, 45
Ortega, José, 355 n. 196
Ortí Bordás, José Miguel, 159
Ortoll, María Mercedes, 41
Ory, Carlos Edmundo de, 161, 273 n.
Oscura historia de la prima Montse (La), 330, 335
Oscuro heroísmo, 29
Otero Pedrayo, Ramón, 45
Otero Seco, Antonio, 133
Otero Silva, Miguel, 335 n. 134
Otoño del patriarca (El), 264
Otra casa de Mazón (La), 294
Otra vertiente, 322 n. 106
Otro árbol de Guernica (El), 248
Otro bando (El), 269 n. 15

Pabellón de reposo, 54, 83, 118
País de García (El), 293 n. 60
País del largo viaje (El), 263 n. 6
País portátil, 249
Palabras en el muro, 360 n. 213
Palacio Valdés, Armando, 17, 26
Palomares, Alfonso S., 363
Palley, Julián, 111
Panero, Leopoldo, 57, 98, 99, 105
Panorama de la literatura española contemporánea, 93
Pantaleón y las visitadoras, 264
Parábola de un náufrago, 226, 311, 327
Paradiso, 272
París, Berlín, Moscú, 14
"Parmeno" (seud. de J. López Pinillos), 109
Parte de una historia, 228
Pasajero de Ultramar (El), 311
Pascua triste (La), 300

Pascual, Ángel María, 20, 75, 117
Pasos sin huellas, 173, 174, 180
Paz de la guerra (La), 22
Paz empieza nunca (La), 180
Pavese, Cesare, 165
Pedrós, Ramón, 274 n. 24, 283 n. 40, 359 n. 209
Pemán, José María, 33, 57, 150
Pensión, 204
Peña, José Luis, 90
Pepa Niebla, 350 n. 182, 361 n. 214
Pequeño teatro, 162, 180
Pérdida y reconquista de Teruel, 34
Perera, Hilda, 264 n.
Pérez, P. Quintín, 130
Pérez de Ayala, Ramón, 17, 70, 71
Pérez Calderón, Miguel, 247, 347 n. 158
Pérez Ferrero, Miguel, 15, 16, 70
Pérez Madrigal, Joaquín, 29, 198
Pérez Minik, Domingo, 356 n. 200
Pérez y Pérez, Rafael, 41, 89
Pérez Sánchez, Antonio, 33
Pérez Valiente, Salvador, 76, 140, 188
Perico en Londres, 28
Perlado, José Julio, 207
Persona non grata, 265
Personas decentes (Las), 13
Perspectiva humorística en la trilogía de Gironella, 323 n. 111
Petit, Juan, 166, 181
Petrarca, 298
Piano (El), 32
Pilar, 35
Pilares, Manuel, 161
Pinilla, Ramiro, 175, 281 n., 293 y n. 60, 296 y n. 68, 322 n. 107, 361 n. 214
Piñeiro, Ramón, 228

Pipo perro, 33
Piqueta (La), 233, 286
Piso bajo, 27
Pla, Juan, 291 n. 58, 293 n. 60
Pla y Deniel, Enrique, 102, 103, 104 n., 107
Plaza del Castillo, 103, 192, 194
Plaza del diamante (La), 225
Poblador, Juan José, 204
Pobres contra los ricos (Los), 107 n. 107
Pobres estorban (Los), 160
Poema en prosa en España (El), 117
Poesía heroica del Imperio, 60
Pólvora mojada, 293 n. 60
Pombo Angulo, Manuel, 32, 83, 88, 127, 176, 202, 350
Ponce de León, José Luis S., 197
Ponce de León, Luis, 52, 64, 81, 99, 107, 120
Porcel, Baltasar, 228, 277, 280 n. 33, 284
Por qué luchó un millón de muertos, 198 n. 107
Por quién doblan las campanas, 197
Pradera, Juan José, 20, 23
Patrolini, Vasco, 161, 165, 216
Precursor (El), 348 n. 165
Premio (El), 135, 177, 178, 246
Premios:
  Adonais, 87
  Aguilar, 247, 291 n. 58, 347 n. 161, 348 n. 167, 349 n. 179, 360 n. 213
  Alfaguara, 228, 246, 263, 270 n. 15, 291 n. 58, 333 n. 130, 348 n. 167, 349 ns. 178 y 179, 358 n. 205
  Álvarez Quintero, 135, 292 n. 58, 320 n. 105, 343 n. 150, 349 n. 171
  Ateneo "Jovellanos" (Gijón), 351 n. 186
  Ateneo de Sevilla, 270 n. 15, 320 n. 105, 321, 348 n. 165, 350 y ns. 181 y 182

Barral, 263 y n. 4, 280 n. 33, 283, 284 n. 41, 292 n. 58, 317 n. 98, 348 ns. 165, 167 y 168, 349 n. 179, 354

Benito Pérez Armas, 272, 349 n. 179, 355

Biblioteca Breve, 176, 181, 206, 222, 223, 227, 240, 247, 248, 249, 263, 270 n. 15, 291 n. 58, 294, 311, 312, 313, 335, 337, 348 n. 167, 349 ns. 176 y 179, 354

Bullón, 246, 324 n. 112

Café Colón, 347 n. 161, 348 n. 168, 350, 351

Canarias, 272, 348 n. 168, 349 n. 177

Ciudad de Barcelona, 243, 258, 270 n. 15, 328 n., 353 n. 190

Ciudad de Barbastro, 264 n.

Ciudad de Irún, 322 n. 106

Ciudad de Lérida, 349 n. 179

Ciudad de Marbella, 270 n. 15, 291 n. 58, 348 n. 168, 349 n. 179

Ciudad de Oviedo, 348 n. 167

Ciudad de Palma, 349 n. 179

Concha Espina, 188

Crítica (de la), 174, 175, 177, 205, 225, 254, 270 n. 15, 325 n. 116, 326 n. 119, 333, 340, 342 n. 147, 349 ns. 171, 172 y 176, 355 n. 195, 356, 371 n. 6

Cultura Hispánica, 135

Don Quijote, 176, 202

Elisenda de Moncada, 269 n. 15

Emilia Pardo Bazán, 229, 251

Eulalio Ferrer, 348 n. 168

Fastenrath, 18, 88, 127, 190, 249, 250, 320 n. 105, 321, 324 n. 115, 326 n. 119, 349 ns. 171 y 175

Fémina, 176

Formentor, 206

Francisco Franco, 61, 88

Fundación March (para Crítica literaria), 173

Fundación March (para Novela), 176, 300

Gabriel Miró, 263, 349 n. 179

"Índice de Artes y Letras", 162

Internacional de Primera Novela, 82, 88, 328 n.

José Antonio Primo de Rivera, 61, 88, 102, 350 n. 199

Joven Literatura, 82, 162

Juventud, 160

Larragoiti, 135

Larreta, 88

Laurel del Libro, 202

Leopoldo Alas, 243

Lope de Vega, 87

Menorca, 176, 201

México, 335 n. 134

Miguel de Cervantes, 88, 135, 176, 243, 247, 248, 270 n. 15, 324 n. 112, 326 n. 119, 349 n. 171, 353 n. 190, 356

Nacional de Literatura, 11, 18, 19, 60, 134, 272 n. 17

Nadal, 73, 84, 86, 87, 88, 112, 114, 115, 119, 125, 126, 154, 162, 163, 173, 174, 175, 176, 178, 179, 184, 186, 191, 199, 202, 214, 227, 247, 263, 264 n., 270 n. 15, 291 n. 58, 296, 325, 326, 347 n. 162, 348 n. 165, 349 n. 174, 357

Novelas y Cuentos, 281 n., 292 n. 58, 297, 348 n. 168, 349 n. 179, 358, 359 y n. 208, 364

Nueva Crítica (de la), 292 n. 58, 312 n. 89, 348 n. 168, 349 ns. 171, 172 y 176, 357

Pérez Galdós, 272, 320 n. 105

Planeta, 162, 173, 176, 179, 180, 185, 224, 225, 247, 249, 263, 264 n., 270 n. 15, 277, 296 n. 77, 297, 318 y n., 320, 322, 323, 347 ns. 162 y 164, 348 n. 165, 349 ns. 173 y 178, 350 y n. 182, 352, 353 n. 189, 364, 372 n. 8

Puente colgante, 348 n. 168

Ramón Llull, 245

Ruedo ibérico, 331 n. 126

Sésamo (novela corta), 270 n. 15

Unamuno, 88

Vicente Blasco Ibáñez, 263 n. 4, 347 n. 179

Villa de Madrid, 347 n. 159, 348 n. 168, 359

Primera memoria, 59

Presente profundo, 340, 342, 343

Prieto, Antonio, 156, 166, 180, 187, 189, 243, 244, 281 n., 292 n. 58, 293 y n. 60, 297, 298, 299 n. 71, 351 n. 183, 359 y n. 209

Princesa durmiente va a la escuela (La), 304

Princesas del martirio, 41

Príncipe destronado (El), 327

Problemas de la novela, 164, 169, 170, 172, 206

Prólogo a una muerte, 297, 298

Prosa novelesca actual, 168, 252

Proust, Marcel, 73, 274

Publicaciones periódicas:

ABC (de Madrid), 41, 46, 64, 67, 70, 76, 80, 109, 113, 122, 125, 126, 127, 136, 161, 173, 193, 198, 206, 233, 252, 255, 257, 268 n. 12, 272 n. 18, 274 n. 24, 283 n. 40, 290 n. 53, 295 n. 66, 296 n. 67, 299 n. 72, 308, 315 y n. 96, 316, 318 n., 320 ns. 103 y 105, 322 n. 107, 325 n. 117, 332 n., 333 n. 131, 343 ns. 148 y 149, 351 n. 185, 352 n. 188, 359 n. 209, 360 ns. 212 y 213, 363 n., 364, 365 n. 219, 371 n. 7

ABC (de Sevilla), 21, 314 n. 94

Acento cultural, 164, 181, 198, 207, 251, 312 n. 90

Alcalá, 159

Alcázar, El, 187, 207

Alerta, 70

Alférez, 108

Anales de la novela de posguerra, 300 n. 75, 315 n. 97, 337 n., 355 n. 196, 369

Año literario español 1975 (El), 292 n. 59, 350 n. 180

Año literario español 1976 (El), 311 n. 87, 350 n. 180

Arbor, 149, 341 n. 145

Arte y letras, 24, 59, 80, 90, 123, 124, 134, 138, 139, 140

Arts, 190

Arriba, 65, 66, 67, 70, 71, 92, 94, 114, 125, 126, 136, 144, 174, 225, 251, 334 n. 133

Avanzada, 281 n., 282 n. 36, 283 n. 39, 284 n. 43, 287 n. 50

Azor (revista), 50

Bibliografía Hispánica, 95, 107

Blanco y Negro, 41, 251

Camp de l'arpa, 175, 272 n. 18, 336 n. 136, 338 n. 139

Clavileño, 144

Claridad, 64

Correo literario, 52, 96, 109, 114, 120, 152, 182, 193, 197, 199

Cuadernos (París), 198, 208, 218

Cuadernos Hispanoamericanos, 172, 193, 234, 236, 257, 331 n. 127

Cuadernos de literatura contemporánea, 41, 58, 72, 77, 84, 94, 113, 123, 140
Cuadernos para el diálogo, 155, 228, 294, 308
Debate, El, 51
Destino (semanario), 73, 85, 87, 92, 115, 124, 126, 156, 162, 169, 174, 184, 204, 228, 247, 364
Diario de Barcelona, 174
Domingo, 21, 27, 70
Ecclesia, 67, 99, 100, 123
Eidós, 154
Entregas de poesía, 86
Escorial, 20, 40, 49, 50, 51, 58, 68, 70, 71, 76, 79, 90, 93, 94, 111, 113, 125, 136
España (de Tánger), 92, 174
Español, El, 44, 48, 50, 51, 52, 53, 54, 57, 58, 60, 62, 63, 65, 67, 74, 75, 93, 117, 118, 139, 140
Espadaña, 115
Estafeta literaria, La, 50, 51, 52, 53, 54, 55, 57, 58, 59, 67, 68, 69, 75, 76, 77, 82, 86, 88, 91, 92, 95, 99, 104, 111, 120, 124, 125, 126, 131, 132, 134, 140, 153, 169, 174, 183, 185, 186, 187, 188, 191, 203, 205, 207, 225, 226, 231, 234, 241, 244, 250, 251, 261 n. 1, 281 n., 285 n. 44, 287 n. 47, 288 n. 51, 291 n. 55, 292 n. 59, 302 n. 80, 324 ns. 112 y 115, 364
Fantasía, 36, 51, 53, 56, 57, 58, 118, 148
F. E., 20
Finisterre, 149
Gaceta ilustrada, 364
Gaceta literaria, 223
Gaceta regional, La, 20
Garcilaso, 58, 72, 97
Grial, 228
Haz, 63, 122, 159

Hechos y dichos, 130
Heraldo de Aragón, 174
Hispania, 108
Hora, La, 159
Imagen, 237, 244
Índice de artes y letras, 128, 134, 157, 167, 169, 174, 175, 190, 193, 199
Índice literario, 11, 12, 13, 15
Informaciones, 174
Informaciones de las Artes y las Letras, 227 n. 8, 247 n. 52, 254 ns. 65 y 66, 257, 259 n. 81, 261 n. 2, 263 n. 5, 274 n. 7, 269 ns. 13 y 14, 275 ns. 25 y 26, 281 n., 282 n. 37, 285 n. 45, 287 n. 48, 289 n. 52, 290 n. 54, 291 ns. 55, 56 y 57, 292 n. 59, 299 n. 71, 304 n. 308, 309 n., 310 n., 315, 322 n. 108, 346 n. 157, 347 n. 160, 364
Ínsula, 23, 50, 77, 109, 110, 112, 115, 116, 157, 158, 161, 164, 165, 167, 169, 173, 174, 189, 190, 199, 200, 203, 207, 218, 221, 222, 224, 225, 226, 231, 232, 234, 235, 236, 240, 241, 246, 251, 252, 269 n. 13, 284 n. 41, 285 n. 44, 286 n. 46, 287 n. 48, 289, 295 n. 65, 300 n. 76, 303 n., 313 n. 92, 315, 326 n. 118, 328 n., 330 n., 334 n. 132, 336 n. 137, 339 n. 141, 345 n. 155, 348 n. 169
Jerarquía, 20, 60, 100
Juventud, 67, 121, 141, 144, 159
Lecturas, 174
Leonardo, 134
Libertad, 20
Libros y discos, 367 n. 223
Madrid, 251
Mediodía, 20

Misión, 45
Mundo hispánico, 20
Mundo nuevo, 212, 221, 226, 240, 255, 338 n. 139
Norte, 249 n. 63, 367 n. 223
Noticiero universal, El, 174, 181
Novela Breve, La, 31
Novela Corta, La, 31, 290
Novela Nueva, La, 19, 21
Novela Popular, Contemporánea, Inédita, Española, La, 33
Novela del Sábado, La (1.ª época), 29, 30, 31, 34
Novela del Sábado, La (2.ª época), 32
Novela de una hora, La, 17
Novela de Vértice, La, 22, 31
Novelas y Cuentos, 110, 258
Novelistas, Los, 21
Novelistas de hoy, 31, 323
Nuestro tiempo, 207
Nueva España, La, 59, 155, 199, 230, 296 n. 68, 341 n. 144
Papeles de Son Armadáns, 122, 151, 164, 167, 191, 204, 221, 227, 235, 316 n. 99, 340 n.
Pueblo, 99, 280 n. 35, 298 n. 70, 333 n. 130, 356 n. 200, 364
Punta Europa, 207
Punto, 112
Región, 193
Reseña, 221, 225, 226, 227, 245, 246, 248, 270 n. 16
Revista, 174, 199
Revista Española, 160, 161, 293, 323
Revista Hispánica Moderna, 108, 122, 150, 234, 366 n. 222
Revista de Literatura, 243
Revista de Occidente, 108, 110, 121, 133, 226, 232

Revista de la Universidad de México, 229
Santo y Seña, 44, 59, 68, 70, 91, 93, 130
Sí, 65, 66, 71
Solidaridad nacional, 50
Sur, 20
Tajo, 40, 140
Triunfo, 48, 49, 51, 159, 221, 238, 240, 276, 277, 284 n. 42, 317 n. 98, 353 n. 189
Urogallo, El, 267 n. 9
Vanguardia Española, La, 174
Verdad y Vida, 67, 95, 107
Vértice, 22, 23, 58, 70, 123, 133, 136, 139, 140, 146, 227
Vida Hispánica, 154
Voz de Asturias, La, 327 n. 121
Voz de España, La, 20, 130
Ya, 90, 173, 174, 229, 250, 327 n. 122, 357 n. 203
Pueblo, 99
Puente, El, 34, 42
Puente, Blanca de la, 179
Puente, José Vicente, 19
Puercos de Circe (Los), 273
Puerta de paja (La), 199, 200
Pujol, Agustín, 202
Pujol, Juan, 21, 23
Punto de referencia, 280 n. 33, 287 n. 50

Quemado vivo, 111
Quevedo, Francisco de, 109
Quién es quién en las letras españolas, 141
¡Quién sabe!, 40
Quinta del S.E.U., 63, 66, 101, 157
Quinta soledad (La), 72, 97, 98, 99, 116, 343, 368 ns. 230 y 232
Quinto, José María de, 159, 161, 164, 239

Quiñonero, Juan Pedro, 282, 291 n. 55, 309 n., 341 n. 146, 346 y n. 157
Quiñones, Fernando, 227
Quiroga, Elena, 33, 87, 175, 189, 190, 340, 342, 343

Rabinad, Antonio, 82
Radiografía de una sociedad promocionada, 169
Rama, Ángel, 266
Ramírez, Víctor, 273
Rapto de las sabinas (El), 325 n. 116
Raros y olvidados (La promoción de "El Cuento Semanal"), 27
Ratas (Las), 175, 326 n. 119
Rayuela, 262
Rebelión de los estudiantes (La), 64
Rebelión de los personajes (La), 36
Recuento, 337 y n.
Redoble por Rancas, 265
Redondo, Susana, 367 n. 223
Regenta (La), 164
Reinado de Witiza (El), 325 n. 116
Reivindicación del conde don Julián, 221, 338
Remarque, Erich María, 36, 37, 63
Répide, Pedro de, 141
República Barataria, 50
Requena, José María, 269 n. 13, 270 n. 15, 348 n. 165, 358 y n. 204
Resaca (La), 209, 212, 214, 215, 216, 217, 233
Resucita un aroma tenue, 118
Retablo sacro del Nacimiento del Señor, 93
Retaguardia, 18
Retahilas, 326
Retorno a la tierra, 60
Retorno de Ulises (El), 304

Revolución y la crítica de la cultura (La), 158, 161
Revuelta, Jesús, 62, 63, 97
Revueltas, José, 335 n. 134
Rey, P. Juan, 198
Rey de gatos, 280 n. 33, 281 n.
Riccio, Alessandra, 337 n.
Rico, Eduardo G., 237, 238, 241, 242
Rico, Manuel Antonio, 155
Ridruejo, Dionisio, 20, 48, 49, 51, 67, 95, 301
Río, P. Emilio del, 245, 256
Río Tajo, 19
Rioja, Eugenio de, 296 n. 68
Ríos Ruiz, Manuel, 324 n. 115
Risco, Vicente, 45, 179, 199
Rito (El), 358
Rivas Cheriff, Dolores, 353
Robbe-Grillet, Alain, 166, 167
Roberts, Cecil, 76
Roberts, Gemma, 315 n. 97
Rocabruno bate a Ditirambo, 310
Rodoreda, Mercedes, 225
Rodríguez, Josefina, 161
Rodríguez Alcalde, Leopoldo, 201, 202, 203
Rodríguez-Aragón, Horacio, 57
Rodríguez Jiménez, Víctor, 274 ns. 22 y 23
Rodríguez Monegal, Emir, 212, 221
Rodríguez Moñino, Antonio, 160
Rodríguez Padrón, Jorge, 272 n. 18, 273 y n., 331 n. 127, 340 n.
Roedor de Fortimbrás (El), 310
Rogmann, Horts, 339 n. 141
Rojas, Carlos, 156, 242, 243, 244, 245, 248, 347 n. 164, 350 n. 182, 352, 353
Rojo y gualda, 16
Romero, Emilio, 180
Romero, Luis, 33, 200, 231
Romero de Tejada, José, 179
Ronda de los galanes (La), 29
Ros, Samuel, 23, 28, 30, 50

Rosa, Julio M. de la, 270 n. 15
Rosa Krüger, 192
Rosales, Luis, 60, 92, 93
Rosillo, Rafael, 31
Rostro de España (El), 101, 115
Royo, Rodrigo, 348 n. 165
Rubio, Rodrigo, 156, 169, 248, 359 y ns. 210 y 211, 361 n. 214
Ruiz-Castillo Basala, José, 80, 110
Ruiz Contreras, Luis, 58
Ruiz Copete, Juan de Dios, 267 y n. 10, 314 n. 94
Ruiz Iriarte, Víctor, 57
Rulfo, Juan, 313 n. 91
Rust, John B., 189

Sabor del pecado (El), 14
Sáez Alonso, Mercedes, 354
Saga/fuga de J.B. (La), 293 n. n. 60, 299, 302, 303 y n., 304, 306, 307, 308, 356, 357
Sagarra, Joan de, 283
Sainz de Robles, Federico Carlos, 27, 33, 115, 226, 250, 251, 327, 371 n. 4
Sal perdida (La), 60, 117, 343, 368 n. 232
Saladrigas, Robert, 338 n. 139
Salas, Jaime de, 34
Salaverría, José María, 17, 21, 23, 34, 39
Salazar Chapela, Esteban, 16, 28
Sales, Joan, 189
Salinas, Jaime, 355
Salinas, Pedro, 16, 27
Salisachs, Mercedes, 166, 347 n. 162, 352, 353
Salón de té, 17
Salvador, Tomás, 174, 177, 180, 183, 185, 229
Salvadora de Olbena, 129
Sambenito (El), 293 n. 60
Sampelayo, Juan, 123
San Alejo, 16
San Camilo..., 225, 226, 311, 314

San Martín, Manuel, 242, 243
Sánchez Barbudo, Antonio, 19
Sánchez Camargo, Manuel, 112
Sánchez del Arco, Manuel, 34
Sánchez Diana, José María, 51
Sánchez Espeso, Germán, 280 n. 33, 284, 286 n., 288
Sánchez Ferlosio, Rafael, 119, 152, 154, 156, 160, 161, 162, 166, 178, 189, 190, 191, 192, 203, 205, 368 n. 227
Sánchez Marín, F., 67
Sánchez Mazas, Rafael, 63, 70, 119, 152, 190, 192, 193, 194, 344 n. 153
Sánchez Silva, José María, 368 n. 227
Sandoval, Adolfo de, 79
Santa Marina, Luys, 36, 38, 50, 78
Santos, Dámaso, 132, 159, 192, 225, 229, 251, 268 n. 11, 280 n. 35, 298, 359 n. 209, 364, 365, 368 n. 232
Santos Fontenla, César, 129, 238
Sanz Villanueva, Santos, 149
Sarraute, Nathalie, 166, 171, 239
Sastre, Alfonso, 49, 156, 158, 159, 161, 221, 239, 240
Sastre, Luis, 153
Saturno y sus hijos, 16
Scorza, Manuel, 265
Se enciende y se apaga una luz, 180
Se ha ocupado el km. 6, 36, 39, 40, 146
Se vende un hombre, 320 n. 104, 321, 350 n. 182
Secretum, 281 n., 292 n. 58, 293 n. 70, 297, 298, 299 n. 71, 359
Sed (La), 147
Seis delfines, 77
Seis novelas superhistóricas, 27
Seix, Víctor, 181
Senabre, Ricardo, 154, 155, 221

Sender, Ramón J., 11, 17, 18, 28, 61, 225, 229, 248, 258, 371 y n. 4
Seno, 293 n. 60, 296 y n. 67, 297, 322 n. 107, 361 n. 214
Sentís, Carlos, 73
Señas de identidad, 221, 240, 338
Señor ex-ministro, 372 n. 8
Señor llega (El), 176, 300
Señorita (La), 292 n. 59, 336
Serna, Víctor de la, 18
Serrano, Eugenia, 57, 60, 114, 152
Serrano Poncela, Segundo, 28, 258
Si te dicen que caí, 335 n. 135, 362 y n. 217
Siempre en capilla, 162, 173, 178
Sierra, Julio, 86
Sierra, Ramón, 193
Sierra de Aralar, 19
Siestas con viento Sur, 249, 326 n. 119
Siete Cucas (Las), 110
Siete ensayos y una farsa, 50
Siglo llama a la puerta (Un), 246, 324 y n. 112
"Silencioso, El" (seud. de Julio Trenas), 55, 58, 126
Símbolo, 29
Sin novedad en el frente, 37, 145
Sin patria, 88
Sinrazón (La), 27
Sirena de pólvora, 40
Sobejano, Gonzalo, 235
Sobre las piedras grises, 87
Sociedad anónima, 204
Soldados lloran de noche (Los), 250
Soldevila-Durante, Ignacio, 300 n. 75
Soler, Bartolomé, 68, 119, 150, 177, 179, 329 n. 124
Solís, Ramón, 161, 246, 270 n. 15, 323, 324 ns. 114 y 115, 366 n. 222, 369 n. 232

Solitarios (Los), 130
Solo de trompeta, 310
Sombra de las banderas (La), 350
Sombra del ciprés es alargada (La), 86, 112, 113
Sombra del paraíso, 83, 159
Sonámbula del sol, 263 n. 6
Sonetos de un verano antiguo y otros poemas, 194
Soñar la vida, 40
Sopeña, Federico, 114
Sordo, Enrique, 281 n., 287 n. 47
Sorrolla, José A., 361 n. 215
Soto, Vicente, 247, 359, 365
Soto Aparicio, F., 181
Souvirón, José María, 33, 250
Suárez, Gonzalo, 281 n., 310 y n.
Suárez, Jaime, 159
Suárez, Marcial, 112
Suárez Carreño, José, 50, 73, 87, 128, 130, 290
Suárez Caso, Manuel, 62
Suárez Torres, J. David, 323 n. 11
Sub-rosa, 294
Sueiro, Daniel, 156, 157, 163, 164, 168, 181, 235, 240, 241, 253, 262
Sueños, 118
Superrealismo, 99
Supremo bien (El), 135
Surcos (Los), 82, 124, 366 n. 228
Susana, 22, 129

Tachero, 272
Tamayo, Juan Antonio, 91, 94, 134
También murió Manceñido, 280 n. 33, 281 n., 285 n. 44, 286
También se muere el mar, 163
Tántalo, 15
Tapia, José Félix, 86, 119
"Teatro de Agitación Social" (TAS.), 159

"Tebib Arrumi" (seud. de Víctor Ruiz Albéniz), 34
Teixidor, Juan, 86
Tejera, Nivaria, 263 n. 6
Terraza de los Palau (La), 86
Tesoro del holandés (El), 29
Testa de copo, 332, 333
Testamento español (Un), 197
TEU., Los, 49, 159
Tiempo de destrucción, 223 n.
Tiempo de silencio, 151, 153, 221, 223 y n., 279, 366
Tiempo de sombras, 371 n. 5
Tierra amenazada (La), 87
Tierras del Ebro, 40, 82
Tigre Juan, 17
Tirano inmóvil (El), 360 n. 213
Todas esas muertes, 263 n. 6
Todavía, 348 n. 165
Tola de Habich, Fernando, 261, 371
Tomás, Mariano, 13, 16, 29, 89
Tomeo, Javier, 246
"Tono" (seud. de Antonio de Lara), 30
Tonto discreto (El), 44, 53
Toral, José, 15
Torbado, Jesús, 246, 253, 372 n. 8
Tormenta de verano, 204, 206, 223, 286
Toro, Gregorio del, 179
Torrado, Adolfo, 159
Torre, Claudio de la, 16, 28, 40, 54, 271
Torre, Guillermo de, 169, 232
Torre, Rafael L., 281 n., 282 n. 36, 283 n. 39
Torrente, José Vicente, 53, 293 n. 60
Torrente Ballester, Gonzalo, 23, 33, 50, 60, 68, 71, 93, 95, 97, 100, 101, 132, 148, 153, 176, 193, 203, 234, 239, 293 y ns. 60 y 62, 299 y n. 72, 301 y ns. 79, 80 y 81, 303 ns., 304, 306, 307, 316, 356, 365, 369 n. 232

Torrente Malvido, Gonzalo, 156, 178, 231, 233
Torres Bodet, Jaime, 83
Torres González, Antonio, 351 n. 183
Torres Nilsson, Leopoldo, 126
Totó el bueno, 160
Tovar, Antonio, 20, 68, 91, 364
Trabazo, Luis, 199
Travesía del horizonte, 293 n. 60
Treinta años de literatura en España, 155
Treinta años de literatura narrativa y poesía españolas (1939-1969), 229
Treinta años de novela española (1938-1968), 229, 364
Trenas, Pilar, 352 n. 188, 360 n. 212
Tres gracias (Las), 27
Tres horas en el Museo del Prado, 34
Tres pisadas de hombre, 180, 297
Tres tristes tigres, 249
Trías, Carlos, 279, 280 n. 33, 284 y n. 41, 286 n.
Tristán la Rosa, 179
"Tristán Yuste" (seud. de Octavio Aparicio López), 50, 54, 57, 111, 112
Tristura, 175, 342 n. 147
Trulock, Jorge, C., 33, 163, 166, 227, 281 n., 310, 311
Tumba (Una), 294
Turris eburnea, 82
Tú y yo somos tres, 57

Úlcera (La), 134
Ulrike tiene una cita a las ocho, 273
Última llave (La), 280 n. 33
Últimas banderas (Las), 248
Últimas horas (Las), 73, 87, 114, 128, 130, 320, 321
Últimas tardes con Teresa, 240, 335

Último pirata del Mediterráneo (El), 16
Último sábado (El), 325 n. 117
Umbral, Francisco, 46, 281 n., 327 n. 121, 351 n. 183, 358, 368 n. 227
Unamuno, Miguel de, 17, 26
Uno, 16
Uno por uno, 204
Urgoiti, José N. de, 358 n. 206
Uriarte, Fermín, 103, 145, 195
Urquía, José de, 31
Urrutia, Jorge, 368 n. 229
Usurpadores (Los), 28

Valbuena, Antonio de, 89
Valbuena Prat, Ángel, 135, 298 n. 69
Valdivielso, José Simón, 21
Valencia, Antonio, 130, 174, 251
Valente, José Ángel, 199, 232
Valera, Juan, 173
Valor y miedo, 28
Valverde, José María, 57, 166, 181
Valle, Adriano del, 45, 61, 93
Valle de los Caracas (El), 247
Valle en el mar (Un), 41, 88
Valle Inclán, Ramón del, 17, 71, 140
Valle sombrío, 176, 202
Vallés Primo, J., 351 n. 185
Vampireso español, 13
Vargas Llosa, Mario, 182, 223, 240, 254, 256, 262, 263, 264, 265, 267, 273 n., 335 n. 134, 336 n. 136, 355
Vaz de Soto, José María, 279, 280 n. 33, 283, 284 y n. 43, 286 n., 288, 348 n. 165, 362
Vázquez, Ángel, 180
Vázquez Azpiri, Héctor, 324 n. 114
Vázquez Dodero, José Luis, 149, 251, 359 n. 209
Vázquez Montalbán, Manuel, 46, 279, 280 n. 33, 281 n., 284, 285, 286 n., 288 n. 51

Vázquez Zamora, Rafael, 75, 86, 88, 92, 108, 114, 120, 131, 174, 178, 184, 202, 247, 289
Vega, José María de, 67
Vega, Luis Antonio de, 22, 23, 33, 40, 88, 135
Vela, Fernando, 79, 80
Vela Jiménez, Manuel, 50, 54, 57, 78, 92
Vencidos (Los), 156
Ventana daba al río (La), 368 n. 228
Verdad sin luz (La), 202
Verdaguer, Mario, 16
Verdes de mayo hacia el mar (Los), 337 n
Vergés, José, 86, 178, 276, 372 n. 8
Versos de un invierno, 137
Veyrat, Miguel, 89
Viaje de invierno (Un), 292 n. 58, 293, 294, 295, 314, 357
Viaje del joven Tobías (El), 60
Vicario (El), 109
Vida como es (La), 230
Vida de nadie (La), 179
Vida nueva de Pedrito de Andía (La), 119, 152, 190, 192, 193, 194
Vidal Cadellans, José, 163, 181, 243
Vidas contra su espejo, 118
Vidente (El), 29
Vidiella, Rafael, 19
Viejas voces (Las), 231
Viejos personajes, 11, 12, 70, 83, 128
Viento del Norte, 87, 342
Viento del Sur, 54
Viento se acuesta al atardecer (El), 356 n. 198
Vilanova, Antonio, 162, 174, 178, 192
Vilumara, Martín, 317 n. 98
Villalonga, Miguel, 44, 53, 57, 58, 73, 82
Villanueva, Darío, 294 n. 63, 311 n. 87, 365

Villar, Arturo del, 82
Villarta, Ángeles, 31, 70, 173
Villena, Luis Antonio de, 357 n. 203
Virgen rota (La), 15
Vísperas, 259
Vísperas, festividad y octava de San Camilo del año 1936 en Madrid, 225
Vittorini, Elio, 161, 165, 166
Viudas blancas, 18
Viudo Rius (El), 125
Vivanco, J. M., 367 n. 223
Vivanco, Luis Felipe, 60
Vizcaíno Casas, Fernando, 46, 335, 341 n. 144
Voluntad (La), 129
Volverás a Región, 294, 295, 311, 313 n. 92
Von Le Fort, Gertrudis, 200
Vorágine sin fondo, 14
Vuelve atrás, Lázaro, 297

Walter, ¿por qué te fuiste?, 280 n. 33, 283 n. 40, 288, 362
Wasserman, Jacob, 75
Wey, Valquiria, 229
Woolf, Virginia, 75

Ximénez de Sandoval, Felipe, 15

Ynduráin, Francisco, 173
Yo he sido teniente con "El Campesino", 29
Yo maté a Kennedy, 280 n. 33, 281 n., 288 n. 51
Yzurdiaga, Fermín, 117

Zamacois, Eduardo, 19, 27
Zamarriego, Tomás, 225
Zamora Vicente, Alonso, 365
Zancada (La), 247
Zanja (La), 332
Zarabanda, 83, 127
Zárate, Jesús, 263 n. 6
Zarzales (Los), 179
Zavattini, Cesare, 160
Zilahy, Lajos, 75, 76
Zubiaurre, Antonio de, 109
Zubiri, Javier, 49
Zulaica, Ramón, 356 n. 197
Zunzunegui, Juan Antonio de, 17, 23, 28, 40, 50, 60, 70, 71, 73, 75, 88, 94, 96, 123, 125, 132, 133, 134, 135, 136, 149, 150, 177, 178, 189, 190, 230, 249, 290, 318, 319 n. 101, 369 n. 232
Zúñiga, Juan Eduardo, 125

SUMARIO

ADVERTENCIA INICIAL   7

1. ANTES, EN Y DESPUÉS DE 1936   11

    Los años estériles de la guerra civil   18
    Exilio y post-guerra   26
    1940-1941, dos años de convalecencia   39

2. LOS DIFÍCILES Y OSCUROS AÑOS 40   46

    I.   Voluntad de resurgimiento   49
         "*El Español*", "*La Estafeta Literaria*",
         "*Fantasía*"   51
         Escuela Oficial de Periodismo   59
         Editora Nacional   59
         Premios Nacionales de Literatura   60
    II. ¿Una nueva estética?   61
         La tradición realista   69
    III. Traducciones, biografías, actividad editorial ...   74
    IV. El "Nadal"; los premios de novela   84
    V. ¿Una literatura sin crítica?   89
    VI. ...pero una novela con censura   94
         "*La quinta soledad*"   97
         "*La familia de Pascual Duarte*"   99
         "*Javier Mariño*"   100
         "*La fiel infantería*"   101
         "*La colmena*"   105
    VII. Hablemos del Tremendismo   107
    VIII. *Otras novelas distintas*   116
    IX. Crónica de varia lección   120
         Cuatro novelas de éxito   120
         Baroja y Azorín, supervivientes del 98 ...   128
         Lugar y fortuna de Zunzunegui   132
         Cuatro novelas olvidadas   136
    X. Final   148

3. DE "LA COLMENA" A "TIEMPO DE SILENCIO" (1951-1962)   151

    I.   Una nueva generación   153
   II. 1959: un coloquio y un libro teórico   166
  III. Crítica   172
  IV. Premios   175
   V. Censura   182
  VI. Recuento y comentario de novelas y nove-
       listas, tendencias y sucedidos   184
       Tres colecciones   184
       Las mujeres novelistas   186
       Una encuesta   187
       Dos novelistas en la Academia de la
          Lengua   190
       Balance en blanco y negro   191
       "La vida nueva de Pedrito de Andía" ...   192
       "Plaza del Castillo" y otras novelas de la
          guerra   194
       "La puerta de paja" y la novela católica.   199
       "La colmena" y la novela behaviorista ...   203
       El novelista Juan Goytisolo desde "Juegos
          de manos" a "Fin de fiesta"   208
       "Tiempo de silencio", cierre y apertura ...   221

4. CANSANCIO Y RENOVACIÓN (1962-1969)   224

    I.   1969, punto final   224
   II. El realismo "social": historia de un cansan-
       cio   230
  III. Datos sobre el grupo llamado "Metafísico" ...   242
  IV. Premios   245
   V. Crítica   251
  VI. Censura   252
 VII. La irrupción de los hispanomericanos y el
       retorno de los exiliados   254

5. EL FINAL DE LA POST-GUERRA: 1970 A 1975   260

    I.   La presencia hispano-americana   261
   II. "Narraluces" y "Narraguanches"   267
  III. Historia de un lanzamiento editorial   275
  IV. El año 1972, en el centenario de Pío Baroja.   289
   V. Experimentalismo, tradicionalismo, renovación.   308

A) *Experimentalismo* 309
B) *Tradicionalismo* 317
C) *Renovación* 329
D) *Coda* 339

VI. Premios y editoriales. El peso de la censura. 346
VII. La novela española de post-guerra, tema doctoral 363

6. EPÍLOGO 370

7. BIBLIOGRAFÍA CRÍTICA "SOBRE" LA NOVELA ESPAÑOLA ENTRE 1936 Y 1973 373

A. *Artículos* 377
B. *Folletos y libros* 439

ÍNDICE ONOMÁSTICO Y DE TÍTULOS 471

LITERATURA ✳ Y SOCIEDAD

TÍTULOS PUBLICADOS

1 / Emilio Alarcos, Manuel Alvar, Andrés Amorós, Francisco Ayala, Mariano Baquero Goyanes, José Manuel Blecua, Carlos Bousoño, Eugenio Bustos, Alfredo Carballo, Helio Carpintero, Elena Catena, Pedro Laín, Rafael Lapesa, Fernando Lázaro Carreter, Francisco López Estrada, Eduardo Martínez de Pisón, Marina Mayoral, Gregorio Salvador, Manuel Seco, Gonzalo Sobejano y Alonzo Zamora Vicente
EL COMENTARIO DE TEXTOS
(Tercera edición)

2 / Andrés Amorós
VIDA Y LITERATURA EN «TROTERAS Y DANZADERAS»
Premio Nacional de Crítica Literaria «Emilia Pardo Bazán», 1973

3 / J. Alazraki, E. M. Aldrich, E. Anderson Imbert, J. Arrom, J. J. Callan, J. Campos, J. Deredita, M. Durán, J. Durán-Cerda, E. G. González, L. L. Leal, G. R. McMurray, S. Menton, M. Morello-Frosch, A. Muñoz, J. Ortega, R. Peel, E. Pupo-Walker, R. Reeve, H. Rodríguez-Alcalá, E. Rodríguez Monegal, A. E. Severino, D. Yates
EL CUENTO HISPANOAMERICANO ANTE LA CRÍTICA

4 / José María Martínez Cachero
LA NOVELA ESPAÑOLA ENTRE 1939 Y 1969
(Historia de una aventura)

5 / Andrés Amorós, René Andioc, Max Aub, Antonio Buero Vallejo, Jean-François Botrel, José Luis Cano, Gabriel Celaya, Maxime Chevalier, Alfonso Grosso, José Carlos Mainer, Rafael Pérez de la Dehesa, Serge Salaün, Noël Salomon, Jean Sentaurens y Francisco Ynduráin
CREACIÓN Y PÚBLICO EN LA LITERATURA ESPAÑOLA

6 / Vicente Lloréns
ASPECTOS SOCIALES DE LA LITERATURA ESPAÑOLA

7 / Aurora de Albornoz, Manuel Criado de Val, José María Jover, Emilio Lorenzo, Julián Marías, José María Martínez Cachero, Enrique Moreno Báez, María del Pilar Palomo, Ricardo Senabre y José Luis Varela
EL COMENTARIO DE TEXTOS, 2 (De Galdós a García Márquez)

8 / José María Martínez Cachero, Joaquín Marco, José Monleón, José Luis Abellán, Jesús Bustos, Andrés Amorós, Pedro Gimferrer, Xesús Alonso Montero, Jorge Campos, Antonio Núñez, Luciano García Lorenzo. Apéndices documentales: Premios literarios
EL AÑO LITERARIO ESPAÑOL 1974

9 / Robert Escarpit
ESCRITURA Y COMUNICACIÓN

10 / José-Carlos Mainer
ANÁLISIS DE UNA INSATISFACCIÓN: LAS NOVELAS DE W. FERNÁNDEZ FLÓREZ

11 / José Luis Abellán, Xesús Alonso Montero, Ricardo de la Cierva, Pere Gimferrer, Joaquín Marco, José María Martínez Cachero, José Monleón. Apéndices documentales: Premios literarios y Encuesta
EL AÑO LITERARIO ESPAÑOL 1975

12 / Darío Villanueva, Joaquín Marco, José Monleón, José Luis Abellán, Andrés Berlanga, Pere Gimferrer, Xesús Alonso Montero. Apéndices documentales: Premios literarios
EL AÑO LITERARIO ESPAÑOL 1976

13 / Miguel Herrero García
OFICIOS POPULARES EN LA SOCIEDAD DE LOPE

14 / Andrés Amorós, Marina Mayoral y Francisco Nieva
ANÁLISIS DE CINCO COMEDIAS
(Teatro español de la postguerra)

15 / Margit Frenk Alatorre
ESTUDIOS SOBRE LÍRICA ANTIGUA

16 / María Rosa Lida de Malkiel
HERODES: SU PERSONA, REINADO Y DINASTÍA

17 / Juan Cano Ballesta, Antonio Buero Vallejo, Manuel Durán, Gabriel Berns, Robert Marrast, Javier Herrero, Marina Mayoral, Florence Delay, Luis Felipe Vivanco, Marie Chevallier y Serge Salaün
EN TORNO A MIGUEL HERNÁNDEZ

18 / Xesús Alonso Montero, Andrés Berlanga, Xavier Fábregas, Pere Gimferrer, Joaquín Marco, José Monleón y Darío Villanueva.
EL AÑO LITERARIO ESPAÑOL 1977